仿真与工业AI

智能教学的双轮驱动

吴重光　夏迎春　著

化学工业出版社
·北京·

内容简介

第一原理定量、定性与经验三者混合的工业知识建模与仿真，是实现工业 4.0、工业 AI 和数字化转型的关键技术。著名的艾斯本公司将混合建模与仿真认定为化学工业划时代的进展。作者团队历时 40 余年，完成两项国家 863 项目，使工业 AI 与混合建模仿真技术的研发和应用取得重大突破。其中智能化安全评估 HAZOP 软件，在国家应急管理部的领导与组织下实施技术推广，在化工与石化企业大规模应用成功；实时在线故障诊断专家系统使多个大型石化装置实现了长周期不间断运行。

为了推广普及工业 AI 技术，作者团队在工业领域成功应用的基础上，充分借鉴了现代智能教学技术发展的经验、启示和教训，进而成功研发了基于仿真的人工智能教学系统 SimAI3。该系统用混合模型和推理引擎跟踪教学过程，自动评估学生的认知技能水平，实现了个性化、启发式和探究式教学。是用 AI 技术学习工业 AI 技术的双重系统。其原理和方法适用于高校中的多种 STEM（科学、技术、工程和数学）课程，是一种普适化的智能教学技术。SimAI3 是工业 AI 技术与仿真实践密切结合的双轮驱动的智能化教学工具，所提供的技术广泛适用于多领域构建科学实验和工程实践的智能化教学与训练环境。

本书是工业 AI 关键技术和现代教学技术的详尽解读，适用于企业、高等院校的工业 AI 和工程实践教学。

图书在版编目（CIP）数据

仿真与工业 AI：智能教学的双轮驱动 / 吴重光，夏迎春著. -- 北京：化学工业出版社，2026.2. -- ISBN 978-7-122-49431-3

Ⅰ. G434

中国国家版本馆 CIP 数据核字第 20250C87S0 号

责任编辑：葛瑞祎　　文字编辑：周　童　孙月蓉
责任校对：边　涛　　装帧设计：张　辉

出版发行：化学工业出版社
（北京市东城区青年湖南街 13 号　邮政编码 100011）
印　　装：天津千鹤文化传播有限公司
787mm×1092mm　1/16　印张 17¼　字数 424 千字
2026 年 3 月北京第 1 版第 1 次印刷

购书咨询：010-64518888　　售后服务：010-64518899
网　　址：http://www.cip.com.cn
凡购买本书，如有缺损质量问题，本社销售中心负责调换。

定　　价：99.00 元

前言

第四次工业革命又称工业4.0，正以巨人的步伐大步走来。工业4.0以数字化、智能化和网络化为显著特征，其中工业人工智能（AI）发挥着至关重要的作用。

工业AI是人工智能技术与工业生产的融合，贯穿设计、生产、管理、服务等诸多环节，助力实现人类感知、分析、决策和行动（控制）等四种核心能力的超越。其本质是通用AI技术与工业场景、机理、知识结合，实现设计模式、生产决策、资源优化配置等创新应用。工业AI需要具备自感知、自学习、自执行、自决策、自适应的能力，以适应不断变化的动态工业环境，并完成多样化的工业生产任务，以便实现提升企业洞察力、提高生产效率、提高产品质量、节能环保、安全可靠等目标。

为了应对工业AI带来的挑战，需要在教育系统中加强对AI和相关技术的教育和培训，以培养未来的人-机协同的创新型AI技术人才。现代智能化教育和培训，将是未来AI发展的关键因素。

本书是针对如下两个主题的详尽解读。

- 什么是当前具体可行的工业AI技术？如何实现？
- 什么是当前具体可行的智能教学技术？如何实现？

国际公认的具体可行的工业AI核心技术是“数字孪生”知识建模、推理与仿真。作者及其团队在过程工业领域从事建模与仿真技术研究40余年，所研发的各种类型仿真器为我国石化、炼油与天然气工业培训了200多万技术工人和工程师，成功开发了智能化危险与可操作性分析（HAZOP）技术及软件平台。该平台在化工与石化数千个生产装置上大规模应用成功，为降低重特大事故发生概率作出贡献，被教育部列入“1+X”证书制度课程。智能化实时在线故障诊断专家系统在数套石化装置长周期不间断运行中应用成功。

大量的工业应用实践，使我们认识到实现工业AI的关键是拥有我国自主知识产权的知识图谱全谱建模、推理与仿真的AI软件平台，并且将其实实在在落地应用。本书对最新版AI3软件进行了比较详细的解读，期望有助于读者尽快掌握其基本原理、技术细节和实际应用。AI3是Artificial Intelligence 3（人工智能-3）的简称，是一个面向事件的人工智能专家系统软件平台。AI3可以用自然语言标准化、图形化、细粒度、直观、形象、方便和快捷地构建过程工业知识图谱全谱模型。新版AI3软件采用了划时代的“混合建模”技术，吸取了G2（世界著名实时在线专家系统）“零信任模型，始终验证”的优点。该模型有能力构建极为丰富的工业大数据、静态陈述性（又称声明性）知识和动态过程性知识的混合模型，其中涉及约占全部知识80%的隐性知识模型。AI3的演绎、归因和双向（溯因）因果反事实高效多功能推理决策，是新一代AI的核心技术之一，可以将知识模型中的隐性知识用自然语言显性化自动寻踪和解释。

AI3软件平台是实现传统“感知型”自动化企业转型为“认知型”智能化企业的具体实施软件，是实时在线沟通人-机协同的“桥梁”和“纽带”，AI3增强和放大了人的实时感知、实时分析、科学决策和精准行动与优化控制的能力，是实现多领域工业 4.0 数字孪生不可或缺的“利器”。

在开发与应用 AI3 的基础上，作者查阅了近 70 年来数万篇智能教学领域文献，通过对高引用率文献解读，吸取了启发、经验和教训，并将开发的仿真培训系统升级为基于仿真的智能教学系统 SimAI3［动手实践（Sim）和动脑思考（AI3）双轮驱动的智能教学认知工具软件平台］。本书比较全面深入地揭示了基于仿真的智能教学的知识体系。本书的目标是为我国教育改革和数字化转型提供切实的行之有效的理论、方法和技术。

本书介绍的 SimAI3 软件具有高度普适性和泛在性，基本原理和实施方法适用于科学、技术、工程和数学（STEM）教学领域，包括技能培训与科学实验教学。

SimAI3 的具体应用包括：提高学生（包括操作人员）过程工业仿真操作培训绩效；让学生“用专家的眼睛看世界”，提高开车、停车、事故处理、优化运行的准确识别、实时分析、科学决策及精准行动与控制等四种核心认知能力；实现基于计算机网络平台的远程（即教师不在身边）的个性化、启发式、探究式的智能化“专家陪练”教学；学习基于剧情案例的工业 4.0 数字孪生建模与仿真实践及验证技术；实现基于剧情案例的科学与工程实验课程的细粒度模型跟踪智能教学；学习基于人工智能的过程工业系统深度安全评价技术［例如 HAZOP、LOPA（保护层分析）、FMEA（故障模式与影响分析）等］；学习基于实时在线故障诊断人工智能专家系统混合建模技术；遴选多专业的行为能力+认知能力的合格人才；进行学生（包括操作员）能力评估，包括行为和认知能力与绩效的全面与深度评估；进行过程工厂的操作员、工程师、生产管理人员、技术经理和厂长的工业 4.0 安全绩效能力培训，提高他们的工业 4.0 标准化知识表达和工业 4.0 知识管理能力；等等。

借此机会，作者谨向北京东方仿真软件技术有限公司以夏迎春总经理（第二作者）为首的“AI3 合作团队”表示衷心的感谢。为了验证和实现 SimAI3 在智能教学中的作用和绩效，在夏总经理的领导和亲自参与下，近三年来合作团队对 SimAI3 软件平台进行了深入的应用、试验和验证工作，提出了许多改进措施和建议，为 AI3 和 SimAI3 软件平台的不断成熟做出了卓越贡献，使得 AI3 和 SimAI3 一年更新一次版本，直到目前的第三版本。

期待本书对读者深入了解工业 AI 和智能教学技术方面有所帮助。由于作者认知能力的限度，本书可能存在着不足，恳请读者批评指正。

吴重光

目录

第 2 章　现代教学理论与方法 / 030

第5章　定性与经验建模 / 131

第6章 智能教学通用专家系统 / 176

绪论

人工智能（AI）是引领新一轮科技改革和产业变革的战略性技术，具有溢出带动性强的“头雁”效应。加快人工智能全面赋能新型工业化，对我国发展新质生产力起到决定性作用。人工智能赋能生产要素向多元化、融合化和复杂化方向发展，以生成式人工智能为代表的数字化产业正在增长，越来越多面向应用场景的行业大模型不断涌现，表现出产业价值创造的“乘数倍增”效应。

业界的专家认为，目前工业 AI 正与工业制造进行深度融合，智能制造是需要主攻的方向。未来产业是颠覆性的，需要颠覆性的技术去驱动。我国为达到 2035 年基本实现新型工业化的目标，需要充分发挥工业 AI 的新引擎作用。

工业 AI 是人工智能的应用，其所具有的提高效率、降低成本等综合能力，只有与社会中的千行百业高效深度融合，才能让原有行业的效率上升、成本下降，实现快速发展和迭代，才能使产业发展得更快、更好、更安全、更可靠和成本更低，从而带动形成增量产业。

然而，工业 AI 作为应对复杂多变动态系统的特性与挑战主要体现在以下方面。

（1）工业动态性特征表现

① 技术迭代加速。工业 AI 依赖的底层技术（如大语言模型、多模态感知系统）持续演进，2022～2025 年间 GPT（生成式预训练）系列模型已迭代至第四代，技术突破周期缩短至 12～18 个月。

② 环境适应性和安全性要求极高。工业场景需要应对物理和化学空间动态变化（如工艺过程的设备振动、压力剧变、温度波动、化学反应剧烈变化等）与数字空间数据流实时更新的双重挑战，要求系统具备在线识别、实时分析、科学决策和精准行动（控制）四种类型的能力。

③ 跨领域耦合效应增强。典型工业 AI 系统需整合知识图谱（用于工艺过程、设备和控制系统诊断）、机器学习（用于预测性维护）、DCS（集散式控制系统）自动控制和机器人控制（用于执行操作）三大模块，形成闭环反馈机制。

（2）工业信息缺失的主要挑战

① 数据碎片化困境。工业设备产生的结构化数据（传感器读数、不可测变量）与非结构化数据（运行和维修日志）的比例达 1∶9，有效信息提取成本占项目总投入的 60%以上。

② 隐性知识转化瓶颈。资深技工的操作经验、工艺和设备异常状态判断等隐性知识难以数字化，制约工业 AI 模型的知识泛化能力。

③ 信息更新滞后风险。生产环境变更（如新工艺、新设备和新材料的应用，工艺参数调整变更）与工业 AI 模型更新的时间差可达 3～6 个月，会导致工业 AI 系统性能衰减，甚至无法继续应用。

（3）工业 AI 关键应对策略

① 构建工业知识图谱“数字孪生”模型。通过知识本体建模整合设备参数、故障案例、

工艺标准等多源信息，形成可扩展的知识网络模型，目前已在设备故障诊断场景实现推理准确率提升。

② 强化多模态识别感知能力。部署先进的更高时间分辨率和更高空间分辨率的过程变量传感器、双目视觉（空间定位）、六维力传感器（接触反馈）、惯性测量单元（运动补偿）的融合系统，使 DCS 或机器人环境感知误差率降至±2.3%以下。

③ 建立自适应学习架构。采用联合学习框架实现分布式工艺和设备间的知识共享，结合数字孪生技术构建智能化虚拟仿真训练环境，缩短模型更新周期至 72h 内。

综上所述，可以进一步理解：工业 4.0 急需工业 AI 技术。与当前互联网流行的 AI 信息搜索软件 ChatGPT 和 DeepSeek 等不同，工业 AI 应用技术的核心是“数字孪生”混合建模与仿真。“数字孪生”是用虚拟仿真模型跟踪、预测和复制实际工厂，以便动态、实时、更精准地识别问题、分析问题、科学决策和优化操作与控制。数字孪生成功的关键是高逼真度地应用多种方法混合构建虚拟仿真模型，以及仿真模型与实际系统的实时交互信息和预测。“数字孪生”促进了人-机互动、人-机比较和人-机协作，是一个完整的人-机实时在线协同环境，可以提高生产力，并确保生产安全、可靠和高质量的产品。

纵观当今世界，“数字孪生”建模与仿真已经面向国民经济各领域，成为助力所有领域数字化转型实现智能化的主导技术。第一原理建模与仿真、定性建模与仿真、经验建模与仿真三者混（融）合的智能建模与仿真将是实现工业 4.0、工业“数字孪生”、工业 AI 和工业数字化转型的不可或缺的关键技术。然而，这些关键技术在广大工业企业、学校、研究单位的广大知识群体、广大工程技术群体中甚少为人所知。亟待加强“数字孪生”混合建模技术的科普力度。

进而，人们绝不能仅仅停留在科普入门阶段。在技术层面，人们必须着力推动相关领域或具体对象的数字化转型软件平台的开发、大规模推广培训和落地应用；在应用层面，人们必须解决“人-机协同”难题。设备和软件平台的更新只是数字化转型的实施条件，想要平台真正落地应用还必须解决人的数字化转型问题。道理十分简单，纵有许多先进的数字化转型数字孪生软件堆砌，没有通晓专业知识和理论结合实际能力的人来掌控也是无效的。必须认识到人的数字化转型比工艺、设备和软件更新还要艰巨百倍。即使有了数字化转型教学的所有要素，也必须从初级、中级到高级循序渐进地培养应用型人才。工业 AI 培训涉及全体在职厂长、工程师、车间主任和一线工人的数字化转型知识和技能更新。教育领域数字化转型涉及教学内容更新，师资知识和能力更新，实践教学和教学认知工具普及应用，从小学、中学到大学的教育数字化转型和创新能力的培养，等等。只有强化教育和培训才有可能从根本上完成人的数字化转型任务。

2022 年，全国教育工作会议提出实施教育数字化战略行动，这是一项重要的教育改革举措。2023 年 12 月 15 日，教育部原副部长吴岩在世界慕课与在线教育大会上作主旨报告时指出：“高等教育数字化不是一般的策略问题，而是影响甚至决定高等教育高质量发展的战略性问题，是实现高等教育学习革命、质量革命和高质量发展的战略选择。”用数字技术推动教育发展，通过智能化教育培养科技人才已成为全球大趋势。在国际人才竞争进入大变局之际，中国教育数字化转型迫在眉睫。

教育数字化战略转型与工业 4.0 的人才需求密切相关，必须解决两个层面上的数字化转型：

其一是教学内容：必须转型为学习工业 4.0 的核心技术。即引入面向工业实际的智能识别、智能分析、智能决策和智能行动（控制）的“数字孪生”虚拟建模、推理引擎与仿真技术。

其二是教学方法：必须从死记硬背的应试教育转型为工业 4.0“陈述性知识＋过程知识”的认知能力教育。即必须深度实现智能教学的转型，加速初学者的认知能力和更高阶的思维能力向专家水平的概念转变（演变）。

目前，以上两个重要层面的数字化转型技术、方法、支撑环境和科技教材，在国内的工科高等院校几乎都是“空白”，许多高校的教师对工业 AI 应用技术了解甚少。

作者及其团队历时 40 余年，在工业 AI 核心技术的研发和应用方面取得重大突破。在国家安全与控制重点实验室支持下，通过产学研合作，完成两项国家 863 项目。其中，智能化 HAZOP 安全评估软件平台在我国石化、炼油与天然气工业大规模成功应用。实时在线人工智能故障诊断系统研发成功并且实现了设备长周期不间断运行。在工业 AI 成功应用的基础上，为了普及工业 4.0 人工智能技术和加快高等院校数字化转型的进程，经不懈努力研发成功了新一代工业 AI 专家系统软件平台 AI3。并且在 AI3 的基础上充分借鉴了国际几十年 ITS［智能教学（辅导）系统］发展的经验、教训和启示，成功研发了基于仿真的人工智能教学系统 SimAI3。该软件系统为教育数字化转型铺平了道路。该软件系统面向工业 4.0，有效解决了教学内容的数字化转型和教学方法的智能化与数字化转型。该软件系统不仅是教学方法数字化转型与人工智能化强有力的辅助工具，还是教师和学生易学易用的工程仿真实践环境。

应用 SimAI3 的智能教学过程，完全颠覆了传统应试教育的灌输式教学、缺失实践环节的大量作业练习、“刷题”和考试模式。在反思训练阶段，SimAI3 通过与专家认知的“类比推理”和“结构映射”等“脚手架”现代教学技术，结合智能评估技术的引导，进行有针对性的全面的个性化纠错辅导，并启发学生的更高阶思维（例如复杂系统因果反事实推理），大大提高了学生学习效率。应该说 SimAI3 达到了智能教学的高层次目标。

近年来，随着工业 AI 技术的发展和应用，将第一原理模型结合领域知识和经验知识来构建的丰富的“混合模型”，称为新一代创新的工艺过程建模。艾斯本技术公司认定这将再次改变化学和碳氢化合物工业的进程。SimAI3 可以构建第一原理模型融合领域知识和经验知识的虚拟仿真模型，与艾斯本混合模型有同等重大意义。

由此可见，SimAI3 是用人工智能技术学习工业 AI 知识建模的“双重”人工智能系统。SimAI3 既是工业 4.0 数字化转型专业技术课程，也是学习本课程不可或缺的理论与实践密切结合的智能教学工具，没有此类认知工具无法实现教育数字化转型。更进一步来说，SimAI3 本身就是经过大规模工业实践考验的高效数字孪生建模、试验、验证和确认工具，能实现教育数字化转型中教学内容的深度转型。

本书的目标是为我国教育改革和数字化转型提供切实的行之有效的理论、方法和技术。本书围绕着第 7 章基于仿真的人工智能教学系统 SimAI3 的开发和应用主题展开。全书比较全面深入地介绍了基于仿真的智能教学的知识体系。全书知识体系的概念导图见图 0-1。概念导图中用箭头连线表达了各章的主要内容以及各章之间的相互关系。图中的“过程系统建模与仿真 Sim”部分不在本书内容之列。国内的过程工业仿真培训技术和应用进展参见第 1 章。

本书各章要点如下：

第 1 章，综述了我国化工仿真培训技术、大型石化智能 HAZOP 安全评估技术、石油化工智能故障诊断技术的研发和大规模工业应用进展。经过40多年的科技攻关，作者及其团队在系统仿真和工业AI的理论、方法、技术和工业应用方面已经取得突破性成果。在新一轮科技革命和产业变革的新形势下，亟待向国内相关领域推广、普及和应用该成果，这一宏伟目标成为作者写作和出版本书的强大动力。

通过关于世界级6个高技术公司工业4.0数字化转型实践的调查，发现一个共性技术，即"数字孪生"，就是用虚拟动态仿真模型跟踪、预测和复制实际工厂。数字孪生成功的关键是应用多种方法混合构建高逼真度的虚拟仿真模型，以及进行仿真模型与实际系统的实时信息交互和预测。可以说：数字孪生就是完全由建模与仿真技术支撑的新型卓越制造系统。

通过关于传统仿真器缺乏个性化、智能化辅导支持的国际共识调查，以及目前的解决方案，"专家陪练"智能仿真训练技术的进展调查不难发现，其共性技术还是知识的建模与仿真，与数字孪生虚拟动态仿真模型跟踪实际工厂几乎完全一样。唯一不同的是，除了工业知识建模是所学工业AI的必修课程外，还要进一步应用这种知识模型跟踪学生的识别问题、分析问题、科学决策和精准行动四种核心认知和实践过程，以便对过程知识实现个性化、启发式学习。同时引导学生反思出错"点位"，实现基于知识模型（学生模型、概念模型、心理模型）的从初学者水平向专家水平的概念转变（演变）。仿真器的实际动手实践与基于模型的思维和逻辑推理分析互动，构成了国际公认的探究式学习的标志性环境，称之为智能教学的双轮驱动。这种环境可以实现高效的基于问题、基于任务或基于项目的学习。通过知识模型和推理引擎跟踪还可以精准评估学生掌握过程知识的水平，即分析问题、解决问题能力。

第2章，通过数千篇文献检索及重点文献解读，对近40多年欧美发达国家不断深化的教育改革中涌现的现代教学理论、方法和技术进行了综述。介绍了现代建构主义教学理念、理性思维的自适应控制（ACT-R）理论、探究式STEM标志性教学方法、过程知识的"认知学徒"教学法、批判性思维、以学生为中心的教学理念、概念转变、教学"脚手架"技术等12种行之有效的理论、方法和技术。

在这些现代教学理论中再一次发现，无论是设计现代建构主义学习环境、研发学习的认知工具，还是研发知识表示的标准化以及基于问题的学习和问题解决方法，其共性特征都是基于实践的知识本体建模，以及通过知识模型的逻辑推理跟踪运作实现智能化教学。

第3章，通过数千篇文献检索及重点文献解读，对近70年来智能教学系统（ITS）的发展历程、基于模型跟踪的ITS成功案例、典型ITS的工作机制和ITS软件平台新进展进行了综述。从中获得了研发国产化ITS软件平台SimAI3的具体经验、教训，并进行了反思和借鉴。

ITS软件的运行机制使作者及其团队深刻领悟到，智能教学系统与当今互联网上的ChatGPT各种版本，例如GPT-4o，包括我国科技公司开发的DeepSeek-R1和文心一言等，应用目标和运行机制是完全相反的。学生不动脑就立刻获取答案可能会使学生的思维能力和分析问题、解决问题的能力越来越退化，违背了教育的根本宗旨。ITS不是代替学生学习，ITS必须个性化辅导学生更深入地思考、分析、实践、验证、决策、推理和创新，加速提高学生分析问题、解决问题的能力。

第4章，比较全面简要地介绍了数字孪生知识建模技术，包括知识工程与知识本体建模的理论、国际知识本体建模工业标准ISO 15926和具体实现方法。知识工程是开发所有智能教学系统的基础，是在ITS中，计算机深度、细致、简洁、方便、快捷地表达学生、教师、领域和解决问题等概念知识模型和过程知识模型的技术。

第 5 章，通过实例介绍第一原理定量、定性与经验知识“混合建模”技术。作者及其团队称其为“知识图谱全谱”融合建模，是开发的新一代工业 AI 专家系统软件平台 AI3 独有的 SDG（符号有向图）与 CDG（因果有向图）融合建模技术，包括融合模型的多功能高速高效推理引擎技术。这种建模技术被艾斯本公司称为化工与碳氢工业建模与仿真的划时代进展。本书认为第一原理定量、定性与经验三者混合的工业知识建模、推理与仿真，也是现代应用数学划时代的进展，是工业 4.0 数字化转型数字孪生建模与仿真的关键技术，是工业 AI 的关键技术，也是基于知识模型推理跟踪的智能教学的关键技术。

第 6 章，首先详细介绍新一代工业 AI 专家系统 AI3 专业版软件平台的功能和使用方法。AI3 是作者及其团队历经 40 年研发的一种图形化、自然语言、高效、快捷构建第一原理定量＋定性＋经验“融合模型”和多功能高速高效逻辑推理的创新型与通用型软件平台。该章接着介绍将 AI3 扩展为智能教学 SimAI3 软件平台后，教师知识设计平台的功能和学生练习考核平台的功能。其中，教师知识设计平台是适合于非编程人员使用的智能教学软件，具有生成式 AI 功能，每秒可以通过融合模型高速推理自动生成百万（甚至千万）数量级全程跟踪学生的 ITS 练习题。AI3 扩展软件是 V 形图互动的人工智能一端，通过数据联网的典型化工单元仿真软件是 V 形图互动的另一端，即动手实践、模型检验和验证环节，见图 0-1。从本章的介绍还可以全面了解专业版 AI3 的功能、工作机制和软件使用细节。

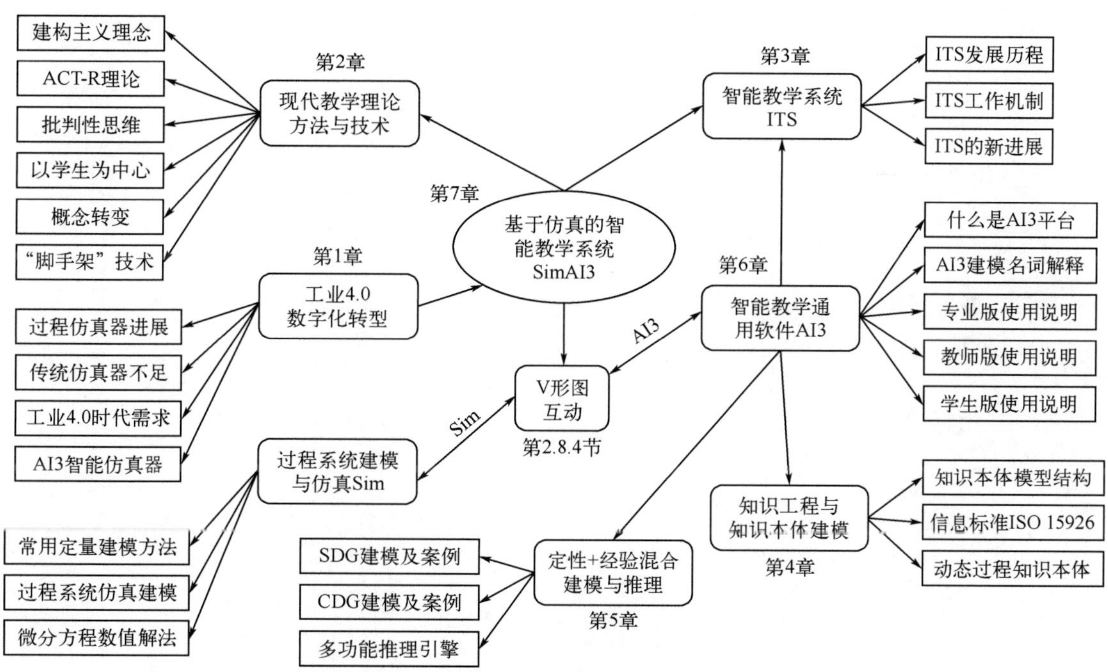

图 0-1 全书知识体系的概念导图

第 7 章，是本书最终主题的实现，介绍了 SimAI3 软件平台的主体结构和功能，本书称之为实践（Sim）和思考（AI3）双轮驱动的智能教学认知工具软件平台。

第 8 章，是本书的结语，探讨了知识设计工程师是 SimAI3 推广应用的关键，是 AI3 的持续改进和升级预测，是工业 4.0 建模与仿真国家标准的迫切需求，是基于 SDG 与 CDG 融合模型的深度学习理念和建模与仿真自动进化的发展设想。

作者认为，本书提出的现代教学方法是普适化的智能教学方法。工业 AI 专家系统软件 AI3 的扩展软件是一种普适化的智能教学软件平台，其原理和方法可以直接应用于大、中、小学不同的领域和多种专业和 STEM 课程智能教学。SimAI3 的实践与思考双轮驱动智能教学系统是一种泛在化教学环境，可以实现工业企业及大、中、小学不同的领域和多种专业科学实验课程和工程实践的智能化教学和训练。

随书赠送的 SimAI3-学生端软件，包括了离心泵与液位单元仿真器软件和对应的知识模型题库。结合讲解视频和本书第 6 章的说明，读者可以自学和动手练习，初步掌握工业 4.0 人工智能技术和“数字孪生”建模技术。在 SimAI3 软件平台上进阶完成中级和高级培训，可以加速达到工业 4.0“数字孪生”混合建模与仿真的专家水平。

第1章 系统仿真与工业4.0

1.1 系统仿真

系统： 是一个实体，该实体通过其各组成部分间的相互作用而维持生存。系统的特性在其任何部分均无法找到，而是显现在系统各部分的相互作用之中。

过程系统： 从广义范畴定义是所关注的真实世界的某个部分。这个系统可能是自然的或人工的，现实存在的或未来计划与设计的。本书所涉及的范围确切地说是过程工业系统。

过程工业系统： 包括石油炼制、石油化工、天然气加工、冶金和焦化、水处理、环保工业、火力发电、核动力发电、水泥建材、造纸、食品加工、制药等工业系统。这些工业系统在国民经济中占有极其重要的地位，并且具有许多共同特点。例如，它们都是由一系列典型的单元操作装置通过管道组合成的复杂系统。过程控制系统、仪表和工业监控与管理实时网络系统联通互联网系统，工业自动化系统集成数据模型的国际和国家标准[1-4]等也相同。可见它们有着许多共同规律，建模与仿真方法也十分相似。

模型： 是由人工将系统在时间域或空间域所作的物理或数学模型简化描述。目的在于促进对真实系统的认知和理解。由于客观世界的复杂性，为了便于认识和改造客观世界，可以借助于物理模型、数学模型、概念模型或经验模型等，来简化或抽象系统。

仿真： 是一个模型在时间域或空间域的运行和操作。仿真有助于人们对系统中相互作用的感知和系统中所发生事件的深入了解。

系统仿真： 可以理解为运用物理模型、数学模型、概念模型、经验模型或混合模型代替实际系统进行科学实验和研究。系统仿真是一门面向实际的具有很强应用特征的科学技术，也是一门综合性新型技术学科。系统仿真应用领域很广。在当今工业 4.0 的进程中，系统仿真已经成为数字化转型和“数字孪生”的核心技术。系统建模与仿真技术随着电子计算机软、硬件和互联网发展而发展。近年来计算机已成为系统仿真的主要工具。可以将过程系统建模与仿真定义为：以仿真器为工具，用数学模型代替过程系统进行实验和研究。此定义指明了过程系统仿真所关注的三个主要组成部分，即：过程系统、数学模型和仿真器。

建模与仿真时，将上述过程工业系统转化为被关注变量（如温度、压力、流量、物位和组成等过程工业五大主要变量）对时间或空间的行为数据源。数学模型是依据过程系统数据源由人工建立的数学描述，这种数学描述能够产生与过程系统相似的行为数据。数学描述常用方程有代数方程、微分方程、偏微分方程、状态方程、定性代数或定性微分方程及其混合方程组、离散方程、非线性方程等。数学模型的一种最新称呼是基于可观测具体事件的形式化知识本体（或静态与动态知识图谱）。建模与仿真又称形式化知识本体建模。

仿真器是以现代高速计算机、网络、多媒体设备为基础，由人工建造的模拟实际操作控制或现场装置环境的系统，同时也是数学模型软件实时运行的硬件环境。一般科学计算问题采用数字计算机或微型计算机就可以满足计算要求。但过程系统仿真必须具备特殊的仿真器、实时操作系统及专用仿真软件环境，才能逼真地模拟动态过程现象。

广义的仿真计算还包括定性仿真和定性物理模型的搜索和推理“计算”，核电领域还发展出“认知仿真”技术。实践表明，数学模型除了从已知的输入数据数值计算获得输出数据（包括神经网络模型计算）外，还有重要的计算是“挖掘”数学模型的结构信息规律。例如，将数学模型中大量的隐含信息转换为显式信息。这就是人工智能专家系统的运作机制，也是深度学习的一种方法。网络拓扑搜索和推理还可以在求解数学方程中发挥特殊作用。

1.2 仿真培训系统

将仿真器辅以图形化、虚拟现实（VR）、扩展现实（XR），半实物或全实物操作单元就构成了仿真培训系统，又称为虚拟仿真训练或虚拟仿真教学实验系统。自 20 世纪 70 年代以来，仿真培训系统已经广泛应用于海陆空三大兵种的军事训练、兵棋推演，以及石油化工、电力、核电等过程工业操作工人的知识、认知能力和熟练度培训，近年来发展成为智能仿真训练系统和工业 4.0“专家陪练”系统。

1.2.1 过程工业仿真培训系统

1987 年本书作者在中国石油化工股份有限公司的投资、合作与全力支持下，成功研发我国第一个石油化工仿真培训系统。在大型引进装置开车可行性分析和操作工人的培训方面发挥了重大作用，项目获中国石化科技进步二等奖。30 多年来我国石油化工仿真培训事业在工业企业教育培训部门的积极推动下取得令人瞩目的成就和长足的发展。

作者在国内首先提出并倡导采用全数字仿真技术解决本科生的工程实践教学问题。例如，化工仿真实习软件 PS-1000/PS-2000/PS-3000 系列（PS 是 personal simulator 的缩写，即个性化仿真器）[1] 已经在清华大学、北京大学、浙江大学、西安交通大学、上海交通大学、南京大学、华东理工大学、华中科技大学、兰州大学和西北工业大学等 100 多所大学应用，涉及工业过程自动化、化学工程、应用化学、环境工程、过程装备与控制工程、安全工程、生物及制药工程、热能与动力工程等多个专业。

1.2.2 仿真工厂及仿真实验系统

1992 年，由中国石油化工股份有限公司立项并投资的我国第一个实物仿真工厂开发成功，这是化工仿真培训技术的重大进展。2007 年，由上海市教委投资，北京化工大学仿真中心、上海信息技术学校与北京东方仿真控制技术有限公司合作完成的全流程级半实物仿真工厂，将我国石化仿真培训技术发展到一个新的水平。

2006 年，北京化工大学仿真中心和北京东方仿真控制技术有限公司联合推出了多功能过程与控制实验系统（MPCE-1000）。MPCE-1000 采用先进的半实物仿真技术进行多功能、多组合、多专业的教学与科学实验，已经在国内 100 多所大学和专业技术学校推广普及。MPCE-1000 提供了硬件在回路的真实操作、控制和运行仿真环境，具有工业控制系统的组态、提交和实际运行的仿真。除此之外还提供互联网和标准控制系统信号（4～20mA 的 AI/AO 以及 DI/DO）接口，方便与各种 DCS 或 PLC（可编程控制器）互联。

长期以来，高等院校相关专业的教师们一直期待着一种理想的多功能化工过程与控制实验系统。这种系统具有以下特点：

① 兼容多种典型的化工流程；

② 具有工业级规模精准的静态与动态特性；

③ 危险性最低（甚至没有危险性）；

④ 无污染；

⑤ 不消耗物料；

⑥ 消耗最少的能源；

⑦ 除了过程控制实验与化学反应实验外，还可以进行多种化学工程实验；

⑧ 可以灵活地进行多种过程控制方案与控制算法实验；

⑨ 投资少、运行和维护费用少。

以上理想中的要求，在新一代多功能过程与控制实验系统中几乎全部得到实现。在本实验系统上可以进行的过程控制实验是排列组合的概念，实验内容达数百种，这也是本系统革新传统实验系统的重要方面。这种自由组合功能，为学生和教师提供了一个综合型、设计型、创新型、探索型的实验环境。

1.3 定性仿真在过程安全的应用

定性建模与仿真起源于二十世纪七十年代末。基于计算机的定性仿真与应用是近四十年来国际上研究与技术开发应用的热点，2003 年开始，本书第一作者负责，依托中国石化安全工程研究院安全与控制国家重点实验室，在国家 863 项目“大型石化生产过程安全评估”（2003AA412310）中得到成功应用。该项目在复杂工业系统的 SDG（符号有向图，signed directed graph）建模，复杂 SDG 推理算法及软件平台，基于 SDG 推理的计算机辅助 HAZOP（危险与可操作性分析）安全评价，基于动态仿真的试验与验证（V&V）平台和基于 SDG 技术的非正常工况的识别、分析与诊断技术等研究开发方面都取得了突破性进展，有关进展和成果分述如下。

1.3.1 定性建模和推理“引擎”

当代定性仿真属于一种人工智能技术。定性仿真主要是在两大方向上进行研究开发工作：其一是定性建模，其二是定性推理。SDG 模型属于一种简明、直观且实用的定性模型。SDG 及其推理算法是定性代数及定性微分方程的图形化表达和计算机高速推理求解的实用方法。作者及其团队经过大量结合石油化工过程的 SDG 建模实践，得到了一套基于经验的实用的 SDG 建模方法，同时还提出了一种概念清晰、表达简明、易学易用的定性代数影响方程的建模方法。多项工业实际应用的成功案例表明，所提出的 SDG 建模方法具有简便、易行和实用等优点。

SDG 建模完成后必须解决自动定性推理算法和软件平台技术。2003 年以前，国内研究的内容只局限在非常简单的案例讨论方面，没有复杂工业案例试验或应用。国外发达国家在定性仿真和人工智能复杂案例试验中都不约而同地采用了美国的 G2 软件平台。G2 是一种通用型商品化实时在线人工智能专家系统软件平台，具备定性推理功能。存在这种现状一方面因为 G2 是一个十分优秀的软件，另一方面由于该软件价格非常昂贵，并且只租不卖，制约了国内外定性仿真技术的普及。

G2 软件的优势：知识库和基于规则的专家系统与定性推理结合；密切结合工业实际，在模型中考虑外部的“验证行动”和“操作员恢复行动”及“设备维修行动”等特殊功能；将安全管理要素实时在线执行等。这使得该软件能够长盛不衰地在多个领域大规模应用。但是 G2 只考虑因果有向图（CDG，causal directed graph）的建模和推理，不考虑 SDG 的建模和推理，因此不能完备地搜索系统中的危险传播路径，此外其建模过程非常复杂难懂。据不完全统计，国内租用 G2 的单位很少投入实际应用。

通过对“863 项目”攻关，作者及其团队研发了具有独立软件著作权的定性推理“引擎”算法和软件平台。该推理“引擎”的推理功能多、速度快、效率高，在微机上可以达到每秒识别大约 2000000 个危险“剧情”。软件平台具有图形化建模、推理方式灵活、高效快速、便于和其他应用软件互联等优点。解决了定性仿真研究与开发对国外软件依赖的难题，为定性仿真技术在国内普及应用和实时在线故障诊断创造了条件。

1.3.2 定性和经验建模与推理

危险与可操作性分析（HAZOP，hazard and operability study）技术是列入国家标准和国际标准（IEC 61882）的广泛应用的安全评价技术，涉及石油化工、炼油与天然气工业、火力发电、核动力发电、陆海空军事设施、作战指挥系统、航空航天、医疗设施、交通运输系统、电子系统、信息系统、高可靠性软件系统、突发事件系统、管理系统等领域的危险识别、分析和评价，欧美发达国家通过立法强制执行。

大量工业应用的实践证明，仅用定性微分方程建模（SDG）和仿真推理还远远无法仿真工业过程大量的不确定因素和结构不良的预测和分析问题，在安全评价和故障诊断方面尤为突出。SDG 建模与仿真还必须联合因果有向图（CDG，又称为经验建模与仿真推理技术），才能高完备性表达和仿真实际工业过程的特性以及危险的来龙去脉。近 30 年来，SDG 与 CDG 融合建模与仿真推理，在大型过程工业系统的危险识别和分析中，已经发展成为有效且实用的技术。其中基于 SDG 与 CDG 融合建模技术的计算机辅助危险与可操作性分析（HAZOP），是目前国际上最为突出的成就。因此取得了软件平台研发和大规模工业应用的成功。

基于国际标准的 HAZOP 是一种系统化和结构化的安全分析方法，采用现代“溯因”推理方法识别系统危险。该方法全面、细致地研究系统中每一个元件，深入探索其中重要的参数偏离了指定的设计条件所导致的危险“剧情”、危险传播、危险程度和系统的可操作性问题。HAZOP 需要多专业专家参与，以小组会议“集体智慧”和“头脑风暴”的形式进行。分析目标通过研究工艺管线和仪表图、带控制点的工艺流程图（P&ID）或工厂的仿真模型来确定。重点分析和预测管路及每一个设备操作所引发的潜在事故。首先选择相关的参数，例如流量、温度、压力和时间等；然后检查每一个参数偏离设计条件的影响，采用经过挑选的关键词，例如“大于”“小于”“超前”“迟后”“部分”“伴随”等，来描述每一个潜在的偏离；然后通过小组讨论分析，最终识别出所有的故障原因、中间关键事件和不利后果构成的危险“剧情”，同时得出防止危险剧情发生和减缓事故不利后果的安全措施和建议报告。

2009 年“计算机辅助深度 HAZOP 分析方法”和“基于定性仿真的在线故障智能诊断系统”列入 2004～2010 年国家安全生产科技发展计划 100 项重点推广技术。

2010～2012 年，SDG 与 CDG 融合建模及仿真与高效多功能推理的智能化 HAZOP 软件平台 CHA 开发。这是北京思创信息系统有限公司将 863 项目实现产业化发展的成果。CAH 从知识工程的深度全面提高了 HAZOP 建模和智能推理的能力。

大规模工业实践应用表明，SDG 与 CDG 融合模型为实现多种剧情危险评价方法的信息交换、共享和计算机化奠定了基础，同时也为提高危险评价的质量和效率提供了强有力的手段。实践证明 CAH 软件具有如下优点：

① 将最常用的检查表法、“如果-怎么样?”法、定性事件树、定性故障树、“领结”法、HAZOP 和 LOPA 方法联合集成应用，优势互补；

② 允许任意多种引导词分析，大大扩展了 HAZOP 的危险评价能力和范围；

③ 将图形化危险“剧情”贯穿于危险分析的全过程，不但有利于实现完备的精准的分析，而且大大提高了分析结果的可传承性、可审查性和扩展性；

④ 将风险矩阵集成在 HAZOP 中，可以实施保护层分析（LOPA）；

⑤ 提供常用的引导词、初始原因、不利后果严重度、安全措施等知识库；

⑥ 具备双向溯因推理“引擎”，能够将模型中的隐藏的危险“剧情”全部自动“挖掘”出来；

⑦ 以灵活组态的方式自动生成 HAZOP 报告。

1.4
石油化工智能故障诊断平台

2009～2011 年作者及其团队完成了国家高技术研究发展计划（863 计划）“石化系统定性定量复杂故障诊断技术研发”（2009AA04Z133）项目：依托单位是中国石油化工股份有限公司青岛安全工程研究院、化学品安全控制国家重点实验室。其间组成了产学研结合的研究开发团队。参加单位有北京化工大学仿真中心和北京思创信息技术有限公司。本书第一作者担任安全控制国家重点实验室两个 863 项目的过程安全首席专家，负责技术研发。该项目的成果是研发成功“石油化工安全运行指导系统”，并且在数个大型石油化工装置上投入应用。

1.4.1　石油化工安全运行指导系统（PSOG）

石油化工安全运行指导系统（PSOG，petrochemical plant safety operation guidance system）能够实时在线监测、诊断石化装置的关键设备和流程的潜在风险，提供异常工况的主动发现、诊断及恢复指导，为操作人员提供安全操作指导建议，降低了代价昂贵的异常工况损失。通过内置的知识管理系统，可以有效保存优秀的专家经验和工艺知识，提供对班组的日常管理功能，为操作人员提供了一个学习平台。PSOG 具有保持企业安全运行、提高设备的有效性、避免停产（紧急停车）损失和改进操作人员的安全运行的能力。PSOG 的各种应用模型基于工厂现有自动化系统和实时数据库的检测数据。

1.4.2 工业应用情况

某大型石化公司炼油厂延迟焦化装置能力为 140 万 t/a。PSOG 运行 2640h 后经统计，共计发现 253 次装置异常状况记录。事故隐患成功处置率提高了 30%，装置运行平稳率提升至 97.23%。此外系统在某石化公司的 PTA（精对苯二甲酸）装置实际应用中，认定 PSOG 软件有如下特点：

① 具有较强的适应能力；

② 具有良好的实时性；

③ 给出的处理措施等信息比实际调整具有超前特性；

④ 具有良好的扩充性和开发性。

1.4.3 存在问题和对策

在应用 PSOG 的实践中，认识到所存在的问题主要在以下四个方面。

① 系统的操作人员不了解工业 4.0“数字孪生”建模方法以及如何构建切合实际的工业 AI 模型，需要大量的培训。

② 需要快速构建一个有趣的故障诊断建模与定性推理的演示程序，并可以查看概念。即使演示系统不能解决实际问题，也需要演示这些概念。

③ 故障诊断模型和定性推理方法并没有很好地集成到工程辅助教学中。更多的学生，也是未来的潜在用户群体，应当接触到基于定量+定性+经验的故障诊断建模和基于模型的推理。这需要在各种各样的讲座中介绍这一主题，使学生深入学习人工智能工业 4.0 数字孪生技术。要做到这一点，就需要编写教材，以便对不熟悉这些技术的人进行有效的强化培训。

④ 故障诊断模型必须易于进化。建立初始的基于工业 AI 模型的系统可能需要相当大的精力，并且只要工业装置工艺条件变化、技术改造和设备更新，如果基于模型的系统不能快速跟进，它就不会被进一步使用。许多项目只注重故障诊断模型一次性开发是不够的，应制定适当的计划，将基于工业 AI 模型的系统不断更新。理想情况下，需要一种周期性地自动更新模型的方法，因为系统的特性和系统的组件都在变化。

人工智能应用技术人才缺乏，特别是具有工程实践经验的故障诊断建模人才的奇缺，导致实时专家系统的工业应用难以适应工业装置技术改造和进化，最终使得系统无法继续使用。世界著名的实时在线人工智能专家系统 G2 也经历着这种困扰。因此需要培训现场的技术人员学会构建定量+定性+经验的混合故障诊断模型，需要结合实际的仿真演示软件，需要将故障诊断建模和定性推理方法很好地集成到工程辅助教学中，需要进一步提高定量+定性+经验的混合建模和智能推理软件的自动更新功能。

本书所开发的 AI3 及其系列应用软件是培训工业 4.0 数字孪生建模和智能推理技术人才的最佳实践环节和专业教材。特别是基于仿真的智能教学系统 SimAI3，可以培养第一原理定量+定性+经验混合/融合故障诊断建模、验证、修改和调试技术人员，以便适应工业 4.0 数字孪生建模的进化。

1.5 基于仿真的智能教学系统的迫切需求

1.5.1 传统仿真器缺乏对学习的支持

长期以来，用于教学和训练的传统仿真器几乎都缺乏对学习的支持，使得仿真器的教学效果并不明显，学校实验室的所有实验装置也都存在着相同问题。因此，具有智能化和个性化教学能力的仿真器已经成为教学与训练领域的迫切需求。近年来仿真器应用了计算机虚拟现实（VR）或扩展现实（XR）技术，称为虚拟仿真教学系统，往往被开发方和用户方称为智能仿真以及个性化教学系统，这是对智能仿真以及个性化教学的误解。仿真软件采用了图形化、3D 动画、VR、混合现实（MR）、XR、半实物或全实物技术，只能提高仿真器操作和运行环境的逼真度，无法使仿真器具有期望的教学目标、智能化教学和个性化辅导功能。

不可否认，传统仿真器的应用确实是实践教学与训练的重大进展。仿真器可以为每一位学员提供一个模拟的高逼真“临境”的实践（动手）环境。这种功能提供了个性化实践教学的条件，但并不是个性化教学。通常个性化教学是指：学生在完成教师设计的问题求解全过程中，或者操作仿真器的全过程中，由教师采取一对一跟踪的适应性教学辅导模式。这种一对一的个性化跟踪辅导，能够细粒度地适应每一位学生认知水平的差异，使每一位学生都能高效地实现从初学者到专家水平的“概念转变”。个性化教学不是无差别“满堂灌”的应试教学模式。

几十年来，大量的传统仿真器教学与训练实践证明，即使仿真器被研制得具有很高的逼真度，其自身也没有智能教学能力和个性化辅导能力。以下是部分有关仿真训练有效性不足的报告。

张建伟等人[2]经调查发现，许多研究人员将基于仿真的学习效果与更传统的学习模式进行了比较，却没有发现什么有说服力的证据来证明它们的有效性。其中出现了以下问题：为什么让学习者参与主动探究的基于仿真的学习不能更好地改善学习结果？一种解释是，学习者在操控发现学习任务时可能遇到了多种困难。学习者可能遇到的困难分为四类：

① 产生和调整假设的困难；

② 设计不当的实验；

③ 数据解释的困难；

④ 关于发现学习的辅导管理问题。

尽管仿真有促进建设性学习活动的潜力，但仿真学习环境本身不能保证有效的学习。因为传统的仿真系统对于发现学习和探究式学习活动没有足够的支持。有效的仿真学习系统至少要有三重学习支持。三重学习支持方案包括：

① 解释性支持。帮助学习者获得知识，并产生有意义和综合的理解。

② 在系统和有效的实验活动中支持学习者的实验认知能力。

③ 反思性支持。提高学习者对发现过程的自我意识，并促进他们的反思性抽象和整合。

学习支持无论是嵌入在仿真软件中，还是由人类导师在课堂环境中提供，都应该面向所有三重学习支持，以便实现个性化、有意义、系统性和反思性的发现学习。

传统仿真器缺乏对学习的支持，使得仿真器的学习绩效低下。特别是在大规模应用仿真训练技术的军事领域，对此问题十分重视。R. C. Schank 等人早在 1993 年美国国防部高级研究计划局、空军科研处和海军科研处项目《基于目标的剧情设计》[3] 的论文中就严肃地指出：

当前的仿真器给出的用户文档确实提供了关于底层模型的洞察力和一般原则，但这些文档从来没有结合特定的情况。这些缺点可能与最严重的问题有关，即缺乏对学习的支持。将用户放入一个现实的仿真器中，若导师或教练没有在后台提供学生所需的信息，将会错失培养学生洞察力的机会。理想情况下，当完成仿真时，学生将了解潜在的剧情因果模型。然而，如果没有导师来回答学生的问题，学生可能永远不会获得这种类型的洞察力。传统仿真器的用户可以在没有真正了解系统的原因和后果的情况下“玩”仿真。

仿真训练基于目标剧情（GBS，goal-based scenario）的设计必须提供一套目标技能和一个环境，以激励学生，并使学生在完成时能够有效地在作战中使用这些技能。

R. C. Schank 等人提出，在设计仿真训练 GBS 的每个组件时，应考虑以下七个问题：

① 主题一致性。只有在实现全球标准化系统的过程与目标本身主题一致的情况下，学生才有动力实现该目标。必须根据仿真训练支持 GBS 主题的能力来评估 GBS 的每一个组成部分。

② 现实的/丰富的。GBS 必须是现实的和丰富的，以提供给学生各种机会来学习目标技能。GBS 不仅必须有提供获得目标技能的能力，而且必须以现实和多样化的方式提供，使技能对学生有用。

③ 控制权。确保成就感和增强控制权不仅仅是制定主题一致的方案问题。完成任务的重要之处当然不是完成任务的事实，而是完成任务的是学生。只有当学生觉得有责任完成任务时，他们才会欣赏他们新获得的技能的力量。

④ 挑战一致性。管理学生所需要的努力程度对于完成值得完成的任务至关重要。GBS 的各个组成部分必须确保仿真环境既不构成不可逾越的障碍，也不含有琐碎和分散注意力的子任务。GBS 应该具有根据学生的能力动态调整挑战水平的方法。

⑤ 响应性。一个设计良好的 GBS 可能失败的重要原因是，它根本不能为学生提供他们操作所需的信息。因此，在设计每个 GBS 组件时，一个关键的考虑因素必须是是否以对学生有用、及时和易于理解的方式传达正确的反馈。

⑥ 教学目标支持。整个仿真系统最终都是为了教学生一套目标技能。因此，一个基本的标准是确保拟议的方案与技能的获取兼容并支持这些技能的获取。目标技能必须在拟议的剧情中有意义，使用这些技能必须有大量机会。这种剧情不应该让学生参与不相关和耗时的活动来分散他们的注意力。

⑦ 教学目标资源。学生经常需要帮助完成任务，GBS 必须能够提供帮助学生的策略和材料，从在线视频导师到简单的参考文本，必须仔细选择，以匹配所教授的技能和 GBS。最终，所选择的方法的类型和质量将对技能的正确学习产生深远的影响。

这些设计仿真训练 GBS 的每个组件时应考虑的问题，其实就是按照建构主义教学方法设计基于问题的学习中剧情（或称为问题或案例）的标准。美国空军和海军对传统仿真器质疑，提出了一个重要条件，即仿真器的设计必须满足训练目标的剧情。如果不能高逼真度地模拟目标剧情，仿真器就是低质量的。进一步，仿真器能够个性化跟踪所有目标剧情的训练，并自动提供“脚手架”指导，才是真正意义上的智能仿真训练。

A. Kluge 等人的论文《作为科学发现的仿真：交互意义生成的方式》[4] 指出：大多数基于计算机的仿真的一个特点是它们的开放性和缺乏结构。与填写表格或回答提示等结构化方法相反，这些学习环境可以由用户选择操作和导航。像仿真器这样的非顺序对象本身并不能指导学生，学生有可能自己发现元素之间存在的新关系，从而获得新的见解。但他们也可能进入毫无意义的死胡同，从而错过了对手头问题适当理解的机会。

人们还有许多关于传统仿真器缺乏对学习支持的研究，并且在积极探索解决方法。例如，李纳等人的论文《基于仿真的学习环境中设计更好的脚手架教授科学系统：一份试点研究报告》[5]，提出了应用因果层次脚手架支持仿真教学的方法。这实际上是建构主义“概念转变”学习理论的应用，简言之，将概念建模与仿真实践密切结合起来促进概念转变。论文认为：

科学系统的心理（概念）模型是现实的结构和功能关系的内化表征。建构主义观点意味着心理模型的构建经历了概念转变（演变）阶段。其间迭代的心理模型修改可能是非常有效的。学习科学通常要求学习者构建具有不同实体的心理模型和实体之间的网络功能关系，良好的逐步学习可以产生更好的结构化概念表示。主动心理建模或主动规则驱动的可视化涉及认知过程，如心理操纵可视化信息以解决问题。学习者在最初学习系统知识之后的理解仍然可能是支离破碎的，围绕系统功能的回顾性心理建模与“什么”和“如何”问题可以促进内部信息组织，并增强反思性思维，最终实现个性化概念转变。

计算机仿真可以教授科学知识。对知识的深入理解包括构建信息检索和推理的心理感知仿真。计算机建模和可视化技术使得系统能够显示本来看不见的机理，它可以提供丰富的感知信息来构建抽象的概念。不同抽象层次的多个动态表示可以提供补充信息，支持深入理解。虽然基于仿真的环境中的多个动态表示有可能促进学习困难学生在科学系统中的心理模型构建，但教学脚手架应该设计得很好，才可以帮助学习者充分利用学习环境。

如何在基于仿真的环境教授科学知识中设计更好的脚手架？教学研究意味着心理模型的构建具有层次性。心理模型经历了演变阶段，因此脚手架应该支持顺序学习和逐步学习。此外，围绕系统功能的回顾性（反思）心理建模可能有助于系统知识的内部组织。

初步研究表明，层次脚手架可以帮助学习者更好地整合较低层次的系统行为知识并学习因果关系。层次脚手架和回顾性心理建模之间的相互作用是有趣的，只有当学习过程本身被很好地构建起来时，回顾性心理建模才能增强学习。一种解释是，学习者需要以一种结构良好的方式内化知识，然后才能在心理上以连贯的方式重组信息。

S. Basu 等人的论文《支持在基于多智能体的仿真环境中学习的脚手架框架》[6] 指出，仿真为发现学习提供了一个合适的环境，但除非探索任务得到适当的支撑，否则其在教学上是无效的。他们正在开发一种基于计算机的学习环境的体系结构，其中包括基于多智能体的仿真、因果建模工具和一组由虚拟代理提供的上下文脚手架，可以帮助中学生学习重要的科学概念。

本书第 3 章介绍的 ITS 之中，例如“夏洛克”“史蒂夫”“可解释的小单位战术行为人工智能系统（XAI）”和 GIFT（通用智能辅导框架）等，都是基于仿真的 ITS 成功案例。随着人工智能技术的发展和多种现代教学技术的涌现，基于仿真的智能教学系统将会全面代替传统的虚拟仿真教学系统。

1.5.2 传统仿真器缺乏个性化辅导能力

与行为技能训练不同，认知技能训练试图传授通常依赖于隐性知识的概念。然而，传统的科学实验系统和传统虚拟仿真系统并不具备隐性知识的传授能力，几乎所有类型的传统实物实验系统和传统虚拟仿真系统都没有发挥预想的教学绩效。

在传统仿真培训系统大规模应用过程中，作者团队遇到的第一个普遍性难题是，一个教师无法顾及几十个到数百个学员同时进行的仿真训练。教师没有能力跟踪和监控每一个学员训练的全过程。

第二个普遍性难题是，有丰富实践操作经验，特别是具有高水平故障排除能力的培训教师奇缺，十分难得。合格的仿真培训教师需要经过长时间、大量的、精准分析评估的操作实践的训练。即使这种有经验的教师，面对复杂的培训过程，识别学员动态随机故障的能力也有限，因为教师会疲劳，几乎无法记住众多学员操作的全过程及细节（即大量基于“上下文”的前因后果操作事件和系统动态变化的事件）。因此导致仿真培训教学质量难以提高。

第三个难题是故障原因确认和不利后果的预测问题。教师几乎无法记住众多学员操作的全过程及细节，且学生往往是在操作中途出现偏离导致了大量需要解决的问题时才请教培训教师。因此教师也难以准确按操作时序的反方向分析出确切的根原因。因为操作的完整“痕迹”，特别是隐含的“痕迹”已经大部分消失。教师更难给出准确的如果继续偏离下去将会发生何种不利后果的预测，因为这是一个全工况、全流程范围的准确故障诊断和预测问题。

如果能使仿真培训系统更加智能化，自动解决以上三类问题（即智能化、个性化和认知跟踪辅导）则可以在增强培训效果的同时大幅度降低教师数量和负担。这些问题可以通过采用高逼真度的仿真器，并将 ITS 作为仿真器设计的一部分，或者将两者独立用接口互联来解决。因此，人们越来越看重人工智能专家系统在仿真培训中的作用。

1.5.3 第一原理建模与仿真的局限

通常第一原理建模是指采用代数方程组、非线性代数方程组、微分方程组、非线性微分方程组和偏微分方程组的单独或混合结构的数学模型。这种数学模型的仿真就是设法选用各种数值计算方法，对于动态数学模型而言，尽量能够获取基于初始数据值或边界条件的数值解或响应曲线（族）。传统仿真器几乎都是采用第一原理建模的方法设计。作者及其团队在几十年第一原理建模与仿真的实践中认识到这种技术的局限性如下：

① 建模过程中大量的线性化、简化措施使得真实系统的特性没有得到准确和完备的表达。

② 无法用自然语言表达和解释计算结果。

③ 建模需要尽可能完备的仿真对象的系统结构数据、初值和边界值动态变化数据（例如：偏微分方程需要三维加时空精确数据的静态和动态边界条件）；其一是准确与完备的数据获取非常困难；其二是还有大量数据几乎永远无法得到，因为这些数据隐藏在动态变化的系统之中，目前还没有测量手段可以全部获取。

④ 建模需要高水平的精通现代数学和工程实践的跨专业专家。这种专家既要进行现代数学的历练，又要进行深度工业实践的历练。在现实世界中这种人才极其难得。

⑤ 基于第一原理的建模与验证非常耗时。主要体现在三个方面，建模耗时、验证耗时、要达到实时性的修改试验更耗时。

⑥ 仿真求解各类方程组，只能获得动态曲线结果，难以获得动态变化路径细节描述。

⑦ 第一原理的数学模型无法表达极为丰富多变的人类经验、各种逻辑推理和默认推理。

⑧ 关于“零信任模型”的新概念已经由著名的工业 AIG2 软件开发专家提出。即，针对工业 4.0 的数字孪生模型运行到条件、约束、决策点时必须进行现场试验和验证。这种情况会存在出现多种行为分支的可能性，需要暂停仿真计算，实地调查研究并实施验证行动获取最大可能分支的去向证据，然后再继续仿真计算和推理。如果无法自动验证，需要人工干预行动。缺失这一“行动”，任何模型都只可能是不可信任的模型。单纯第一原理的模型是数值联立求解，无视这些点位，全部瞬间掠过。

⑨ 要求的仿真精度越高，计算量越大，越难以超实时预测。大规模偏微分方程需要三维时空计算。计算结果的时间分辨率和空间分辨率受到计算机运算速度的制约。因此，作者及其团队仿真模型开发研究时几乎不直接使用偏微分方程。

⑩ 非线性和时变系统动态模型的迭代数值计算的耗时难以监控，难以实时化。因此，作者及其团队仿真模型开发几乎不直接使用非线性和时变方程。

⑪ 对计算机操作系统要求高。动态并行操作系统价格昂贵，难以大规模普及应用。

⑫ 对计算机性能要求高。超级计算机价格昂贵，难以大规模普及应用。

例如，化工过程中基于剧情的事故预案，包括美国波音公司和美国航空航天局的危险识别和故障诊断，需要尽可能完备的预测系统中危险传播路径。对于一个百余变量的中等规模系统已经达到数万到数百万的量级。第一原理建模与仿真只能计算出大规模的动态响应数据和曲线，但无法给出动态传播路径的细节。单用第一原理的建模与仿真无法完成这些任务。

工业 4.0 数字化转型建模与仿真的需求，包括智能仿真教学和训练的需求，呼唤着第一原理定量＋定性＋经验混合/融合建模与仿真的新时代已经来临。

1.6 工业 4.0 数字孪生建模与仿真的需求

1.6.1 工业 4.0“数字孪生”

“数字孪生”是由英语“digital twin”翻译而来的科技名词，由世界知名的产品生命周期管理（PLM）的专家迈克尔·格里夫斯（Michael Grieves）博士提出。2015 年格里夫斯在论文《数字孪生：通过虚拟工厂复制实现卓越制造》[7]中比较详细地解释了“数字孪生”的概念。格里夫斯指出，可以将数字工厂仿真（试图预测产品将如何制造）转变为数字工厂复制（显示产品实际是如何制造的），然后可以将其与设计规范进行比较。这可以实时或接近实时地发生，这为任何人、在任何时间及任何地点都提供了一扇通向工厂车间的窗户。关注实体产品和虚拟产品之间的联系使人们能够概念化、比较和协作：可以直观地把实际的制造过程概念化；可以比较实体产品和虚拟产品的形成，以确保生产的是想要生产的产品；最后，可以与组织中的其他人甚至整个供应链合作，以获得正在生产的产品的最新知识。关注实体产品和虚拟产品之间的这种联系将提高生产力、生产的一致性并确保最高质量的产品。

格里夫斯的认知可以解释为：

①“数字孪生”就是用虚拟仿真模型跟踪、预测和复制实际工厂，以便动态、实时、更

精准地识别问题、分析问题、科学决策和优化操作与控制。数字孪生成功的关键是高逼真度地应用多种方法混合构建虚拟仿真模型，以及仿真模型与实际系统的实时交互信息和预测。

②“数字孪生”促进了人-机互动、人-机比较和人-机协作，是一个完整的人-机实时在线协同环境，以便提高生产力，并确保生产安全、可靠和高质量的产品。

1.6.2 工业4.0“数字化转型”

什么是数字化转型？2018年，A. Carell等人在论文《在数字化和数字化转型的背景下，将设计思维用于需求工程：一个动机和经验报告》[8]的前部做出了比较准确的解释，该论文的中心思想如下。

软件和数字技术影响工业、教育和社会的方式可以通过三个不同的术语来区分：数码化、数字化和数字化转型。

数码化字面意思是将模拟信息转换为数字（二进制）表示。这种转换是使信息能够被数字技术处理的先决条件。处理大量信息是计算机发展的主要原因之一，在这个层面上，数字技术主要用于组织内部，对工业、教育和社会的影响是有限的。

随着计算机硬件的日益强大和20世纪90年代末宽带互联网连接的出现，人们可以认识到软件和数字技术的使用达到了一个新的水平，术语数字化经常被用来描述这种现象。整个流程和业务不再专注于将信息转换为数码格式，而是开始从模拟世界转向数字世界。这对企业和社会的影响可以视为中等，底层的工业模式、教育模式和社会保持不变。数字化的主要目标是改进现有的产品和服务，这种发展的结果是，在20世纪90年代末，人们在日常生活和职业生活的几个地方越来越多地接触到数字技术。数字化的例子有：网上购物、网上银行、在线教学和在线音乐等。

数字化转型的特点是数字技术使工业模式、教育模式和社会模式发生重大变化。软件平台使这个概念流行起来。在数字化转型的层面上，只有当人们（客户/用户）看到新的数字产品或服务的价值（例如每月为听音乐付费）时，工业模式、教育模式、商业模式和社会模式的变化才会成功。真正的用户需求起着至关重要的作用（良好的需求工程有助于使系统尽可能接近用户的需求）。如今，用户的基本需求必须被识别出来（不能通过请求和询问来解决）才能成功。

从技术角度来看，数码化、数字化和数字化转型这三个层面是相等的，至少是非常相似的。计算机、智能手机或平板电脑等设备被用来为软件提供动力。这些软件是为了在特定环境中执行一个或多个任务而开发的，软件的技术开发（即编码和选择技术实现替代方案的行为）或多或少保持不变，因为软件本身没有改变。从技术发展历史的角度来看，主要的变化是设备的日益强大、新设备的移动性和连接性增加以及新编程语言的发展。从外部角度来看，这三个层次对软件开发环境的影响有显著差异：

① 数码化意味着模拟信息媒介在其他稳定的环境中变为数字媒介（例如，将保险单保存在软件数据库中，而不是纸质文件夹中）。

② 数字化意味着在稳定的环境中，模拟流程被数字流程取代或扩展（例如，在线教学或通过互联网而不是去银行办公室办理银行业务）。

③ 数字化转型意味着整个环境被数字技术改变。

“数字化转型的特点是数字技术使工业模式、教育模式和社会发生重大变化。软件平台使这个概念流行起来。”这一句话集中表达了数字化转型的确切含义。数字化转型必须首先具备在一个行业中“颠覆性”的“数字孪生”建模与仿真软件平台，以及熟练掌握软件平台的应用人才。IBM 公司专家的断言：“决策模型是数字化转型核心。响应时间是衡量标准。用户体验是终极目标。一支在组织上不进行数字化转型的制造型企业，纵有再多的数字化试点，充其量不过是数字化技术的堆砌罢了。这样的量变绝无可能产生质变。”

1.6.3　高科技公司“数字化转型”的启示

6 个世界著名的工业高科技公司，即霍尼韦尔公司、艾斯本技术公司、Ignite Tech 企业软件解决方案公司、艾默生公司、美国通用电气公司和 IBM 公司，在工业数字化转型方面的进展如下。

1.6.3.1　霍尼韦尔公司

据霍尼韦尔公司统计，全世界 60%过程工业企业的自动化系统使用了霍尼韦尔的产品，包括波音飞机的自动驾驶系统。集散型仪表 TDC-2000 和 3000 系列是业界熟悉的著名产品。该公司将集散型仪表改名为过程知识平台“专家系统”，该系统通过“数字孪生”技术实现从项目执行、运行管理直到优化生产全生命周期的智能控制。霍尼韦尔公司首先开发成功智能化报警管理系统，还推出了 UniSim 导师（2018）智能仿真培训系统。

霍尼韦尔公司提出：工业 4.0 数字化转型是向知识型和认知型企业的转型。

1.6.3.2　艾斯本公司混合建模与仿真获 2021 年工业 AI 奖

艾斯本公司（AspenTech）的市场战略总监罗恩·贝克指出：艾斯本的过程建模软件已被用于设计了全世界至少四分之三的化学工厂。使用混合模型，可以对无法轻易地仅用第一原理进行建模的过程和工业装置进行建模。可以利用经验模型的准确性、第一原理模型的力量、人工智能的力量，以及艾斯本公司 40 年的领域专业知识，来创建一个更有预测性的模型。

艾斯本公司将第一原理模型＋定性常识经验模型的混合仿真技术称为新一代创新的工艺过程建模，认为混合建模与仿真将再次改变化学和碳氢化合物工业的进程。这是一个极高的评价和认知，强调了混合建模与仿真技术，特别是因果模型推理在工业 AI 中的重要作用。

艾斯本公司高级总监迈克·布鲁克斯指出，工业 AI 认识到 AI 不能单独解决工业问题，需要大量的特定领域的知识和经验。举一个极端的例子，大家可能会看到某公司花很多钱进行数据分析，却被告知“发现了温度和黏度之间的相关性”这种令人啼笑皆非的结论。所以，仿真的关键在于为 AI 提供指导，确保寻找因果关系，而不是简单的相关性。

通过结合数据科学、人工智能与软件和领域专业知识，工业 AI 战略的投资回报率得到最大化。艾斯本公司的混合建模与仿真技术获 2021 年工业 AI 奖。

1.6.3.3　当今世界最为领先的实时专家系统软件平台 G2

Ignite Tech 公司的“G2”被称为当今世界最为领先的实时专家系统软件平台（源自 IgniteTech 网站，2024）。G2 软件平台提供的先进的故障诊断方法称为因果有向图（CDG，causal directed graph）建模与仿真。CDG 由“事件”和“传播路径”组成，“事件”代表系统的某种异常状况，即故障的征兆或故障的原因，“传播路径”反映事件之间的因果关系。G2 利用实时推理引擎实现最优化操作、检测、诊断并解决重大的问题[9,10]。

为了说明 G2 的功能和特点，引用了较多该公司 2024 年的介绍，如下。

(1) G2 软件平台的主要应用

从 1983 年开始到 2024 年，G2 已经发展为几十个子软件平台构成的软件系统“家族”。

其可通过不同的应用组合获得特定领域特定用户的解决方案。主要应用包括：实时推理和推理引擎、开发仿真、过程和生产控制的专家系统和全球唯一的实时在线专家系统平台。通过提供统一的开发、测试、部署和管理平台，能够促进多种用例的实现。通过构建应用程序，还可以满足不同行业的独特需求。例如，地面采矿和制造业、基于遥测的空间设备管理、卫星、飞机发动机等。

IgniteTech 的实时专家系统 Gensym G2 采用因果有向图（CDG）建模与仿真，可自动控制和决策管理任何复杂的系统、过程或仿真。它是一个可在 32 位和 64 位平台上使用的内部部署解决方案。

G2 除了化工与核电企业用户，还包括军事领域用户。例如：

① G2 海军智能综合保障系统。运用 G2 的实时推理平台为美国海军建立了智能综合保障系统，实现海军装备的自动化和远程化维修保障支持，有效提高了海军装备的综合保障水平。

② G2 后勤供应链管理系统。美国军方用 G2 建立了当今世界上最大、最复杂且反应迅速的后勤供应链指挥系统，为其全军提供后勤支持，为各级指挥人员提供决策支持。

③ G2 联合作战指挥系统。美国国家仿真中心的联合作战指挥系统提供关键任务的精确仿真。同时作为军事训练和模拟演练的练习工具，以及军事决策支持工具。

（2）工业控制和自动化解决方案

IgniteTech 的 Gensym G2 用于创建、部署和调整实时规则驱动的关键任务专家应用程序，使电信、金融、政府、军事、制造、公用事业和交通运输领域的决策自动化，其用户超过 20000 家。Gensym G2 在世界上的一些企业中得到了验证，这些企业在真正的关键任务生产安装中需要 24h×7d 正常运行。使用 G2，规则驱动的关键任务应用程序的构建者可以更高效地工作，最大限度地降低项目交付风险，并提高构建持久系统的成功率。Gensym G2 将实时操作数据转换为自动化决策和行动，所有这些都是实时的。G2 应用程序与现有的操作系统协同工作，包括企业系统、数据库、自动化系统、历史数据系统、网络管理系统、遥测系统等。G2 应用目标是：

① 提高业务敏捷性和性能；

② 提高设备和服务的可用性；

③ 快速构建和部署关键业务应用程序；

④ 保存、增强和利用操作知识。

（3）使用 Gensym G2 构建应用程序

Gensym G2 的核心设计是用于实时仿真、推理和执行。它的所有技术实时协同工作，推动决策和行动。有了 G2，应用程序构建者就拥有了处理应用程序基于时间的需求的全面基础设施。与传统编码相比，这种内置的基础设施是一个重要的生产力提升器。

G2 的实时功能包括：

① 每秒处理数万条规则。高性能。

② 本地保存的数据历史。用于高性能的基于时间的推理。

③ 数据的时间戳。支持基于时间的推理。

④ 在规定时间内给出最佳答案。在规定期限内进行推理。

⑤ 数据丢失时的推理。默认推理。

⑥ 内置表达式。用于推理基于时间的事件和历史。

（4）自然语言规则定义

G2 规则以“if-then”语句的形式出现，通常实时得出结论并推动决策。规则从历史趋势中得出结论、预测问题，然后确定采取什么行动来避免或减少损失和提供指导，以便提高性能等。G2 以自然语言形式表示规则，使领域专家能够直接参与规则的创建和维护。规则和相关逻辑可以用几种方式组织起来，例如可通过表格、树形图和分层工作空间促进它们的管理，也可以用图形结构表示，以说明顺序、关系以及与流程仿真模型的集成。

（5）业务流程和工作流程的图形化协调

为了实时协调业务和工作流程，G2 将一种高性能图形语言 G2GL 直接集成到基于 Web 服务业务流程执行语言（BPEL）标准的平台中。使用 G2GL，用户可以实时地为各种业务和工作流程图形化建模、仿真、执行并行和顺序流逻辑推理。

（6）在运行模式下更新以立即适应逻辑

G2 能够在运行期间更新任何建模或更改逻辑，而无须停下来重新编译和重新加载，这是业务敏捷性、开发生产力和应用程序维护的主要优势。对于应用程序的开发和维护，可在运行时编辑功能，使其增加巨大的价值。在对应用程序进行原型化和构建时，开发人员和业务用户可以立即看到逻辑更改的影响（逻辑仿真功能）。在持续维护期间，逻辑编辑也是即时的，不需要停止应用程序并重新加载已编译的代码或加载的操作数据。

（7）关键任务可靠性

不间断执行是 G2 的基本能力。除了电源故障期间，许多应用程序已连续运行多年。在世界上最大的共同基金公司之一的一次部署中，G2 已经不间断地运行了八年多。G2 通过多种方式提供关键任务的可靠性。G2 是成熟的，它已经在最苛刻的安装中进行了数百万小时的部署测试，通过这些类型的部署经验，G2 的工程团队不断改进平台的设计，以确保平台的高可靠性。

（8）对象建模的可理解性和可重用性

G2 的面向对象建模提供了高度可重用的代码，构建的程序具有比传统编程工具构建的程序更直观的结构。G2 对象以图形方式表示感兴趣的项目的属性和行为及关系。例如，物理项目（如储罐、泵或仪表）或抽象项目（如事件、任务、决策、命令、消息或逻辑连接）等。

（9）其他重要的 G2 对象建模优势

继承：单个和多个分层继承，提供了高水平的建模生产力。

属性：可表示为实时数据、模拟数据、文本或逻辑变量，甚至作为另一个对象。

方法：将对象行为实时表示为过程代码。

关系：通过图形连接和灵活的定义直观地创建关系。

动画：对象图标具有可编程的动画层，以增强人-机交互。

组织：将对象和知识放置在图形化和可编程的分层工作空间中，简化了应用程序的组织和维护。

（10）任务优先级调度

G2 的实时处理在其内部调度引擎中开始，用于并发执行规则、过程、模型和其他任务。通常，许多推理线程、模型和其他活动同时发生，调度器根据可以在毫秒级别指定的时钟“刻度”进行循环。每件事都有优先级，所以关键的事情可以先采取行动。G2 根据简单的配置选择为用户安排任务。

1.6.3.4 艾默生公司收购“知识网络-KNet”软件平台加速数字化转型计划

艾默生是一家大型全球技术和工程公司，为工业、商业和住宅市场的客户提供创新解决方案。2019 年该公司宣布收购了 Integration Objects 公司的 KnowledgeNet（知识网络-KNet，后简称 KNet）软件。KNet 软件是由世界著名的美国实时专家系统 G2 的原创专家格里高利·斯坦利倡导开发的工业 4.0 数字化转型软件平台。KNet 软件平台与 G2 有着一脉相承的关系。

KNet 的分析应用软件致力于加速流程和混合行业的数字化转型计划。KNet 用于提取、清理、转换和分析操作与制造数据。该软件使用先进的统计和机器学习算法库，将大量不同的信息技术（IT）和操作技术（OT）数据转化为可操作的知识，从而推动实时决策。KNet 易于使用的高级分析和自动的根原因识别，可以提供对操作状况的不同见解，延长正常运行时间和提高性能。

KNet 在工业企业应用的主要绩效如下：

① 使工厂特性一目了然；

② 具有有效的操作洞察力；

③ 提高工厂的盈利能力；

④ 保障工厂的正常运行和安全；

⑤ 通过自动化操作规程实现制度化的最佳实践；

⑥ 在线指导有效，明显减少解决问题的循环时间；

⑦ 同步和集成系统、用户、流程和设备；

⑧ 异常情况的管理；

⑨ 决策支持；

⑩ 能源效率专家；

⑪ 关键绩效指标的专家；

⑫ LNG（液化天然气）工厂的专家；

⑬ 利用分布优化；

⑭ 罐区专家；

⑮ 报警管理专家。

艾默生公司进行的智慧操作专业培训中，参加培训的人员包括操作工、轮班主管、工程师和工厂经理。在这个动手实战训练中，参与者有机会配置、部署和调整智能设备模型，学员还有机会学习和建立新的模型。课程结束时，应用工程师将对如何采用嵌入式 C＋＋和 K language（K 语言）脚本定义新的类、对象、程序、工作、表达和智能设备有了一个全面的了解。这是具体的工业 4.0 数字孪生建模技术培训。

1.6.3.5 美国通用电气公司实现设备、网络和过程“数字孪生”

美国通用电气公司（GE）是世界上最大的多元化服务性公司。从飞机发动机、发电设备到金融服务，从医疗造影、电视节目到塑料，GE 公司提供多项技术和服务。GE 在全世界 100 多个国家开展业务，在全球拥有 17 万名员工。GE 公司致力于不断创新、发明和再创造，并且将创意转化为领先的产品和服务。GE 由航空、医疗和能源三大业务集团构成，每个集团都包括多个共同增长的部门。GE 的 4 个全球研发中心吸引着世界上最出色的技术人才，超过 3000 名研究人员正努力创造新一代的技术创新，可以说美国通用电气公司在工业 4.0“数字孪生”的应用方面迈出了坚实的步伐。

美国通用电气公司对“数字孪生”的理解是：数字孪生最常被定义为物理资产（装备）、系统或流程的软件表示，旨在通过实时分析进行检测、预防、预测和优化，以交付业务价值。美国通用电气公司正在以下三个方面实施数字孪生计划。

（1）装备数字孪生

目前拥有 120 万台数字孪生装备，包括喷气发动机、风力发电设备、海上钻井平台、泵、压缩机、冷却器等。使用数字孪生软件在小问题变成大问题之前进行修复，帮助优化、维护计划，预测和避免计划外停机。

（2）网络数字孪生

帮助电网运营商看到全局而不遗漏细节。电网是世界上最大、最复杂的机器，网络数字孪生可以帮助操作员创建虚拟仿真模型，以便更好地操作、分析和优化电网应对故障的挑战。

（3）过程数字孪生

过程工程师具有特殊的领域专业知识，可以将过程模型（或过程数字孪生）组合在一起，并能够解释这些模型，这是提高竞争优势和分析成功的基础。为了推动分析和改进过程，过程工程师可以将领域专业知识与以下五种能力结合起来：

分析：自动识别根原因（反向推理常用于故障诊断），加速持续改进；

监控：早期预警，减少停机时间和浪费；

预测：主动行动，提高质量、稳定性和可靠性；

仿真：运用“如果-怎么样?”仿真（正向推理，常用于决策），以较低的成本提高准确决策速度；

优化：最佳工艺设定值在可接受的质量下可提高高达 10%的吞吐量。

1.6.3.6　IBM 公司对工业数字化转型的理解

2022 年，IBM 的商业价值研究院专家对工业数字化转型发表了观点，主要是如下三个方面。

（1）工业企业数字化的核心是决策模型（建模与仿真）

数字化的核心是决策应变，衡量标准是变化发生到有效对策的时间。

（2）组织模式转型的目标是决策权前移（实时在线应用）

组织数字化转型的目标是决策权向前线人员转移，让离客户更近的人调配资源，尤其是计划后的应变。

（3）转型需要新的指挥系统的支持（数字化软件平台支撑）

需要建立一个能支撑实时感知变化、实时分析变化、实时制定最优决策，并能将决策自动执行的数字化平台。

数字化转型的特点是数字技术必须使工业模式发生重大变化，即数字化转型必须首先具备一个在行业中“颠覆性”的“数字孪生”建模与仿真软件平台，以及熟练掌握软件平台的应用人才。否则就是 IBM 公司专家 2022 年的断言：“仿真模型是数字化转型核心。在核心上不进行数字化转型的企业，纵有再多的数字化试点，充其量不过是数字化技术的堆砌罢了。这样的量变绝无可能产生质变。”

作者认为，第一原理定量＋定性＋经验混合建模与仿真技术构建的软件平台是：

① 实现传统“感知型”自动化企业转型为“认知型”智能化企业的关键技术；

② 实时在线沟通人-机协同的“桥梁”和“纽带”；

③ 增强和放大了人的实时感知、实时分析、科学决策和精准行动与优化的控制能力；

④ 实现多领域工业 4.0 数字孪生的不可或缺的“利器”。

1.6.4 数字化转型软件平台亟待开发

G2 软件平台应当是我国工业 4.0“数字孪生”建模与仿真软件平台重中之重的学习和追赶对象。G2 软件平台对于我国所有工业领域包括军事领域的数字化转型都具有重要借鉴意义。由于 G2 军事应用的敏感性，我国军工领域已经不允许进口。我国的工业 4.0 也决不能建立在国外软件平台的基础之上，以免受制于人。

2024 年 1 月 16 日，工业和信息化部、国家发展和改革委员会、财政部、自然资源部、生态环境部、国资委、市场监督管理总局、中国科学院、中国工程院等九部门联合印发《原材料工业数字化转型工作方案（2024—2026 年）》。

工作方案提出到 2026 年，“原材料工业数字化转型取得重要进展，重点企业完成数字化转型诊断评估，数字技术在研发设计、生产制造、经营管理、市场服务等环节实现深度应用，生产要素泛在感知、制造过程自主调控、运营管理最优决策水平大幅提高，为行业高质量发展提供有力支撑。应用水平明显提升：打造 120 个以上数字化转型典型场景，培育 60 个以上数字化转型标杆工厂，形成一批数字化转型标杆企业。”

在如此短的时间要实现如此宏伟巨大的原材料工业数字化转型任务，如果不首先研发成功多领域广泛适用的国产化实时在线工业 4.0 数字化转型软件平台之“利器”，并培训大量熟练的技术人员，使数字化转型软件平台在企业生根，那么将会十分担心计划会落空。

依据作者及其团队 20 年跟踪调研获得的准确情报：“G2”和“知识网络-KNet”两个工业数字化转型软件平台都是由格里高利·斯坦利（Greg Stanley）博士主持开发并进行大规模工业推广才得以应用成功。其中 G2 最初由 8 人团队研发成功，后来扩展为 20 人，数字化转型软件平台工业应用实践的历练长达 37 年。因为仅仅用 2 年时间从无到深度应用可能远远不够。通过查阅格里高利·斯坦利博士的简历可以看出数字化转型软件平台开发与应用的艰辛历程，参考和借鉴 G2 的研发和大规模工业应用历程。特此建议：

① 由工业和信息化部主导，集中全国的人力、物力和财力，首先用 5 年的时间主攻工业普适的数字化转型软件平台。特别在人力方面建议优选 100 人跨专业的专家团队攻关。团队不应当为短期行为，至少动态维持活力 10～30 年。需要不断升级改进软件平台的性能以适应工业 AI 的需求。

② 采用类似于“SimAI3 建模与仿真软件平台”，在工业企业通过 300 期工业数字化转型建模与仿真技术培训班（分初级、中级和高级培训），为企业培训 10000～30000 名掌握数字化转型的 SDG 与 CDG 融合建模与仿真、软件平台运行与维护、人-机协同技能，并且能够熟练完成模型在线推理给出的“测试验证行动”“恢复正常操作行动”“紧急停车行动”“设备维修行动”等任务的技术能手。

③ 在高校开设“工业 4.0 人工智能技术”课程，开设“SDG 与 CDG 融合建模与仿真实践”课程。强化学生的跨专业实践、现代数学、系统仿真、过程控制、故障诊断、最优化、计算机科学和数值计算理论与技术，超前培养工业数字化转型的研发和应用人才。

1.6.5 数字化转型的关键是人

IBM 专家提出的衡量工业 4.0 数字化转型的三个要素，即第 1.6.3.6 节括号中由本书作者备注的“建模与仿真”、“实时在线应用”和“数字化软件平台支撑”。G2、KNet 是这种软件支撑平台，AI3 也是这种软件支撑平台。这种软件支撑平台的核心技术是混合建模与仿真。

离开了建模与仿真、实时在线应用和数字化软件平台支撑任何一个要素，在技术层面都无法真正实现数字化转型。

IBM 公司提出的工业 4.0 数字化转型的三个要素，只强调了技术和软件支撑“工具”的重要性，未强调人的因素在数字化转型中的重要性。这一认知与 G2 高度一致。G2 软件平台经历了 40 年大规模工业应用的经验和教训。在 2024 年 1 月 4 日 G2 发表了新年展望《现在的未来：探索 2024 年的顶级科技趋势》。新年展望中强调：人工智能的发展不会降低人类技能和直觉的重要性，相反，它强调了人类与人工智能有效合作的必要性。提高技能和再培训计划对于准备与人工智能一起工作的劳动者来说至关重要，必须同时利用人类创造力和人工智能分析能力的优势。在道德考虑和细致决策至关重要的情况下，这种协同作用尤为重要。

人工智能应用技术人才缺乏，特别是具有工程实践经验的建模与仿真人才的奇缺，导致实时专家系统的工业应用难以适应工业装置技术改造和进化。因此需要培训现场的技术人员学会构建第一原理定量＋定性＋经验建模与仿真，需要结合实际的仿真演示软件，需要将第一原理定量＋定性＋经验建模与仿真与推理方法很好地集成到科学与工程辅助教学中，需要进一步提高第一原理定量＋定性＋经验建模的自动进化功能。

人工智能技术应用的主力军是在生产实践和社会实践一线工作的所有知识群体，亟待实现他们专业知识和技能的更新，以便适应工业 4.0 时代的到来。进行大规模人工智能应用技术培训是一个有效的方法，核心技术培训内容是第一原理定量＋定性＋经验建模与仿真。

作者认为，对人工智能应用系统的开发者和应用者的基本要求如下。

① 有能力洞察人工智能技术科技强国的深远意义。

② 完全自觉自愿地、主动地在本职工作中探索和应用人工智能技术。

③ 人工智能软件要求开发者和应用者有决心、有恒心、有克服困难的最大勇气，并可以完成如下任务：

a. 完全采用计算机、互联网、数字化和软件程序化的工作方式。

b. 无条件接受和应用本领域知识本体标准，并通过实际应用修正和扩展知识本体标准。

c. 在实践中快速成长为跨领域、跨专业的专家，并且磨炼成第一原理定量＋定性＋经验建模与仿真能手。作为一个研发团队成员，至少要掌握所研发领域专业实践知识、现代数学、系统仿真、图论、网络拓扑、评估理论、逻辑分析、概率论、过程控制、故障诊断、数据处理、最优化、计算机科学和数值计算理论与技术。最好都是计算机编程高手。

d. 深度应用新一代人工智能技术辅助解决各领域的智能分析、智能诊断、智能决策和智能控制问题。

e. 发挥多专业技术人员的集体智慧，以团队合作方式持久不断地维护和发展各领域仿真模型知识库。

f. 持久不断地研发更加高效、更加实用的人-机友好、可进行知识表达和知识处理的人工智能数字化转型软件平台。

1.7 基于仿真的“专家陪练”技术

1.7.1 “专家陪练”技术的发展历程

“专家陪练”是基于“剧情”的过程知识训练方法[11-13]，最早由纽约市消防局的一名营长辛策（Neil Hintze）于2008年提出。辛策期望训练消防队员处理不寻常的情况，如地震或恐怖袭击。他向受训人员介绍了一种剧情，其中包括对现实的、与工作有关的挑战的描述，并辅以视觉辅助工具（例如地图和图像等）。在剧情的不同发展阶段确定数个决策点，这些决策点要求受训人员对一组选项（通常是三到六个选项）进行排序，选择哪些行动、哪些目标要优先排序，哪些线索要更仔细地监控，或者要寻找什么样的信息。一旦受训者确定了解决方案的优先次序，就会被要求写一份理由说明他们排序的原因。接下来，辛策的方法为培训增加了一个新的组成部分。在领域专家提供的决策过程（认知模型）背后加入了精心准备的叙述。辛策安排了一个专家小组来研究相同的方案，并对备选方案进行排序。要求受训人员将自己的排序与专家的排序逐一比较，根据其中的差异进行反思以获取启发。

德国巴斯夫公司培训新员工的一个非常有用的策略是，让他们参与实际过程或生产挑战的剧情案例研究。这不仅使经验较少的工人有机会为不同的情况制定自己的策略，而且使他们能够看到他们的行动与面临同样情况的有经验的工人的实际反应相比如何。该方法要求有关各方必须首先熟悉知识传递过程本身，特别是确保他们对要传承的信息有相同的期望。实际的“知识传承对话”依赖于巴斯夫提出的“知识图谱”，它将新工人的问题与经验丰富的工程师的回答相匹配。对于一个过程工程师来说，这样的知识图谱不仅涵盖了“谁”、“什么”和“如何做”的问题，而且还涵盖了经验丰富的工程师在一段时间内收集到的其他见解。这种方法缩短了新工作人员的培训时间，并帮助新的工作负责人更快地适应他的角色。这是一种非常严格的方法，需要在保密的情况下进行，以便不断衡量前任和继任者如何判断这种做法的好处。几乎所有的参与者都报告说提高了效率，并证实这是值得的。

专家陪练方法的原理是，借助于知识图谱可以把学员内心思维过程的所有细节（心理模型）都如实地表达于电脑桌面上。其后，教师的（集体）专家思维过程的所有细节（专家模型）也都如实地表达于电脑桌面上。这样学员就可以逐一详细比较，反思自己与专家认知水平的差异，快速高效地提高认知能力。依据现代教学理论，专家陪练方法通过不断自我修正可视化的心理模型促进了学员的“概念转变”。

这项技术的创新，一举解决了长期困扰企业（包括军事部门、高校和中小学）仿真训练和科学实验教学的难题，即，限于教师的能力和认知水平，无法对众多的学生实施细粒度的跟踪，实现深度个性化辅导。

美国专家陪练公司（ShadowBox）[14]给出了原因分析和解决方案：培训认知技能（相对于程序、感知运动技能或陈述性知识）的主要挑战之一是是否有主题专家（操作专家）。理想的情况是，操作专家能够提供一对一的指导和辅导，但很少有操作专家有足够的课堂辅导时间，更不用说个别辅导了。此外，认知技能往往涉及隐性知识，即使操作专家可以进行一对一的指导，他们也可能无法描述他们如何做出决定、调整情况或注意到微妙的暗示。操作专家几乎没有或根本没有受到教育培训，他们擅长他们正在教授的技能，但可能不擅长教授这种（以上提到的多种技能）技能。因此，缺乏能够提供有效指导的操作专家是培训认知技能的瓶颈。ShadowBox（专家陪练）可以解决这个瓶颈。

图 1-1 是“专家陪练”公司的网页，指出基于剧情的训练能够加速学员成为专家。该技术已经成功用于化工操作员、特战部队、消防队员、医生护士和警察认知能力训练。这项工作得到了美国国防高级研究计划局（政府合同 06-1825383）的支持。

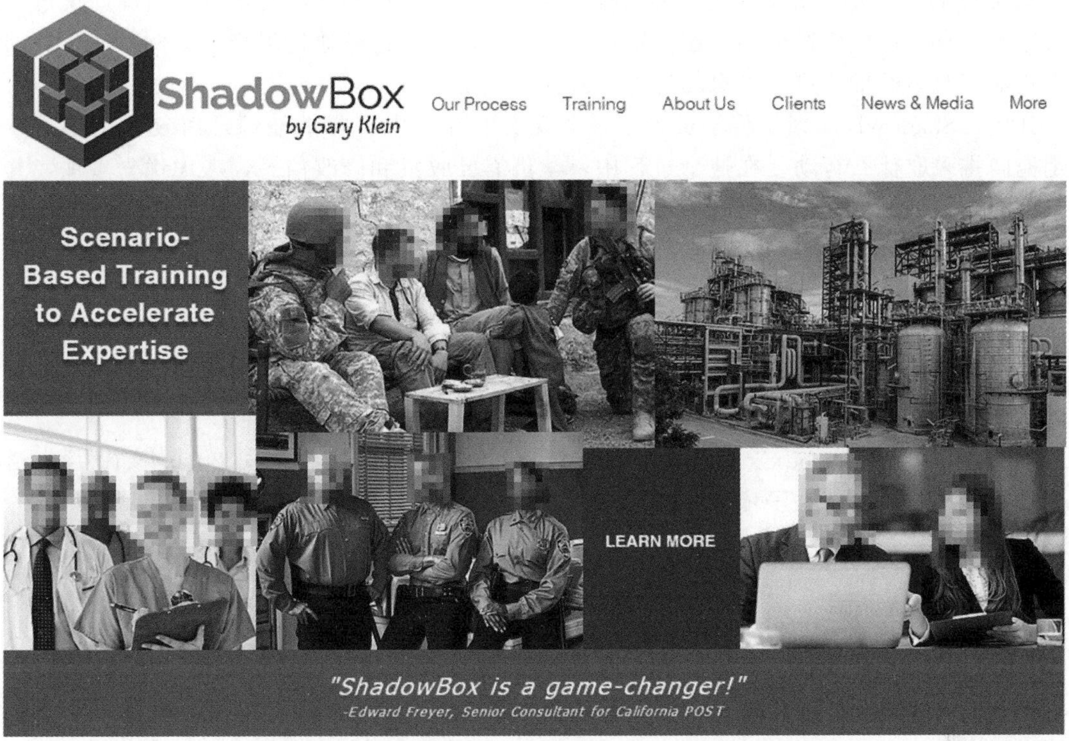

图 1-1　“专家陪练”公司的网页介绍基于剧情的训练

霍尼韦尔公司的 UniSim 导师是一个基于网络的游戏风格的软件。该软件允许用户评估、捕获和传播工厂操作员的知识（认知链剧情），向学员提供具有挑战性的操作方案，并根据预先确定的最佳做法对学员反应进行评估，具有灵活的部署选项。UniSim 导师允许与现有能力管理工具软件的模块化集成，包括但不限于操作员培训仿真器（OTS）联合集成。

与 ShadowBox、UniSim 导师和 UOP 专家系统等智能“专家陪练”培训方法相似，AI3（2021）似乎具有更强的功能。例如，采用图形化大数据＋静态知识图谱＋动态知识图谱建模，无须编程建模，演绎、归因和双向（溯因）因果网络高速高效反事实推理，与仿真器实践训练联合，数据实时通信等功能，等等。AI3 几乎能使所有的正在使用的 STEM 实验系统和仿真器（包括已经开发的在企业和学校广泛使用的实验系统和仿真器）实现先进的智能化教与学。

2016 年美国贝维尔工程公司（Beville Engineering Inc.），采用炼油催化裂化装置（FCC）进行了试点，经验丰富的操作人员和新手都经历了不同的剧情。经过试验发现，那些经历过专家陪练方法训练的操作员在诊断故障原因方面比那些没有经历专家陪练训练的人表现好。此外，国防部门用平板电脑专家陪练软件对士兵进行了训练。统计表明，使士兵的认知能力提高了 21%，因此建议使用基于剧情的专家陪练方法提高军事作战人员的认知技能。试验表明“专家陪练”联合仿真培训效果更佳，并且认为，配合“专家陪练”的仿真器可以适度降低仿真逼真度要求。

贝维尔工程公司的专家对“ShadowBox”的解释是：术语 shadowbox 有各种各样的定义，如从包含重要文物的展示柜到与假想拳击对手对打的行为。他们使用这个名称有两个原因，每一个都与其培训方法的独特特征有关。首先，ShadowBox 训练让学员将他们的想法和行动与专家小组进行比较。他们可以看到这些专家如何理解和应对困难的情况，这可以作为反思的要点。他们已经证明，这种审慎的“形影对照”过程通过艰难的案例，使学员的思考方式随着时间的推移更像专家的思考方式。

其次，ShadowBox 训练将学员置于一个现实的环境中，要求他们理解复杂的事件，并决定他们将采取什么行动。在这个过程中，学员需要收集和修改信息，考虑优先事项，并预测未来的事件。就像拳击一样，学员要进行模拟体验，为真正的练习做准备。通过这些练习，学员加强了他们的感知和认知技能，能够在与真实事物面对面时更快、更有效地识别和反应。

总而言之，ShadowBox 指的是实习生跟随专家的概念模型。该方法不是简单地观察专家的行为，而是关注了解专家如何理解复杂的情况，使学习者在低风险环境中练习具有挑战性的任务。

本书中将“shadowbox”翻译为“专家陪练”。据贝维尔工程公司 2019 年 10 月报道了解到，智能“专家陪练”子项目，已经连续两年参与到美国国防部高级研究计划局（DARPA）投入 20 亿美元开发新的人工智能技术［可解释的人工智能（XAI），又称为下一代人工智能（AI/Next）］总项目之中，主攻基于常识的自动语义解释模型技术。

2018 年以来，在美国化学工程师学会（AIChE）、操作员绩效中心（COP）、贝维尔工程公司和霍尼韦尔公司（Honeywell）等组织和机构的大力推广下，专家陪练方法已经在欧美大型石化企业得到广泛应用，并且迅速扩展到消防员、特战部队、警察、医生和护士的认知能力培训中。

1.7.2 认知学徒“专家陪练”方法要点

“专家陪练”方法是现代建构主义“认知学徒”教学方法（详见第 2 章介绍）在工业过程中的创新应用。作者团队将“专家陪练”技术实现了智能化，成功研发了基于仿真的智能教学系统，即 SimAI3 软件平台。

参照美国贝维尔工程公司的“专家陪练”（ShadowBox）方法，智能教学系统要点如下。

（1）设计剧情

首先，陪练专家（培训教师）为学员（受训者）用类似于 SimAI3-教师版的软件设计一个真实的生活剧情（场景、情景）知识图谱模型，其中包括了他们在工作中可能遇到的复杂问题，并且以多媒体格式提供生动的图像和细节，包括文本、图形、视频或音频，辅助学员了解剧情发生的场景。最好是采用模拟该剧情的仿真器，学员可以通过仿真“临境”剧情的实践。

（2）挑战学员

学员使用类似于 SimAI3-学生版的软件。在每个教师设计的剧情“脚手架”中，学员都会遇到一系列具有现实意义的概念认知点和决策点，这些测试点是在陪练专家的帮助下生成的。概念认知点挑战学员概念是否清晰，决策点挑战学员提供的排序和理由。利用学员对剧情情景的认知训练评估学员的能力。

(3) 专家反馈

在每个决策点之后，向学员介绍来自专家小组的排序。学员有机会通过阅读每个决策点排序的深度专家反馈来探索陪练专家的思维。

(4) 深度领悟

在每次基于剧情的专家陪练之后，学员会思考他们的排序和基本原理与陪练专家相比的相同和不同之处。这种反思促进了学员洞察力的发展，将有助于新手的认知能力向陪练专家的认知能力演变。

参考文献

[1] 吴重光 . 化工仿真实习指南 [M]. 3 版 . 北京：化学工业出版社，2012.

[2] Zhang J W，Chen Q，Sun Y，et al. Triple scheme of learning support design for scientific discovery learning based on computer simulation：Experimental research [J]. Journal of Computer Assisted Learning，2004，20 (4)：269-282.

[3] Schank R C，Fano A，Bell B，et al. The design of goal-based scenarios [J]. Journal of the Learning Sciences，1994，3 (4)：305-345.

[4] Kluge A，Bakken S M. Simulation as science discovery：Ways of interactive meaning-making [J]. Research and Practice in Technology Enhanced Learning，2010，5 (3)：245-273.

[5] Li N，Black J，Gao M. Designing better scaffolding in simulation-based learning environments teaching science systems：A pilot study report [C]. Proceedings of the Annual Meeting of the Cognitive Science Society. 2012，34 (34) .

[6] Basu S，Biswas G. A scaffolding framework to support learning in multi-agent based simulation environments [J]. IEEE International Conference on Consumer Electronics，2011.

[7] Grieves M . Digital twin：manufacturing excellence through virtual factory replication [J]. 2015.

[8] Carell A，Lauenroth K，Platz D. Using design thinking for requirements engineering in the context of digitalization and digital transformation：A motivation and an experience report [M]. The Essence of Software Engineering. Cham：Springer International Publishing. 2018：107-120.

[9] Stanley G，Vaidhyanathan R. A generic fault propagation modeling approach to on-line diagnosis and event correlation [C]. Ifac Workshop on On-line Fault Detection & Supervision in the Chemical Process Industries. 1999.

[10] Kapadia R，Stanley G，Walker M . Real world model-based fault management [J]. 2007.

[11] 吴重光，纳永良 . 知识图谱建模与智能推理技术 [M]. 北京：化学工业出版社，2021.

[12] Borders J，Polander N，Klein G，et al. ShadowBox^{TM}：Flexible training to impart the expert mindset [J]. Procedia Manufacturing，2015，3：1574-1579.

[13] Sean，Ottewell. Plants grapple with graying staff [J]. Chemical Processing，2015，78 (8)：18-21.

[14] Gary，Klein，Joseph，et al. The ShadowBox approach to cognitive skills training：An empirical evaluation [J]. Journal of Cognitive Engineering and Decision Making，2016，10 (3)：268-280.

第2章 现代教学理论与方法

作者及其团队研发基于仿真的智能教学系统已有20余年历程。作者通过查阅大量的智能教学文献，发现了一些共同规律，即：智能教学技术和系统建模与仿真技术有着密不可分的渊源，智能教学系统是改革应试教育的有效工具，智能教学的理论及方法几乎都与现代建构主义教学理论和方法的具体实现相关，学习是人类认识世界的过程，现代建构主义理论不断深刻地印证了马克思主义的认识论。

在本章开始之前，先重温马克思主义认识论的要点：

① 客观物质世界是可知的。人类不仅能够认识物质世界的现象，而且可以透过现象认识其本质。

② 物质世界是不依人的主观意志而独立存在的。人类的意识是物质长期发展的产物，是人脑的机能，是对物质世界的反映。

③ 实践是认识的基础、认识的来源、认识发展的动力、认识的目的和检验认识真理性的唯一标准。认识来自实践，又转过来指导实践，为实践服务。人类对世界的认识不是一次完成的，而是一个多次反复、无限深化的过程。

2.1 建构主义教学理念

建构主义起源于欧美国家的一种认知理论，并且在近几十年中经历了大规模教育改革实践的探索并成功应用。建构主义认为，知识和认知能力不是单纯通过教师传授得到的，而是学习者在科学实验、生产实践和社会实践背景下，在教师和学习同伴的互动、协作和帮助下，采用必要的学习环境、资料和实践环节，通过意义建构的方式获得的。由于学习是在一定的情境、实践和社会文化背景下，借助其他人的帮助，即通过人际的协作活动而实现的意义建构过程，因此建构主义学习理论认为“情境”、“协作”、“会话”和“意义建构”是建构主义学习环境中的要素。

在谈到建构主义起源时，新西兰学者诺拉指出，在反对用直接教学方式以形成知识基础的原因方面，苏格拉底和柏拉图是教育上最早的建构主义者。现代建构主义的先驱是瑞士教育家皮亚杰（Jean Piaget）和苏联教育家维果茨基（Lev Vygotsky），他们提出了人类智力发展的理论。皮亚杰在1970年发表了《发生认识论原理》，其中主要研究知识的形成和发展。他从认识的发生和发展这一角度对儿童心理进行了系统、深入的研究，提出了认识是一种以主体已有的知识和经验为基础的主动建构。维果茨基强调学习者的社会文化历史背景的作用，提出了“最近发展区”的概念。

莫迪凯·本·阿里的高引用率论文《计算机科学教育中的建构主义》简明扼要地说清楚了什么是建构主义教学方法。论文认为：今天的主流学习理论被称为建构主义。这一理论认为，知识是由学生主动构建的，而不是被动地从课本和讲座中吸收复制的。建构主义是一种学习理论，它主张学生建构知识，而不仅仅是接收、复制和储存老师传授的知识。教师必须引导学生构建一个可行的模型，以便根据模型解释新情况，并制定正确的反应。

(1) 传统教学模式（指应试被动教学）

① 有一个本体论的现实。尽管科学家们接受相对论和量子力学理论，但牛顿的绝对空间和时间模型是通常用于现实的模型。人们通常认为数学是一个独立的存在，其中 2+2=4 是绝对正确的。

② 认识论是基础。真相就在那里，人们开始相信诸如 2+2=4 和经验感官数据等必要真理的基础，然后使用有效的逻辑演绎形式来扩展真实知识的范围。

③ 学生的头脑是一张白纸，可以被知识填满。一旦学生知道了足够的事实和推理规则，就可以通过逻辑演绎来创造新的知识。教师可以将知识直接“倾倒”至学习者的头脑中。

④ 听讲座和读书是知识传播的主要手段。重复（复习和练习）可以确保记住所学的知识。

(2) 建构主义教学模式

① 本体论现实要么被拒绝，要么最多被认为无关紧要。因为大家永远不可能真正“知道”任何事情，所以本体论无法影响教育范式。

② 建构主义的认识论是非基础主义的，是不可靠的。绝对的真理是不可能达到的，所以没有真理的基础是可以建立的，甚至 2+2=4 也不是必然真理。知识是人构建的，因此必然会出错。

③ 知识是递归获得的。感官数据与现有知识相结合，以创建新的认知结构，而这些结构又是进一步构建的基础。知识也是通过对现有知识的反思而在认知上被创造出来的，皮亚杰的著作对建构主义理论的发展起到了重要作用。

④ 学习必须是主动的。学生必须在老师的指导和其他学生的反馈及帮助下构建知识。有效的学习不仅需要发现事实，还需要构建可行的思维模型。教师必须积极地指导学生向有效学习方向努力。

⑤ 建构主义模式下教师的任务比传统模式下要困难得多，因为指导必须建立在对每个学生现有认知结构理解的基础上。

本·阿里特别强调，建构主义并不排斥传统的教学手段，如讲课和读书。本·阿里还指出，建构主义与“现代”教学方法（如小组项目、发现学习和主动任务学习）并不是共延的。只有当这些方法被设计成能够让学生在已有知识的基础上建立的可行的心理模型时，建构主义者才会青睐它们。

建构主义认为，教师不能忽视学生已有的知识，并且必须向学生提问，以便准确地了解学生目前使用的理论，然后试图引导学生找到“正确”的理论。

知识是由学生构建的——适用于计算机科学（和 STEM 教学），其核心含义是必须明确地教授模型。

(3) 教育工作者指南

教育工作者在教学实践中应用建构主义的建议。

① 不管采用何种教学技术（讲座、实验、作业），必须清楚地向自己表达希望给学生带

来的认知转型（概念转变），并实现这一目标。仅仅传递知识并不是一个有意义的目标。

② 必须挖掘自己的专业知识，以揭示构建所教材料的可行模型所需的先验知识，必须确保学生有这些先验知识。

③ 在任何特定的课程中，教授特定的抽象层次，必须明确地提出一个比所教授的模型低一级的可行模型。

④ 当一个学生犯了错误或表现出缺乏理解时，必须假设这个学生有一个或多或少一致的，但不可行的心理模型，老师的任务是引出这个模型，并指导学生对其进行修改。

⑤ 必须为个人反思（例如错误分析）和社会互动（例如小组实验室）提供尽可能多的机会。显然，每个教育工作者都必须决定如何在具体情况下应用这些“格言”。

本·阿里的研究还有一个发现：教育研究者必须理解教学的哲学基础，其本质上是建构主义的。这种说法可以反过来说，从建构主义观点出发的教育研究者应该使用定性方法。这些方法能引出学生的内部结构，远比仅仅衡量学生表现，然后就某项技巧的成功得出结论的研究更有帮助。

20 世纪 80 年代至 2012 年以来，著名的现代建构主义教学技术专家戴维·乔纳森（D. H. Jonassen）的研究重点是一整套系统的教学现代化解决方案，包括：

① 设计现代建构主义学习环境；

② 研发学习的认知工具；

③ 研发知识表示的标准化；

④ 研发基于问题的学习和问题解决方法；

⑤ 研发计算机协作论证及个体差异学习。

乔纳森教授及其教学团队不断完善和丰富了现代建构主义教学理论、技术和方法。他是现代教学技术的积极践行者，也是十几所大学客座教授，与多所大学深入合作，重点在工程与科技教学中探索教育改革的方法和应用技术实践[1-15]。

本章下面各节，将有选择性地介绍多种具体的现代建构主义教学理论、技术和方法。期望对使用和研发智能教学系统（ITS）有所帮助。

2. 2 ACT-R 理论与智能教学

理性思维的自适应控制 ACT-R（adaptive control of thought-rational）是一种人类认知理论，由美国人工智能专家、院士和心理学家安德森（John R. Anderson）等人建立。该理论试图理解人类如何获得和组织知识以及如何产生智力活动，其研究进展基于神经生物学研究成果并从中得以验证。ACT-R 已成功地为许多不同认知现象建立起合理的模型，包括感觉、注意力、学习、记忆、问题解决、制定决策、语言加工、智能体、ITS 和人-机交互等。

虽然 ACT-R 理论的主要用途是面向人类行为重要特征的建模，包括在各种认知任务研究中的错误模式和响应时间，并且大部分工作都是在实验室进行的。但 ACT-R 也被应用于实验室之外的教育和培训领域。这项研究已经发表了数百篇论文。ACT-R 逐渐形成了基于模型跟踪的智能导师软件的代名词，是 ITS 实施方法的一种指导原则。

2.2.1 基于 ACT-R 理论的认知导师

安德森院士等人将 ACT-R 理论应用到认知导师（CT，cognitive tutors）的教学规律和实施方法归纳如下[16,17]。

(1) 陈述性知识和程序性知识

ACT-R 理论区分了陈述（声明）性知识（例如，在几何中知道勾股定理）和程序性知识（又称过程知识，例如，在几何题证明中使用勾股定理的能力）。该理论的假设是，与目标无关的陈述性知识最初以一种可以或多或少直接从观察和指令中编码的形式进入教学（人脑）系统。认知技能依赖于大脑或智能体系统将这些知识转化为“if-then”形式的产生式规则，这代表了程序性的知识。

(2) 知识编辑与建模

学生可以使用各种解释程序，如指令跟随和类比程序，通过将陈述性知识与任务目标联系起来，产生解决问题的行为。一个称为知识编译的学习过程将这个解释性问题的解决转化为产生式规则。产生式规则是程序的、抽象的、模块化的、定向的和与目标相关的。因此，该理论认为产生式规则只能通过在解决问题的活动中使用陈述性知识来学习。

这一学习规律指向了一种教学方法。在这种方法中，学生们得到了最初的简短陈述性教学，然后进行了大量的基于指导的实践。

(3) 知识通过实践加强

陈述性知识和程序性知识都是通过实践获得而加强的。实践应用中知识薄弱会导致失误或错误。因此，即使在成功地编码了知识之后，进一步的实践会使知识更稳定与更快速地加强，也会使应用执行错误减少。

(4) 认知技能的本质

认知技能描述了智能导师软件所教的内容。因此，很重要的一点是要弄清楚这个术语如何与一个特定领域（如几何学）的“能力”相关联。ACT-R 理论使用认知技能来表示在该领域中获得的一组产生式规则。领域能力不仅仅是这些产生式规则，还有表示领域知识的陈述性结构。虽然从原则上讲，可以用产生式规则表示所有领域知识，也可以用陈述性知识表示所有领域知识，但这两种方法都不是开发领域能力的有利方法。如果所有东西都必须用产生式规则来表示，那么就需要太多的规则，因为有必要用各种方法来表示每一块知识。如果所有内容都必须用陈述性表示来解释，那么效率就会太低，并且会给工作内存带来太大的负担。既然能力既依赖于陈述性知识，又依赖于程序性知识，为什么要强调程序性知识呢？这是因为陈述性知识的获取相对来说是简单的。然而，陈述性知识本身是惰性的，通常是完全无用的。当前本科课程通常教授的知识主要是陈述性事实，需要的推理因果链非常有限，是应试教育的误区。

陈述性知识可以通过简单地被告知而获得。难点是如何获得程序性的知识，使这种惰性的知识成为在使用环境中采取有效行动的基础。产生式规则不能简单地通过被告知来学习，相反，它们是只能通过实践获得的技能。因此，建立能够展示、监控这些技能的环境，并给予适当的反馈以塑造技能习得是至关重要的。这是人类教师的职责，也是智能导师的职责。

2.2.2 实现智能教学的方法

(1) 认知建模

教学应该参照学生被要求学习能力的认知模型来设计。这意味着该系统拥有一个计算模型，能够以期望学生解决问题的方式给学生提供学习问题。在智能导师的指导下，应该有一个潜在技能的产生式规则的程序，这是一个将执行学生期望时执行任务的模型。在问题求解的每一点上，模型都能够生成一组表示问题正确解的产生式规则序列。

注：在 SimAI3 智能教学软件平台中将这一方法进行了扩展。通过“概念探针”、“决策探针”和学生与专家思维模型结构的差异，跟踪学生解决问题的全过程。探针点可以任意设置，并且可以任意设置“正确解”“错误解”或“部分正确解”等序列。

（2）路径有关的行动

如果学生的行为沿着模型生成的正确的解决路径之一，那么他们的正确行为就会被识别出来。如果学生是正确的，智能导师不会评论，并且允许学生继续解决问题。

注：在 SimAI3 中增加了反思学习过程，对所有路径上的事件点都可以反思。也就是说即使反思前学生做对了，还要考虑是否隐含有猜测因素，要求学生再次确认是否真正理解。

（3）偏离路径的行动

如果学生做了偏离路径的动作，指导的重点是让学生回到正轨。早期的智能导师要求学生总是走在正确的路径上，最近的智能导师允许学生偏离正道。但当学生偏离正道时，指导集中在让学生回到正道上。

（4）错误反馈和帮助

智能导师有两种类型的指导。如果学生犯了一个可识别的错误，可以给出一条信息来解释为什么这是一个错误，这是由包含错误的程序生成的。如果学生寻求帮助，就会出现帮助信息，引导学生找到正确的解决方案。此消息由沿着正确路径的信息生成，通过使用通用产生式规则的特定实例化、错误消息和帮助消息，依据它们发生的特定上下文生成。

这种智能辅导方法被称为模型跟踪方法。最初智能辅导的方法是坚持学生的每一个动作都在可解释的路径上。当对学生动作的解释有任何歧义时，会给学生一个消除歧义的菜单，以确定对动作的正确解释。如果学生的行为是错误的，学生应该纠正它，并回到可理解的路径上。后来放松了要求学生停留在可解释路径上的要求，这样做可以避免潜在的路径组合“爆炸”，使得智能导师的模型跟踪设计极为复杂、困难和费时费力。后来国际上针对这一困难研发成功了基于约束的建模（CBM）技术（详见第 2.11 节）。

注：SimAI3 中采用了“专家陪练”方法。在反思（改错）阶段学生运用“类比推理”和“结构映射”等方法，充分发挥主观能动性。学生将自己反思前完成的“心理模型”（概念模型）全面和细致地对照教师提供的“专家模型”，并且参照专家模型仔细修正自己的模型。所有反思前和反思后的模型细节包括修改细节都有精准记录和百分制评价。SimAI3 允许学生实施任意多次的反思。

需要说明，ACT-R 自身的原理是一种知识编码软件，采用 LISP 语言编程。以上是 ACT-R 在教育领域的延伸指导思想，并不是 ACT-R 软件本身的原理。

认知导师的理念源自 ACT-R，截至 1995 年并没有在学校真正大量推广应用[16]。CT 的下一代 MATHiaX 软件平台截至 2017 年已经在美国 12 年义务教育（K-12）中大规模应用。认知导师最佳案例评估表明，学生至少可以在传统教学三分之一的时间内达到与传统教学相同的熟练程度。该系统正在为建设新的教师队伍服务，目标是实现美国全国数学教师委员会（NCTM）的高中数学标准。

2.3
以学生为中心的教学理念

改革传统的以教师为中心的教学理念，转变为以学生为中心的教学理念，是现代建构主义教育思想的重要内容。这个转变中教师起主导作用。

在传统的以教师为中心的应试教学模式下，教师是认知权威的中心。教师指导学习过程，控制学生对信息的获取。这种模式的发展是为了增加接受教师指导的学生数量，是农业和工业时代的产物。在这种模式下，学生被视为“空容器”，学习被视为在现有知识基础上添加新信息的附加过程。教学是面向“普通”学生的，每个人都被迫以相同的速度进步。家长和社区成员可能会对学生的学习作出贡献，但很少以任何系统的方式作出贡献。

现代建构主义认为，教育者必须培养学生具备访问、检索、解释、组织和沟通信息的能力，使他们具备独立、自律、终身学习的能力。

大量研究表明，学生并不是空容器，他们来上课，是以自己的感知框架和不同的方式学习。学习不再被看作是一个被动的过程，相反，学习是一种主动的、动态的过程。在这个过程中，知识连接不断变化，结构不断被重新“格式化”。简而言之，学生通过听、说、读、写以及对内容、想法、问题和关注点的反思来构建自己的意义。

在以学生为中心的环境中，学习者被给予直接访问知识库和工作任务的权力。以个人或小组的方式，运用集体智慧和“头脑风暴”解决真正的实际问题（即“最近发展区”教育理念）。在这样的环境中，父母和社区成员也可以直接接触到教师和知识库，并且在教育过程中发挥作用[18]。以教师为中心和以学生为中心的教学方法的比较见表 2-1。

表 2-1　以教师为中心和以学生为中心的教学方法的比较

教学变量	教学方法	
	以教师为中心	以学生为中心
学习成果	• 特定学科的语言信息； • 低阶思维能力(如：回忆、识别、定义)； • 记忆抽象和孤立的事实、数字和公式	• 跨学科信息和知识； • 更高层次的思维能力(如：解决问题、更高阶思维)； • 信息处理技能(获取、组织、解释、沟通信息)
目标和对象	• 教师规定学习目标和对象是基于之前的经验、过去的做法、州或地方规定的标准	• 学生和老师一起选择学习目标和目标的基础，基于真实问题和学生优先知识、兴趣和经验
教学策略	• 老师规定教学策略； • 群体节奏，专为“普通”学生设计； • 信息的组织和呈现主要由教师进行(例如，讲座)，加上一些补充阅读作业	• 教师与学生一起工作确定学习策略； • 自定节奏，设计以满足个别学生的需求； • 学生可以直接访问多个信息来源(例如，书籍、在线数据库)
教学评价	• 评估用于分类学生； • 论文和答题考试用于评估学生获取信息的程度； • 教师为学生设定绩效标准； • 学生们留下来找出老师想要什么	• 评估学习的积分部分； • 绩效，用于评估学生运用知识的能力； • 学生与教师合作，定义绩效标准； • 学生发展自我评价和同伴评估技能

续表

教学变量	教学方法	
	以教师为中心	以学生为中心
教师角色	• 教师组织并向学生群体展示信息； • 教师充当知识的看门人，控制学生获取信息； • 老师指导学习	• 教师提供多种途径访问信息； • 教师充当主持人，帮助学生获取和处理信息； • 教师促进学习
学生角色	• 学生期望老师教他们通过考试的方法； • 信息的被动接收者； • 重构知识和信息	• 学生负责学习； • 积极的知识寻求者； • 构建知识和意义
教学环境	• 学生们在教室中排排坐，信息通过讲座、书籍和电影来展示	• 学生在电子终端工作，访问电子资源

以学生为中心的教学理念是现代建构主义的核心思想，是当今信息化、数字化时代人才转型的迫切需要。沃尔夫（Beverly Park Woolf）的著作[19]《为电子化学习革命构建以学生为中心的智能互动式教学策略》对以学生为中心的教学改革必要性、具体实施策略和欧美发达国家已经取得的进展进行了比较深入的综述、介绍和探讨。书中指出以学生为中心的教学体现了个性化教学的特点，重要的目标是使学生掌握分析问题、解决问题的终身学习方法。

书中对应试教育的特征和缺陷进行了揭示，几百年来，主要的教学形式包括书籍、教室和讲座。学者和教师将信息仔细地组织为可消化的样子，学生被动地获得这些信息，并在隔离中工作以便从存储在旧课程中的固定任务中学习。这些被动方法建议学生的任务是吸收明确的概念，然后在大量的事实和基于定义的多选择考试中表达出这种理解。在这种方法中，课堂中的教师通常要求 95%的问题需要简短的回答，或设定一些解决结构良好问题的活动。这些教学方法并不十分有效，他们只成功教会了每个班级的前几名，通常是有学习动力和有天赋的学生。

人们需要经过一生的学习才能成为有技能的社会成员，高中文凭不再能保证终身就业前景。现在经济已经从体力劳动者转变为知识型工人。工作技能每隔几年就需要更新一次，人们必须做好一生多次（平均五次）更换工作的准备。终身学习意味着终身教育，而这又需要教师的支持、良好的资源和集中的时间。传统教育（课堂讲课、复习课文和个人作业）显然不能胜任这项任务，知识社会驱动着信息和人类生产力的提高。

激发和挑战教育的时代。新时代需要人们在一生中不断学习新的技能，快速分析，做出明确的判断，锻炼伟大的创造力。

沃尔夫认为当今教育已经出现了必须改革的重要的拐点，并且指出三个因素推动了这一教育拐点：人工智能（AI）、认知科学和互联网的普及。

① 人工智能（AI）。是一门应用计算机来做人们认为是智能事情的科学。它能加深人们对知识的理解，尤其是对“如何”实施知识的表达和推理，比如过程知识。

② 认知科学。研究如何理解人们行为的智能，可以更深入地理解人们如何思考、解决问题和学习。

③ 互联网的普及。提供了无限的信息来源，随时随地都可以使用。

这三个驱动因素具有强大的协同作用。人工智能技术经常被用来建立认知过程的软件模型，而认知科学的结果被用来发展更多的人工智能技术来仿真人类的行为。人工智能技术在教育中被用来仿真学生的知识、学术主题和教学策略，再加上互联网，可以使更多的内容和推理比以往任何时候都可用。教育改革的拐点引起难以想象的活动，支持更多的学生在较短的时间内学习。教育不再被视为应试教育的“一刀切”。

沃尔夫强调，管理教育拐点需要许多利益攸关方充分参与，包括教师、政策制定者和行业领袖。了解教学和学习的性质将有助于确保即将发生的变革的主要受益者是学生。

利益攸关方应考虑以下主要问题：教师作为技术领导者，并非积极参加研究，而是被边缘化。教师仅限于被动接受已转化为教育的研究成果或技术。教师在技术方面的专业发展显著地与学生成绩的提高有关。教师使用的教学技术如何，受到年龄、计算机专业知识、受训时间长度和获得相关培训机会等因素的影响。因此，要大力解决教师队伍的技术素质基础，必须解决教师的培训和教育基础设施更新等问题。在更广泛的教育改革中，包括教师的培训、课程、学生评估和改变学校能力方面，技术更有可能被用作有效的学习工具。

沃尔夫指出：技术虽然不能取代教育，但可以加强一对一的人类辅导，从而扩展传统教育中通常无法使用的教学方法。例如协作和探究式学习，这一技术有可能产生高度个性化、教学上健全和便于取用的教育材料，并符合个别学生（例如，学习能力不足的少数群体和残疾学生）的需要，使更多的学生参与有效的学习。因为这些系统对个体差异很敏感，它们可揭示不同性别、不同认知能力和不同学习风格的学生在不同的教学形式下的学习程度。个性化辅导是实施以学生为中心教育的有效方法。这意味着个性化智能辅导可以被广泛普及和应用。

本书从“人工智能与教育概论”、“知识表达、推理与评估”和“智能教学技术与软件环境”三部分讨论了智能教学的理论、教育学和技术，是不可多得的智能教学技术专著。本书作者将沃尔夫的全书进行了翻译和细读，在研发 SimAI3 智能教学软件平台时获益匪浅。智能教学技术在 2009 年以后又有了快速发展和大规模应用，实现以学生为中心的个性化教学理念始终是智能教学的核心目标。

2.4 因果建模、因果反事实推理与创新思维

几十年来，几乎所有智能教学系统都离不开人类知识的建模环节。并且所有领域的陈述性知识建模都属于说明事情“是什么”的静态“概念导图”建模；程序性知识建模都属于说明事情“为什么”和“怎么样”的动态因果知识建模。基于动态因果模型的因果反事实逻辑推理已经成为当代创新思维的重要方法。

例如，2021 年，2 位美国经济学家提出的经济学因果分析方法获得经济学诺贝尔奖。获奖者认为，在过去几十年里，人们对因果推断的了解比以往历史中的总和还要多。探究因果关系是科学工作的重要目的，对于因果关系的研究一直困扰着经济学家。自从 20 世纪 70 年代以来，统计学家发明了一套“反事实框架”的方法。经济学家又在此基础上进一步发展了断点回归、工具变量等方法，使得对各种经济政策的因果性研究大行其道，堪称是爆发了一场因果推断革命。

工业 4.0 著名的人工智能实时在线专家系统软件平台 G2，其核心技术就是应用 G2 软

件平台实施人工因果有向图（CDG，causal directed graph）建模与计算机智能化因果逻辑推理，以便解决复杂系统的故障诊断问题。

2.4.1 因果关系的普遍性与系统仿真

乔纳森在文献［6］中指出，因果关系将所有 STEM（科学、技术、工程和数学）学科共同的推理过程结合在一起，包括做出预测、绘制暗示、做出推论和阐明解释。

学生可以通过在微观世界中使用仿真来探索因果关系。仿真是指系统组件的值被学习者操纵以测试一个或多个变量与另一个变量相互影响的环境。因果关系的提问是指导人类推理的最基本的认知成分之一。系统建模工具是构建复杂因果关系最有力、最有效的手段。

从本质上看，代数方程是因果关系的稳态定量描述，微分方程是因果关系的动态定量描述。由代数方程组与微分方程组（包括偏微分方程组和非线性代数与微分方程组）混合构成的仿真训练系统，是基于第一原理的数学模型在教育和培训领域的应用。对于高危险性和复杂的大系统，学生无法在真实的系统上进行科学实验和实习训练，但仿真培训系统是一种安全、环保和高效的实践学习系统。例如在化工领域、电力和核电领域、航空航天领域、陆海空三军作战与指挥领域，已经广泛使用数字化、半实物和全实物仿真器，辅助工程技术人员和专业学生的实践能力与认知能力训练。

仿真是数字化实践能力的教学工具，因果建模与推理是数字化思维和认知能力的教学工具，将两者有机结合起来就是探究式教学标志性的实践与认知教学环境。近年来，欧美发达国家在工业和军事领域的“专家陪练”技术的创新发展，就是这种探究式标志性教学环境的成功应用。

2.4.2 因果模型与因果推理

传递因果关系信息的一种潜在的有效方法是使用因果模型。因果模型的可视化表达称为因果图，因果图有多种常用的建模类型，举例如下。

例 1：原因与影响图（CED，cause-and-effect diagram）是一种图形化因果模型，又称鱼刺图。CED 也是一种常用的故障模式与影响分析（FMEA）图形工具，用于帮助识别、挑选、显示和诊断导致一个问题可能发生的各种原因，以及诸多原因的分级（分层）关系。CED 模型的示意图如图 2-1 所示。

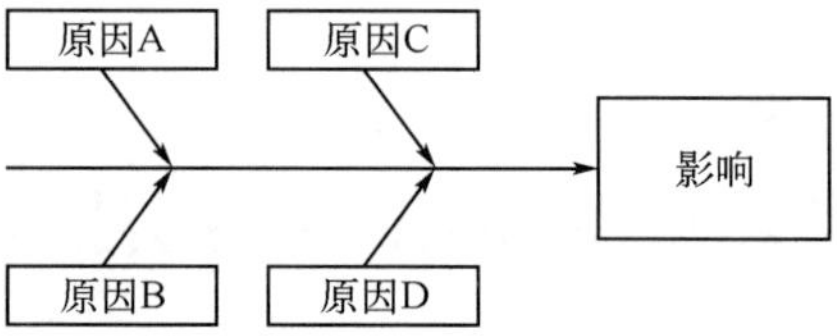

图 2-1 原因与影响图的示意图

例 2：微分方程定量表达了动态因果关系。在自动化领域微分方程的一种常用图形化表达是信号流图。例如一个二阶微分方程经拉普拉斯变换后的信号流图如图 2-2 所示。

$$G(s)=\frac{1.2}{s^2+2s+3}$$

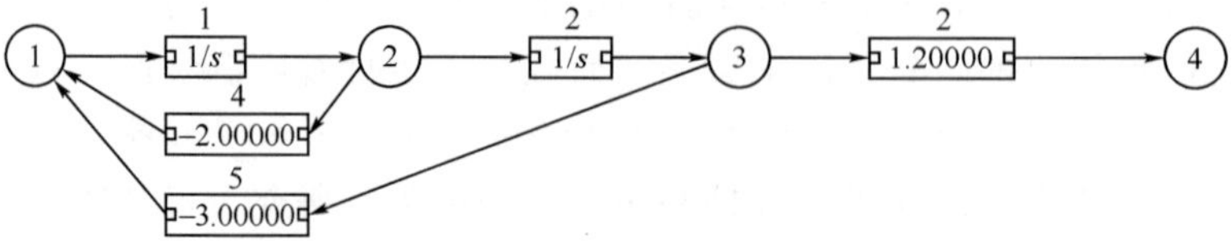

图 2-2 表达微分方程的信号流图

例 3：定性微分方程的图形化表达是符号有向图（SDG），是微分方程组用自然语言表达的定性图形化模型。

符号有向图由节点和连接节点间的有向支路组成。节点的状态遵循“+”、“0”或“−”三种定性变化趋势。当变量节点间为正影响时，从自变量到因变量连以实线箭头。变量节点间为反影响时，从自变量到因变量连以虚线箭头。一个简单的符号有向图模型如图 2-3 所示。微分方程的解有无穷多个，但定性微分方程的解是有限的，图 2-3 所示模型看似简单却能表达 18225 种状态和路径趋势的因果链传播变化规律。

例 4：因果有向图（CDG）是用自然语言表达人类经验的图形化模型，是著名工业 AI 软件平台 G2 的建模方法。因果有向图中的相邻节点之间用有向箭头连线表示因果联系，这可以用规则的形式来表述。例如：如果（原因）C1 为真，那么（后果）E 为真，如果 C2 为真，那么 E 为真。这将在因果有向图模型中表示为 C1、C2 和 E 的节点，以及 C1 到 E 和 C2 到 E 的有向连接。如图 2-4 所示。

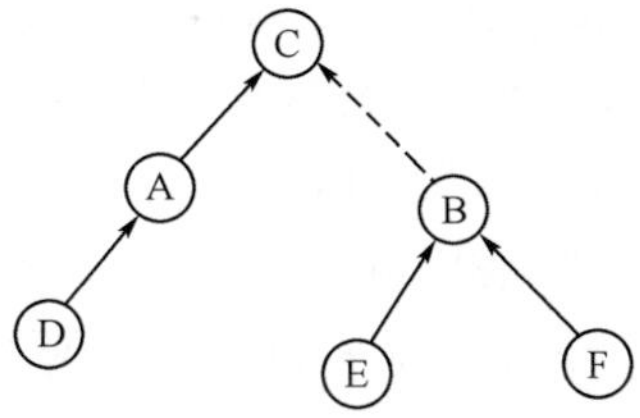

图 2-3　一个简单的符号有向图模型

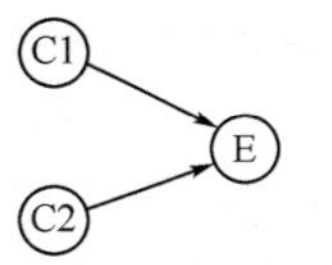

图 2-4　一个简单的因果有向图

例 5：SDG 与 CDG 融合建模与多功能推理是 AI3 智能教学软件平台的独有技术。AI3 将 SDG 和 CDG 融合建模与融合推理，发挥了两类建模的优势。详见第 5 章介绍。

因果模型的种类非常多，例如故障树、事件树、领结模型、贝叶斯网络等。这些模型因不同的领域和不同的应用而异。几乎各种类型的因果模型在 AI3 中都可以方便快捷地单独或混合或融合建模，并且实施高效自动多功能推理。

注：图形化的因果模型中节点之间的有向关系是因果关系，描述了事物变化的原因与后果，即为什么和怎么样。静态思维导图中节点之间的关系是概念的相关性关系，例如，一个主题概念和其各种属性之间的相关性，描述了事物是什么。两者结合起来就可以完整地表达智能教学的所有知识（本体），这是 AI3 的建模机制。

基于第一原理的仿真代表了因果关系的协变模式，但没有解释因果关系是如何以及为什么发生。当使用仿真训练时，学生可能依赖直觉推理，导致对模型的不准确解释，这也是传统仿真教学与训练的“痛点”。

因果图模型是传达因果关系的机制模型，描述复杂现象中变量之间的因果关系，并且是仿真控制这种关系潜在机制的一种可视化形式。因果图模型对于展示因果推理过程特别有用，因为它提供了一组全面的因果关系定向影响指标，使人们能够在因果和概念上构建问题空间。在因果图模型中，确定了关键变量，包括原因、后果和中间变量。这些变量在一种假设的机制下以其因果关系表示，描述和证明了过渡阶段或变量是如何以及在什么条件下产生后果的。结合变量和影响关系的类型，可以简洁明确地描述给定物理概念的因果关系。因果图模型帮助学习者可视化现象系统的因果结构[6]。

数学、物理学和其他科学的核心属性在本质上是因果相关的，这些因果关系决定了数学、物理学和其他科学领域中概念的功能属性。也就是说，概念知识是“对存在于一个系统内的基本部分和因果关系的理解”。能够进行因果推理是一种基本的认知技能，是理解物质世界的核心。推理使人们能够预测、推断和解释所遇到或观察到的事件或现象[6]。

因果关系是什么？原因是“在那些通常普遍存在的条件下，决定事件发生或不发生的事件或行为”，因果关系是原因和后果之间的关系。验证因果关系的三个主要原则包括优先原则、共变（共同发生）原则和机制原则。

① 优先原则指的是，为了使原因有效，原因必须在时间上先于后果。

② 共变原则指出，一种效果归因于它可能的原因之一，随着时间的推移，原因与效果会协变。这一原则描述了一个因果法则，它指出因果关系的合法的必要条件是因果关系之间联系的重复出现。

③ 机制原则也是必要的，它是参与或主导将原因与后果联系起来的过程。机制原则描述了连接一个原因和一个后果的中间事件的因果链。

这三个原则对于完整地描述因果关系是必要的。有限的因果推理模型可能使学生依赖于简单的、线性的、局部的因果推理，而不是复杂的、多方向的、全局的因果推理[6]。

应关注：学生能力与因果推理概念辅助的相互作用；学生解决问题习惯与因果推理效果的关系；学生因果推理模式与解决问题绩效的关系；定量推理与定性推理过程及其表现对解决问题绩效的认知关系[6]。需要通过“脚手架”方法以及与专家认知的比较反思学生的不足。

在智能导师软件平台中因果模型可以完备地、系统地、细粒度地表达学生的概念（心理）模型，教师的专家模型，所学领域知识的定量、定性、经验等混合与融合的模型。借助于这些模型，智能导师软件平台将仿真器和认知建模与推理软件平台联合互动，可以辅助教师完成问题的提出、问题的显式表达、问题的深度推理和问题的多种解决方法全过程教学运作。这就是现代人工智能教学系统的工作原理。

2.4.3 因果反事实逻辑推理与创新思维

因果反事实逻辑推理的著名学说是萃智理论（TRIZ），又称为发明和创新的理论，是由苏联科学家阿奇舒勒（G. Altshuller）在1946年创立。他的科研团队审阅的世界各种专利信息数以百万件，发现了发明原理之后的分析问题和解决问题的规律。其思路是通过一系列经过优选的“引导词”对问题事件发起“为什么?”的提问，通过因果关系或借助于因果图探索解决问题的方案。常用的激发创新思维的“引导词”约40个，见表2-2。

表2-2 萃智的40个创新“引导词”

序号	引导词	序号	引导词	序号	引导词	序号	引导词
1	分割	11	事先防范	21	减少有害作用时间	31	多孔材料
2	抽取	12	等势	22	变害为利	32	改变颜色、拟态
3	局部质量	13	反向作用	23	反馈	33	同质性
4	增加不对称性	14	曲率增加	24	借助中介物	34	抛弃或再生
5	组合、合并	15	动态特性	25	自服务	35	物理或化学参数变化
6	多用性	16	未达到或过度作用	26	复制	36	相变
7	嵌套	17	一维变多维	27	廉价替代品	37	热膨胀
8	重量补偿	18	机械振动	28	机械系统替代	38	加速氧化
9	预先反作用	19	周期性动作	29	气压或液压结构	39	惰性环境
10	预先作用	20	有效作用的连续性	30	柔性壳体或薄膜	40	复合材料

萃智理论的先期失效识别（AFD，anticipatory failure determination）是一种采用引导词激发识别事故的能力，又称通过“制造”事故来识别事故的反向思维方法。表 2-2 中的引导词“预先反作用-9”、“预先作用-10”、“事先防范-11”和“反向作用-13”都是一种“反事实”思维方式。先期失效识别是一种故障分析方法，它的目标是识别和减少故障。它没有要求开发人员寻找故障模式的原因，而是要求开发人员将感兴趣的失败视为预期的结果，设法设计方法以确保故障始终可靠地发生，从而反转了问题。与故障模式与影响分析（FMEA）方法相比，AFD 方法在更复杂的故障分析方面占优势。FMEA 依赖于通过应用个人经验或已知（记录或应用）他人知识来确定失败及其根原因，然而，“否认现象”正是这种分析所引起的效果。当有人询问一个正常运作的系统“会出什么问题”时，人们常常会本能地拒绝去思考发生不愉快的可能性，除非人们真的经历了这些可能性，并且它们变成了现实。即使遇到了问题，人们也不愿意发现或记录这些问题。通过反转这一问题，AFD 克服了“否认现象”的保守思维，为分析失败开辟了创造性的见解。

朱迪亚·珀尔（Judea Pearl）教授提出了基于“因果模型”和“反事实”（counterfactual）推理的理论，并且称其为“新的因果科学”和“因果革命”。珀尔教授是计算机科学家和哲学家、加州大学（洛杉矶分校）计算机科学与统计学教授、认知系统实验室主任，同时也是贝叶斯网络发明人、人工智能“图灵奖”获得者。珀尔教授通过 25 年研究和实验表明，人类之所以能够比动物有“超进化加速”能力，就是有了因果“反事实”推理的想象能力。他形象地比喻：“几百万年来，鹰和猫头鹰进化出了真正令人惊奇的视力，但它们从未进化出眼镜、显微镜、望远镜或夜视镜。”

珀尔教授指出，因果革命最伟大的成就之一就是解释了如何预测干预的效果，而不是实际实施干预。

当科学上感兴趣的问题涉及追溯思维时，人们会提到另一种表达方式，即因果推理所特有的反事实方式。因果推理努力模仿的理想技术是在人类头脑中的推理方式。

大家今天所享受的以科学为基础和以技术为基础的文明，都是因为人们问了一个简单的问题“为什么?”因果推理就是认真对待这个问题，它假设人类的大脑是有史以来最先进的管理因果的工具。人们的大脑储存着大量的因果知识，并辅以数据，可以用来回答这个时代最紧迫的一些问题。

2.5 批判性思维和认知教学工具

2.5.1 批判性思维

简单的概念化解释是“批判性思维是一个需要逻辑的有目的的反思过程”。当代研究人员一致认为，批判性思维是有目的的、自我调节的判断，其结果是解释、分析、评价和推断。同时其也是对作为判断基础的证据、概念、方法、标准或上下文考虑的解释”[20]。

或者说，批判性思维是通过一定的标准评价思维，进而改善思维。批判性思维是合理的反思性的思维，既是思维技能，也是思维倾向。最初的起源可以追溯到苏格拉底。在现代社会，批判性思维被普遍确立为教育特别是高等教育的目标之一。

批判性思维被认为是一种智力投入。技巧娴熟和负责任的思维，有助于做出良好的判断。批判性思维需要运用假设、知识、能力挑战自己思维的能力。批判性思维技能需要自我纠正、监督判断思维的合理性和反思性。当使用批判性思维技能时，个体能够后退一步并反思思维的质量。批判性思维过程需要积极主动地论证、推理、想象、分析复杂的替代方案以及做出与偶发相关的价值判断。

批判性思维包括仔细检查、区分和评价信息，以及对将用于做出判断和为科学决策提供的信息进行反思。断言、识别、挑战和分析假设的有效性是必不可少的。因为批判性思考者拥有好奇心，他认为他们更有可能被激励去提供解决矛盾的方案。

批判性思维的基本能力包括理解和表达极为多样的经验、情景、数据、事件、判断、习俗、信念、规则、程序的含义或意义。子技能包括归类、理解意义和澄清含义。

批判性思考者通常在没有提示的情况下使用以下技能：

① 分析。识别意图和陈述之间实际的推论关系、问题、概念、描述，或其他意在表达的信念、判断、经验、理由、信息或意见的表征形式。子技能包括审查理念、发现论证和分析论证。

② 评估。评价陈述的可信性或其他关于个人的感知、经验、境遇、判断、信念或意见的描述，评价陈述、描述、问题或其他表征形式之间实际的或意欲的推论关系的逻辑权重。子技能包括评价主张，评价论证。

③ 推论。识别和维护得出合理结论所需要的因素，形成猜想和假说，考虑相关信息并根据数据、陈述、原则、证据、判断、信念、意见、概念、问题或其他表征形式得出结果。子技能包括质疑证据、推测选择和推出结论。

④ 说明。能够陈述推论的结果，应用证据的、概念的、方法论的、规范的和语境的术语说明推论是正当的，以强有力的形式表达论证。子技能包括陈述结果、证明程序的正当性和表达论证。

⑤ 自我校准。监控一个人认知行为的自我意识，并应用这些行为中的因素。特别在分析和评估一个人自己的推论性判断中应用技能导出的结果。勇于质疑、确认或改正一个人的推论或结果。子技能包括自我审查、自我校正。

批判性思考者的思维倾向包括：

① 求真。对寻找知识抱着真诚和客观的态度。若找出的答案与个人原有的观点不相符，甚至与个人信念背驰，或影响自身利益，也在所不计。

② 开放思想。对不同的意见采取宽容的态度，防范个人偏见的可能。

③ 分析性。能鉴定问题所在，以理由和证据去理解症结和预计后果。

④ 系统性。有组织、有目标地去努力处理问题。

⑤ 自信心。对自己的理性分析能力有把握。

⑥ 求知欲。对知识好奇和热衷，并尝试学习和理解，即使这些知识的实用价值并不是直接明显的。

⑦ 认知成熟度。审慎地做出判断或暂不下判断或修改已有判断，有警觉性地去接受多种解决问题的方法。即使在欠缺全面知识的情况下，也能明白一个即使是权宜的决定有时也是需要的。

2.5.2　计算机软件作为批判性思维的认知工具

早在 1998 年乔纳森就提出了以计算机软件作为批判性思维认知工具的主张[9]。他通过分析当时已经开发成功的多种计算机软件，得出结论：作为反思学生所学和所知的认知放大工具，计算机软件可以有效地支持高等教育中有意义的学习和知识建设。与其利用计算机技术作为传播信息的力量，还不如将其用于所有学科领域，作为让学习者对他们正在研究的想法进行反思和批判性思考的工具。乔纳森将这些数字化实践与现代建构主义教学方法关联起来。

他们认为技术不应该通过试图指导学习者来支持学习，而应该作为学生学习的知识建构工具。通过这种方式，学习者充当设计师，计算机充当解释和组织个人知识的思维工具。

思维工具是一种计算机应用程序。当学习者用来表示他们所知道的东西时，就必然会让他们对自己正在学习的内容进行批判性思考。思维工具“脚手架”使用不同形式的推理。也就是说，思维工具要求学生以不同的、有意义的方式思考他们所知道的知识。例如，使用数据库组织学生对内容组织的理解，必然会使他们参与分析推理。在这种推理中，创建专家系统规则库需要他们思考知识之间的因果关系。学生使用思维工具作为学习策略，必然会深入思考他们正在学习的东西。

许多计算机应用程序已经被明确地开发出来，以使学习者参与批判性思维。例如，语义组织工具、动态建模工具、信息解释工具、知识构建工具以及会话和协作工具。

数据库管理系统是计算机化的记录保存系统，最初是为了取代纸质档案系统而开发的。这些电子文件柜使用户能够将信息存储在有组织的数据库中，便于检索。内容被分解为记录，被划分为描述每个记录的不同部分中的信息类型的字段。数据库可用作分析和组织主题的工具，可以对数据进行搜索和排序，以便回答有关具体问题的内容，或者从内容中识别相互关系和推论。构建内容数据库要求学习者开发数据结构、定位相关信息，将其插入适当的字段和记录中并搜索和排序数据库，以便回答内容查询。使用和构建面向知识的数据库需要大量的批判性思维技能。

语义网络工具提供可视化屏幕工具，可用于制作概念导图。概念映射是一种学习策略，要求学习者通过线条（连接）绘制相互连接概念的视觉映射。这些概念导图是存储在记忆中的思想及其相互关系的空间表示，即结构知识。语义网络的目的是表示某人构建的知识结构，因此，创建语义网络需要学习者分析他们所研究的内容之间的结构关系。不同时间点创建的语义网络可以作为评估学习者思维变化的工具。如果一致认为语义网络是记忆的有意义的表示，那么从这个角度学习可以被认为是语义记忆的重组。语义网络反映了语义记忆的这些变化，因为网络描述了学习者所知道的内容。因此，语义网络程序可以用来反映学习者知识建构的过程。

专家系统是从人工智能领域的研究演变而来的，是仿真人类专家解决问题的方式的计算机程序。它是一个人工决策者，是基于计算机的工具，被设计成作为智能决策支持的功能。例如，已经开发的专家系统，可以帮助地质学家决定在哪里开采石油，帮助银行家评估贷款申请，帮助计算机销售技术人员配置计算机系统，等等。其解决方案需要决策的问题是专家系统开发的良好候选。大多数专家系统由几个组件组成，包括知识库、推理引擎和用户界面，由各种各样的“外壳”或编辑软件来创建专家系统知识库，这是参与批判性思维的活动的一部分。建立知识库需要学习者阐明因果知识。专家系统的发展导致系统有了更深入的理解，因为它们提供了一个智力环境，需要对领域知识进行细化，支持问题解决，并监测知识的获取。大量的研究集中在开发“专家系统导师”上，以帮助教师识别和分类学习缺欠的学生，并实施有针对性的个性化教学。

系统建模工具可以构建学生的心理表征。复杂学习不仅要求学生解决简单的问题，还要求他们解决复杂的、结构不良的问题，对他们正在学习的现象形成复杂的心理表征。许多开发这些心理表征的工具正在出现。例如，斯特拉（Stella）是一个强大而灵活的工具软件，用于构建动态系统和流程（具有交互和相互依赖组件的系统）的仿真。斯特拉使用一组简单的积木图标来构建一个过程的组件，每个组件都可以打开，因此每个组件的值都可以表示为常量或变量。变量可以表述为包含与之相关的任何变量之间的数值关系的方程。由此产生的模型可以运行，改变学生们的认知。例如密歇根大学高交互计算小组的 Model-It，为学生提供了完整的智力活动。

目前的应试教育往往把大量精力放在“思考什么而不是如何思考”上。要改变教学方法，从“想什么”到“怎么想”，需要对教学范式的思考有一个重大改革。而提高学生批判性思维认知能力，是实现这一改革的一种有效方法。

乔纳森提出“以计算机软件作为批判性思维的认知工具”的主张已经过去多年。乔纳森枚举的这些数字化教学技术已经取得飞速发展和大规模应用，不但成为智能教学数字化转型的核心技术，而且其本身也是现代工业 4.0、人工智能、“数字孪生”建模所必须扩展和更新的教学内容。

2.6 概念转变

2.6.1 概念转变定义

概念转变的定义是：在新认知结构被创造的情况下学习。概念转变是一种结构性或关系性的变化，而不是表面特征的变化[21]。概念转变是认知冲突引发和解决的过程，是人类个体原有的某种知识经验由于受到与此不一致的新经验的影响而发生的重大改变。概念转变的内涵是建构主义。教学的根本目标是使学生完成概念转变，即从初学者的认知转变为专家的认知。

乔纳森指出[5]，概念转变是当代流行的有意义学习的概念。概念转变描述了学习者为理解现象而构建的概念框架（心理模型或个人理论）的转化，概念转变是有意义学习的基础机制。是一个构建和重组个人概念模型的过程。形成心理模型的能力是人类认知系统的基本特征。这些概念模型对概念发展和概念转变至关重要。

学习是一种理性活动。也就是说，学习是从根本上理解和接受一些概念，因为它们被视为可理解和理性的。因此，学习是一种探究，学生必须在现有证据的基础上做出判断。学习是一种理性活动，是为了把注意力集中在学习是什么，而不是学习所依赖的东西上。学习和探究一样，最好被看作是概念转变的过程。实现概念转变最基本的问题是学生的概念如何在新概念和新证据的影响下发生变化[21]。

2.6.2 概念转变的教学要求

这是几十年来概念转变的研究主题。如果人们的目标是在学生中产生基于理性的概念转变，那么科学课程的内容应该使科学理论变得容易理解、可信和富有成效。该目标应当具备下列条件[22]：

① 应该更多地强调学生对这些内容的吸收和适应，而不是内容的“覆盖”(死记硬背)。

② 应该包括对异常的反思。每当一个人试图将一种经验或一种新概念吸收到他现有的概念（心理）模型中却失败时，这个人就会经历一种异常现象。

③ 应该教授足够的观测理论，让学生理解所接触的异常现象。

任何可用的隐喻、模型和类比都应该被用来使一个新概念更容易理解和可信。在教学策略上需要如下改进[22]：

① 开展讲座、演示、提出问题和实验室教学。这些可能会在学生中产生认知冲突。除此之外，人们还可以考虑，什么样的家庭作业会造成作为适应准备所必需的认知冲突，以及实验室是否可以用来帮助学生体验异常现象。

② 组织教学。以便教师能够花大量时间诊断学生的思维错误，识别学生抵制概念转变的行为。

③ 制定各种策略。包括教师的全部教学大纲，以处理学生的错误和进步。

④ 帮助学生理解科学内容。方法是用多种方式（例如，语言、数学、具体实践、图像）来表示内容，并帮助学生将一种表达方式转换为另一种方式/模型。

⑤ 开发智能教学和评价技术。帮助教师跟踪学生概念转变的过程。

作为思想的澄清者和信息的呈现者，传统的教师显然不能帮助学生适应新的概念转变。教师可能不得不承担两个角色，方便学生适应概念转变。在这些角色中，教师将成为[22]：

① 苏格拉底导师意义上的对手。在这个角色中，教师要让学生面对由于他们试图吸收新概念而产生的问题。值得关注的一点是，在发展和保持学生在概念上的对抗性作用的同时，需要避免建立学生作为人的对抗性作用。

② 构建科学思维模型的导师。这种模型的各个方面可能包括对信念、理论和经验证据之间一致性的严格要求，对信念之间的简约追求，对理论中的“特别的”怀疑，以及对结果之间的差异是否与理论“合理一致”的批判性思维。

2.6.3 解释模型在概念转变中的作用

科学史学家认为，假设的、理论的或定性的模型称为“解释模型”。解释模型的想法有助于解释那些对系统的理解不满意的受试者所缺少的东西，即使他们能够预测系统的行为。定性解释模型或机制是大多数理论的核心，开发成功的解释模型是大多数科学的核心目标。这样的模型被视为赋予理论意义的手段。如果使用灵活，它将赋予理论解释和预测主体未见过的新情况的力量。因此，解释模型的显著变化是概念转变最重要的类型之一[23]。

处理教学中的误解最直接的方法是有意地指出教学中的误解，并将其与科学家的观点进行对比。对有差异的事件进行实证实验、数据总结或演示，它们提供的数据可能会与学生的先见知识产生不一致。有证据表明，让学生先解释自己的概念，然后在提出相互矛盾的证据，是培养理解能力和防止学生死记硬背答案的一个重要策略[23]。这是建构主义的教学理念。

至今，这种“与学生的先见知识产生不一致”的对比策略，已经发展成为“专家陪练”智能教学方法。SimAI3在专家陪练方法的基础上，进一步引入反思前和反思两个阶段实施个性化智能教学。反思前阶段没有“脚手架”支持，可以充分表达学生的先见知识。反思阶段出示专家模型，并且设计有“脚手架”的支持。学生通过类比推理和可视化的结构映射提出相互矛盾的证据。SimAI3扩展的这种智能教学技术有利于加速学生的概念转变。

基于学生解释模型的概念变化过程[23]，见图2-5，该图表达了物理学电路模型教学的模型概念转变方法。中间模型行显示了学生模型进程中的亮点，模型所在行的上面介绍了类比案例，下面介绍了不同的事件。本案例研究证据支持这样的结论：首先产生一个包含“差异”（不和谐）的小的增量步骤的循环，然后是建设性的活动，能够有效帮助学生逐渐建立一个更复杂的解释模型[23]。

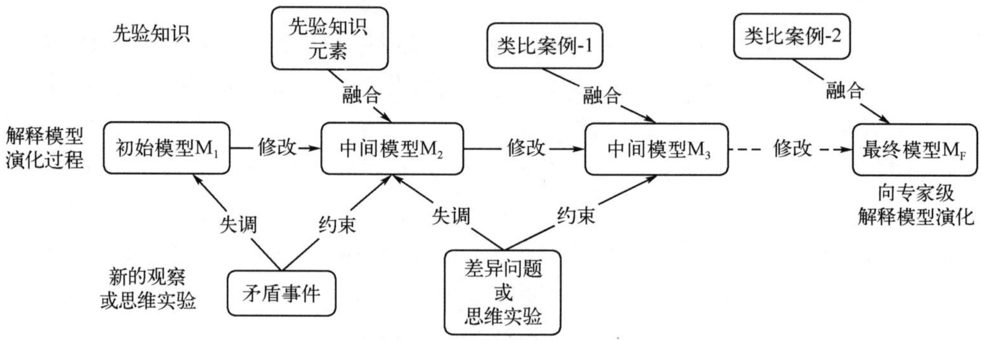

图2-5　物理学电路模型教学的概念转变方法

2.6.4　基于认知工具的概念转变

乔纳森指出[5]，概念转变是有意义学习的基础机制。概念转变是一个构建和重组个人概念模型的过程。基于模型的推理对学习者概念框架的影响最大。基于模型的推理是通过学习者使用基于技术的建模工具，构建他们正在学习的内容或现象的定性和定量模型，来从事和培养的。模型构建是吸引、支持和评估学习者概念转变的一种强大策略。因为这些模型通过提供多种形式来表示概念理解和转化，构建和外化了内部的心理模型。

建立模型可以使概念模型具体化，因此学生建立的模型反映了他们的概念转变。学生建立的模型也为学习者概念模型的成长和重组提供了证据。也就是说，学生建立的模型可以用来评估他们概念转化。

乔纳森认为，参与、支持和评估综合性概念转变的最有效方式是建立和比较代表不适应概念系统的模型，而不是提供学习者操纵的黑箱模型，以试图诱导潜在的模型。当学生通过建模发现自己概念结构中的概念异常或不一致时，他们更有可能修改和重组它们。为了识别和解决干扰或异常，学习者必须使用实验或其他高参与度的过程，如建模来比较竞争对手的概念。

构建以技术为媒介的现象模型是一项具有概念吸引力的任务，因为：

① 模型构建是一种自然的认知现象。当人们遇到未知的现象时，就会自然而然地对这些现象构建个人的理论，并以模型的形式呈现出来。

② 建模本质上是建构主义的，是建构经验现象的个人表征。

③ 建模支持假设测试、猜测、推断和一系列其他重要的认知技能。

④ 建模要求学习者清楚地表达因果推理，这是大多数科学推理的认知基础。

⑤ 建模很重要，因为它是可以执行的最具概念吸引力的认知过程之一，是概念转变的一个强有力的预测器。

⑥ 建模导致了认知人工制品（外化的心理模型）的构建。

⑦ 当学生构建模型时，他们就拥有了知识。学生所有权对于意义建构和知识建构具有重要意义。

⑧ 建模支持认知信念的发展。在认识论上，是什么激励人们努力去理解世界？人们所知道的一切都是以怀疑的可能性为前提的。人们知道许多事情，但人们永远不能确定自己知道它。比较和评估模型需要理解替代模型是可能的。并且建模活动可以用于测试竞争对手的模型。

调查表明[24]：基于计算机的动态类比可以增强大学生对化学中不可观察现象的学习。简单地提供计算机访问或软件，而不仔细注意学习支持和教学方法，是不可能产生期望的教学收益的。这一认知导致人们开发了计算机仿真教学。

基于概念转变学习理论的教学方法采用的主要策略是认知失调。实现认知失调的教学通常使用与学生现有概念相矛盾的“事件”或“数据”，然后使他们“有机会反思”自己的概念。这是因为他们会试图解决冲突。计算机仿真提供了许多可能有助于促进认知失调的功能。因为仿真呈现的是自然世界的简化版本，因此仿真可以使学生的注意力更直接地集中在目标现象上。仿真可以让学生通过可视化发现通常超出感知的物体和过程。

许多仿真允许学生操作自然世界中无法控制的变量。根据这些功能，一些人断言计算机仿真有可能比直接经验更有效地促进认知失调和概念变化，那些违反直觉、抽象和不容易通过直接观察获得的科学概念尤其如此。由于这种潜力，研究人员已经探索了使用计算机仿真来实现理想的概念变化的有效方法。

因为 SimAI3 是将仿真器与概念建模联合互动的软件平台，所以 SimAI3 是理想的概念变化的有效教学工具。

乔纳森认为，学生使用基于技术的建模工具构建他们正在学习的现象模型，支撑了学习者的概念转变过程。学生的内在心理建构与外在心理建构之间存在着一种动态的互惠关系。由于构建的心理模型是动态的、多模态的，并且包括结构知识、程序知识、执行或策略知识、空间表征、个人反思，甚至隐喻知识的活动，因此没有一种单一的模型能够反映心理模型的复杂性。为了表示心理模型的潜在复杂性，学习者应该学会使用各种工具来表示其概念模型的复杂性。每种工具通过不同的知识表示形式展示了不同种类的知识。也就是说，每种工具都代表着人们所知道的不同知识的不同形式。乔纳森列举了几种常用的认知建模工具[5]。

① 领域知识建模。学生可以使用各种基于计算机的建模工具，例如语义网络（概念映射）工具或系统建模工具，来构建他们的领域知识模型。学习者也可以建立模型来表示领域概念之间的因果关系。要想建模领域知识，学生必须理解领域内实体之间的概念关系，以便构建模型。

② 问题建模。为了传递解决问题的技能，问题解决者需要对他们正在解决的问题构建某种心理表征，也就是说，他们需要表征问题空间。可以使用各种计算机工具来构建个人问题空间的表示。这些个人问题表示具有多种功能：

a. 为了指导对问题信息的进一步解释；

b. 基于系统属性的知识来仿真系统的行为；

c. 关联和触发特定的解决方案模式（过程）。

③ 系统建模。当学习者将现象作为一个系统来研究时，他们就形成了一种更加完整的世界观。有几个相关的系统概念，包括开放系统思维、人类或社会系统思维、过程系统思维、反馈系统思维或系统动力学。预测系统条件的转化对系统输出的影响是科学推理的根本目标。

④ 经验（故事）建模。故事可以作为直接体验的替代品。有些人认为，听故事等同于亲身体验这种现象。由于新手以前缺乏经验，故事案例库中的经验可以丰富他们的经验库。收集和索引从业人员的经验故事，为学习者提供有意义的学习经验。描述故事如何被回忆和重用的认知理论是基于案例的推理（CBR）。

⑤ 思维建模。除了为内容或系统建模，学习者还可以为解决问题、做决定或完成一些其他任务所需的思维类型建模。也就是说，学习者可以使用基于计算机的建模工具来构建认知仿真。认知仿真是可运行的计算机程序，代表人类认知活动的模型。构建认知仿真试图将心理构造具体化，以便于分析、理论构建和测试。传统上，构建认知仿真的目的是呈现认知过程，从而构建智能导师。让学习者建立认知过程的模型，有意地使他们参与元认知，从而导致概念的转化。当学习者改变他们对所使用的概念和包含这些概念的概念框架的理解时，概念转变就发生了。

概念上的转变是革命性的，是认知冲突的结果。也就是说，当需要获得的信息与个人的信念和预设不一致时，对概念框架的自我修订是必要的。这是最有可能由构建模型支持的概念转变，因为概念模型中的不一致被更直接地解决了[5]。当今用知识建模与推理技术促进概念转变，已经成为智能教学软件平台的主流方法。

2.7 基于问题的学习(PBL)

基于问题的学习（PBL，problem based learning）是一种学习方法，是巴罗斯（Barrows）教授在 20 世纪 70 年代针对医学临床教育提出的一种教学方法[25,26]。在基于问题的学习（PBL）中，学生使用问题案例或剧情中的“触发器”来定义自己的学习目标。随后，他们进行独立的、自我指导的学习。最后回到小组讨论完善他们获得的知识。因此，PBL 不是关于解决问题本身，而是使用适当的问题来增加知识和理解。这个过程是明确定义的，存在的几个变化都遵循类似的一系列步骤。小组学习不仅有助于获得知识，而且还有助于获取其他属性，如沟通技巧、团队合作、解决问题、独立负责学习、分享信息和尊重他人等。因此，PBL 可以被认为是一种将知识的获取与通用技能和态度的发展相结合的小群体教学方法[27]。

PBL 主要有如下 6 个特点。

特点 1：学习需要以学生为中心。

特点 2：学习必须在教师的指导下，在学生小组中进行。

特点 3：教师作为促进者或引导者。

特点 4：将遇到的问题作为工具，以达到最终解决问题所必需的技能。

特点 5：需要通过自主学习获得新的信息。

特点 6：关键是学生通过分析和解决有代表性的问题来学习。

最初，PBL 在欧美发达国家广泛应用于医学课程领域，仅仅两年它就取代了传统的基于讲座的解剖学、药理学、生理学等学习方法。这一模式已在越来越多的其他领域应用，包括教育学校、建筑领域、法律领域、工程领域等。据 2003 年统计，美国 70％以上的医学院都已不同程度地采用 PBL 教学模式。英国有的学校甚至在 1～4 年级的课程中全部采用 PBL 教学模式。据世界卫生组织统计，大约有 1800 余所医学院校在教学中采用了 PBL 教学模式。百度相关 PBL 的论文索引达到 390000 多篇。

当今社会复杂性的特点是信息无限、动态和不断变化，互联网、多媒体和教育技术的大量使用。劳动力市场的迅速变化，要求更灵活的劳动力。需要在团队和终身学习中增加知识密集型工作的技能的学习。因此，今天的信息社会期望大学毕业生不仅有一个特定的“知识库”，而且能够应用这些知识以有效的方式解决复杂的问题。教育研究表明，成功的问题解决者拥有系统和灵活的知识库，并掌握运用这些知识解决问题的技能。当今高等教育的一个重要挑战是发展和实施教学实践，这将培养学生有效应用知识的技能。因此 PBL 教学模式得到了广泛应用。

PBL 方法是建构主义教育的具体体现和实施方法。塞沃瑞和达菲[28]研究了 PBL 是如何与建构主义产生的教学原则相一致的。他们认为，PBL 环境的主要特点是，学习者积极地从事对 PBL 的环境具有真实性的任务和活动。重点是在一个类似于他们应用这些知识的背景下，学习者是作为自己知识的建构者而学习。PBL 鼓励和期望学生开发批判性和创造性地思维，并监测他们是否在元认知水平上丰富了自己的理解。

乔纳森教授在文献［8］中进行了探讨。他认为，解决问题是工作和日常生活的中心，也应该是教育的中心。PBL 是一种教学方法，提倡学习是由问题激发的，并应用到问题中去。

PBL 的主要目标是通过要求学生主动表达、理解和解决问题，提高学生对知识的应用能力、解决问题的能力和自主学习能力。

PBL 以问题为中心，学习者通过解决真实问题的仿真开始学习。要学习的主题内容和技能是围绕问题组织的，而不是作为一个分层的主题列表，因此知识和问题之间有一种相互的关系。

PBL 是以学生为中心，要求学习者自学习，以确定他们对问题的掌握程度。

在日常生活和专业工作场所，人们花费了很大的智力来努力解决问题。根据有关报告，解决问题是工人的基本思维技能。工程与技术认证委员会（ABET）将识别、制定和解决工程问题的能力指定为任何工程项目的基本学习成果。全国数学监督委员会声称，学习解决问题是学习数学的主要原因。

与接受传统课程教育的学生相比，PBL 使得学生：持续地学习知识，特别是更有原则的知识，学习的时间更长；更有效地将基础科学知识应用到现实世界的专业或个人情况中；更有效地掌握解决问题的技能；使学生变为更加自律的终身学习者。

2.7.1　问题定义及解决问题的过程

人类知识包括陈述性知识和过程性知识。陈述性知识回答问题“是什么”，过程性知识回答问题“怎么样”、“为什么”和“如何解决”。

乔纳森教授在文献［3］中进行了深入探讨。他认为一个问题只有两个关键属性。首先，问题是某些情况下的未知实体（目标状态和当前状态之间的区别）。这些情况从算法数学问题到恼人而复杂的社会问题，不一而足。其次，寻找或解决未知问题必须具有一定的社会、文化或智力价值。也就是说，人们认为寻找未知是值得的。如果没有人感知到未知，或者没有确定一个未知的需要，就没有感知到的问题。

发现未知是解决问题的过程。解决问题是“任何目标导向的认知操作序列”。这些操作有两个关键属性。

首先，解决问题需要对客观世界态势进行心理表征。也就是说，人类问题解决者构建了问题的心理表征［或心理模型（mental model）］，称为问题空间。尽管人们对心理模型或问题空间的含义几乎没有什么共识，但问题空间的内部心理模型是由结构知识、程序知识、反思知识、系统的图像和隐喻，以及执行或策略知识组成的多模态表征。尽管内部问题空间可以通过各种知识表示工具外化为形式模型或表示形式，但问题空间的心理构建（认知模型）才是解决问题的关键。

其次，解决问题需要对问题空间进行一些基于活动的操作。思考是内化的活动，有意识的意义创造是由活动参与的，所以知识和活动之间存在着相互的调节反馈。

解决问题需要对问题空间操作，无论是内部的心理表征还是外部的物理表征。在过去的三十年里，许多解决问题的信息处理模型，如经典的“通用问题求解器”，已经解释了解决问题的过程。通用问题求解器指定了与解决问题过程相关的两组思维过程，即理解过程和搜索过程。

现有的问题图式是以前解决特定类型问题经验的结果，使学习者能够直接进入问题解决的实现阶段，并尝试激活解决方案。专家是很好的问题解决者，因为他们能识别并调用特定解决方案的不同问题状态。如果识别出了问题的类型，几乎不需要在问题空间中进行搜索。新手不具备完善的问题图式，无法识别问题类型，因此他们必须依赖一般的问题解决策略，如信息处理方法，这为问题解决提供了弱策略。

解决问题的能力是关于问题的本质、问题向求解者表示的方式以及调解过程的大量个体差异的函数。

2.7.2 问题的复杂性和结构维度

乔纳森指出随着 PBL 继续向其他学科转移，需要考虑被解决问题的性质，以及 PBL 方法对这些类型的问题有多有效。最重要的问题是：使用 PBL 方法进行有效学习所需的问题难度范围是什么？通过考察问题的复杂性和结构性维度，可以从问题的性质和水平两个方面对问题的难度进行分析和评价。复杂性维度包括四个参数：解决问题所需的知识广度、领域知识的实现水平、问题解决过程的复杂性和关系复杂性。结构维度由五个参数组成：不透明度、解释的异质性、跨学科性、动态性和竞争替代品的合法性。

（1）问题的复杂性

可以从知识的结构，即知识图谱或因果网络结构的复杂程度确定问题的难度。问题的困难程度是由问题空间的大小决定的，问题空间由每个节点上分支的数量和对一个解决节点的搜索深度组成。一个问题的节点和分支越多，这个问题就越难解决。

问题的复杂性表现为多种形式，包括：所需知识的广度、理解和应用相关概念的困难程度、解决问题所需的技能和知识水平，以及问题空间内变量之间关系的非线性程度。在确定问题的复杂程度时，应该检查这四个主要参数。

从认知的角度来看，当一个问题解决者被要求拥有和应用大量的知识时，任务的复杂程度会发生变化，至少有三个因素：

① 需要处理的单个信息的数量；

② 需要理解和处理的相互关系的数量；

③ 认知负荷或加工负荷。

理解问题和执行问题解决过程所需的概念越抽象，问题就越复杂和困难。当概念对学生来说很难掌握时，就会产生一个自然而然的后果，就是学生在解决问题时很难应用这些概念。即使学生已经对概念有了基本的理解，他们在解决问题的过程中也会遇到应用概念的困难。

(2) 复杂问题的解决过程

评估问题复杂性的第一个参数是问题解决过程的复杂性，这被称为求解路径长度。该参数包括解决方案路径中要执行的步骤数，以及这些步骤中的任务和过程的复杂性程度。因果链的路径越长，决策点就越多，解决过程越复杂。

(3) 关系的复杂性

关系复杂性描述为在解决问题的过程中需要并行处理的关系的数量，很像认知负荷。问题中的关系越复杂，在解决问题时需要的处理负载就越多，问题就越复杂。同时，给定关系中属性的数量（如 A→B，A←B，A←→B）也影响着问题的复杂程度。例如，使用双向关系描述系统的功能要比使用单向线性关系复杂得多。在学习的入门阶段，有能力按线性顺序解决一个或两个概念或原理的问题就足够了。然而，更高级的阶段学习和解决问题通常需要应用更复杂的知识体系。在大多数学科领域，如科学、生物学或工程学的高级学习阶段，都具有较高程度的关系复杂性。此外，现实生活中的问题很少只拥有它们的变量之间的一条直线类型的关系。因此，不会有一个单一的、简单的、直接的解决问题的路径。

(4) 问题的结构

复杂性维度从问题空间的广度、达到程度、复杂性和相互关系的角度描述问题。另一方面，结构化从问题空间的透明度、稳定性和可预测性方面描述问题。

问题的结构定义为：

① 问题解决者对问题中的思想的了解程度；

② 表征问题结构的因素包括问题的已知状态与模糊定义或未知状态（初始状态、目标状态和运算符）；

③ 规则和原则的常规使用与非常规使用；

④ 规定的约束与隐藏的约束；

⑤ 可预测的运算符与高度不可预测和未规定的运算符；

⑥ 优选的规定的解决方案与多个可行的解决方案；

⑦ 评估解决方案的明确和模糊标准。

这些特征可以被归类为问题结构的四个参数：不透明性、解释的异质性、动态性和竞争替代品的合法性。

(5) 不透明性

许多研究者一致认为，问题空间中的未知数是导致问题结构不良的特征之一。不透明的程度越高（也就是说，对问题了解得越多），问题的结构就越糟糕。例如，预测天气被认为是一项极其困难的任务，因为它包含了大量预测人员无法确定的变量。为了解决问题空间中包含未知数的问题，问题求解者必须基于假设或猜测来解决问题。这些假设或猜测不可避免地降低了问题解决者成功解决问题的信心水平。例如，故障排除问题的结构比诊断-解决问题的结构更合理。区分这两类问题的结构程度的因素是它们的不透明程度。

故障排除问题通常指的是查明人造系统（机械、计算机系统、制冷系统等）的故障。而诊断-解决问题通常指的是诊断和治疗人的生理和心理疾病。尽管对于这两类问题，诊断-解决问题的诊断部分和故障排除是相似的，但是在各自的问题空间中未知（不透明）的程度是不同的。

（6）解释的异质性

问题的结构的另一个参数是由理解或解决问题的可能解释和视角的数量来描述的。对问题的解释越开放，问题的结构就越不完善。有些问题，如政治或经济问题，可以根据利益相关方的观点进行解释，因为他们有独特的利益或信仰。

在问题中常见的解释有两种类型。

第一类是定义模糊的问题，可以有多种解释。当问题被模糊地定义时，它被认为是结构严重不良的。

第二类解释与可行的解决方案有关。例如，在大多数设计问题（例如，教学课程的设计问题）中，对于任何学习问题，都有无限多的解决方案。然而，考虑到围绕问题的约束条件，这些解决方案中只有一个子集是可行的。这两种解释因看待问题的个人或利益集团的不同而有所不同。当一个问题情境中涉及多个方面时，由于利益、信仰、标准或文化的不同，可能会对问题的解释、解决问题的方法、目标状态的形式和约束的性质做出不同的解释。从多个角度评估一个问题的开放性的一个简单原则是，在问题情况中，与他人利益冲突的各方越多，问题的结构就越不合理。

（7）跨学科性

跨学科性的程度从两个方面影响问题的结构水平。首先，它注入了一个综合程度的变量。当一个问题需要跨学科的知识来解决时，成功解决问题的一个关键因素是确保考虑到所有方面（学科）。然而，当第一次遇到问题时，涉及哪些学科以及涉及多少学科并不总是清楚的。因此，在构建一个完整的问题空间时，这种不确定性带来了一定程度的困难。

其次，跨学科性问题的不同学科是紧密联系和相互依存的。在跨学科环境中，从操作中出现的意料之外的问题并不罕见。此外，由于各个学科之间的相互依赖，改变一个领域的子决策将会影响到其他领域。因此，平衡问题的所有方面的任务是解决这类问题的一种挑战。大多数日常和专业问题在本质上是跨学科的，这使得它们更倾向于结构不良。

不幸的是，跨学科的方法并没有得到正规教育机构很好的支持，因为正规教育机构以严格的学科视角来划分和识别问题。

（8）动态性

动力学研究中，变量或运算符的动态性质在很大程度上导致了问题的不良结构。这个概念并不新鲜。

除了目标状态外，结构不良问题的动态特性还体现在算子的各种状态中。例如，在国际象棋中，棋手在特定时间的可用走法只有在对手走完步之后才能确定。动态变量通常是突现的，在某些情况下，只有在其他相关变量、问题状态或问题解决者所采取的某些操作发生变化时才会出现紧急属性。在紧急可变性的情况下，在选择并执行某些操作之前，某些约束或属性不会出现。

(9) 竞争替代品的合法性

该参数指的是在问题空间中执行各种状态的操作符和解决方案路径的可想象选项的数量。在问题的连续结构上，结构极其良好的问题拥有一个单一的、规定的解决路径，而结构极其不良的问题拥有无限数量的解决路径。该参数在两方面增加了问题的难度。首先，它增加了在选择问题的最佳解决方案时的不确定性；其次，它增加了验证和评估选项或备选方案以选择最可行的解决方案路径所需的工作量和时间。

2.7.3　实现 PBL 教育目标的一般原则

为了实现 PBL 的这些教育目标，乔纳森总结了多位研究者的成果，提出了一些设计良好 PBL 问题的一般原则。一般原则可以总结如下。

适合教学的 PBL 问题应该是：

① 开放的，结构不良的。具有中等程度的结构性。

② 复杂，但是复杂的程度应该适度。具有挑战性和激励性，吸引学生的兴趣；为学生提供从多方面审视问题的机会；观点或学科适应学生之前的知识；适应学生的认知发展和准备情况。

③ 真实性。应与学生的未来或潜在工作环境相关。

基于这些一般原则，在 PBL 计划中最可能成功实现的问题是那些结构适度不良（接近中位数）和复杂度略高于平均水平的问题。

2.7.4　适合 PBL 的问题类型

哪种问题属于合适的难度范围最适合 PBL？之前的研究或许可以提供一些线索。在 PBL 文献中，PBL 最一致的成功体现在医疗领域，其中诊断-解决问题是主要类型的问题。

根据前面讨论的问题难度的九个维度，诊断-解决问题大致处于结构化程度中等的不良和相当复杂的范围内。根据这条推理线，可以安全地推测诊断-解决方案问题的特征可以作为确定其他类型的问题的基准，这些问题也适用于 PBL。在乔纳森的问题类型学[3] 中提出了 11 种问题类型，包括：逻辑问题、算法问题、故事问题、规则应用问题、决策问题、故障排除问题、诊断-解决问题、战略绩效问题、情境案例或策略问题、设计问题、困境问题。

案例分析问题、决策问题与诊断-解决问题具有十分相似的特征。此外，设计问题具有与诊断-解决问题类似的特征，但在本质上比诊断-解决问题的结构更糟糕。因此，推测以下四种类型的问题可能比类型学中的其他类型的问题更适合 PBL。

(1) 诊断-解决问题

诊断-解决问题包括故障排除和治疗（患者管理）。诊断-解决问题通常开始于病人或系统的症状（例如，病人肩膀和颈部的剧烈疼痛，以及伴有头晕的胸部不适），有一个相当明确的目标状态（病人达到一个合理的健康状态）。然而，它们的透明度相对较高，解释也不一致（例如，症状的原因有多种可能）。此外，高度的不透明度可能会在假设被检验之前提高每个竞争性解释的合法性水平。在做出初步诊断之前，医生检查病人并考虑病人的病史。在螺旋式的数据收集、假设生成和测试（例如，进行血液测试、拍摄心电图和体检等）过程中，医生专注患者问题的特定病因和鉴别诊断。人类生理是非常复杂的，医生的知识必须相当深入，才能对疾病状态做出推断。这就提高了医生所需要的知识广度水平、领域知识水平，并充分了解问题关系的复杂性。

(2) 决策问题

决策问题需要从许多相互竞争的选项中选择一个决策。例如，应使用哪种辐射探测器来确定不同环境下的辐射水平？哪些产品最有可能在特定市场上销售？什么样的聚合物可以为航空部件提供足够的强度和灵活性？决策问题类似于诊断问题的难度曲线（中等结构不良和相当复杂）。而且，大多数情况下，它们是诊断问题的延续。诊断问题集中于确定问题的原因，而决策问题则更多地集中于确定在问题发生的情况下最可行的解决方案。

(3) 情境案例或策略问题

情境案例或策略问题通常是复杂的、多方面的情况。使这些问题难以解决的是，问题是什么并不总是很清楚。因为问题的初始状态是模糊的，定义问题空间是更加模糊和高度不透明的。这些类型的问题通常在专业环境中才能得到解决，如国际关系、管理、商业（如计划生产）和医学问题的解决。

(4) 设计问题

设计问题通常是所有问题中最复杂和结构不良的，是工程师解决的最常见的问题类型。设计问题具有不良结构问题的所有共同属性。例如，模糊定义的目标、多个解决方案、多个解决方案路径和未说明的约束。然而，使设计问题比其他类型的问题更加结构不良的一个属性是评估解决方案的多重标准。这是高度主观的，随着时间的推移而变化，或直到设计过程（例如，室内设计、产品设计或建筑设计）结束时才可知。因此，设计问题的竞争性备选方案的不透明度、动态性、解释的异质性和合法性的程度往往处于一个极高的水平，这使得它们的结构高度不良。此外，设计问题是特定于领域的，它们需要高度的知识广度和领域知识的水平。通常情况下，由于关系复杂性的高度动态变化，它在设计问题中也具有较高的动态变化水平。

有经验的设计师以根本不同的方式处理设计问题，他们比学生花更多的时间研究问题和收集信息。这些任务是有效和成功地解决设计问题所必需的。必须解决问题的不透明性、积极响应动态变化、解释的异质性和竞争备选方案的合法性等诸多困难。因此，设计问题属于高度结构不良和中等到高度复杂的范畴，虽然其中等到高度复杂的性质并不排除在 PBL 中使用设计问题，但极其严重的不良结构可能会给学生在 PBL 环境中的学习带来挑战甚至负面影响。

(5) 结论

采用 PBL 教学首先面临的问题是 PBL 的难度设计，即设计什么样的问题给学生学习；紧接着的问题是如何实施 PBL，即需要智能化认知工具的辅助。

在各种使用问题的教学方法中，问题难度对学生学习结果的有效性起着重要作用。难度水平适当的问题是在学习者的认知准备能力范围内，因此是可以解决的。而难度水平不适当的问题可能会超过学习者的准备能力而导致解决失败。

评估问题难度的目的是帮助研究人员确定在 PBL 中最有效的问题类型。问题难度评估方法是一种工具，使设计人员和教师能够评估出学习问题的难度程度和性质，以便与学科领域的性质相匹配，支持问题的预期教学目的和功能，并确保适合课程预期水平的难度水平。另外，可以将问题难度分为初级、中级和高级，循序渐进地实施 PBL。

2.7.5　结构良好与结构不良的问题

（1）结构良好的问题

乔纳森在文献［1］中给出了比较详细的论述。他指出，最常见的问题，尤其是在学校中的问题，都是结构良好的问题。通常在教科书章节的末尾发现，这些结构良好的问题应用了有限数量的概念、规则和原则，也被称为转换问题。它包含一个定义良好的初始状态，一个已知的目标状态，以及约束的逻辑运算符集合。这些问题：

① 展示问题的所有因素；

② 以一种可能的解决方案（在问题陈述中指定问题的参数）来显示给学习者；

③ 利用有限数量的规则和原则，采用经过预测和规范性的安排，采用明确的、受约束的参数；

④ 应用的概念和规则在知识领域看起来是正常的和结构良好的，而且看起来也很有结构性和可预测性；

⑤ 拥有正确、收敛的答案；

⑥ 拥有可理解的解决方案，其中决策选择和所有问题的关系都是已知的或概率的，并且有首选的和规定的解决方案。

（2）结构不良的问题

结构不良的问题通常来自特定的上下文，在存在的问题中，问题的一个或多个方面都没有明确说明，即问题描述不清楚或不明确，或者解决它们所需要的信息不包含在问题陈述中。结构不良问题可能是日常实践中遇到的各种问题，所以它们通常是紧急的。因为它们不受课堂上的内容域的限制，解决方案是不可预测的或收敛的，还可能需要多个内容域的集成。诸如环境污染等问题的解决方案可能需要由数学、科学、政治学和心理学组成，可能有许多替代解决问题的方法。然而，此类问题在日常生活中对学习者来说更有趣，更有意义，他们被要求定义问题，并确定需要什么信息和技能来帮助解决问题。

结构不良的问题涉及以下方面：

① 因为一个或多个问题元素是未知的，因此出现不确定的问题；

② 模糊定义或不明确的目标和未规定的限制；

③ 拥有多个解决方案、解决方案路径或根本没有解决方案，即没有关于与适当解决方案协商一致的协议；

④ 有多种评估解决方案的标准，拥有较弱的可操作参数；

⑤ 没有原型案例，因为案例元素在不同语境中重要性是不同的，它们具有相互作用；

⑥ 不确定哪些概念、规则和原则对于解决方案是必要的；

⑦ 拥有概念、规则和原则之间的关系，但在案例之间是不一致的；

⑧ 不提供描述或预测大部分情况的一般规则或原则；

⑨ 没有明确的手段来决定适当的行动；

⑩ 需要学习者对问题表达个人观点或信念，是人类关系的交往活动；

⑪ 要求学习者对问题做出判断，并为他们辩护。

结构不良问题的典型例子是设计问题。在大多数情况下，设计师受到环境的限制。尽管在大多数设计问题中，有各种各样的解决方案，且所有的解决方案都可能同样好。但如果没有经验证明，设计师就需要对情况做出判断，并根据判断制定解决方案。

2.7.6 PBL 成功小组讨论的 12 个技巧

基于问题的学习（PBL）是一种教育方法，可以促进自我导向的学习、跨学科的整合、小群体学习和决策能力提升。PBL 以学生为中心[29]。在 PBL 案例的讨论中，有一些重要的问题需要学生考虑。例如：如何保持基本规则？如何了解自己的角色？如何保持群体动态？如何成为一个有目的的学习者？如何利用导师的反馈来加强小组讨论？如何提高自己的学习技能？如何努力成为一个获胜的团队？等等。

塞米（Samy A. Azer）[30]为学生提供了 12 个 PBL 实用技巧，以提高他们小组讨论案例的技能。塞米还发表了《PBL 导师面临的挑战：促进小组成功的 12 个技巧》[31]和《构建基于问题的学习案例的 12 个技巧》[32]等论文，这些都是大量 PBL 教学实践经验的总结。

所有的 PBL 技巧与工业安全评估常用的“危险与可操作性分析（HAZOP）”方法高度一致，都是一种全程小组讨论的方法，实施规则与机制也极其相似。HAZOP 国际标准（IEC 61882），对教师实施 PBL 教学很有启发性。

塞米总结的 PBL 成功小组讨论的 12 个技巧大致如下。

技巧 1：遵守基本规则。

① 在群体存在的早期设置群体规范（基本规则）可以防止在群体中发生危机，有助于实现更好的 PBL 功能。

② 导师应与小组讨论各参与者的角色。

③ 基本规则由小组成员商定。

④ 基本规则应反映小组的需要和原则。

⑤ 小组的运作应符合规则，由 PBL 小组商定基本规则示例。

⑥ 每个人都有权表达自己的观点。

⑦ 应该辩论问题而不是争论问题。

⑧ 不应该在一个问题上花太多时间。

⑨ 互相尊重，避免个人评论。

⑩ 安排一个抄写员（每个教程 2 个抄写员）。

⑪ 每个教程都需要一个录音机。

⑫ 大家需要集中讨论这个案子，避免讨论走题。

⑬ 一些基本规则是不可谈判的，并将由导师解释，因为它们对小组功能很重要。

⑭ 准时出席是强制性的。

⑮ 所有手机必须在教程期间关闭。

⑯ 小组在讨论案件时必须使用白板（所有成员能看到）。

⑰ 应按概述的顺序讨论。

⑱ 小组不应采取捷径或跳过某一步。

技巧 2：知道自己的角色。

① 当每个成员意识到一个组的成员应该承担的不同角色时，小组讨论的功能就会更好。

② 角色应在学期的第一个教程中商定和组织。

③ 方法需要以学生为中心。在 PBL 教程中，可以使用哪些不同的角色？该怎么办？

④ 委派一名抄写员。抄写员倾听每个成员的输入，记录和组织白板上小组讨论的信息，鼓励每个成员作出贡献，并知道如何为小组服务。

⑤ 参与案例讨论。每个成员都以增加新信息、加深群体理解、承认他人的投入、关注问题和避免负面论点的方式为讨论作出贡献。

⑥ 设置一个小组记录器。小组记录器总结白板上的所有信息，并在教程之后向小组中的每个成员提供一份副本。

⑦ 确定一名单词查找者。在技术词典中查找困难的术语。

⑧ 选派小组的代表。每学期由小组提名一名成员，代表他们参加教师会议，并处理小组中的管理问题。

⑨ 除了该小组的代表，学生每一次教程都轮换角色。学生在同一教程中可能承担多个角色。

技巧 3：保持团体动态。

① 问问自己：给团队带来了什么好的品质？

② 利用个人和文化差异作为增强群体动力的一种方式。

③ 欣赏团队合作的价值观和定期评估小组过程的必要性。

④ 教程的最后 10 分钟（当完成一个案例的讨论时）是一个很好的机会，让小组成员反思自己的表现。确定小组的具体目标，并计划如何实现这些目标中的每一个，一次专注于一个目标。

在回顾和反思阶段，即教程的最后 10 分钟内，小组应该考虑哪些问题？

① 本周作为一个团队取得了什么成就？

② 有效地合作了吗？

③ 在哪些领域取得了成功？

④ 在哪些方面需要改进？

⑤ 作为一个小组，下周的目标是什么？

⑥ 如何实现这些目标？

技巧 4：提出有能力的问题。

① 使用良好的开放式问题，可以增强讨论的能力，并使小组继续关注这一问题。

② 在小组讨论中使用良好授权的问题，对于深入理解和更好地学习至关重要。

③ 避免提出注重细节的肤浅问题。

技巧 5：做一个有目的的学习者。

① 成人学习的一个强大动力是使学习过程具有目的性，从而有助于个人成长和深刻理解。

② 如果自己知道自己在搜索中试图回答什么问题，自我导向学习就会得到加强。

③ 塑造自己的学习，以适应新学习环境的需要。

有目的的学习者：

① 有持续的学习欲望。

② 专注于所学习的目标。

③ 是一个批判性的思想家。

④ 是自我激励的。

⑤ 不怕寻求帮助。

⑥ 能够监测学习的进展。

⑦ 有评价计划。

⑧ 能够整合所学信息。
⑨ 能够发展推理技能。
⑩ 有计划学习的能力。

技巧6：没有反馈就没有冠军。

① 了解如何从导师的反馈中得到最好的结果。
② 计划如何使用反馈来增强自己对小组讨论的投入，并与导师一起促进自己的学习。

怎样才能从导师的反馈中获益最大?

① 关注反馈中提出的问题，不要把它放在个人身上。
② 对提出的问题很有兴趣，并与导师一起探讨它们。
③ 与导师协商一个方法，以加强自己对小组的投入。
④ 一次处理一个问题，并在两周内与导师会面，进一步讨论自己的进展。
⑤ 思考如何保持动力和提高自己。
⑥ 不断监控自己，专注于自己的目标。
⑦ 把每天的进步记录在日记里。
⑧ 一旦完成了一项特定的技能，就转到下一个需要改进的领域。
⑨ 庆祝自己的成功。

技巧7：监控自己的进度。

① 成功的关键要素之一是自我评价。
② 随着自己进步，继续专注于自己的目标。
③ 保持一个进度日志来监控自己的进度。

应该在进度日志中处理哪些问题?

① 自己的强项是什么?
② 自己还在开发哪些领域?
③ 自己需要改进的领域有哪些?
④ 如何在这些领域中提高自己?

技巧8：努力成为一支获胜的队伍。

① 有效的互动促进了正确的行动。
② 关注问题而不是个人利益。
③ 小组的成功是每个成员贡献的结果。

获胜队伍的特点：

① 他们比其他人更能确定自己的优先事项。
② 他们比其他人更多地放弃自己的个人计划。
③ 他们比其他人更有效地沟通。
④ 他们比其他人更鼓励团队成员。
⑤ 他们比其他人更能确立他们的共同目标。
⑥ 他们比其他人更忠诚。

技巧9：做一个批判性的思考者。

① 辩论而不是争论一个问题。
② 在做出决定之前，权衡证据和假设。

批判性思想家的特点：

① 充分利用自己的思维能力。

② 仔细分析复杂的问题。

③ 制定一种深思熟虑和结构良好的方法来指导自己的选择。

④ 为每一个假设寻找支持性的证据。

⑤ 评估数据，综合信息，建立联系，确定需要进一步研究的领域。

⑥ 能够以有组织的方式讨论问题。

⑦ 评估自己信念的准确性。

⑧ 有理解的热情，总是努力解决问题。

⑨ 探索问题的不同方面，例如科学基础、伦理道德问题、背景和促成因素等。

技巧 10：知道导师的角色。

① PBL 方法以学生为中心。

② 导师不会是信息提供者。

③ 导师促进学习，并在需要时把讨论放在正确的轨道上。在一对一的课程中，导师将向学员提供关于学员对小组讨论的贡献的反馈。

④ 当学员完成对每个问题的讨论时，该学员的小组将有机会与导师讨论改善小组动态的方法。

技巧 11：培养获胜的态度。

① 养成良好的习惯。

② 选择要遵循的模型。

③ 在挑战中看到成功的机会。

④ 专注于解决方案。

⑤ 有给予和分享资源的欲望。

⑥ 坚持下去。

⑦ 想办法缓解压力。

⑧ 别把自己看得太认真。

⑨ 采取行动来改变自己的态度。

技巧 12：做一个协作的学习者。

① 协作是实现和提高群体绩效的关键能力。

② 为了促进小组成员的协作，需要创造一种信任的气氛。

③ 需要时向他人寻求帮助。

④ 认真听取其他成员的意见。

⑤ 定期相互交流。

⑥ 共享信息和资源。

⑦ 提供描述性而不是评价性或判断性的评论。

⑧ 提出问题以求澄清。

⑨ 总是说“我们”。

2.7.7　基于剧情的学习

基于剧情的学习（SBL，scenario-based learning）是一种提供更具互动性和吸引力的基于技能培训的 PBL 方法。例如，使用视频和一个有吸引力的故事情节。学习者在整个 SBL

中收集信息，并根据他们以前与现有的知识和他们发现的信息创建解决方案。SBL 是 PBL 的一种创新，是工业和军事领域训练学员认知能力的有效方法。SBL 已经发展成为“专家陪练”方法，AI3 将“专家陪练”方法实现了智能化。

2.8 探究式 STEM 标志性教学方法

2.8.1 STEM 标志性教学方法

STEM 是指科学、技术、工程和数学，泛指科技教育。教育家美国科学院院士舒尔曼(L. S. Shulman)[33]认为，教学和学习的特征形式称之为标志性教学法。这些教学类型组成了对未来从业者进行新职业教育的基本方式。在这些标志性的教学方法中，新手被教导专业工作的三个基本维度的关键方面是：思考、执行和正确地行动。但这三个方面在各行各业并没有得到同等的重视。

舒尔曼院士形象地揭示了应试教育的弊病[33]。

以典型的工程学院讲授的物理动力学课程为例。所有的座位都面对着房间的前面，学生之间的讨论显然不是这里的重点。虽然老师在课堂开始介绍当天的话题时面朝全班，但很快他就转向黑板，背对着学生。教学的重点显然是物理过程的数学表示，他在黑板上狂怒地写着方程式，偶尔回头望着学生们，询问大家：“你们跟得上吗?”两声肯定的咕哝就足以鼓励他继续下去。与此同时，学生们要么像老师一样疯狂地抄写，要么静静地坐着，计划稍后在学习小组中复习的材料。老师和学生之间或学生与学生之间的交流很少。在这个教学中几乎没有提到实践的挑战，老师也几乎没有意识到知道和做之间的紧张关系。这是一种教学形式，许多其他数学密集型学科和专业都如此，它不是工程学的“标志”性教学方法。

舒尔曼院士强调了标志性的教学方法的重要性。标志性的教学方法之所以重要，正是因为它们无处不在。它们含蓄地定义了在一个领域中什么是知识，以及事情是如何被知道的；定义了如何分析、批评、接受或丢弃知识；定义了专业知识在一个领域的功能、权威的所在地以及等级和地位的特权。

舒尔曼院士指出：标志性的教学有三个维度。首先，它是一个表层结构，它由具体的、可操作的教与学行为、展示与展示行为、提问与回答行为、互动与持有行为、接近与退缩行为组成。任何一种标志性的教学法都有一个深层的结构，一套关于如何最好地传授某种知识和技能的假设。它还有一个隐含的结构，一个道德维度，包括一系列关于职业态度、价值观和性情的信念。最后，每一种标志性的教学法也可以通过它没有传授或例证的“问题”来塑造它的特点。

2.8.2 探究式教学结构

有文献指出：根据国家科学教育标准，调查包括“科学家研究自然世界的各种方式，并基于他们工作中获得的证据提出解释”。探究式教学非常清楚地包含了表面的、深层的和隐性的结构，并促使学生像科学家一样思考和行动，它被认为是科学教育的标志性教学[33]。

(1) 探究式表层结构

探究式教育学的元素之一是表层结构。它包括具体的和可识别的教学和学习行为，是通过探究的基础来证明的。它来自约翰·杜威（John Dewey）的现代教育思想。杜威认为学生的知识和自然的好奇心是关键，即教育始于学习者的好奇心。他的探究模式有五个具体的循环阶段：提出问题、调查解决方案、在收集信息时创造新知识、讨论发现和经验、对新发现的知识进行反思。

杜威强烈倡导经验学习，世界上没有一门学科比经历智力发展和方向的考验的经验学科更严格。

当代的探究式教学模型包括：参与、探索、解释、精心设计、评估（engage、explore、explain、elaborate 和 evaluate）的 5E 模型，高英（Gowin）和阿尔瓦雷斯（Alvarez）提出的 V 图。这些模型强调通过理解学生如何学习科学概念和技能来支持学习循环，并明确了舒尔曼所描述的一种标志性的教学方法，即一系列明确的教学事件。

(2) 探究式深层结构

除了探究性教学的表层结构之外，深层结构还支持关于如何向学生传授内容的信念。这些信念已经在国家科学教育标准（NSES）中将探究性教学描述为让学生发展和实践科学探究技能和内容知识。探究式深层结构的五个基本特征概述如下：

① 学习者被科学导向的问题所吸引。通常，每节课都是围绕一个重要的或重大的问题展开的，这些问题都是基于现实世界的问题，并会出现在学生的日常生活中。

② 学习者优先考虑证据，这是他们能够发展和评估解决科学问题的解释。学生从参考信息中收集数据并生成工件。学生的工作不是开放式的，而是有方向性的。通过一系列步骤引导学生探索和收集与所面对问题的 STEM 内容相关的具体证据。

③ 学习者从证据中制定解释，以解决科学问题。通常，这些证据被收集并编译成图表或其他数据表示，作为分析的工件。稍后，这个工件被提出并被保护，成为协作讨论的中心焦点。

④ 学习者根据不同的解释来评价他们的解释，特别是那些反映科学理解的解释。陈述被写下来后，学生们将他们的陈述与科学家们认为有效的内容进行比较。这种专家意见通常以简短的叙述文本、一些多媒体元素、两到三个网站或特别报告或教科书的形式提供。

⑤ 学习者交流并证明他们提出的解释。使用一个被称为“辩论学习”的框架，学生们向他们的老师和同伴展示、解释和证明他们的工件、主张和分析。

这些基本特征代表了如何最好地传达和教授 STEM 内容。

(3) 探究的内隐结构

根据舒尔曼所述[33]，一个标志性教育学的隐性结构被认为是由重要的一系列理想的信念、态度、价值观和性格组成。在以探究为基础的教学中，这些理念源于这样一种信念，即作为人类，学生具有好奇心，本能地想要弄清楚正在发生什么、背后的原因，以及接下来会发生什么。这些可以通过观察、收集数据、将数据合成为信息，并将结果与现有知识进行比较来实现，这与真正的科学家在其领域中所做的工作是一样的。因为科学发现极大地改变了人们的生活，所以具有能够进行探索的能力是非常重要的。在这样做的过程中，学生可以提出重要的问题，收集高质量的证据，批判性地推理，并使用这些信息来完成和评估他们的决定。

到此，大家可以更深刻地理解舒尔曼院士揭示应试教育弊病的意义所在。因为应试教育完全违背了标志性教学规律，不但教学效率低下，甚至会误导学生。

舒尔曼解释[33]，标志性的教育学是不确定性教育学，会使教育的设置不可预测和令人惊讶，提高了学生和教师的风险。有趣的是，在课堂上学习如何处理不确定性是培养专业素养最重要的一个方面，也就是在不确定性下做出判断的能力。最后，不确定性、可见性和问责性不可避免地增加了教学过程中的情感风险，不确定性既使人兴奋，又使人焦虑。这些教学方法创造了一种冒险和不祥预感的氛围，也创造了令人兴奋的场合。

舒尔曼特别提到仿真在标志性教学中的特殊作用[33]，在外科手术中，学习新手术方法的标志性教学法一直是“观察一种，做一种，教一种”，这种方法无疑充满了出错的可能性，并对患者构成重大危险。现在，新的仿真模拟形式，外科人体模型和机器人模型的使用，为认知任务分析、认知学徒制创造了机会，使教学方法发生实质性的改变，极大地改变了教学的特征。

2.8.3 现代科学教育的8种实践

探究式STEM标志性教学方法历经了几十年应用与发展，已经列入美国下一代科学标准[34-37]，值得认真借鉴。现代科学教育的8种实践摘自《K-12框架：实践、跨领域概念和核心思想》[35]，简称“框架”。K-12是指12年义务教育，“框架”是美国下一代科学标准，即NGSS的具体要点解读。该报告的主题项目由美国国家研究委员会理事会批准。内容大致如下：

科学教育的主要目标之一就是培养学生的科学思维习惯，培养他们从事科学探究的能力，并教他们如何在科学背景下推理。本书使用“实践”一词，而不是“技能”一词，以强调从事科学调查需要同时协调知识和技能。K-12科学课堂的8种实践是：

① 询问问题和定义问题；
② 开发和使用模型；
③ 规划和进行调查；
④ 分析和解释数据；
⑤ 运用数学、信息、计算机技术以及计算思维；
⑥ 构建解释（用于科学）和设计解决方案（用于工程）；
⑦ 从证据中进行辩论；
⑧ 获取、评估和交流信息。

为什么要实践？

参与科学实践有助于学生理解科学知识是如何发展的。这种直接参与使他们了解用于调查、建模和解释世界的广泛方法。从事工程实践同样有助于学生了解工程师的工作，以及工程层面和科学层面之间的联系。参与这些实践也有助于学生理解科学和工程的交叉概念和学科思想。此外，这些实践还会使学生的知识更有意义，并将其更深入地嵌入到学生的世界观中。科学或工程的实际工作也可以激发学生的好奇心，捕捉他们的兴趣，并激励他们继续学习。因此获得的洞察力帮助他们认识到科学家和工程师的工作是一项创造性的努力，这一努力深深影响了他们所生活的世界。学生们可能会认识到，科学和工程可以有助于应对当今社会面临的许多主要挑战，如产生足够的能源、预防和治疗疾病、维持淡水和食物的供应，以及应对气候变化。

实践1：询问问题和定义问题。

问题是推动科学和工程的引擎。科学层面询问：存在什么？会发生什么？为什么会发生？人们怎么知道？

工程层面询问：可以做些什么来满足特定的人类需要？如何更好地说明需要？有哪些工具和技术可用于或满足于这一需要？

科学和工程层面询问：一个人如何沟通现象、证据、解释和设计解决方案？

询问问题对于培养科学的思维习惯是必不可少的。对于没有成为科学家或工程师的个人来说，提出明确问题的能力也是其科学素养的重要组成部分，有助于使他们成为关键科学知识的使用者。

实践 2：开发和使用模型。

科学家们构建了现象的心理和概念模型。心理模型是内部的、个人的、特殊的、不完整的、不稳定的，基本上是功能性的。它们的目的是成为一种用来思考、做出预测和理解经验的工具。

相比之下，重点是概念模型，它们是明确的表示，在某些方面类似于所代表的现象。概念模型使科学家和工程师能够更好地可视化和理解正在调查的现象，或为设计问题开发可能的解决方案。

模型在科学和工程中用作表示结构、功能或行为类比，尽管简化了，但模型依然包括图、物理复制副本、数学表示、类比和计算机仿真。虽然它们不完全对应于正在建模的更复杂的实体，但它们确实将某些特征集中在一起，同时最小化或模糊其他特征。

由于所有模型都包含限制其应用的有效性范围和预测能力精度的近似和假设，因此必须认识到它们的局限性。

概念模型在某种意义上是科学家所持有的心理模型的外部表达，并且与心理模型密切相关。建立对模型及其在科学中的作用的理解，有助于学生建构和修正现象的心理模型。反过来，更好的心理模型，可以引发对科学的更深入理解和增强科学推理。

科学家使用模型（从这里起，为了简单，本书使用“模型”这个术语指概念模型而不是心理模型）来代表他们当前对正在研究的系统（或系统的一部分）的理解，帮助发展问题和解释，交流想法。

科学家使用的一些模型是数学的。例如，理想气体定律是由气体的完全弹性碰撞假定推导的方程，这是一个基于物质原子理论的简化模型。对于更复杂的系统，物理系统的数学表示被用来创建计算机仿真。这使科学家能够预测其他难以处理的系统的行为。例如，大气中二氧化碳水平的增加对世界不同地区农业的影响，该模型可以通过一个迭代周期来评估和改进，将预测与现实世界进行比较，然后对模型进行调整，从而潜在地产生对正在建模的现象的洞察力。

工程层面利用模型来分析现有的系统，这使工程师能够看到缺陷可能在哪里或在什么条件下发展，或者测试新问题的可能的解决方案。工程师还使用模型来可视化设计，将设计提升到更高的精细化水平，将设计的特性传达给其他人，以及作为测试设计性能的原型。

模型，特别是编码相关物理规律和材料特性的现代计算机仿真，特别有助于实现和测试结构的设计，如建筑物、桥梁或飞机。这些结构的建造费用昂贵，必须能在罕见情况下发生的极端条件下生存。其他类型的工程问题也受益于在设计和测试阶段使用专门的基于计算机的仿真。但就像在科学中一样，使用模型的工程师必须意识到它们的内在局限性，并且根据已知的情况对它们进行测试，以确保它们是可靠的。

实践 3：规划和进行调查。

科学家和工程师对世界进行调查和观察，基本上有两个目标：

① 系统地描述世界；

② 发展和测试关于世界如何运作的理论和解释。

首先，仔细地观察和描述往往会导致识别需要解释的特征或识别需要探索的问题。其次要求进行调查，以测试对世界的解释性模型及其预测，以及这些模型所提出的推论是否得到数据的支持。

规划和设计这类调查需要有能力设计适合于回答所问问题或检验已形成的假设的实验或观察调查。这个过程开始于识别相关变量，并考虑如何观察、测量和控制它们（受实验设计的限制，以获得特定的值）。控制计划是调查设计的重要组成部分。在实验室实验中，至关重要的是决定哪些变量将被视为结果或输出，因此任由其随意变化。哪些变量将被视为输入条件，从而受到控制。在许多情况下，特别是在实地观察的情况下，这种规划涉及决定什么是可以控制的，以及如何在不同条件下收集不同的数据样本。尽管并非所有条件都在调查员的直接控制之下，也必须就应采取何种测量、所需的精度水平以及最适合进行这种测量的仪器种类做出决定。这种规划与其他形式的查询一样，关键问题是精度问题，目标是尽可能准确地测量变量并减少误差来源。因此，调查人员必须决定什么构成了足够的精度水平，以及可以使用什么技术来减少随机和系统误差。

实践4：分析和解释数据。

数据一旦收集，必须以一种可以揭示任何模式和关系的形式呈现，并允许将结果传达给其他人。由于原始数据本身没有什么意义，所以科学家的一个主要实践是通过制表、绘图或统计分析来组织和解释数据。这种分析可以揭示数据的含义及相关性，以便它们可以用作证据。工程师也会根据某一特定设计是否为有效证据做出决定，他们很少依赖于试验和错误。工程师通常通过创建模型或原型来分析设计，并收集关于其性能的广泛数据，包括在极端条件下的数据。这类数据的分析不仅为设计决策提供信息，并能够预测或评估性能。而且分析还有助于定义或澄清问题、确定经济可行性、评估替代方案、调查故障。

电子表格和数据库提供了组织数据的有用方法，特别是大型数据集。数据中关系的识别由一系列工具辅助，包括表格、图表和数学。表格允许以方便访问的形式总结大量数据的主要特征，图表提供了直观地总结数据的手段，数学对于表达数据集中不同变量之间的关系是必不可少的（关于数学的进一步讨论，见实践5）。

现代基于计算机的可视化工具通常允许以各种形式显示数据，从而使学习者能够在分析中与数据互动。此外，标准统计技术可以帮助减少一个变量与另一个变量之间的误差影响。学生需要有机会分析大型数据集并识别相关性。涉及温度、污染水平和其他科学测量的数据越来越多在互联网上出现，此外，信息技术还能够在一天中的任何时间捕捉教室以外的数据，这些数据集扩展了学生的体验范围，并有助于阐明分析和解释数据的重要实践作用。

实践5：运用数学、信息、计算机技术以及计算思维。

数学和计算工具是科学和工程学的核心。数学使用变量表示，物理实体之间的关系用符号表示，结果的预测用建模来实现。数学为描述和预测原子结构、引力和量子力学等现象提供了强大的模型。自20世纪中期以来，计算理论、信息和计算机技术以及算法已经彻底改变了几乎所有的科学和工程领域。这些工具和策略使科学家和工程师能够收集和分析大型数据集，寻找独特的模式，并以过去不可能实现的方式识别人际关系和重要的特征。这些工具还为使用数学来建模复杂现象提供了强大的新技术，例如二氧化碳在大气和海洋中的环流。

数学和计算在科学研究中可以成为强大的工具。数学作为具有实用功能的一种工具，既有交际功能，作为科学语言之一，也允许逻辑推理的结构函数。数学使思想能够以精确的形式表达，并能够识别关于物理世界的新思想。例如，质量和能量的等价性的概念产生于爱因斯坦在基于狭义相对论的前提下进行的数学分析，当代对电磁波的理解产生于麦克斯韦对电场和磁场行为的数学分析。现代理论物理学中充斥着大量的数学，试图将其分为数学和非数学两部分是毫无意义的。

在许多现代科学中，预测和推论具有概率性质，因此理解概率数学和统计推导的推论是理解科学的重要组成部分。

计算工具使无法通过解析进行计算的问题通过数值计算方法解决。例如，用一种龙格-库塔法可以求解多种类型的无法用解析法求解的高阶微分方程组。因此计算工具能够增强数学的力量。例如，它们允许开发仿真，将多个潜在现象的数学表示结合起来，对复杂系统的动力学进行建模。

计算方法也是直观地表示数据的有力工具。它们可以允许以探索模式的方式显示计算或仿真的结果。

工程也涉及数学和计算技能。例如，结构工程师根据物理定律建立桥梁和建筑设计的数学模型，以测试它们的性能，探测它们的结构极限，并评估它们是否能在可接受的预算内完成。几乎任何工程设计都提出了需要计算才能解决的问题。虽然数学和计算思维在科学和工程中的应用方式存在差异，但数学往往使这两个领域结合在一起，使工程师能够应用科学理论的数学形式，并使科学家能够使用工程师设计的强大的信息技术。这使两种专业人员都可以完成调查和分析，并建立复杂的模型。

数学（包括统计学）和计算工具对于数据分析至关重要，特别是对于大型数据集。从不同的角度和不同的图形表示来查看数据、测试变量之间的关系，以及探索不同外部条件之间的相互作用的能力，都需要用计算技能来增强和扩展的数学技能。

实践 6：构建解释和设计解决方案。

科学寻求提高人类对世界的理解。科学理论的发展是为了提供解释。科学研究的目的是阐明特定现象的性质、预测未来的事件或对过去的事件做出推论。

科学发展了解释理论，如疾病的胚芽理论、宇宙起源的大爆炸理论和达尔文的物种进化理论。但理论的作用经常被误解，因为非正式地使用“理论”一词，可以意味着猜测。

科学理论是基于大量知识和证据的结构，根据新的证据进行修改，并且必须经受科学界的重大审查，才能被广泛接受和应用。理论不仅仅是猜测，它们被特别重视，因为它们为多个实例提供了解释。在科学中，这个词的使用与日常语言不同。科学假设既不是科学理论，也不是猜测，它是对特定情况下会发生事件的具体期望。假设是基于与情况相关的理论理解，通常也是基于相关系统的特定模型。科学解释是指将科学理论与特定的观察结果或现象联系起来的解释。例如，理论解释了所观察到的变量之间的关系，并描述了支持理论的因果推论的机制。通常首先由相关情况的特定模型表示，然后开发基于模型的解释。例如，如果一个人理解氧气在体内获得、输送和利用的理论，那么就可以开发一个循环系统的模型，用来解释为什么心率和呼吸率会随着运动而增加。

让学生参与对世界的标准科学解释，帮助他们理解科学已经发展起来的主要思想，是科学教育的一个核心方面。科学教育要求学生通过发展自己对现象的解释能力来证明自己对科学思想含义的理解。无论是基于他们所做的观察还是他们所开发的模型，都会使其成为概念变化发生过程的重要组成部分。科学中的解释对于这种教学用途是很自然的，它们对简单、类比和经验数据（甚至可能是思想实验的形式）具有固有吸引力，因为对于同一现象往往有相互竞争的解释。例如，最近地球平均表面温度逐渐上升，最好的解释是一个争论的问题。解决的方法是判断给定的解释与所有可用的数据的吻合度，它在多大程度上简化了看似复杂的东西，以及它是否产生了一种理解感。由于科学家通过借助模型和表征建立理论和基于理论的解释，并通过利用数据和证据来实现自己的理解，所以学生也应该在构建基于模型或基于证据的解释方面发展一些能力。这是建立他们自己对现象的理解，获得对他们在课堂上学习的科学理论的解释能力的更好理解，也是获得对科学家如何运作的更深入了解的重要一步。

在工程学中，目标是一个设计，而不是一个解释。开发设计的过程是迭代的和系统的，以及开发科学中的解释或理论的过程。然而，工程师的活动却有不同于科学家的元素，这些元素包括：为解决方案的所需质量指定约束条件和标准，制定设计计划，生产和测试模型或原型，在替代设计特征中选择以实现优化设计标准，基于原型或仿真的性能细化设计思想。

实践 7：从证据中进行辩论。

无论证据是否涉及新的理论、对现象的拟议解释、对技术问题新的解决方案，或者对旧数据的新解释，科学家和工程师都使用推理和论证来证明自己的观点。在科学中，知识的产生取决于一个推理过程，它要求科学家对世界提出合理的主张。作为回应，其他科学家试图找出主张的弱点和局限性，他们的论点可以基于前提的推论，现有模式的归纳概括，或者关于最佳解释的推论，通过论证来解决问题。例如涉及最佳实验设计、最合适的数据分析技术或对给定数据集的最佳解释的争论。简而言之，科学中充满了在实验室会议和研讨会上以及在同行评审中非正式地进行的争论。

关于科学思想的起源和发展的历史案例研究表明，一个新思想往往是难以接受和必须被论证的。典型的例子是哥白尼关于地球绕着太阳运行的想法和达尔文关于物种起源的想法。随着时间的推移，会在新数据获得的情况下，通过批判性检验的思想在社区中获得大家一致的认同。通过这种话语和论证的过程，科学保持了其客观性和进步。

具有检测“坏科学”的知识和能力是对科学家和公民的要求。科学家必须对自己的工作和同龄人的工作做出批判性判断。科学家和公民都必须对与科学有关的媒体报告的有效性，及其对人们自身生活和社会的影响，做出评价性判断。能成为科学的关键“消费者”，是因为有机会利用批判和评价来判断任何基于科学论点的优点。

在工程中，推理和论证对于找到一个问题的最佳解决方案是必不可少的。在早期设计阶段，必须对相互竞争的想法进行比较（并可能结合），以实现初步设计。通过对与设计目标相关的各种想法的优点进行论证来做出选择。在设计过程的后期阶段，工程师测试问题潜在的解决方案，收集数据，并以迭代的方式修改设计。这种经过努力的结果通常被作为证据来对特定设计的优缺点进行辩论。虽然论证的形式相似，但在工程中使用的标准往往与科学中使用的标准有很大的不同。例如，工程师可能会使用成本效益分析、风险分析、对美学的吸引力或对市场接受度的预测来证明为什么一种设计比另一种设计更好，或者为什么应该遵循一个完全不同的行动方针。

实践 8：获取、评估和交流信息。

在科学和工程方面，读书需要阅读和理解文献的能力。科学和工程是用文字、图、表、符号和数学来表示和传达的知识。阅读、解释和制作文本，特别是科学的基本实践，它们至少占工程师和科学家总工作时间的一半。

即使学生已经具备了适当阅读技能，科学阅读对学生来说也往往具有挑战性。原因有三。第一，对科学文本的行话本质上是不熟悉的，加上它们经常广泛被使用，例如被动语态和复杂的句子结构，许多人发现这些文本是无法访问的。第二，必须阅读科学文本，才能准确地提取信息。因为每个单词或从句的确切含义可能很重要，所以这些文本需要一种与阅读小说甚至报纸截然不同的阅读模式。第三，科学文本是以多模态、利用词、图、表、符号和数学的混合来进行交流。因此，理解科学中的文本需要的不仅仅是简单地了解技术术语的含义。

以书面或口头形式进行交流是科学的另一种基本实践。它要求科学家精确地描述观察，澄清他们的思维，并为他们的论点辩护。由于写作是科学界沟通的主要手段之一，学习如何制作科学文本对于发展对科学的理解至关重要，就像学习如何绘画是欣赏视觉艺术家的技能一样。事实上，新的语言艺术共同核心标准认识到，写作技能也对科学至关重要。如果科学家不能清楚和有说服力地传达他们的发现，科学就无法进步。

交流发生在各种正式的场所，包括同行评审的期刊、书籍、会议演示和精心构建的网站。它也通过非正式的方式发生，如讨论、电子邮件、电话和博客。新技术扩展了交流实践，使全球的多学科合作更加强调阅读和写作。越来越多的科学家也被要求与非专业听众就他们的工作进行对话，这尤其需要良好的沟通技巧。作为科学和工程产品的“消费者”，无论是作为一个普通公民还是科学家或工程师，都需要具有在媒体或互联网上阅读或查看科学报告的能力，包括：认识到突出的科学论点，识别错误的来源和方法的缺陷，区分推论，解释的论点和证据证明的观点，等等。

工程工作也以类似的方式进行。因为工程师需要交流想法、寻找和交换信息。例如，关于新技术或现有工具和材料的新应用。正如在科学中一样，工程交流不仅仅涉及书面和口语，许多工程思想最好通过图、表、模型和产品等来传达。同样广泛使用的还有针对特定工程领域的手册，它们提供了通常是表格形式的详细信息，说明如何最好地制定常见的工程任务的设计解决方案。了解如何寻找和使用此类信息资源是工程师技能的重要组成部分。（注：这里使用“文本”一词是指从印刷文本到视频制作的任何形式的交流。）

现代科学教育的 8 种实践是研发现代智能教学软件平台的十分确切和具体的目标，也是智能教学软件平台的质量评估标准。以 SimAI3 为例，该软件对所有 8 种科学实践教学几乎都有辅助作用。

2.8.4　基于 V 图的探究式教学和 SimAI3 软件平台创新

V 图是借用字母 V 的形状命名的，它是探究式教学的脚手架。V 图被描述为“一种帮助理解事件、过程或对象之间有意义关系的方法”[38]。它是一种工具，可以帮助人们观察已知的事物和需要了解或理解的事物之间的相互作用。作为一种表示工具，V 图通过标识了科学知识的元素，支持科学调查开展。例如，研究问题、分析问题。V 图是一种国际广泛接受的探究式 STEM 标志性的教学方法[39]。

基于仿真的智能化“专家陪练”SimAI3软件平台介绍视频

使用 V 图作为基础的调查方法是一种典型的教学法的应用。因为每节课都是基于一个有意义的、现实世界的问题来构建和关注一个基本的或大的问题。在这个大问题之后，课程从 V 图的左侧进行到右侧，从思考活动到实践活动。

V 图通过实际问题将思考活动与实践活动密切结合起来。见图 2-6，V 图由三个环节构成：

① 思考活动环节。包括明确定义最初的构想，采用构建概念图模型的可视化方法修正

和完善。

② 活动和参考信息环节。结合现实世界的“大问题”提供对口的调查、资料和参考信息。

③ 实践活动环节。包括陈述要求细节、考虑专家的意见、反思和执行分析、决策生成解决方案和实际行动等要素。

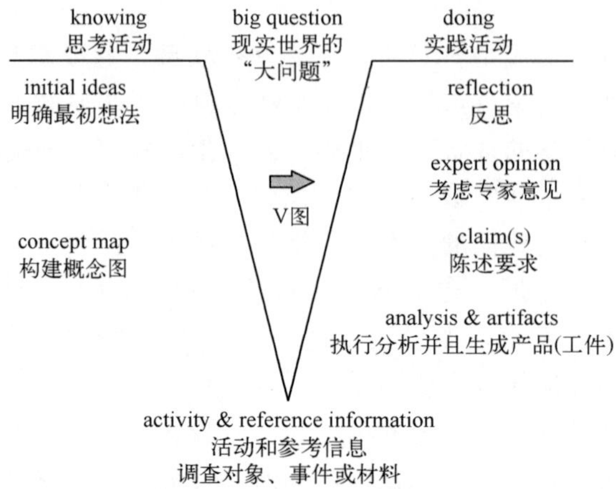

图 2-6 “V 图”探究式 STEM 教育的标志性教学法

教学活动在 V 图中从左到右依次进行，具体方法是：明确最初的想法，构建概念图，完成关联活动，考虑专家意见，对整个过程进行反思并更新概念图，陈述要求，执行分析并生成结论或人工制品[39]。

V 图的开放部分巧妙地说明了研究问题在调查框架中的作用，尖端直接指向调查对象、事件或材料。作为一个学习的脚手架，学生使用 V 图作为指导，遵循一系列步骤，在这些步骤中，他们负责清楚地识别和记录调查的元素，这些步骤用来加强和明确学习的过程和产品。在调查期间完成了 V 图的形式和过程，说明了 V 图作为一种基于探究的学习方法的实用性[39]。

SimAI3 软件平台就是这种探究式 STEM 教育标志性教学环境，又称认知工具软件平台。SimAI3 在传统 V 图的基础上进行了多项扩展和技术创新，见图 2-7。

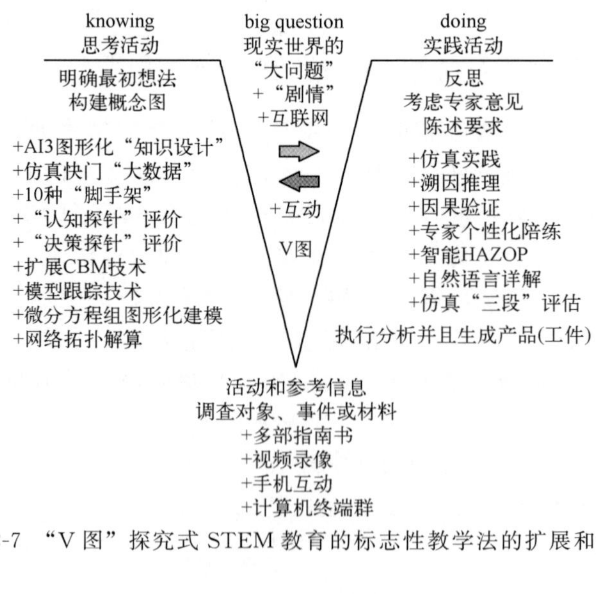

图 2-7 “V 图”探究式 STEM 教育的标志性教学法的扩展和创新

典型化工单元仿真软件与 SimAI3 教师版及学生版软件联合构成新一代“基于仿真的人工智能教学系统”见图 2-8。本系统将仿真实践训练技术与更高阶思维训练技术密切结合，成功构建现代 STEM（科学、技术、工程和数学）“V 图”探究式教学的标志性环境。详见本书第 6 章和第 7 章介绍。

图 2-8　SimAI3 软件平台集成环境

2.9 认知学徒教学法

2.9.1　认知学徒

认知学徒（cognitive apprenticeship）是一种教学模式，它能使思维变得清晰可见[40]。在传统的学徒制中，学习者可以看到工作的过程。例如：他们看着父母播种、种植和收获庄稼，并尽他们所能提供帮助；他们协助商人制作橱柜；他们在更有经验的裁缝的监督下拼凑服装。学徒制是学习一种身体的、有形的活动。但在学校教育中，解决问题、阅读理解和写作的“实践”并不明显，这对学生来说并不一定是显而易见的。在传统学徒制中，活动的过程是可见的；在学校教育中，学生和教师往往都看不见思维的过程[41]。

传统学徒制和认知学徒制有三个重要的区别[41]，具体如下。

第一，在传统学徒制中，执行一项要学习的任务的过程通常很容易被观察到。在认知学徒制中，一个人需要故意把思维带到表面，使其可见，包括在阅读、写作、解决问题方面，教师的思维必须让学生看到，学生的思维必须让教师看到。这是传统学徒制和认知学徒制最重要的区别。认知研究通过协议分析等方法，已经开始描述构成专门知识的认知和元认知过程。通过将这些隐性过程引入到开放可见的过程中，学生可以在老师和其他学生的帮助下观察、实施和实践学习任务。

第二，在传统的学徒制中，任务就像在世界上出现的客观事物，学习完全位于工作场所。当任务出现在设计和创造有形产品的背景下时，学徒能够自然理解承担学徒过程的原因。他们被激励去工作和学习任务的子组件，因为他们意识到了成品的价值。他们保留了完成任务所必须做的事情，因为他们已经看到了专家成品的模型，因此任务的子组件是有意义的。但在学校里，教师们正致力于以阅读、写作、科学、数学、历史等为中心的课程。也就是说，在很大程度上，学习脱离了学生和大多数成年人在他们的生活中所做的事情。认知学徒制中的挑战是将学校课程的抽象任务定位在对学生有意义的上下文中。

第三，在传统学徒中，在任务本身中要学习技能。例如，为了制作一件衣服，学徒学习一些独特的裁剪技能，如缝纫纽扣孔时，不要求学徒对纽扣孔有任何了解。换句话说，在传统学徒制中，学生不太可能遇到需要技能转移的情况。然而，学校教育的主要任务是学生能够转移他们所学的东西。在认知学徒制中，面临的挑战是提出一系列任务，从系统到多样，并鼓励学生反思和阐明跨任务常见的要素。教师向学生提供有针对性的技能，并且改变这些技能应用的背景，目标是帮助学生概括技能，在技能不适用或面对新情况时能够独立转移技能。

为了将传统学徒制模式转化为认知学徒制，教师需要：

① 确定任务的过程，并使学生看到它们；

② 将抽象任务置于真实的上下文中，使学生理解作品的相关性；

③ 改变情境的多样性，阐明共同的方面，以便学生能够转移他们所学的东西。

2.9.2 认知学徒的六种渐进方法

认知学徒制虽然采用了传统学徒制的建模、教练和渐进方法的范式，但其强调认知技能而不是身体技能（行为技能）[42]。

经过大量的研究与应用，欧美发达国家目前在 STEM（科学、技术、工程及数学）教学中广泛实施的“认知学徒”教学方法要点如图 2-9 所示。

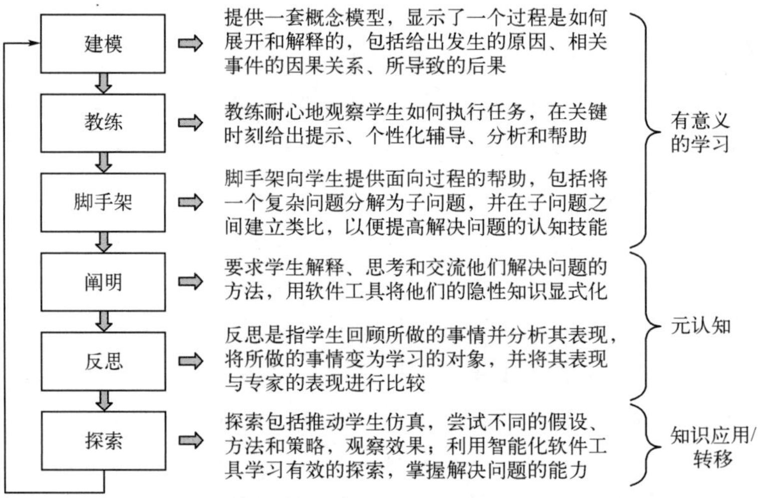

图 2-9 现代建构主义认知学徒教学方法要点

认知学徒包括六种教学方法，大致可分为三大类[40,43,44]：

① 前三种（建模、教练和脚手架）是认知学徒的核心。旨在通过观察、指导和支持的实践过程，帮助学生获得一套完整的认知技能，称之为有意义的学习。

② 接下来的两种方法（阐明和反思）旨在帮助学生集中观察专家解决问题的方法，并有意识地获得（和控制）他们自己的解决问题的策略，称之为元认知。

③ 最后一种方法（探索）旨在鼓励学习者的自主性。不仅去探索专家解决问题的过程，而且探索定义或制定要解决的问题，称之为知识的应用/转移。

柯林斯（Allan Collins）在文献［42］中对六种方法进行了总结，主要内容如下。

（1）建模

建模显示了一个过程是如何展开和解释的，包括给出它会这样发生的原因，以便构建学生观察并建立完成任务所需过程的概念模型。在认知领域，通常要求内部认知过程和活动的外化（显式化）。具体来说，建模是专家利用基本概念和程序知识的启发式和控制过程。

（2）教练

教练观察学生执行任务的过程，并且提供提示、脚手架、反馈、建模、提醒和旨在使他们的表现更接近专家表现的新任务。教练可以将学生的注意力引导到任务中之前被忽视的方面，或者只是提醒学生任务中已知但被暂时忽视的方面。教练的重点是通过高度互动和高度定位的反馈和建议，实现和整合技能，为人们理解目标服务。也就是说，辅导互动的内容与学生试图执行目标任务时出现的特定事件或问题直接相关。

（3）脚手架

脚手架是指教师为帮助学生完成任务而提供的支持。这些支持可以采取建议或帮助的形式，或者采取物理支持的形式。当脚手架由教师提供时，它涉及教师执行学生还不能管理的部分的整体任务。因此，脚手架涉及一种教师和学生合作解决问题的过程。其中明确的意图是让学生尽可能多地自己承担任务，越快越好。这种脚手架的一个必要条件是准确诊断学生当前的技能水平或难度，以及在执行目标活动的适当难度水平上的中间步骤的可用性。脚手架会逐渐消失，包括逐渐取消脚手架支持，直到学生独立完成任务。

（4）阐明

阐明包括让学生表达他们在某个领域的知识、推理或解决问题过程中的任何方法。首先，探究式教学是一种向学生提问的策略，引导他们对知识明确表达并提炼“原始理论”。

例如，教师在探究性教学中可能会系统地询问学生，为什么一种解决方案好，而另一种不好，以便让学生形成一个明确的模型，知道什么是好的解决方案。教师还可能会鼓励学生在解决问题时表达自己的想法，以及让学生在合作活动中扮演评价或监控的角色，引导学生制定和阐明他们解决问题和控制过程的知识。

（5）反思

反思涉及让学生将他们自己的解决问题的过程与专家、其他学生的过程进行比较，最终形成一种学生大脑内部的专业知识认知模型。

反思可以通过使用再现或“重放”专家和新手的表现进行比较，来增强技术，这可以通过多种方法来实现。例如，专家对问题解决过程的熟练剖析可以作为反思性比较的目标，也可以是学生对他们自己的问题解决过程的剖析。另外，各种记录技术，如视频或音频记录器和计算机，可以用来再现学生和专家的表现。回放的细节程度可能因学生的学习阶段而异，但通常需要某种形式的“抽象回放”，突出专家和学生表现的关键特征，以便与专家和其他学生的想法进行比较。

（6）探索

探索包括推动学生进入一种独立解决问题的模式。鼓励学生进行探索对于学生学习如何提出有趣的问题或他们可以解决的问题是至关重要的。探索是脚手架支持逐渐消失的自然高潮，它不仅涉及问题解决的脚手架“淡出”，也涉及脚手架淡出的问题设置。但是学生们并不知道如何有效地探索一个领域，所以探索策略需要作为学习策略的一部分来教授。作为一种教学方法，探索包括为学生设定总体目标，并鼓励他们专注于他们感兴趣的特定子目标，甚至在他们遇到更有趣的事情时修改总体目标。

2.9.3 认知学徒指导学习活动的原则

在教学中使用认知学徒方法，教师需要理解如何支持知识和复杂技能的集成和概括。柯林斯在文献［42］中确定了一些指导学习活动顺序的维度或原则，以便促进学生发展强大的解决问题的技能。

（1）复杂性的增加

是指一系列任务和任务环境或微观世界的构建，这样就需要越来越多的技能和概念来实现专家的表现。人们认为对技能和任务进行排序，有可能使其复杂性单调增加。由于学习者不仅需要学习和整合执行一项有趣的任务（即使是相对简单的任务）所需的相关技能或活动，而且还需要管理和指导这些活动。因此更有可能出现复杂性的增加。有两种机制可以帮助学生管理日益复杂的环境。第一是努力控制任务的复杂性；第二是使用脚手架，它使学生能够在一开始就在老师或其他助手的支持下处理执行任何有趣任务所需的复杂活动集合。

（2）不断增加的多样性

是指一系列任务的构建，在这些任务中需要越来越多的策略或技能。虽然在一系列（越来越复杂的）任务中反复练习新策略或技能很重要，但是随着技能学习得越来越好，引入多种技能和策略的任务变得越来越重要。这样学生就能学会区分他们适用（或不适用）的条件。此外，随着学生学会将技能应用于更多样化的问题和问题情境，他们的策略将从上下文绑定中解放出来（或者更准确地说，获得更丰富的上下文关联网络），从而更容易用于处理不熟悉或新颖的问题。

（3）全局技能先于局部技能

对于认知领域，这意味着课程的顺序，在要求学生产生或记住这些技能之前，有机会应用一套技能来构建一个有趣的问题解决方案。这需要某种形式的脚手架，脚手架可以应用于解决问题过程的不同方面。例如，对问题解决的管理和控制，或者对执行任务所需的子过程。全局技能先于局部技能意味着在课程的顺序上存在一种倾向，即支持较低水平技能或复合技能，学生必须将这些技能组合在一起，才能完成一项复杂的任务。例如，在代数中，学生可以不必进行他们缺乏技能的低水平计算，以便专注于解决有趣问题所需的高阶推理和策略。这种顺序原则的主要效果是让学生在关注“地形细节”前，先构建一个概念性的“地图”。

（4）社会化

框架中最后一个维度涉及学习环境的社会化，这是一个在决定课程和教学实践时经常被忽视的关键维度。随着技能的提高，学徒们越来越多地参与到社会活动中，成为专业的从业者。明确的期望和学习目标的存在，以及技能改进和社会奖励的整合，有助于激励基础学习。

此外，其他学习者的出现为学徒提供了自己进步的校准标准，帮助他们确定自己的优势和弱点，从而集中努力改进。多个大师的存在可以帮助学习者认识到，即使是专家也有不同的做事风格和方式，以及不同的专长。这种信念鼓励学习者将学习理解为是在一定程度上使用社会背景下的多种资源来获得支撑和反馈。人们认为，构建社会环境以鼓励这些产生式信念的发展，为合作学习风格的发展奠定了基础。研究发现，非专家能够通过汇集他们的知识碎片，并利用其他学习者作为完成任务的脚手架，成功地引导自己掌握关于计算机的知识，而不需要定期访问高级专业知识。这种学习经验与“权威”的可用性的分离鼓励了独立和自我导向的学习。

对专业知识和见解的分布式特性的认识是在所有领域成功合作的基础。知识不是集中在任何一个人身上，有技能的合作者更有可能寻求他人的帮助，因此，他们能够更好地利用与他人的互动，通过集体智慧、头脑风暴为复杂问题构建更好、更令人满意的解决方案。

2.9.4　计算机化的认知学徒软件平台

柯林斯在文献［42］中对计算机化的“认知学徒”软件平台进行了展望，他们相信，建模、教练和脚手架淡出的核心技术可以正规化，并嵌入到未来强大的个人电脑中，从而促进学校认知学徒式学习的更新。显然，在这个梦想成为广泛的现实之前，需要在研究方面取得一些进展。目前，在开发领域技能、元认知技能和辅导技能的明确认知理论方面的工作正朝着正确的方向迈出关键的第一步。

推动计算机辅助学习是教育领域的一个重要发展，原因如下：

首先，计算机使人们能够给予个别学生更多的关注，没有这些，就不可能有认知学徒式的学习（计算机辅助有利于个性化教学）。适当设计基于计算机的建模、指导和脚手架淡出系统，可以使以前受到严重限制的认知学徒学习方式被广泛使用。当然，基于学徒制的计算机系统不需要承担全部责任，只需要以一种放大绩效的方式来扩大教师的能力。

其次，旨在建立以计算机为基础的认知学徒学习环境的研究可以作为一种激励功能。不仅学生需要专业知识，教师为了有效地诊断学生的困难，也需要被给予有用的提示。这类知识显然不仅对计算机学习环境的设计有用，而且对教师培训、课程设计和一般的教育策略都卓有成效。

据文献［40］的介绍，依据“认知学徒”的理论与实践，伊利诺伊大学 2007 年实施了大规模教育数字化项目。

自从认知学徒教学方法提出，计算机辅助教学（CAI）、ITS、专家陪练系统、仿真与智能教学系统软件平台大量应用、实践、扩展和创新了柯林斯提出的建模、教练、脚手架、阐明、反思和探索等多种现代建构主义教学方法和技术。

从以上的介绍可以看出：近年来工业和军事训练的“专家陪练”技术，就是“认知学徒”与 PBL 密切结合的创新。作者团队研发的 SimAI3 是一种实现“认知学徒”与“基于剧情的学习（SBL）”融合的现代智能化教学环境。

2.10
教学“脚手架”技术

2.10.1　教学“脚手架”

教学“脚手架”（scaffolding）的概念由伍德、布鲁纳和罗斯（David Wood，Jerome S. Bruner，Gail Ross）1976 年提出[45]。脚手架传统上被定义为向一个教师或更有知识的同伴提供帮助的过程，使学习者能够成功地解决原本过于困难的问题。脚手架是特别为 PBL 提出的方法[46-48]。脚手架可以采取多种形式，包括专家建模、专家建议、提示、学习者指南和工具软件等。

基于计算机的脚手架可定义为基于计算机的支持，帮助学生参与超出辅助能力的任务并获得技能。该工具有助于扩展学生的能力，启发他们能够在一个更高的水平上执行任务。基于计算机的脚手架已成为科学、技术、工程和数学（STEM）教育中与以问题为中心的教学一起使用的核心教学策略。在 STEM 教育中部署了基于计算机的脚手架，可以帮助提高学生的高阶思维技能和深度内容的学习。各种类型的脚手架已经大量应用于智能教学系统中。

常用脚手架依据功能不同，分为概念脚手架、策略脚手架、元认知脚手架、激励脚手架和上下文脚手架等[48]。还可以将脚手架区分为硬脚手架和软脚手架。硬脚手架是指静态脚手架，可以根据典型的学生感到困难的任务进行预测和计划。软脚手架提供基于学习者反应的动态和自发支持的脚手架。

2.10.2 教学中常用的“脚手架”类型

(1) 概念脚手架

概念脚手架指导学生在解决问题时要考虑的事情。在任何问题中，在解决问题时都有许多可能的事情要考虑，因此重要的是帮助学生缩小考虑范围，选择更有成效的考虑，并了解所遇到的数据和信息。

在基于计算机的脚手架中，概念脚手架可以采取专家建模的形式。在这种形式中，专家讨论了学生在解决问题的过程中会考虑问题的哪些方面。专家建模可能更多地出现在由活动理论提供信息的脚手架上，而不是由 ACT-R 或知识集成提供信息的脚手架上。

概念脚手架还可以邀请学生规划动画或实验，将他们引导到特别重要的规划领域。学生应该高度关注这些领域，并简化对学习目标不重要的领域。

概念脚手架也可以使用概念映射等工具列出正在学习的材料中的重要概念，并邀请学生通过使用连接箭头明确这些概念之间的联系。例如，进行基于网络查询的小学生被赋予了一个概念映射工具，需要指导他如何将遇到的或正在学习的不同概念联系起来，并指导他进行搜索和演示设计。使用脚手架的学生可以从调查中回顾更多的内容，也有更多的创造性和有组织的最后陈述[48]。

(2) 策略脚手架

策略脚手架引导学生发现解决问题的策略。例如，脚手架通过提供一个积极的小组工作规则数据库，引导积极的协作技能，邀请学生：

① 创建自己的小组工作规则；

② 根据他们创建的小组规则评估他们的小组研讨过程；

③ 根据给定的讨论问题进行讨论；

④ 自我评估整个小组研讨过程。

接受实验的学生进行了更长的小组讨论，并表现出更深入的反思。

从 ACT-R 的角度来看，由于希望尽量减少不成功的做法，在应用该策略时选择的可能性需要受到反馈的约束。例如，在一个旨在帮助学生学习 LISP 编程的智能教学系统中，该系统为学生提供了一个 LISP 编程任务，并为程序中需要的编程元素提供了一个模板。学生可以在窗口中键入编程命令，系统检查代码并提供即时反馈、错误标记或自选反馈。这种反馈的目的是促进获得正确答案的速度，这符合 ACT-R 中的假设，收到反馈的学生在后续测评中的错误比没有收到反馈的学生少得多。

从知识整合的角度来看，可以允许学生选择现有的解决问题模式，并将其与提供的专家规范策略进行比较和反思[48]。

(3) 元认知脚手架

元认知脚手架帮助学生评估自己的思维。在科学研究中，重要的元认知过程包括任务定义和规划、监测、调节以及反思。元认知脚手架可以帮助学生掌握元认知的这些过程。专注于规划的元认知脚手架为学生提供了规划工具，并促使他们考虑规划过程的重要性。加强监控和调节的元认知脚手架可以根据一组进度路径通过查询任务监控其进度。增强反思的元认知脚手架可以邀请学生评估根据规则产生的想法和解决问题的质量。例如，中学数学教学中元认知脚手架会提示学生回答强调理解、联系、策略和反思的问题，使用元认知脚手架的学生在代数思维的测试中表现明显优于对照学生[48]。

(4) 激励脚手架

激励脚手架旨在增强学生对目标内容的学术激励，定义为他们部署努力执行学习任务的意愿。这可以通过以下过程之一或其组合来实现：提高学生对成功的期望、完成目标任务时对价值的感知、对行为自决的感知、对掌握目标的感知、调节学术情绪的能力、对归属的感知。

其策略包括建立成就价值、支持归属感以及促进对最佳挑战的认识。脚手架通过评估学生反思策略的有效性，帮助促进学生对成功的预期[48]。

(5) 上下文说明脚手架

使用上下文说明脚手架的论点之一是，解决问题的技能通常是上下文约束的。在一对一的教师脚手架中，这个问题并不重要，因为教师可以动态地确定是否需要这种上下文支持。但基于计算机的脚手架是在学生使用它之前设计的，无法像教师一样实时感知学生需求，因此这是一个需要考虑的重要问题。基于计算机的脚手架可根据特定内容定制，或设计得更通用。例如，解释构造函数被设计为特定于上下文的，因此，脚手架提出的所有提示都应包括与学生正在解决的问题相关的具体内容[48]。

2.10.3 “脚手架”的“淡出”机制

提供正确的学习支持是指根据要求动态评估提供的脚手架支持。这可以提供实时生成的定制支持，如一对一脚手架，或者提供预成型脚手架元素的正确组合，可以使用计算机脚手架来实现。要想提供适当数量的脚手架需要进行以下一种或多种方式的调整[47]：

① 调整正在使用的支持策略；

② 调整下一步要关注的次技能；

③ 调整提供支持和帮助的时间。

这种调整的一种形式是“消除支持”，后来被柯林斯等人称为“淡出（衰落）”机制。在淡出时，脚手架提供系统会根据动态评估来消除或降低脚手架的辅助强度。这些动态评估表明了学生学习性能的提高和独立表现良好的潜力。淡出的目的是逐步将目标技能的履行职责从脚手架提供者转移给脚手架接收者。具体而言，淡出可能首先表现为转向支持或指导程度较低的脚手架策略，最终可能会完全撤出所有的脚手架策略。例如，最初的脚手架策略可以帮助学生克服目标任务中的三个主要挑战，但在淡出后，脚手架策略可能只支持学生克服其中的一两个挑战。淡出也可以指脚手架信息的频率降低[48]。

脚手架干预也可以使用两种策略，即“增加”和“淡出”，这要取决于学生的表现特征。

也就是说，如果表现特征表明学生没有取得足够的进步，可以添加脚手架。如果表现特征表明该学生正处于能够独立执行目标技能的道路上，那么脚手架就可以淡出[47]。

最终，脚手架的目标是让学生不仅获得独立完成目标任务所需的技能，而且还承担该任务的责任。换句话说，脚手架不仅旨在促进工作能力，而且旨在促进独立执行复杂任务的意愿[48]。

SimAI3 软件平台所提供的计算机脚手架是由教师自主设计的。例如，可以在知识建模的初级阶段设计比较多的“概念探针”“决策探针”，并且要求学生的认知结构最大限度地与专家认知结构一致；在中级训练阶段可以减少探针和认知结构一致性跟踪；在高级训练阶段可以完全取消探针和认知结构评估脚手架。通过以上方法的设计，SimAI3 可以依据教师的意图将多种类型的脚手架逐步“淡出”。

2.11 基于约束的建模(CBM)及其扩展

2.11.1 基于约束的建模（CBM）

基于约束的建模（CBM，constraint-based modeling）实质上是打破第一代专家系统知识库规则空间太大，实现知识规则设计的完备性和独立性极为困难，智能教学课程开发十分费时费力的壁垒，所提出的一种简便易行的方法。CBM 方法经过实验测试和广泛使用，已经积累了大量经验。在各种教学领域都有开发基于约束的“智能教学导师-ITS”的成功案例。CBM 技术已被世界各地的智能教学研究人员使用。

奥尔森（S. Ohlsson）在 1992 年提出了基于约束的建模（CBM），其可以作为一种克服学生建模困难的方法。1995 年，米特罗维奇（A. Mitrovic）开始研发基于 CBM 技术的智能教学软件 SQL-Tutor[49-52]，这是第一个基于约束建模的 ITS 软件。在当时，CBM 是一种理论思想，一种将领域知识表示为一组约束的方法，可以用来分析学生的解决方案，以便提供错误的反馈。

米特罗维奇在十多年以后把 CBM 更确切地称为基于约束的辅导 CBT（constraint-based tutors）[53]，指明 CBT 是应用于智能教学领域的技术。

后来，米特罗维奇与奥尔森开始了合作，在智能教学方面对 CBM 方法进行了多种应用探索。例如：基于约束导师的反馈、基于问题选择的 CBM、开放学生模型支持自我评估与反思、基于 CBM 的辅导对话、支持协作学习、基于计算机的认知训练等。

米特罗维奇认为：识别学生的错误是一个耗时的过程，这需要对学生在解决问题时的行为进行广泛的研究。此外，这个过程是棘手的，因为错误知识的空间是巨大的。CBM 不是捕获错误，而是关注每个正确的解决方案必须遵循的领域原则是什么。

CBM 所基于的基本观察是，所有（任何问题的）正确解决方案都具有相同的特性，即，它们不违反任何领域的原则。因此，与模型追踪技术同时表示正确和不正确的空间不同，CBM 仅通过捕获领域原则即可表示正确的空间。任何违反一个或多个领域原则的解决方案或单个学生的行为都是不正确的。智能教学系统可以对学生的错误做出建议，即使不能解释它。因此，CBM 以抽象的方式表示解决空间。所有需要来自导师的相同反应（反馈）的状态解被分组到一个等价约束的类中，等价类代表了所有保证具有相同指导操作的解。CBM 方法的优点在于其并非让每个约束寻找解决问题的特定方法（正确或错误），而是关注领域的一小部分，需要学生的解决方案满足这一小部分，以使解决方案正确。

伍尔夫（B. P. Woolf）[54]综述和比较了多种智能教学技术后，认为，CBM 优于其他学生建模方法的一个特点是，它与学生使用的问题解决策略相互独立。CBM 是评估而不是生成知识，因此它不会试图诱导学生生成解决问题的策略。基于 CBM 的 ITS 不需要对典型的学生错误进行广泛的研究（例如，针对列举的错误创建错误库，对学生错误的可能起源进行复杂推理）。CBM 的另一个优点是，与诸如贝叶斯网络之类的概率方法不同，不需要对先前概率进行估计。所有 CBM 要求仅仅是对一个领域中基本原则和概念的描述。

伍尔夫在其智能教学著作中也提出，基于 CBM 的 ITS 有很多局限性，反馈可能具有误导性。在许多领域中，问题存在许多解决方案。例如，学生可以使用完全不同的策略。如果教师对基于选择的解决方案进行了编码，除非学生放弃了自己的尝试，否则这种编码不会对学生有用。然而，从理想解决方案的角度来看，即使学生进行了尝试，理想解决方案也可能会判定为错误。

2.11.2　过程知识的动态 CBM 技术扩展

CBM 可以广义地理解为，设法将学生模型限制在教师设计的范围之内，使学生建模不至于“跑题”。或者说设法“跟踪”学生的建模过程，防止走偏。也可以理解为教师为学生建模预先搭接一个“脚手架”，给学生导航。

CBM 的一个重要的假设是，学生执行的实际操作顺序对诊断并不重要，只要观察学生解决方案的当前状态就足够进行诊断了。这种假设对于静态的陈述性知识尚可，但是对于动态的过程知识来说不能只考虑当前的状态，必须考虑对变化剧情全过程的实时跟踪信息。

SimAI3 的剧情模型将大数据、静态知识图谱和动态知识图谱相结合，能够全面、细致和深度表达过程知识，并且能够实施多功能智能推理。SimAI3 剧情模型是密切结合化工领域的过程动态知识的直观、形象、具体、严谨、细致、全面的深度计算机化信息表达和记录跟踪。基于剧情的 SimAI3 软件平台提供给学生一个图形化剧情建模的开放环境，可以充分发挥学生的集体智慧、头脑风暴和创新思维能力。学生的自由建模结果可能出现多种模式，教师很难掌控。SimAI3 的“专家陪练”功能给出了一系列有效的解决方法，将传统的陈述性知识的静态 CBM 技术扩展为过程性知识的动态 CBM 技术。详见本书介绍 SimAI3 软件平台的有关内容。

2.12
基于认知仿真的智能教学

2.12.1　认知仿真的由来

认知仿真是由西蒙（Simon）[55]在心理学信息处理革命时期提出的。西蒙指出，数字计算机的抽象特性和符号操作的通用性，极大地扩展了系统行为可仿真的范围。一般来说，人们现在把模仿称为“仿真”，并试图通过在各种仿真或模仿环境中测试仿真理解被模仿的系统的能力。仿真作为一种理解和预测系统行为的技术，早于数字计算机的出现。例如，盆地和风洞模型是通过在小系统中仿真大系统来研究大系统行为的重要手段，欧姆定律是通过与简单水力现象类比而提出的。关于心理学中出现的相同问题的讨论，仿真甚至可能采取思想实验的形式，但这种“想定”从未真正动态地实现。

基拉斯（D. Kieras）[56,57]在海军人员训练研究项目的支持下对认知仿真进行了研究和初步应用。研究认为：认知仿真模型被定义为一种计算机程序，它实现了关于心理结构和心理过程的模仿，包含所提出的心理过程和知识结构的明确表示。在某种程度上，模型内部状态的变化应该代表人类思维内部状态的变化。这些程序通常涉及符号操作，而不是数字计算，并使用 LISP 等语言和最初在人工智能中开发的编程技术。

基拉斯解释了为何要进行认知仿真，指出构建认知仿真模型主要有两个原因：

第一个原因是，构建一个严格指定的计算机程序是将一组模糊的想法转化为更具体、更精确的理论的极好方法。因此，编写计算机认知仿真代码与大多数其他编程不同，在编写代码之前，并不真正知道代码应该做什么。由于在构建一个认知过程的模型时，对它的运作还不了解，因此，与大多数编程相比，仿真编程包含大量的试探性编程。然后编程的代码被修改，再修改，废弃，然后重新开始编程。这就是心理学研究的特点，即详细地定义实际可能的认知过程。

第二个原因是，认真和彻底地使用仿真模型来解释数据（包括经验数据）。这一点很重要，因为现代在线数据收集方法所能达到的细节水平，是传统的口头或数学模型所无法达到的。然而仿真模型本质上致力于非常高的细节水平。因此，构建仿真模型的一个主要原因是，解释非常复杂现象和过程的详细测试数据。

基拉斯的研究和初级应用表明，认知仿真是将人类认知内容和认知过程外化（显式化）和推理的“工具”。在智能教学中可以实现和促进基于认知仿真模型的“概念转变”。这种方法已经成为概念模型跟踪智能教学的核心方法，也就是实施教育数字化转型的方法。通过认知仿真“认真和彻底地使用仿真模型来解释数据（包括经验数据）”预示着工业实时在线人工智能故障诊断的应用前景。由于过去的编程工具只有人工智能语言 LISP，认知仿真建模非常抽象复杂，因此难于应用和推广。

2.12.2 利用专家系统构建认知仿真

随着智能教学系统的大量研发和应用，基于知识工程和知识图谱的认知仿真编程工具软件取得了重大进展。自然语言图形化建模使得智能教学系统的人-机交互系统直观形象、易学易用。利用专家系统软件实现的智能教学系统在欧美发达国家得到了广泛应用。2003 年，乔纳森教授提出利用专家系统软件平台构建认知仿真[4]。乔纳森指出，构建认知仿真的目的是表示认知过程，从而构建智能导师（软件平台）。智能导师是智能计算机辅助教学的一种形式，它通常拥有一个专家模型、一个学生模型、一个由各种策略组成的导师和一个被指导的信息知识库。专家模型描述了为学习者建模的过程，认知仿真是用来产生这个模型的。学生模型可以在教学过程中的任何点位上定义学生的知识。智能导师生成适当的教学交互，以减少专家和学生之间的差异。学习是一个受控制的序列，目的是使学生的知识模型与专家的模型一致。这一段表述准确说明了应用认知仿真实现智能计算机辅助教学的原理，也解释了当今“专家陪练”方法和技术的原理。

乔纳森进一步指出，从聪明的智能导师那里学到最多知识的是那些建立智能导师的人，而不是那些使用智能导师的人。假设如此，那么构建认知仿真比使用以仿真为模型的教学系统更能培养有意义的学习。类似的区别也可以应用于仿真，即区分使用仿真和构建仿真。构建仿真比使用仿真更能培养更深层次的知识学习。当学习目标是解决问题，而专家建议不精确时（也就是说，针对结构不良的问题），应该使用认知仿真。当学生建立认知仿真时，他们使用计算机作为思维工具。“思维工具”（mindtools）智能教学软件平台提供了多种形式来表示学习者所知道的东西，推动学习者参与各种批判性、创造性和复杂的思考。当学习者构建他们如何思考的认知仿真时，他们必然会比学习一个主题时进行更多的生成性和建设性思考。这一段表述准确说明了基于认知仿真的智能教学的优势。

学生构建认知仿真的一个基本原理是建模。建立真实世界现象的模型是科学思维的核心，需要各种各样的心理活动及步骤，如计划、数据收集、合作和访问信息、数据可视化以及写总结报告。

构建认知仿真是建模促进学习的实施方法。在以建模促进学习中，学习者使用不同的技术来外化他们的心理模型。这些模型是系统、事件和现象的丰富及多模态的心理表征。

构建认知仿真的另一个基本原理是它所涉及的元认知。构建认知仿真是一种反思和内省的系统方法，要求学习者反思他们用于执行任何活动的认知过程。这种反思包含了对思考的思考，也就是元认知。

构建认知仿真的意义在心理学课程中最为明显。在心理学课程中，学习者正在学习认知和其他心理逻辑过程。构建认知过程的仿真需要学习者通过他们如何使用不同的认知过程来表达和推理。个性化认知是一种细化的认知学习策略，使学习更有意义。这一过程适用于任何领域，因为任何领域的学习都涉及认知，而认知可以通过仿真来表达所涉及的思维过程。

乔纳森提出将认知仿真过程推广到任何领域的学习过程。换言之，基于认知仿真的智能教学系统可以适应和推广到任何领域的智能化学习中。多年前，构建概念模型已经进入美国下一代科学标准以及国家 K-12 数学核心标准。

2.12.3　认知仿真在高级培训和考试系统中的应用

基拉斯提出[57]，认知仿真建模是一种获取完成任务所需的知识规范的方法，或者评估所提议的知识体系规范充分性的方法。这些规范应该足够详细和精确，以便基于它们的考试问题能够评估执行一项技能所需的确切知识。基于它们的培训材料将被制作得完整、紧凑和高效。这种精确的规格可以帮助开发更高质量的传统纸质考试和培训系统。仿真中包含的知识的实际表示可以作为智能辅导和其他基于计算机的高级培训和考试系统的输入。

基拉斯等人对海军训练教学材料的检查表明，该教学材料并没有说明认知仿真中使用的总体策略或一般规则。相反，教学材料只包含有限的、高度具体的信息，没有关于如何诊断系统故障，以及如何制定操作设备的计划的明显信息。通过认知仿真建模和推理可以发现培训材料缺乏以下方面的明确规定：

① 完成这项工作的整体策略；

② 推断电流或元件状态的一般规则；

③ 根据推测出的装置状态，规划如何操作控制装置的一般程序；

④ 如何诊断系统故障的原因。

也就是说，传统的教学材料往往只说明了陈述性知识，没有过程知识的推理、分析与解释。

基拉斯等人对海军训练的传统考试内容进行了反思[57]。根据认知仿真，必须做出的一些其他推论是：在给定系统的仿真状态下如何操作设备？在指示信息不充分的情况下如何确定组件是否有缺陷？但是，考试完全没有涉及如何做出这些推断的知识，考试中缺少的其他信息是执行任务的总体策略，以及在有操作计划的情况下如何操作设备。很明显，考试根本没有涉及许多重要的必要知识。一个好的考试应该由一系列涵盖特定知识的问题组成。

基拉斯等人对海军训练的考试进行了两组对比试验[57]。一组称为心理模型组，采用需要推理分析的问题练习；另一组称为死记硬背组，采用死记硬背教学材料的题目练习。基拉斯等人发现，在实验中，心理模型组仍然比死记硬背的学习组有优势，但训练材料和考题远远不足以呈现一个完整的心理模型并通过其获取考试成绩。

实验表明，向受试者展示这些特定的推理规则效果相当好。这样的考试不仅可以区分好的和差的执行者，而且还可以明确哪些陈述性和程序性知识是受试者所缺乏的。

基拉斯等人的结论是[57]：认知仿真模型包含了一个人为了完成任务所必须具备的知识规范。这个规范可以用作开发和评估培训和考试材料的基础。例如，根据组合仿真中明确表示的相同知识的问题，应该可以设计非常有效的考试。一种可能的有用的替代方法是，从一组被认为是该领域的好材料的现有教学材料开始，尝试使用这些材料尽可能直接和天真地构建一个仿真模型。如果该模型不能执行任务。很明显，材料中缺少了一些东西，需要补充。一旦模型能够执行任务，那么就可以对模型的行为进行一些详细的检查，以确定材料的哪些部分实际上是关键的，哪些不是。因此，与其将认知仿真作为即将编写的培训材料的规范来源，不如将认知仿真方法本身用作评估现有材料的一种方法。类似的“逆向工程”方法可以用于评估现有的考试。

实际上，基拉斯的研究和实验就是当今的“专家陪练”的前身。SimAI3在智能教学中对认知仿真方法进行了更完全、更深入的建模和自动推理发挥，在智能化考核评估方面也取得了重要进展。

伍兹（D. D. Woods）等人将认知仿真应用于核电厂安全训练及评估领域[58,59]。他指出，核电站中30%至80%的实际重大事故涉及人为因素。分析和经验记录清楚地表明，人类对总体安全系统性能的贡献至少与硬件可靠性一样大。决定人在紧急情况下行动的一个重要因素是意图形成——决定采取什么行动，意图错误是人为因素影响风险的权重的一个重要因素。这与将AI3成功应用于石油化工安全训练和故障诊断训练具有同等重要意义。

伍兹等人的研发任务采用了高精度核电厂仿真器作为操作员实际操作环境。将该环境与基于认知仿真的人类行为的人工智能系统实时联网，实现认知任务分析（CTA）。

认知任务分析方法在认知科学和认知系统工程研究和应用中占据着中心地位。人们已经开发并利用了各种方法来揭示和描述人类在特定任务领域表现的基础知识和认知过程。这些方法是开发培训和决策辅助程序的关键部分，有几种基本的方法被用于进行认知任务分析。

① 一种方法依赖于对应用程序领域的分析，以揭示完成任务过程中固有的认知需求，其结果可以被认为是解决问题环境的一个模型：

a. 会出现什么样的解决问题的情况？

b. 人们必须知道什么，他们必须如何使用这些知识来处理这些问题？

c. 必须提取什么信息来监视和评估过程状态？

d. 在选择目标或监督和调整计划时必须激活和利用哪些知识?

② 认知任务分析的第二种方法是使用各种实证技术来研究现场或高保真仿真环境中的从业者行为，揭示人们如何使用信息和知识来完成领域任务。

在这些研究中使用的具体技术包括协议分析、自然观察和关键事件分析。这些研究关注理解领域从业者实际使用的任务相关知识和信息处理策略。因此，这些研究专注于开发性能模型，根据任务的需求和可用的外部资源（预先计划的例程、决策辅助工具、数据和显示），确定实践者做了什么，包括成功的和错误的。从这些实证调查中建立起来的绩效模型确定了无效或脆弱的策略以及它们导致糟糕绩效的环境，确定了熟练或专业从业者为满足任务需求而开发的适应性策略，指定了外部设备和显示器对从业者信息处理的积极和消极影响。

伍兹等人的研究表明：认知仿真是代表人类认知活动模型的可运行的计算机程序。他们展示了如何构建一个认知仿真模型（注：因果模型为主）。作为动态错误管理中涉及的一些认知过程的模型，可以与其他数据源结合使用，以揭示任务的认知需求、识别意图错误可能发生的地方、指出在人-机系统中的改进。

通过揭示成功响应任务需求所需的知识和推理，认知仿真可以帮助认知任务分析。它们提供了一种工具，用于理解环境对问题解决人员所面临的诊断任务的支持程度。

认知仿真的价值在于帮助人们看清问题剧情所强加的要求，而不依赖于人们所采取的策略。分析的一个关键元素是将认知仿真的性能与人类操作员性能的经验数据进行比较，将人类表现的数据（即使范围有限）与认知仿真的表现并置，才能突出认知环境的内在需求。

通过研究并对比仿真行为和操作员行为之间的相似处，可以提取有关错误、专业知识和人-机系统潜在改进的信息。同时，分析的结果可以指导认知仿真的持续发展，以更好地捕捉认知任务需求和满足这些需求的人类策略。换句话说，认知仿真可以成为基于理论的实证调查和基于数据的理论构建过程的一部分，这是科学进化的经典模型。

可见早在 20 世纪 90 年代，在核电领域已经具有了通过认知仿真工具促进概念变化或演化的认知，以及对“仿真行为和操作员行为之间的相似进行对比”的“专家陪练”思路和实施方法，并且将认知仿真用于解决多种工业问题。

参考文献

[1] Jonassen D H. Instructional design models for well-structured and III-structured problem-solving learning outcomes [J]. Educational Technology Research and Development，1997，45 (1)：65-94.

[2] Jonassen D. Designing constructivist learning environments’ Instructional design theories and models [J]. A new paradigm of instructional theory，1999，2：215-239.

[3] Jonassen D H. Toward a design theory of problem solving [J]. Educational Technology Research and Development，2000，48 (4)：63-85.

[4] Jonassen D H，Wang S. Using expert systems to build cognitive simulations [J]. Journal of Educational Computing Research，2003，28 (1)：1-13.

[5] Jonassen D，Strobel J，Gottdenker J. Model building for conceptual change [J]. Interactive Learning Environments，2005，13 (1/2)：15-37.

[6] Jonassen D. Using computers to support qualitative understanding of causal reasoning in engineering [C]. 2008 Annual Conference & Exposition. 2008.

[7] Jonassen D H，Hung W . Learning to troubleshoot：A new theory-based design architecture [J]. Educational Psychology Review，2006，18 (1)：77-114.

[8] Jonassen D H，Hung W . All problems are not equal：Implications for problem-based learning [J]. Interdisciplinary

Journal of Problem-Based Learning, 2008, 2 (2) .

[9] Jonassen D H, Carr C, Yueh H P. Computers as mindtools for engaging learners in critical thinking [J]. TechTrends, 1998, 43 (2): 24-32.

[10] Tawfik A, Jonassen D. The effects of successful versus failure-based cases on argumentation while solving decision-making problems [J]. Educational Technology Research and Development, 2013, 61 (3): 385-406.

[11] Schmidt M, Eastera A M, Jonassena D, et al. Learning through practice: Transforming radiation protection vocational education [J]. Journal of Vocational Education & Training, 2008

[12] Hung W, Jonassen D H. Conceptual understanding of causal reasoning in physics [J]. International Journal of Science Education, 2006, 28 (13): 1601-1621.

[13] Ferry B, Kervin L, Puglisi S, et al. Online classroom simulation: using a virtual environment to prepare for classroom reality [C]. 2005.

[14] Jonassen D, Strobel J, Lee B C . Everyday problem solving in engineering: Lessons for engineering educators [J]. Journal of Engineering Education, 2006, 95 (2): 139-151.

[15] Jonassen D H, Khanna S K . Implementing problem based learning in materials science [J]. American Society for Engineering Education, 2011.

[16] Anderson J R, Corbett A T, Koedinger K R, et al. Cognitive tutors: Lessons learned [J]. Journal of the Learning Sciences, 1995, 4 (2): 167-207.

[17] Ritter S, Anderson J R, Koedinger K R, et al. Cognitive tutor: Applied research in mathematics education [J]. Psychonomic Bulletin & Review, 2007, 14 (2): 249-255.

[18] Hirumi A. Student-centered, technology-rich, learning environments (SCenTRLE): Operationalizing constructivist approaches to teaching and learning [J]. Journal for Technology and Teacher Education, 2002, 10 (4): 496-536.

[19] Woolf B P . Building intelligent interactive tutors: Student-centered strategies for revolutionizing e-learning [J]. Telearn, 2009, 59 (5): 337-379.

[20] Behar-Horenstein L S, Niu L. Teaching critical thinking skills in higher education: A review of the literature [J]. Journal of College Teaching & Learning (TLC), 2011, 8 (2): 25-41.

[21] Clement J J. Roles for explanatory models and analogies in conceptual change [J]. Stella Vosniadou, 2013: 412-446.

[22] Posner G J, Strike K A, Hewson P W, et al. Accommodation of a scientific conception: Toward a theory of conceptual change [J]. Science Education, 1982, 66 (2): 211-227.

[23] Clement J J. Roles for explanatory models and analogies in conceptual change [M]//Vosniadou S. International Handbook of Research on Conceptual Change. London: Routledge, 2015.

[24] Trundle K C, Bell R L. The use of a computer simulation to promote conceptual change: A quasi-experimental study [J]. Computers & Education, 2010, 54 (4): 1078-1088.

[25] Barrows H S. How to design a problem-based curriculum for the preclinical years [M]. New York: Springer, 1985.

[26] Barrows H S, Tamblyn R M. Problem-based learning: An approach to medical education [M]. New York: Springer, 1980.

[27] Wood D F. ABC of learning and teaching in medicine: Problem based learning [J]. Bmj, 2003, 326 (7384): 328-330.

[28] Savery J R, Duffy T M. Problem based learning: An instructional model and its constructivist framework [J]. Educational Technology, 1995, 35: 31-38.

[29] Hirumi A. Student-centered, technology-rich, learning environments (SCenTRLE): Operationalizing constructivist approaches to teaching and learning [J]. Journal for Technology and Teacher Education, 2002, 10 (4): 496-536.

[30] Azer S A. Twelve TipsBecoming a student in a PBL course: Twelve tips for successful group discussion [J]. Medical Teacher, 2004, 26 (1): 12-15.

[31] Azer S A. Challenges facing PBL tutors: 12 tips for successful group facilitation [J]. Med Teach, 2005, 27 (8): 676-681.

[32] Azer S A, Peterson R, Guerrero A P S, et al. Twelve tips for constructing problem-based learning cases [J]. Medical Teacher, 2012, 34 (5): 361-367.

[33] Shulman L S. Signature pedagogies in the professions [J]. Daedalus, 2005, 134 (3): 52-59.
[34] Wellington J . America's lab report: Investigations in high school science [J]. Science Education, 2007, 91 (3): 514-515.
[35] Quinn H, Schweingruber H, Keller T . A framework for K-12 science education: Practices, crosscutting concepts, and core ideas [J]. science scope, 2011.
[36] Council N . Guide to implementing the next generation science standards [J]. Science & Children, 2015, 53.
[37] Akkus M. The common core state standards for mathematics [J]. International Journal of Research in Education and Science, 2015, 2 (1): 49.
[38] Gowin D B . The art of educating with V diagrams [J]. Teachers College Record, 2005.
[39] Knaggs M C, Schneider M R . Thinking like a scientist: Using vee-maps to understand process and concepts in science [J]. Research in Science Education, 2012, 42 (4): 609-632.
[40] Collins A, Brown J S, Newman S E. Cognitive apprenticeship: Teaching the crafts of reading, writing, and mathematics [M] //Knowing, Learning, and Instruction. London: Routledge, 2018: 453-494.
[41] Collins A . Cognitive apprenticeship: making thinking visible [J]. American Educator: The Professional Journal of the American Federation of Teachers, 1991, 15 (5): 6-11, 38-46.
[42] Collins A . Cognitive apprenticeship and instructional technology [J]. Educational Values & Cognitive Instruction Implications for Reform, 1991.
[43] Herrington J, Oliver R. An instructional design framework for authentic learning environments [J]. Educational Technology Research and Development, 2000, 48 (3): 23-48.
[44] Seel N M, Al-Diban S, Blumschein P. Mental models & instructional planning [M]. Integrated and Holistic Perspectives on Learning, Instruction and Technology, Dordrecht: Springer Netherlands, 2000: 129-158.
[45] Wood D J, Bruner J S, Ross G. The role of tutoring in problem solving [J]. J Child Psychol Psychiatry, 1976, 17 (2): 89-100.
[46] Quintana C, Reiser B J, Davis E A, et al. A scaffolding design framework for software to support science inquiry [J]. Journal of the Learning Sciences, 2004, 13 (3): 337-386.
[47] Jonassen D . AC 2007-88: Learning to solve problems by scaffolding analogical encoding [C]. 2007 Annual Conference & Exposition, 2007.
[48] Belland B . Instructional scaffolding in STEM education: Strategies and efficacy evidence [J]. 2016.
[49] Mitrovic A. Learning SQL with a computerized tutor [C] //Proceedings of the Twenty-Ninth SIGCSE Technical Symposium on Computer Science Education. New York: ACM, 1998: 307-311.
[50] Mitrovic A. A knowledge-based teaching system for SQL [J]. Proceedings of ED-MEDIA'98, 1998: 1027-1032.
[51] Mitrović A. Experiences in implementing constraint-based modeling in SQL-Tutor [J]. DBLP, 1998: 414-423.
[52] Mitrovic A . An intelligent SQL tutor on the web. [J]. I. J. Artificial Intelligence in Education, 2003, 13 (2/4): 173-197.
[53] Mitrovic A. Fifteen years of constraint-based tutors: What we have achieved and where we are going [J]. User Modeling and User-Adapted Interaction, 2012, 22 (1), 39-72
[54] Woolf B P . Building intelligent interactive tutors: student-centered strategies for revolutionizing e-learning [J]. Telearn, 2009, 59 (5): 337-379.
[55] Simon H A . The sciences of the artificial, 3rd edition [J]. MIT Press Books, 1996, 1 (5): 47-48.
[56] Kieras D. The why, when, and how of cognitive simulation: A tutorial [J]. Behavior Research Methods, Instruments, & Computers, 1985, 17 (2): 279-285.
[57] Kieras D. The role of cognitive simulation models in the development of advanced training and testing systems [J]. International Journal of Radiation Oncology Biology Physics, 1990.
[58] Woods D D, Roth E M, Pople H, et al. Cognitive environment simulation: An artificial intelligence system for hu man performance assessment. Volume 1. Summary and Overview [J]. Nureg/cr, 1987.
[59] Roth E M, Woods D D, Pople H E Jr. Cognitive simulation as a tool for cognitive task analysis [J]. Ergonomics, 1992, 35 (10): 1163-1198.

第 3 章

智能教学（辅导）系统及进展

智能教学（辅导）系统（ITS，intelligent tutoring systems）与当今互联网上的 ChatGPT 各种版本，例如 GPT-4o，包括我国科技人员开发的 DeepSeek-R1 和文心一言等，应用目标和运行机制是完全相反的。ITS 不是代替学生学习，使得学生可以不动脑就立刻获取答案。若代替学生学习可能会使学生的思维能力和分析问题、解决问题的能力越来越退化，违背了教育的根本宗旨。ITS 必须具备个性化、启发式和探究式辅导功能，帮助每一位学生更深入地思考、分析、实践、验证、决策、推理和创新，加速学生对“过程知识”的掌握，提高分析问题、解决问题的能力。无数教育科学研究者和各领域的教师们在 ITS 的研发和应用方面进行了艰苦不懈的努力，且已经取得了丰硕的成果，并且正在进行着更加深入的求索。

3.1 智能教学(辅导)系统(ITS)

ITS 是一种计算机程序，它使用人工智能技术来提供智能辅导的功能。这种 ITS 系统知道教什么，教谁，以及如何教。通过人工智能技术模拟人类导师的软件平台称为智能教学（辅导）系统，这一名词也用来统称智能教学系统。近期常用的名词为“教育的人工智能”（AIED，artificial intelligence in education）。

当学生在理解概念或练习遇到困难时，最有效的解决方法是寻求一对一的导师。人类导师能够为学生提供各种各样的帮助。优秀的人类导师让学生尽可能多地完成工作，同时引导他们朝着解决方案的方向前进。当然，学生自学也可以增加他们的知识并提高推理能力，然而，这可能会消耗大量的时间和精力。一对一的导师可以引导学生找到有效的策略，并帮助他们了解哪些策略无效，从而帮助他们解决困难。在人类导师的指导下，结合传统的评估和纠正性指导进行主题学习的学习者比接受传统的小组教学的学习者的学习效果要好。人工智能领域的研究人员看到了一个实现个性化、适应性的教学机会，即通过创建智能系统，为个别学生提供有效的辅导，根据他们的需求量身定制增强学习的方法。

随着科学技术的飞速发展，ITS 已经逐渐发展成为先进的综合技术的集成系统。理论上涉及数学、物理、知识工程、领域工程学、认知科学、教育学、心理学和计算机软件科学等多学科的融合。技术层面涉及了人工智能（AI）、实时仿真、模型跟踪、定性建模、定性推理、深度学习、故障诊断、机器学习与性能评估、语音识别、图像识别、虚拟现实（VR）和扩展现实（XR）等技术，还包括多门类现代计算机、多媒体、互联网和计算机仿真硬件技术。ITS 是人工智能技术与仿真技术深度融合的现代化教学系统，其关系如图 3-1 所示。

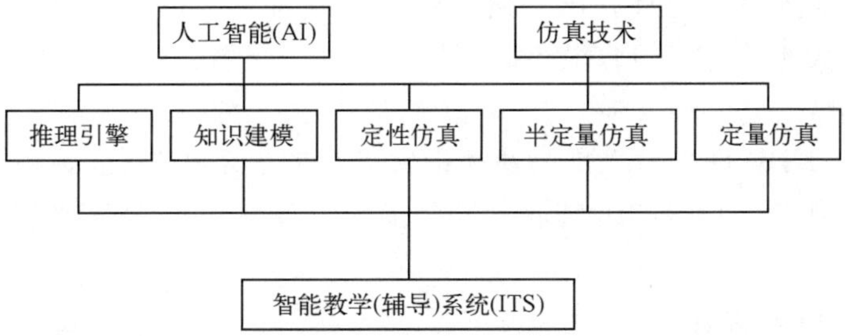

图 3-1　人工智能（AI）、仿真与智能教学（辅导）系统（ITS）的关系示意图

ITS 可以帮助学生学习大量的课程。智能学习过程是通过提出问题、分析与回答问题，提供学生需要的指导和反馈等方式实现。ITS 与传统的计算机辅助教学（CAI）有两个重要的区别，即 ITS 可以解释学生复杂的响应，并且可以记住学生的操作踪迹。ITS 软件构建了每一个学生的档案并且评估学生的掌握程度。这种系统可以实时改变教学行为，以不同的策略个性化跟踪学生，或调整它的知识库以便更有效地与所有学生互动。

设计和开发 ITS 的目的不是取代有经验的人类教师，而是增强和扩展教师的教学能力，提高教学效率和质量。人类教师为学习过程带来的复杂且丰富的社会互动是不可或缺的。但教学更需要增强和扩展所有学生的学习能力，包括自主学习和元认识能力，使学生从死记硬背的学习方式改进为有意义的学习方式。

ITS 可以配合人类教师为大量的学生而工作，既可以是同时教学，也可以个性化教学。已经通过大量的教学实践证明，ITS 可以改进学生的理解水平并提高学习成绩。ITS 还可以给教师和开发者提供实时数据，用来提炼教学方法。教育机构不能为每一个学生分派一个专有教师，而 ITS 却是一个有用的教师“代理人”。ITS 可以为任何一个学生提供个性化帮助，可以提高学生的学习效率和满足学生特殊的学习需求。

研发和推广使用 ITS 的终极目标是辅助实现教育的现代化、个性化、公平化和终身化。联合国教科文组织教育信息技术研究所 2020 年 11 月发布的《教育中的人工智能》，教育数字化转型系列出版物的第一期，介绍人工智能教学的优势如下：

① 对于学生来说：可以实现学习的个性化。

② 对于教育者来说：人工智能不仅不会取代教师，反而会重新肯定教师的角色。

③ 对于家长来说：人工智能支持他们成为孩子进步的参与者。

④ 对于学校领导和地方领导来说：帮助他们从被动管理转向主动细致和精准的管理。

人工智能可以在元认知脚手架中发挥作用，让学生自己从学习过程中产生的洞察力中获益。人工智能解决方案和服务的主要用户将是学生，而不仅仅是教育者、管理员和系统所有者。学习者对自己的学习方式和思维方式有更深入的了解，就会对自己的教育有更大的能动性和控制力，这是终身学习的基石。

3. 2
智能辅导软件平台的研发

智能教学伴随着认知科学、人工智能技术和互联网技术的发展而快速发展。近半个世纪以来，据互联网检索不完全统计，国外发表的ITS相关论文近百万篇。以欧美发达国家为例，已经涌现出一大批高水平ITS软件，且在小学、中学、大学的许多课程中得到推广应用。

可以查阅到的ITS软件平台发展综述性论文较早的一篇由恩瓦（H. S. Nwana）于1990年发表[1]。该调查确定了ITS的组成部分，并描述了计算机辅助教学和那个时代一些流行的ITS的演变。

舒特（V. J. Shute）等人于1994年发表了另一篇关于ITS的调查[2]。这是一个更深入的调查，涉及ITS的历史、ITS的评估和当时预测ITS的未来发展。

伍尔夫（B. P. Woolf）等人在2001年发表了详细的案例研究[3]，目的是展示ITS在与学生互动时的智能能力。论文列举了四种不同用途的ITS软件系统，用来展示这些能力。该论文作者最后评估了当时ITS的一些关键发展问题。其后历经9年，伍尔夫于2010年发表了《为电子化学习革命构建以学生为中心的智能互动式教学策略》著作[4]。该书在人工智能与教育概论、表示、推理、评估技术与环境等部分详细研讨了智能教学的理论、教育学和技术。伍尔夫在第一章前瞻性地指出，教育、人工智能、认知科学和互联网的快速变化已经使教育活动产生了一个重大拐点。信息技术明显缩小了全世界人与人之间的距离，每个人都即将成为一名教师和学习者。这项技术有可能改变教育的基本过程。

这一技术有可能产生高度个性化、教学上健全和便于取用的教育材料，并符合个别学生（例如，代表性不足的少数群体和残疾学生）的需要，能使更多的学生参与有效的学习。因为这些系统对个体差异很敏感，它们可能揭示不同性别、不同认知能力和不同学习风格的学生在不同的教学形式下学习的程度。这意味着个性化辅导可以被广泛和廉价地提供，就像印刷机的发明使印刷材料和书籍被广泛和廉价提供一样。与所有教育变革相同，这场变革将缓慢进行，但可能比以前的变革（如印刷机）更快。在这个技术日新月异，在互联网支持的互动的时代，ITS有潜力在任何时候为每个学生提供熟练的教师指导。

默里（T. Murray）在2003年发表的综述论文中回顾了ITS中的创作工具[5,6]。论文要点如下：

ITS是基于计算机的教学系统。其教学内容模型规定了要教什么，教学策略模型规定了如何教。ITS推断学生对主题或任务的掌握程度，以便动态地适应教学内容或教学风格。

内容模型（或知识库，或专家系统，或仿真）赋予了信息技术教学的深度。学生可以在现实和有意义的环境中“边做边学”。模型允许实时生成内容，ITS允许“混合主动”的教程互动。学生可以提问，对自己的学习有更多的控制权。

教学模式允许计算机导师更密切地贴近有能力的教师个性化教学的优势。近年来，ITS已经走出实验室，进入教室和工作场所。其中一些软件已被证明是非常有效的。

尽管智能辅导正变得越来越普遍，而且越来越有效，但建立它们的难度和成本很高。创作系统在商业上可用于传统的计算机辅助教学（CAI）和基于多媒体的培训。但这些创作系统缺乏构建智能辅导的能力。例如，商业多媒体创作系统擅长为教学设计师提供工具来制作具有视觉吸引力和交互性的屏幕，但在屏幕背后是内容和教学方法的肤浅表现。

研究人员几乎从ITS研究开始就一直在研究ITS创作工具。已经构建了二十多个非常不同的创作系统。ITS“创作系统”（或创作工具）是ITS外壳，具有允许非程序员将其知识形式化和可视化的用户界面。受到优雅、简约和/或成本效益目标的启发，软件设计人员似乎很自然地会创作通用和可以重用的软件。同时，也发表了许多描述ITS“外壳”的论文。这些外壳由软件体系结构、代码库或概念框架组成，使 ITS 的构建对程序员更有效。尽管已经开发了许多创作工具软件，但在 ITS 的创作领域还需要更多的研究和开发，主要方面是：

① 需要使用多种创作系统，在多个领域进行更多的实证测试；

② 需要更多关于学生模型创作的研究；

③ 需要更完整、标准化的知识本体和元数据标准；

④ 需要更多关于各种计算显式教学策略的差异有效性的研究；

⑤ 需要对开放的基于组件的体系结构继续探索。

阿克哈特兰（A. Alkhatlan）等人于 2019 年发表了 ITS 综述论文《智能教学（辅导）系统：一个全面的历史调查与最近的发展》[7]。主要内容是为感兴趣的初学者提供 ITS 领域的最新和详细的介绍。ITS 是使用人工智能技术来增强和个性化教学自动化的计算机程序。该论文参考文献引用了 176 篇之多。论文首先回顾了 ITS 的历史，讨论了人类学习和计算机辅导之间的接口，以及 ITS 在当代教育中的有效性，比较全面地介绍了 ITS 中的各种模型。其次，讨论了 ITS 的传统架构组件及其功能，以及各种 ITS 采用的方法。最后，介绍了 ITS 的最新创新思想。

论文的结论部分提出了对未来 ITS 工作领域的一些看法。论文认为，人工导师和软件导师之间的差距正在缩小，但还没有完全消除，甚至差距较大。知识、教学风格和学生知识的表现模式多种多样，且每种模式都有其优点和缺点。因此混合模型被创造了出来，以增强传统模型。虽然围绕人类思维和学习的原则仍有许多悬而未决的问题，但是许多 ITS 体系已经得到了实施和测试。ITS 在人类学习的标准化和实施方面显示出希望，但仍有许多限制需要克服。ITS 与人工智能和心理学的紧密结合显示了 ITS 进步的持续前景。虽然到目前为止，还没有人工智能系统拥有真正的人类导师的认知意识，但人工智能系统的可用性、标准化程度、一致性、开发使用成本下降、节省时间和大规模个性化教学等优势都是人类导师的“朋友”。

本章以下各节将沿着 ITS 发展的足迹，介绍 ITS 的技术进步。这些经验和教训成为作者开发新一代基于仿真的人工智能教学系统软件平台（命名为 SimAI3）的宝贵启示和重要借鉴。

3.3 世界第一个智能辅导软件

智能教学系统的研究、开发和应用起始于 20 世纪 70 年代，在此之前研究主要集中在计算机辅助教学（CAI）方面。对 CAI 的研究曾经努力沿着几个方向发展，主要有三个大类[8]：

① 第一类是即兴 CAI 方法。学生被允许使用计算机（包括一种或多种语言，可能还有一个程序库），但学生完全掌握着控制权，学生的输入不受计算机控制。

② 第二类是游戏和仿真 CAI 方法。学生有一定的主动性，但受到游戏规则或仿真逻辑的限制。

③ 第三类称为受控学习 CAI 方法。练习和辅导工作包括构建问题的框架以及预期的正

确和错误答案，可能还包括从学生的答案中提取的关键词。这类系统中问题的排序传统上是确定的。这些系统称为面向特殊框架的 CAI 系统。

如果考察典型的 CAI 教学系统，很容易发现它们的一些局限性：学生很少或没有主动性，不能在学生的回答中使用自然语言，系统通常看起来相当僵硬。因此教师在准备问题、答案、关键词和分支方面有相当大的负担。从系统的角度来看，系统控制着学生，但反过来系统又是由老师严格地编排的，系统本身没有真正的主动性或决策权。可以说，此类系统没有真正的“知识”。

杰米·卡博耐尔（Jaimer Carbonell）为了克服 CAI 系统的不足，开发了世界第一个 CAI 的人工智能方法软件——“学者”（scholar）[8]。该系统是基于事实、概念和程序的信息网络的利用，它可以生成文本、问题和相应的答案。用现在的观点看，该系统是在辅助教学中用语义模型解释概念知识“是什么”的静态知识图谱教学应用系统。卡博耐尔的研究成果被公认为是具有人工智能特点的教学系统。

在“学者”系统中，生成一个问题的同时，可以生成一个正确答案或一组答案。要使这个策略有效，就必须有一个独特且定义良好的正确答案，或者一个定义良好的封闭的正确答案集合（知识库）。卡博耐尔认为（在当时）确定复杂的构造答案的兼容性和相关性是一个非常困难的、基本上没有被解决的问题。这个问题涉及自然语言理解的整个领域，是第一代专家系统最难解决的问题。即专家系统规则库是人工开发的，由于当时计算机尚未普及，计算机人-机界面还是文字表达的命令行，因此应用困难。

3.4
基于模型跟踪的智能辅导软件

代数认知辅导软件平台是目前世界上使用最广泛的 ITS。研究表明，几乎所有的学生都对智能辅导软件的应用充满热情。对于高中的数学课来说，有 ITS 的班级出勤率通常要高于没有 ITS 的班级。

认知导师软件平台的研发工作开始于卡内基梅隆大学的心理和计算机科学系。约翰·安德森（Anderson）院士一直在发展思维自适应控制的认知理论（ACT-R，开始时称为 ACT）。ACT-R 是一种通用的认知理论，旨在解释人类认知的原理。ACT-R 是用计算机程序实现的，它的优点是要求理论对所有的主张都要精确。安德森院士在使用 ACT-R 对学习、记忆和问题解决的实验室认知建模方面取得了巨大成功。他受到了挑战，要证明同样的基本方法可以解释实验室环境之外的认知过程。

在心理实验室研究的应用中，ACT-R 模型的目的是解释行为。为了解释行为，模型需要正确地表示人类的知识，还需要理解这些知识如何导致了特定的行为。当 ACT-R 应用到教育中，这种知识的表示导致了对学生能做什么和不能做什么的预测，以及什么样的活动和经历可以帮助学生学习实现课程目标的预测。这种模型中固有的知识表示被称为认知模型，在辅导系统中使用认知模型的方法被称为“认知导师（代数认知辅导，CT）”[9,10]。

卡内基学习中心 CT 软件平台的研究团队包括了比尔·哈德利（Bill Hadley），他教了将近 30 年的数学，是 1995 年数学教学卓越总统奖的获得者。这个团队基于坚实的认知研究，开始建立 CT 课程，关注新颁布的国家和地方教学标准，应用 CT 解决学生、教师和管理者的实际需求。

其中一个决定是设计一个完整的课程，包括文本（说明、技术资料）、认知导师软件、辅助材料和对教师的培训。文本的加入赋予了课程一些在纸上比在电脑上更容易完成的内容（例如，协作、图表绘制和数学写作）。文本和软件的结合也有助于将软件定位为数学教学的常规部分。这种混合课程并没有将软件作为高分学生的“奖励”或落后学生的复习，而是设定 CT 软件作为初级教学的一部分。试点实施形成了一种模式，学生每周使用两天软件，每周其他三天使用课本组织的课堂活动。该课程被证明在教育上是成功的，深受学生和老师的欢迎。

CT 软件包括一个主动认知模型，这与软件中存在的 ACT-R 模型类似。这个模型有两个目的。首先，该模型跟踪学生的行为，以确定特定学生解决问题的策略。它所使用的技术称为模型跟踪。其次，学生的每一个行为都与一项或多项技能相关，这些技能是对认知模型中知识成分的参考。随着时间的推移，每个学生在这些技能上的表现都会被跟踪（并在“技能档案”中显示给学生）。认知导师使用每个学生的技能档案来挑选强调学生最弱技能的问题，此外，利用技能模型实现学生对学习内容的掌握。当确定课程中某一部分的所有技能都已充分掌握时，学生就可以继续学习课程的下一部分，CT 将介绍新的技能。认知导师会自动调整教学策略，以测试学生是否掌握了学习的技能。CT 还会自动为有需要的学生提供针对这类问题的额外练习。此外，教师可以针对这一技能专门进行指导。

CT 辅导的学生在标准化测试中的得分显著高于同龄人，并且在问题解决和多重表征测试中的表现尤其突出。在这两项测试中，CT 辅导的学生得分高于同龄人。在俄克拉何马州的摩尔进行了一项研究，要求教师使用认知导师教授一些课程，并使用以前使用过的教科书。结果是，接受认知辅导的学生在标准化测试（ETS❶ 代数 1 课程结束评估）中得分更高。报告称学生对自己的数学能力更有信心，更有可能相信数学在课外对他们是有用的。这项研究被美国教育部信息交换所认定为符合最高标准的证据。迈阿密-戴德县学区在 10 所高中研究了认知导师代数 1 的使用情况。一份对 6000 多名参加 2003 年 FCAT（一项州级考试）的学生的分析显示，使用认知辅导的学生在考试中得分明显高于同龄人。

目前，数学认知辅导系统最著名的当数 MATHia X 软件平台[11]。该软件是卡内基学习团队研究开发的认知导师（CT）[9,10]的下一代软件平台，正在为美国各地的中学、高中和大学的数十万学习者提供数学辅导。

“安第斯”物理智能教学系统也是一种成熟的基于模型跟踪的 ITS。由库特·万乐（Kurt VanLehn）教授主持研发成功。万乐教授负责亚利桑那州立大学科学、技术、工程和数学的有效教育，他是《国际教育、认知和教学中的人工智能杂志》的编委会成员，发表了 165 篇科技论文。“安第斯”物理 ITS 在美国海军学院进行的五年教学试验表明：安第斯 ITS 项目显著提高了学生的学习能力。大多数辅导系统只让学生输入问题的答案，而安第斯则让学生输入整个推导过程。这可能包括许多步骤，如绘制向量、绘制坐标系统、定义变量和书写方程，安德斯会在每一步后给出反馈。当学生在解决问题的过程中寻求帮助时，安第斯会给出提示，告诉他们错误的步骤会导致什么问题，或者下一步该做什么。依据多年应用

❶ ETS：标准化测试的代号。

经验改进的软件“安第斯-2”（Andes2）取消了经常不用的贝叶斯网络[12]。

同样值得重视的是，万乐教授科研团队的智能教学研究也得到军方长期支持。

3.5 模型跟踪的智能辅导软件工作原理

库特·万乐教授认为，“导师”一词的老式、专制内涵阻碍了该技术的广泛传播，有悖于以学生为中心的启发式、探究型、个性化现代建构主义教育思想。因此将 ITS 翻译成“智能辅导系统”应当比“智能导师系统”更好[13]。

库特·万乐教授的论文[13]比较详细地论述了模型跟踪的智能辅导软件的原理和行为。他指出，对于对 ITS 知之甚少的读者，该文将作为一个非技术的介绍；对于非常了解 ITS 的读者，该文是 ITS 行为描述的标准化建议。这一论文确实被许多专业技术人员认定为研发或评估 ITS 的标准。

库特·万乐教授以当年比较成熟的 6 个 ITS 软件平台为例，说明模型跟踪智能教学系统的概念和工作原理如下[13]。

3.5.1 ITS 常用术语

ITS 常用术语的简要定义见表 3-1。

表 3-1 ITS 常用术语的简要定义

术语	简要定义
任务领域	由智能辅导教授的信息和技能
任务	可以跳过或与其他任务交换的一种多步骤的活动
步骤	完成一项任务包括多个步骤，每个事件都是一个用户界面事件
知识组件	任务领域的概念、原则、事实等。应该用于完成任务的、持久的、特定于领域的信息的任何片段
学习事件	心理事件。通常是在试图完成一项任务时，构建或应用知识的组件
外部循环	一个 ITS 的行为就好像它在任务上有一个外部循环（迭代）
内部循环	一个 ITS 的行为就好像它在任务步骤上有一个内部循环
不正确的	与智能辅导的教学目标不一致

ITS 中用知识来表示学生所拥有的决定他们在任务中行为的信息。ITS 设定知识都是可以被分解的，并且使用术语知识组件来表示它被分解成的单元。知识组件可以是一个原则、一个概念、一个规则、一个过程、一个事实、一个关联或任何其他特定任务信息的片段。

将辅导内容分解为一组任务，每个任务都可以通过多个步骤来解决。可以将辅导系统的职责分为两个循环：一个是针对任务的外部循环，一个是针对步骤的内部循环。外部循环主要负责为学生选择一个有助于学生学习的任务；内部循环主要负责从学生那里引出正确的步骤，并帮助学生学习。学生执行任务一步，内部循环执行一次，内部循环可以对每一步提供反馈和提示。内部循环还可以评估学生不断发展的能力并更新学生模型，外部循环使用该模型来选择适合该学生的下一个任务。

通常可以认为：缺乏内部循环的系统被称为计算机辅助教学（CAI）、基于计算机的培训或基于网络的家庭作业（WBH），有内部循环的系统被称为 ITS[12]。

3.5.2　ITS 的领域任务

以 6 个成熟应用的 ITS 软件为例，ITS 的领域任务内容可以是：

① 代数认知辅导（CT）：在高中代数课程中解决复杂的、多部分解的代数问题。单个问题可能需要填写表格，在图表上绘制点，并求解方程。

② 安第斯（Andes）：辅导大学物理导论中的定量问题。这类问题的解决方法通常包括画一个矢量图，写几个方程，并用代数方法求解方程组。见图 3-2。

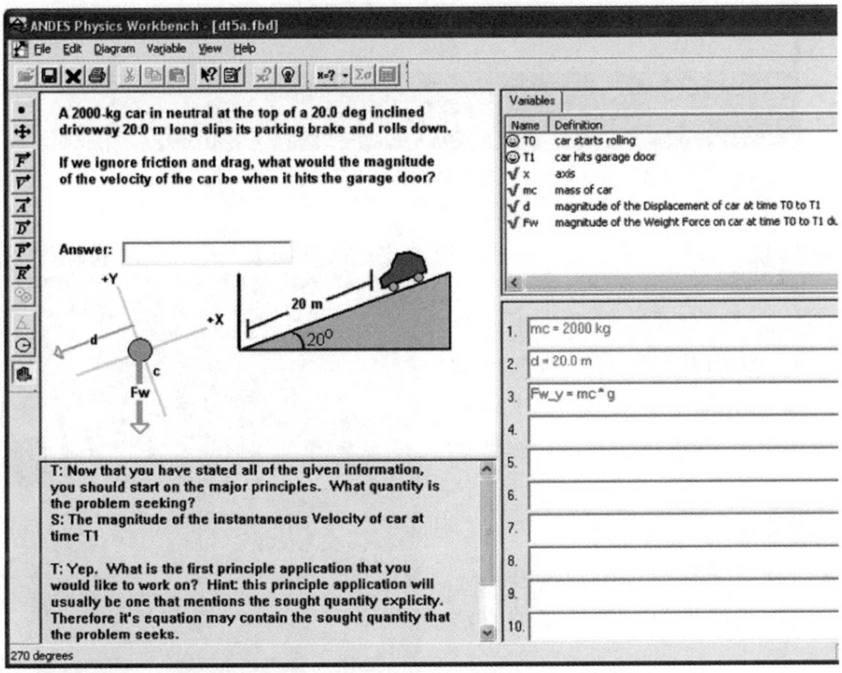

图 3-2　“安第斯”物理 ITS 软件界面截图

③ AutoTutor：是一种教学代理，它可以用自然语言与学生进行对话。应用系统涵盖了 STEM、阅读理解、科学推理以及其他领域和技能等主题。例如，回答定性物理问题，“一辆大型卡车和一辆轻型汽车正面相撞，假设两辆车的初速度相同，哪个受到的冲击更大？解释你的理由。”一个人-机对话界面见图 3-3。

④ SQL-Tutor：用 SQL 语言构造关系数据库的查询。编写从给定数据库检索数据的 SQL 查询，给出了要检索的数据的描述。

⑤ 夏洛克（Sherlock）：对航空电子设备进行故障排除。通过仿真找出设备的故障并修复它，包括进行电气测量、设置开关和刻度盘位置检测以及更换部件。

⑥ 史蒂夫（Steve）：仿真操作复杂的设备，例如一个房间大小的空气压缩机。在特定条件下执行特定程序，例如在热交换器停机维修的情况下启动海军柴油发动机。一个动画仿真训练画面见图 3-4。

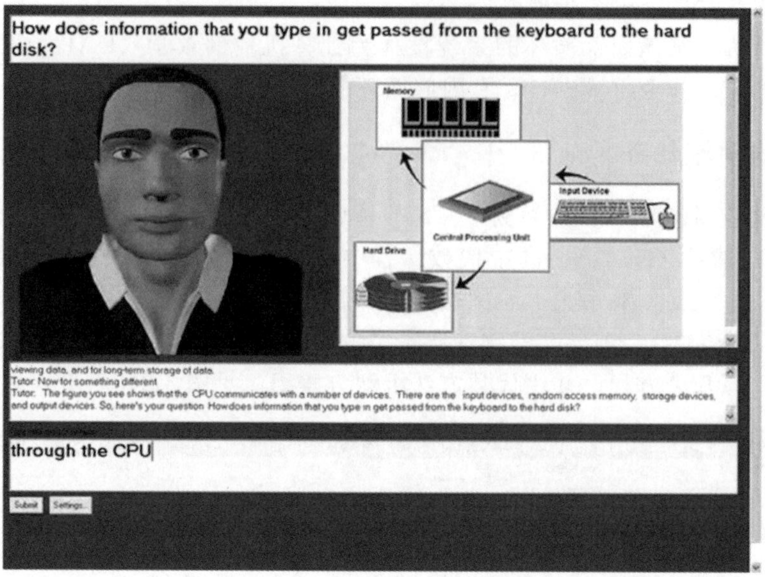

图 3-3　AutoTutor 关于计算机知识问答 ITS 软件截图

3.5.3　外部循环

外部循环的主要职责是决定学生下一步应该做哪个任务。它的其他职责，例如向学生展示任务，则更为简单。主要设计问题有：智能选择任务、获得丰富的任务集供选择。

（1）任务的选择

通常为学生选择任务设计了四种基本方法，按照简单性的顺序排列，最简单的方法放在首位。

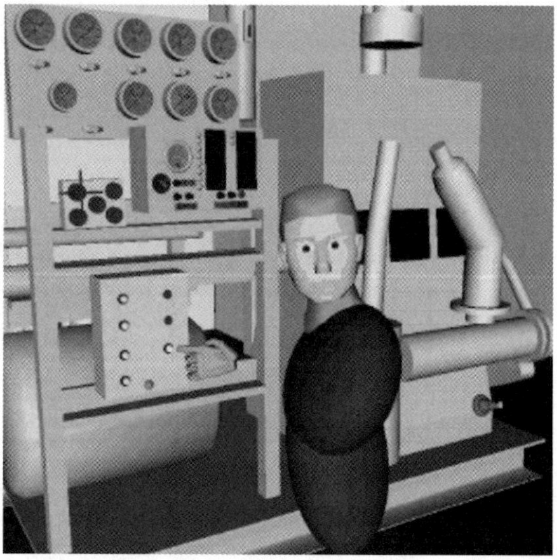

图 3-4　“史蒂夫”复杂设备仿真操作 ITS 软件截图

① 外部循环显示一个菜单，让学生选择下一个任务。例如，安第斯显示了任务的分层菜单，其中每个任务都是学生要解决的物理问题，学生自己选择下一步做哪道题。这种设计是合适的，在普通物理课上，安第斯被用作学生的“家庭作业助手”。也就是说，学生照常参加讲座、实验和背诵课文，他们只用安第斯做家庭作业。课程的每一部分都由不同的老师讲授，老师们喜欢布置多样化的家庭作业。此外，老师有时会根据课程进展情况改变作业，让老师通过电子邮件将作业发给学生要比重新配置安第斯系统本身简单得多。此外，一些学生可能想解决额外的问题时，在办公时间，老师和学生可以选择一个未分配的问题一起解决。让学生选择任务简化了由多个教师教授多个部分的大型课程的后勤工作。

② 外部循环按固定顺序分配任务。例如，假设辅导系统让学生先阅读一篇短文，然后观察辅导系统演示如何解决一个问题，其后在辅导系统的帮助下解决 10 个问题，最后在没有帮助的情况下参加一个由 3 个问题组成的测试。这是 15 个（1＋1＋10＋3）任务的固定序

列。AutoTutor 和许多其他的辅导系统都使用了这种方法，主要优点是学生必须完成一个任务才能进入下一个任务，这可以增加学生在开始任务之前掌握任务先决条件的机会。

③ 外部循环实现了一种称为精通学习的教学法。夏洛克和其他很多辅导系统都用过这种方法，课程是按单元顺序或难度等级顺序编排的。当学生正在学习一个单元（或难度等级）时，辅导系统会继续从该单元分配任务，直到学生掌握了该单元的知识。只有这样，学生才能进入下一个单元。因此，一些学生完成课程的任务比其他学生少。这种外部循环设计主要用于自定课程进度，很少用于课堂教学，因为在课堂教学中，所有学生在一起学习课程是很重要的。一个常见的错误是开发一个具有不实用的外部循环辅导系统，然后发现由于课程的班级节奏性质，教师无法使用其功能。掌握学习要求的辅导系统有某种方法来评估学生对一个单元所教知识的掌握程度。理想情况下，这种评估是由内部循环完成的，因为它可以帮助学生完成每个任务。但如果这是不可行的，那么辅导系统必须分配评估任务（例如测试）以及教学任务。

④ 在四种外循环设计中，最复杂的是基于一种称为（宏观）自适应的教学法[14,15]。例如，代数认知辅导系统就使用了这种方法。辅导系统可以分配每个任务，它知道哪些知识组件是由任务行使。对于每个知识的组成部分，辅导系统保持学生对该知识组成部分的掌握程度的估计。当学生完成了一个任务，辅导系统需要选择下一个任务时，辅导系统会根据任务的知识成分与学生掌握的知识成分的重叠程度来选择下一个任务。2021 年调查表明，只有少数研究利用了人工智能学习系统的自适应方法，缺乏对自适应学习系统的全面审查。

还有一些辅导方式不仅代表了正确和错误的知识成分，还能够体现学生的其他稳定特征。这些特征可能包括学习风格和偏好，例如对视觉或口头解释的偏好，因此辅导系统可以选择并标记为与学生的风格或偏好相容的任务。

（2）学生模型的主要内容

为了使外部循环在多个任务和会话中正确运行，有关学生的信息必须存储在服务器或学生计算机的磁盘上。这种持久的信息通常被称为学生模型，它究竟包含什么，取决于外部循环的类型。对于沿着有序任务列表前进的外部循环，学生模型可以简单地作为指向列表中下一个任务的指针。对于宏观自适应外循环，学生模型将列出“属性-值”对偶。其中，属性是特征的名称（即知识组件、学习风格等），值是辅导系统对学生拥有该特征的估计。

除了包含辅导推断的学生信息外，学生模型还可能包含学生的其他信息，如标准化考试成绩、学生的大学专业、学生的平均成绩等。它还可能包含：关于哪些任务已经完成、这些任务花费了多长时间、帮助请求或错误的数量，以及其他容易获得的性能数据等信息。

任务选择过程可以使用所有这些信息来决定下一步分配哪个任务。

尽管“学生模型”对于这样一个异构的数据集合来说是一个相当奇怪的名称，但它是一个传统的术语。除了选择任务外，一些辅导系统还为任务选择做法。例如，Steve 可以通过执行每一步并解释，来演示如何完成任务；在学生尝试之前提示每一步；让学生尝试在没有这种主动提示的情况下解决任务。

对于有模型的辅导系统，外部循环必须同时选择任务和做法。做法选择的一个典型策略是开始为学生提供大量帮助，然后逐渐减少帮助的数量，也称为“淡出脚手架”。一些辅导系统几乎完全取代了课程，所以它们有许多不同类型的任务，而不仅仅是解决问题的任务。例如，辅导系统可能会要求学生阅读几页超文本来开始一个单元的教学，然后它可能会播放一个正在解决的问题的视频，之后它可能会分配几个解决问题的任务。

总的来说，有四种常见的外部循环类型：

① 学生从所有任务菜单中选择任务。

② 智能辅导按照预定的顺序分配任务。

③ 精通学习：智能辅导从一个单元的任务库中分配任务，直到学生掌握了该单元所教授的知识。

④ 宏观适应性学习：智能辅导跟踪特征，包括不变的特征（例如学习风格）和变化的特征（例如正确和不正确的知识组成部分），然后根据任务特征与学生特征的匹配度来选择任务。

（3）获取丰富的任务集以供选择

除了提供某种选择任务的机制外，设计师还必须提供一组任务供外部循环从中进行选择。一个辅导系统需要解决的问题之多，往往令人惊讶。以每周10道题13周的学期为例，辅导系统至少需要130道题。如果教师希望自由选择自己的问题，或者如果外部循环实现宏观适应或掌握学习，辅导系统可能需要500个问题为一个学期的课程。总而言之，一般辅导系统的外部循环就是为学生选择任务。设计师面临两个主要问题：

① 提供一套教学任务；

② 设计一个算法来决定下一步分配哪个任务（和做法）。

3.5.4 内部循环

外部循环是关于任务的循环，而内部循环是关于任务中的步骤的循环。回想一下，步骤是用户界面的操作，是完成任务（例如，解决问题）的一部分。辅导系统在学生生成和复习步骤的过程中对学习的支持方式各不相同，假设它们在工作时为学生提供服务。以下可能是最常见的服务：

① 对步骤的最小化反馈。在大多数情况下，这意味着只指示步骤是否正确。

② 错误步骤的特定错误反馈。这些信息的目的是帮助学生理解为什么一个特定的错误是错误的，以及如何避免重蹈覆辙。

③ 关于下一步的提示。

④ 知识评估。

⑤ 审查解决方案。

（1）最小的反馈

本节涵盖了辅导系统的一种常见服务，即对学生所采取的步骤提供最小的反馈。最小反馈通常表明一个步骤是正确的还是不正确的，以下是说明性辅导所使用的最小反馈：

① 安第斯：将正确的步骤涂成绿色，错误的步骤涂成红色。代数认知辅导也会改变步骤的外观来标记错误的步骤。在一些错误的步骤中，辅导系统可能会弹出一条消息，如“忘记在数字上加上单位”。此类弹出式错误消息被视为特定于错误的反馈，而不是最小反馈。

② 史蒂夫：通过点头和摇头表示“是”或“不是”。

③ AutoTutor：给出了最小的反馈前缀辅导的不同层次。反馈有五个层次：消极的“不”；消极中性的“嗯，差不多”；中性的“好”；中性积极的“是的”和积极的“干得好!”。

④ 当学生第一次点击SQL-Tutor的“Submit”按钮时，它会告诉他们整个解决方案是正确的还是错误的。如果他们再次点击该按钮，它会突出显示一个错误的步骤，但不会说明

任何有关该步骤的信息。

⑤ 当学生用夏洛克 Sherlock 解决故障排除问题时，它只在发生安全违规时给出反馈，并且反馈是非最小的，反馈会指出错误以及错误的原因。当学生解决完问题后，Sherlock 的默认方法是在一列中显示学生的步骤，在相邻的一列中显示专家的步骤。这并没有明确地确定任何学生的步骤是错误的还是正确的，所以它也不是最小的反馈。然而，Sherlock 的其他一些方法确实提供了最小的反馈。

这部分只涵盖了对步骤的反馈，而不是对学生能力的反馈，反馈通常被称为评估。反馈的一个已知问题是，学生可以将其理解为评估。这可能导致他们变得气馁，停止尝试等。

(2) 最小反馈的类别

虽然大多数辅导系统的反馈只使用正确和不正确这两个类别，但也可以使用其他类别。假设某个步骤不是问题的理想解决方案的一部分，但它可能是非理想解决方案的一部分。教师可能希望将其视为最小反馈的第三类——正确但非最佳。简而言之，用于最低限度反馈的类别应反映教员的教学策略。

如果一个步骤不能被分类到最小反馈类别（正确、不正确、非最优等）中，那么它就处于“不可识别”的分类中。基本上只有三种方法来处理这些无法识别的步骤。

① 一些辅导系统，如代数认知辅导，假设它们可以识别所有正确的步骤，它们就会将无法识别的步骤视为不正确的步骤。

② 其他辅导系统，如 SQL-Tutor，假设学生有时会提出新颖的、正确的解决方案，系统将未被识别的步骤视为正确的。

③ 最后，辅导系统可以简单地告诉学生，这个步骤是不可识别的。在这种情况下，“无法识别”是另一个类型的最小反馈。

(3) 给予最小反馈的时间

辅导系统在何时给予反馈的策略上各不相同。作为说明，以下是作者的 6 个示例系统的反馈策略。

① 即时反馈：Andes 代数认知辅导、Steve 和 AutoTutor 在每个步骤完成后立即给出反馈，它们在反馈的呈现方式上差异很大。

② 延迟反馈：只有当学生解决了问题，Sherlock 才会立即给出反馈。然而，在问题解决之后，学生可以要求一种反馈最少的复习模型。特别是，当夏洛克一步一步地重播学生的解决方案时，它会指出哪些步骤没有提供任何诊断信息。

③ 需求反馈：SQL-Tutor 只在学生点击“Submit”按钮时给出反馈，因为学生可以在收到这样的反馈后继续研究他们的解决方案，所以这不算延迟反馈。

除了这三个简单的策略（即时、延迟和需求反馈），更复杂的策略也是存在的。辅导系统甚至可以在每一步之后决定是否给予最小的反馈，反馈策略可以是学生能力的函数。例如，如果学生接近精通，那么反馈就会延迟，而能力较差的学生则会被给予相同的任务并立即得到反馈。这种策略已经在人类辅导系统中被观察到，并且是“淡出脚手架”的一个例子，因为反馈是一种脚手架（教学上有用的帮助）。总结一下关于最小反馈的内容。可以设想一个辅导系统，每次学生进入一个步骤时，都会调用步骤分析器。步骤分析器返回最小反馈类别之一，例如，正确、不正确、非最佳、不可识别等。然后，辅导系统决定是否立即、稍后或永远向学生显示此分类。辅导系统可以根据固定的教学策略或适应性做出这一决定。

(4) 何时提示

普遍的观点是，只有在学生真正需要的时候，辅导系统才应该给出下一步的提示。如果学生通过努力思考可以输入正确的步骤，那么即使学生要求提示，系统也应该拒绝给予提示。每一步都点击观看提示是徒劳无益的。如果学生反复猜测而不是试图找出下一步，那么辅导系统应该给出提示，即使学生没有要求提示。然而，提示按钮存在两个众所周知的问题：

① 滥用帮助：一些学生甚至在不需要帮助的时候也会寻求帮助。在极端的情况下，一些学生每一步都寻求帮助。

② 拒绝帮助：有些学生即使在需要帮助的时候也拒绝寻求帮助。他们输入了一长串错误的步骤，依旧猜测，而不是点击帮助按钮。

为了防止滥用帮助，有些系统会对每次求助进行记分或扣分。为了防止拒绝帮助，有些系统会在学生连续输入三个错误步骤或长时间停顿时提供帮助。尽管大多数辅导系统都是根据学生的帮助请求或挣扎的迹象提供帮助，但也有一些辅导系统尝试了“主动”帮助，即在学生尝试迈出某一步之前就提供帮助。

(5) 该提示哪一步

如果可以访问辅导系统的完整状态，应当返回一个需要提示的步骤。有以下几个标准决定辅导系统应该提示哪一步：

① 步骤必须正确。

② 提示的步骤不应该已经被学生完成。

③ 应尊重教师的偏好。

④ 如果学生有解决问题的计划，甚至只是下一步的计划，那么辅导系统应该提示学生正在尝试完成的步骤。

前两个标准不需要讨论，但其他标准需要讨论。第三个标准是指后面的步骤要符合教师的偏好。更复杂的情况是，学生刚刚做了一个错误的操作，并得到了最少的负面反馈。很可能学生想要一个关于如何正确地做这一步的提示。如果辅导系统能够确定哪个正确的步骤与学生输入的错误步骤相对应，那么它就可以安全地提示正确的步骤。另一方面，如果辅导系统不能确定哪个正确的步骤与学生的步骤相对应，辅导系统可能会问学生他们试图进入哪个步骤。例如，安第斯这样做是为了帮助学生解决不认识的方程的计算。

如果这些简单的情况都不适用，那么辅导系统必须以某种方式找出哪一个可能的下一步最有可能成为学生试图追求的解决方案的一部分。在人工智能中，这被称为计划识别问题。一般的想法是使学生最近的步骤序列与由步骤生成器或从计划库中提取的步骤序列相匹配。一旦辅导系统确定了学生似乎正在遵循的计划，那么它就可以很容易地确定该计划的下一步是什么。本书建议步骤生成器首先确定教师喜欢的一组步骤，然后使用学生的偏好在其中进行选择。如果辅导系统有一个可靠的方法来确定学生的偏好，那么改变这个建议的过程可能是有意义的。也就是说，辅导系统首先确定学生下一步想做什么，然后检查该步骤是不是理想（即教师首选）解决方案的一部分。如果不是，辅导系统可以这样说：“虽然我可以帮助你纠正这一步，但这实际上不是解决问题的好方法，建议你试试别的步骤。”如果推断学生下一步的意图太困难或不可靠，辅导系统可以尝试直接询问学生。有些系统，如史蒂夫和夏洛克，会列出可能的下一步，让学生选择。安第斯通过引出最高目标和实现目标的方法来确定学生的最高计划。

（6）如何提示下一步

一旦辅导系统决定提示某一步骤，它必须给出提示，最常见的策略是为下一步构建一个简短的提示序列。第一个提示是弱的，透露的信息很少，目的是鼓励学生自己去思考，之后的提示增强。

如果辅导系统显式地表示知识组件，那么通常可以方便地将一系列文本模板与每个知识组件关联起来。当步骤生成器返回步骤提示时，它还会返回用于派生该步骤的知识组件应用程序，然后可以通过在模板文本中填充问题来生成提示序列。如果在推导要提示的步骤中涉及多个知识组件，那么就很难生成教学上有效的提示序列，复杂的提示序列可能比没有提示更糟糕。也就是说，最好给出一个自下而上的提示，有时可以通过跟踪先前给出的提示序列来简化提示序列。

关于下一步提示的内容，主要问题是何时给出提示、提示哪一步以及如何提示步骤。关于何时给出提示的决定通常由策略决定，例如只有在学生要求提示时才给出提示。决定提示哪一步是复杂的，需要找到一个正确的步骤，这个步骤与现有的步骤没有冗余，并且是教师甚至学生喜欢的步骤。提示通常是按顺序给出的，从最弱的提示开始，到最弱的提示结束。虽然提示在计算上比最小反馈更复杂，但它在教学上可能更重要。当学生被困住时，就会得到提示，而被困住可能是学习的强大动力。正确的提示可以显著提高学生的学习能力。

（7）特定错误的反馈

特定错误的反馈是辅导系统可以为学习者提供的一种新服务。该服务包括分析错误的步骤，确定导致错误的学习事件，然后给出旨在防止错误学习事件再次发生的指令。

（8）如何给出错误的具体反馈

针对错误的具体反馈的主要目的是让学生改变他们的知识，这样他们就不会再犯同样的错误。纠正一个人的知识有时被比作调试一个软件。程序员必须首先找到错误存在的证据，然后找出错误是什么，最后修复错误。当学生不与辅导系统一起工作时，他们必须自己完成整个自我调适过程。他们必须首先注意到一个步骤是错误的，然后找到他们的推理和知识中的缺陷，最后找出正确的学习事件和知识组成部分应该是什么。尽管辅导系统不能取代自我调适过程（因为只有学生自己才能修改自己的知识），但它可以通过精心设计的针对错误的反馈来帮助自我调适过程。

学生在辅导系统的指导下进行的自我调适越多，在辅导系统不在的情况下，学生的自我调适能力就越强。

（9）何时给出特定于错误的反馈

一旦辅导系统为一个步骤分配了关于错误的描述，并准备好了提示序列，那么呈现它可能是明智的，也可能是不明智的。虽然这个决定可以动态地做出，但在出现错误时，大多数辅导系统使用固定的策略。

一些比较流行的策略是对内部循环进行三种服务性反馈：最小反馈、下一步提示和特定于错误的反馈。如果一个辅导系统提供了这三种服务，那么可以将这三种服务混合在一起。然而，每一种服务都需要辅导系统的不同专业知识，一个只能区分正确和错误步骤的辅导系统只能给出最小的反馈，而不能给出任何提示。提供下一步提示的能力要求系统了解如何选择适当的下一步。提供特定于错误的反馈的能力需要系统了解发生了哪些错误类型，以及如何就这些错误类型提供教学上有用的提示。尽管这些服务在概念上是独立的，但对于下一步提示和特定于错误的反馈来说，第一个“提示”通常是最小的反馈，因此最小反馈服务是其他两个服务的先决条件。于是逻辑上可能的组合是：

① 最小反馈；

② 最小反馈＋下一步提示；

③ 最小反馈＋特定错误反馈；

④ 三种服务。

3.5.5 评估知识

内部循环经常被用来评估学生的知识，这种评估服务在概念上独立于目前讨论的三种服务。如果辅导系统有这些服务，软件的实施会与它们交织在一起。一般用“评估”来指对学生能力的分析，用“评价”来指对辅导系统能力的分析。

(1) 需要怎样的评估

三种客户可以使用评估：教师、学生和辅导系统本身。设计师需要设计一个适合他们所有需求的评估方法。例如，教师通常不希望辅导系统给学生发送课程成绩，因为如果学生质疑，为这样的成绩辩护时，他们就会陷入尴尬的境地。然而，教师们通常希望在学期的早期不及格的学生能被指出来，这样老师就可以和他们一起工作。学生通常需要与教师相同的信息，以便他们能够管理自己的学习。辅导系统可能需要通过评估来推动决策。例如，如果使用外部循环掌握学习，那么它需要知道学生的能力何时超过掌握阈值，以便将学生推进到下一个课程单元或难度级别。评估的一个基本指标是粒度或级别，指的是任务领域知识的聚合程度。例如，如果评估提供了任务域中学生对每个知识组件的掌握概率，那么评估就是细粒度的；如果评估只提供一个数字来表示学生的整体能力，那么它就是粗粒度的。评估是决策辅助工具，决策越大，所需的评估就越粗糙。如果一个决策影响到整个学期，例如，学生是否需要重修必修课，那么评估应该涵盖整个学期，并最终得出是或否的决定。如果一个决策只影响当前过程，比如说，指导教师是从提示序列的开头还是中间开始，那么只有一个小部分细粒度评估是相关的。然而，辅导系统并不总是需要细粒度的评估，如一个只掌握学习的系统只需要一个数字来估计学生对整个单元知识的掌握程度，一个让学生选择下一个任务的辅导系统可能根本不需要评估。

(2) 粗粒度评估

如果所需的评估是粗粒度的，例如用单个数字报告学生在当前单元的能力，那么通常从以下几个度量中计算：

① 进度和覆盖范围的度量。例如，解决问题的数量或正确步骤的数量。

② 衡量所提供帮助的数量。例如，开始的提示序列的数量和底部提示结束的比例。

③ 一些能力的度量。例如，初始步骤不正确的频率、输入正确步骤所需的时间、在正确输入步骤之前尝试的次数。

这些原始的测量需要合并成一个全面的评估。例如，如果细粒度评估提供了掌握任务领域中每个知识组件的概率，那么正确回答多项选择题的概率，大致是掌握正确回答该测试项目所需的知识组件的概率的乘积。考虑到一些关于猜测的额外假设，人们可以使用细粒度的评估来预测学生在期末考试中的多项选择题的分数。这只是从细粒度评估生成粗粒度评估的一种原则方法。它的优点是可以很容易地向教师和学生解释评估的标准。然而，如果教师是做决定的人，教师设计的评估可能更容易被教师接受。

(3) 细粒度评估：统计学习事件

在将步骤定义为用户界面事件中，假设一个步骤是一个或多个学习事件的产物，并将学习事件定义为基于知识组件的心理事件。学习事件和知识组成部分不能直接观察到，但步骤是可以观察到的。

从步骤上的数据评估学生对单个知识组件的掌握程度，许多辅导系统都提供这种细粒度的评估。“精通”实际上意味着知识组件在应该应用时被应用的概率。如果学生的能力是保持不变的，而不是由于学习和遗忘而不断变化的，那么可以通过计算知识组件的应用次数并除以应该应用的次数来估计掌握程度。

所有的解决方案都是正确的，但它们采用了不同的学习事件。如果辅导系统能够知道学生做了哪些学习事件，它就可以增加相应知识组件的计数器。这种解释的模糊性被称为信用分配问题。贝叶斯网络和来自人工智能不确定性子领域的其他技术已被用于解决信用和责任分配问题。

(4) 细粒度评估：对失败进行计数

只统计知识组件的成功应用是不够的，还需要知道学生申请失败的次数。例如，假设一个知识组件被应用了 5 次，如果一个学生正好有 5 次机会去应用它，那么计数到 5 就表明他掌握得很好，如果学生有 50 次机会应用它，那么计数到 5 表示他掌握程度较低。因此，为了评估知识，辅导系统不仅要计算知识组件被应用了多少次，还要计算学生没有应用它的次数。一种方法是检测步骤中的失败尝试。为简单起见，假设步骤和学习事件之间存在一对一的对应关系。如果学生没有迈出这一步，那么学生一定缺乏作为学习事件基础的知识。因此，如果系统能够检测到执行该步骤的失败，那么它可以增加相应知识组件上的失败计数器。如果辅导系统的用户界面具有某些属性，那么检测一个步骤的失败尝试就很简单。如果步骤必须位于特定位置或必须在特定时间完成，那么在位置或时间的错误可以被解释为执行步骤的失败尝试，许多辅导系统都使用这个基本思想。然而，有一些辅导系统不能使用这个基本思想，因为它们给了学生在任何地点和任何时间采取步骤的自由。一般来说，在辅导系统给予学生的自由和诊断学生失败的能力之间存在权衡。

(5) 细粒度评估：其他问题

评估还涉及许多其他问题，如下：

① 很少证据和混合证据之间有很大的区别。如果只考虑成功的频率与机会的关系，那么 0.5 可能意味着 1 个成功和 1 个失败（很少证据）或 20 个成功和 20 个失败（混合证据）。

② 学生应该不断学习，所以他们的知识应该不断变化，那么什么时候应该忽略旧证据？

③ 辅导系统提供的帮助应该被视为学习的证据还是缺乏知识的证据？

④ 所有的学习活动都同样困难吗？如果不是，那么可以使用项目反应理论（IRT），以便作为在简单学习事件上的成功比在困难学习事件上的成功提供更少的能力的证据。

⑤ 如果辅导系统包括基于错误类型的特定错误反馈，它是否应该以某种方式在其评估中显示错误类型发生的频率？

⑥ 掌握的先验概率不是独立的。如果学生没有掌握课程早期教授的知识组成部分，那么学生掌握该知识的可能性就较小。

⑦ 稍后出现的知识组件。

正如许多作者所指出的那样，设计师很容易被评估的纯粹智力挑战冲昏头脑，并过度构建这部分辅导系统。设计师必须清楚为什么他们的辅导系统需要评估，并且不应该设计过多的评估。

3.5.6 回顾整个解决方案

许多辅导系统只有在学生提交解决方案后才会给学生反馈和提示，有时这样做是因为在解决问题的过程中给予反馈和提示会造成干扰。当在解决问题的过程中得到反馈时，学生不必检查自己的作业，因为辅导系统会向他们指出错误。他们也不需要处理迷路和重新开始的问题，因为当他们感到迷路时，他们可以向辅导系统寻求提示。因此，在解决问题的过程中，某些元认知技能可能不会得到锻炼，因为辅导系统使它们变得不必要。当学生只能得到延迟的反馈时，他们必须自己练习这些元认知技能，这可以帮助他们在没有辅导系统的情况下从解决问题中学习。如前所述，外部循环可以通过最初使用即时反馈分配任务，然后使用延迟反馈分配任务来“淡出脚手架”。

3.5.7 审查学生解决方案中缺陷的计划和策略

当学生提交了解决方案，辅导系统完成了对其步骤的分析后，系统就会知道哪些步骤是错误的，需要提出。它可能还会注意到一些步骤的解释是模糊的，其中一些可能需要讨论。不正确和模糊的步骤构成了一组教程的对话目标。

虽然辅导系统可以简单地就每个目标进行简短的讲座，但若考虑到以下问题可能会产生更有效的教学对话：

① 哪些教程对话目标不应该被提及？如果有许多教程对话目标需要讨论，那么最好只关注一两个。

② 教程对话目标的讨论顺序是什么？有时可能需要在讨论一个目标之前实现另一个目标。

③ 每个目标应该讨论多深入？

④ 如何满足学生的对话目标？

一些辅导系统使用了基于生成和执行计划的经典技术的辅导对话管理器，但大多数辅导系统使用的是更简单的技巧。辅导系统有以下几个层次级别的反馈（从1级到7级）：

① 简单：错误的数量，如果有错误的话。

② 错误标志：发生错误的子句。

③ 提示：错误的一般描述。

④ 详细提示：关于错误的更多信息。

⑤ 所有错误：包含每个错误描述的列表。

⑥ 部分解决方案：出现错误的子句的正确版本。

⑦ 完全解决方案：问题的理想解决方案。

在首次提交答案时，辅导系统给出1级反馈。每提交一个问题的答案，反馈级别可能增加1到5级。但是，学生可以从菜单中选择反馈级别，包括6级和7级，6级和7级反馈的功能有点像底部提示。对人类辅导系统的研究表明，它们经常在学生学习期间和之后给予帮助，此外，它们在学习后给予的帮助往往是在学习过程中给予帮助的后续。例如，在学习过程中，辅导系统可能只是标记一个错误，如果这还不足以引起纠正，辅导系统就会给出一个详细的提示。在事后回顾学生的表现时，辅导系统会提到这个错误，以便讨论为什么这样做是错误的。这种能力将是一个有趣的补充能力。

以上讨论的重点是辅导系统是做什么的，而不是它们是如何构建的，以及外部循环和内部循环之间的区别。外部循环的主要责任是为学生选择下一步要做的任务，而内部循环的主要责任是分析步骤，并且提供有效的教学帮助和评估。“内部循环”和“外部循环”这两个术语应该被理解为行为描述，而不是软件结构，因为辅导系统的软件结构对于简单的两循环结构来说太复杂了。事实上，没有内部循环的辅导系统很容易编写。

对于每一项任务，设计师都会记录下正确的答案和一些错误的答案。对于每一个错误的答案，设计师都会写一篇文章来修复学习事件及其背后的知识。就每单位开发时间的学生学习量而言，单循环系统可能是一个不错的选择；“淡出脚手架”的策略建议从双循环系统开始，然后转向单循环系统。

原则上，为每一门课程的每一位学生提供辅导系统的设想是可以实现的，尽管人-机交互有局限性，特别是在理解口语和视觉输入方面。这些局限性虽然限制了计算机辅导系统与学生互动的能力，但即使在这些限制范围内，也可以而且应该存在比现在更多的辅导系统。一个新的辅导系统可以从具有简单的功能开始，随着经验的增加而增加更复杂的功能。

也许广泛采用辅导系统的最大障碍是术语选择的不当。“导师（tutor）”意味着该软件取代了教师，而不是帮助他们。“正确”意味着该软件仅适用于对定义良好的任务进行操作和练习。缺乏可观察的（步骤）和不可观察的（学习事件、知识组成部分）之间的区别，阻碍了那些认为学生认知本质上是不可理解的人的使用。对一些人来说，“学生模型”这个词被认为是特别无礼的，因为它意味着学生实际上可以被计算机建模，事实上，学生模型只不过是一本花哨的分数书。希望本书能够消除该领域技术术语的一些不良含义，并鼓励富有创造力的教育工作者和开发人员考虑该技术如何帮助他们实现学生的理想。

3.6 方便非程序员使用的ITS创作工具软件平台

基于安德森院士的ACT-R理论所构建的模型跟踪学生行为的代数“认知导师（CT）”软件，虽然取得了非凡的成功，但是创建成本很高。CT中每小时学生看到的内容的开发成本估计在100到1000h之间[16]。这一开发成本指标常常表达为创建课时与使用课时之比，即1000∶1。基于模型跟踪的ITS不仅耗费人力、创建时间长，对创建者所需的技能水平要求也很高，需要领域教学专家（例如，特级教师）、认知心理学专家和精通人工智能编程的程序员共同努力才能创建。这两个困难严重阻碍了ITS在多个领域的普及应用。

为了方便非程序员（主要是教师）构建ITS，近20年来ITS创作工具软件平台取得了快速进展。部分具有代表性的成果举例如下。

3.6.1 教育智能资源创作软件平台（ASPIRE）

安东尼亚·米特罗维奇（Antonija Mitrovic）主持的新西兰坎特伯雷大学智能计算机辅导小组（ICTG），多年来在各个领域开发成功了许多基于约束的建模（CBM，constraint-based modelling）的ITS[17]。CBM也是一种模型跟踪辅导方法，不过巧妙地避开了关注“巨大”的求解出错空间的可能性，只关注正确求解空间，因此简化了建模的复杂性。尽管与其他现有类型的 ITS 相比，基于约束的导师更容易开发，但其开发仍然是一个劳动密集型过程，需要基于约束的建模方面的专业知识和编程能力。

为了减少生成基于约束的导师所需的时间和精力，米特罗维奇团队开发了教育智能资源创作软件平台 ASPIRE（authoring software platform for intelligent resources in education）[17,18]。这是一个 ITS 创作系统，可以在领域专家的帮助下生成领域模型，并生成一个功能齐全的系统。ASPIRE 对使用者隐藏了约束实现的细节，比如约束语言和约束结构。在 ASPIRE 中，使用者不需要学习约束语言并手动编写约束程序，只需要对领域知识本体建模，并提供示例问题及其解决方案即可。ASPIRE 根据使用者提供的信息自动生成约束，ASPIRE 中使用的知识本体由概念组成，用它们的属性和对属性的限制来描述，用关系表示概念之间的各种关联。

ASPIRE 由一个编写服务器（ASPIRE-author）组成，它帮助使用者开发新的 ITS，以及一个辅导服务器（ASPIRE-tutor），它将产生的 ITS 交付给学生。ASPIRE-author 使得人类专家（教师）能够描述教学领域和学生将要执行的任务，以及指定问题及其解决方案。

ASPIRE-author 中的创作过程由八个步骤组成。

第一步：创建一个新领域并指定它的一般特征。例如领域是否由专注于特定领域的子领域组成，以及领域是否是程序性的。在程序性领域，使用者需要列举解决问题的步骤。

第二步：用知识本体描述领域。它确定了重要的领域概念及其属性和相互关系。知识本体创作界面见图 3-5。

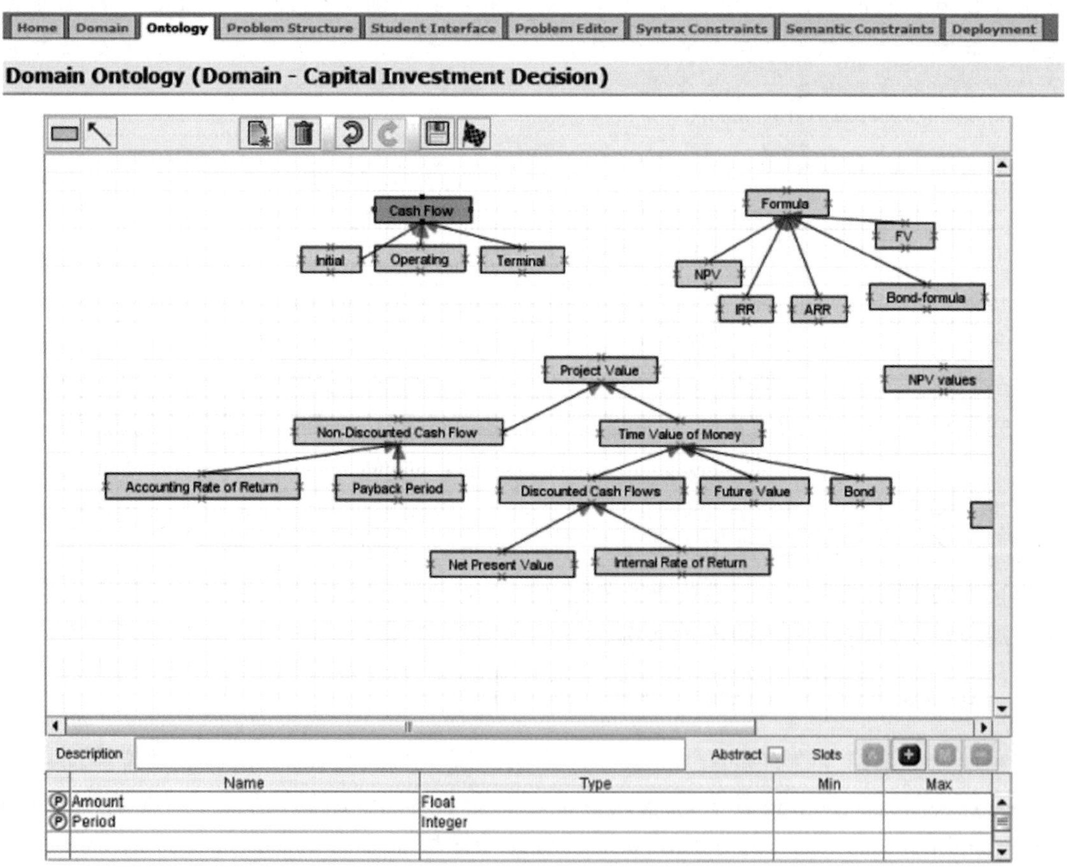

图 3-5　ASPIRE-author 的领域知识本体创作 ITS 界面

第三步：指定问题和解决方案的结构。

第四步：要求使用者设计学生界面。

第五步：提供一组问题及其解决方案。

第六步：通过分析知识本体中指定的概念和概念属性之间的关系，自动生成语法约束，并转换为约束模型。这些限制既适用于程序领域，也适用于非程序领域，在程序领域中可以确保学生遵循正确的解决问题的程序。

第七步：ASPIRE 生成一组约束，用于使用机器学习技术检查答案的语义，比较可供选择的（正确的）解决方案。如果必要，约束在所有给定的解决方案中是专门化或泛化的。语义约束使 ITS 能够为可选的正确解决方案建模。

第八步：对系统进行部署。

ASPIRE 将创作平台与应用平台分离，使得创作平台能够灵活地适应各种领域的 ITS 课程开发。ASPIRE-author 为可视化建模本体提供了一个图形化知识本体的工作空间。知识本体通过识别重要概念和它们之间的关系来描述领域知识，以子概念和超概念的形式概括了领域的层次结构。每个子概念继承其父概念的属性，但也可能有自己的属性，并且可能与其他领域概念相关。领域概念之间的专门化关系可视化地表示为概念之间的箭头。

米特罗维奇团队应用 ASPIRE 开发了热力学、工程力学、化学和数学领域的 ITS。参与这项工作的作者有不同的背景，从教师到计算机科学研究生均有。他们的经验表明，尽管最初使用者需要了解 ASPIRE 支持的知识本体和开发方法及原理，但他们使用后会发现 ASPIRE 是一个灵活而强大的创作工具。ASPIRE 在网上是免费的，希望其他老师也能使用它来为课程开发 ITS。

需要指出，虽然约束细节对新手来说是隐藏的，但专家可以在必要时直接修改生成的约束。ASPIRE 是一个复杂的系统，它确实需要大量的训练才能正确使用。

用当前人工智能技术的新发展分析，ASPIRE-author 可以理解为是一种“小模型”（知识本体模型）自动推理获取约束模型的“生成式”人工智能系统。ASPIRE 为 ITS 的发展开辟了一个新方向。

3.6.2　认知辅导创作工具软件平台（CTAT）和 ASSISTments

卡内基梅隆大学人机交互学院的文森特·安莱文（Vincent Aleven）等人成功开发了认知辅导创作工具软件平台（CTAT，cognitive tutor authoring tools）[19,20]。CTAT 是一套 ITS 创作工具，支持开发两种类型的 ITS：

① 认知导师（CT）。依靠基于规则的认知模型，在学生的数学能力方面成功地提高了美国高中学生的数学水平。

② 案例追踪导师。一种相对新颖的导师，提供与认知导师相同的核心辅导功能，但不需要任何编程。（以前，这些智能导师被称为“伪导师”。）

CTAT 旨在通过基于案例的创作方法来提高创作的效率，以便在认知导师中使用。CTAT 支持广泛的用户，包括程序员、教师、技术研究人员、学习科学领域的研究人员等。在线课程开发人员和具有计算机知识的大学教授们感兴趣的是，ITS 可以作为学习科学的实验工具。

认知导师（CT）：植根于认知与学习的 ACT-R 理论，采用一种认知模型来解释学生的问题解决行为，该模型以产生规则的形式捕捉学生应该学习的技能。认知导师应用了一种名为“模型跟踪”的算法来监控学生所涉及的问题，比较学生的行为和根据模型计算的合适行为。为认知导师开发认知模型是一项耗费时间的任务，需要人工智能编程。该模型可以跨一系列问题工作，并且具有灵活性，因为它允许认知导师识别多个学生的解决方案策略，并处理解决方案步骤之间的微妙关系。

案例追踪导师：指出了认知导师行为的关键要素是通过示范设置的而不是通过编程创造的。即，设计者向系统演示了学生如何解决每一个指定的问题，以及他们应该犯什么错误。与认知导师相比，案例追踪导师需要进行更多的问题写作工作，因为每个问题的解决方案都需要分别演示和注释。但是其也具有一个关键的优点，是不需要进行人工智能编程。在研讨会上多次发现，新加入CTAT的人在不到一个下午的时间里就学会了建立他们的第一个例子——跟踪导师。

CTAT创作工具包括三个独立的应用程序：外部GUI（图形用户界面）生成器，一组用于基于演示的任务分析、测试和调试认知模型的核心工具，以及一个用于认知模型的外部编辑器。在编写认知导师时，主要使用以下工具。

GUI生成器，用于创建学生界面，这是学生与导师交互解决问题的环境。GUI生成器支持无须编程的界面构建，使用者通过拖放技术在桌面上安排界面小部件。GUI生成器是一个外部的、现成的工具，丰富了为CTAT开发的“辅导式”小部件。CTAT使用了Macromedia的Flash和Java开发环境，在专注于现有仿真器或问题解决环境提供辅导的项目中，学生界面会被替换为外部环境，这通常不需要大量的努力就可以完成。虽然在其创作工具中使用GUI生成器并不新鲜，但其与标准GUI生成器能够实现即插即用的兼容性，这是一种新颖的做法。

行为记录器，是一个具有三个关键功能的核心工具。首先，它以行为图的形式记录使用者在“学生界面”中演示的正确和不正确行为的案例路径；其次，实现了案例跟踪功能；最后，它为认知模型的规划和测试提供了支持。

工作记忆编辑器，用于认知模型开发。允许使用者检查和修改认知模型“工作记忆”的内容，这是在模型开发过程中经常需要的。

CTAT被用于模仿模型跟踪导师的许多关键行为，而没有实际编写规则程序的功能。CTAT中的这些案例提供了什么是案例跟踪导师，而不是模型跟踪导师（也就是基于规则的导师）。采用CTAT与创建模型跟踪导师所需的时间相比，效率提高了8倍[16]。

CTAT创作软件平台画面见图3-6。使用CTAT开发CyclePad热力学仿真器的画面见图3-7。

赫弗南（N. T. Heffernan）等人在CTAT的基础上进行了新的改进和简化。2014年发表论文《ASSISTments生态系统：构建科学家和教师共同参与人类学习与教学的最低限度扩展性研究软件平台》[16]。新的创作平台的名称“ASSISTments”被赫弗南等人称为一个“问题”。赫弗南等人认为在某些方面，ASSISTments已经演变成教育的人工智能系统（AIDED）的对立面，没有伍尔夫[4]推荐的强有力的“学生模型”，也没有对ITS进行任何深入的推理。当然，ASSISTments有一个标记基础设施功能，可以让创作者或者老师用一种技能来标记一个问题，但是这些技能信息并不能直接驱动问题的选择。事实上，ASSISTments不知道如何解决问题，即与安德森等人提出的“建立一个解决问题的认知模型”的建议也相反。

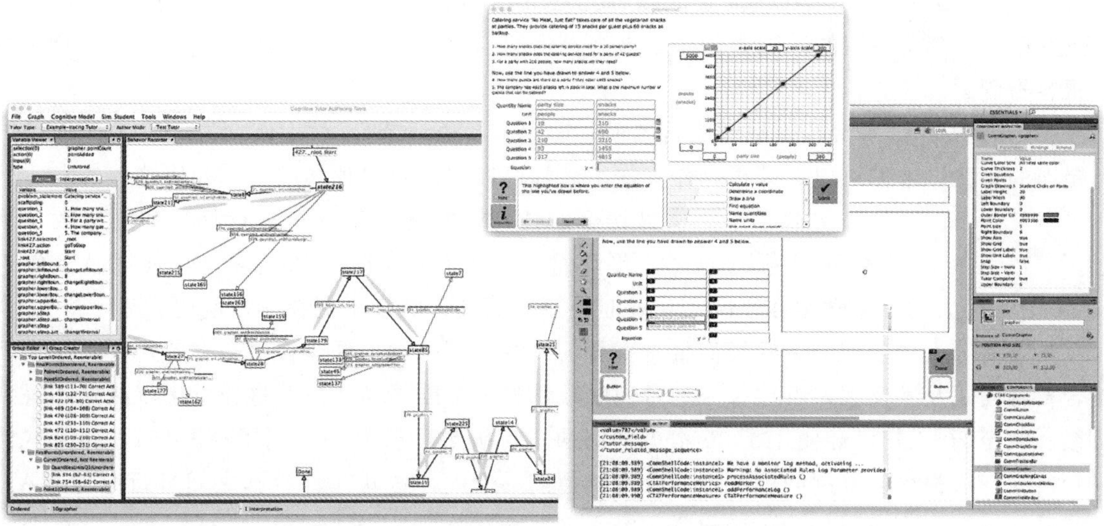

图 3-6　CTAT 创作 ITS 的软件平台画面截图

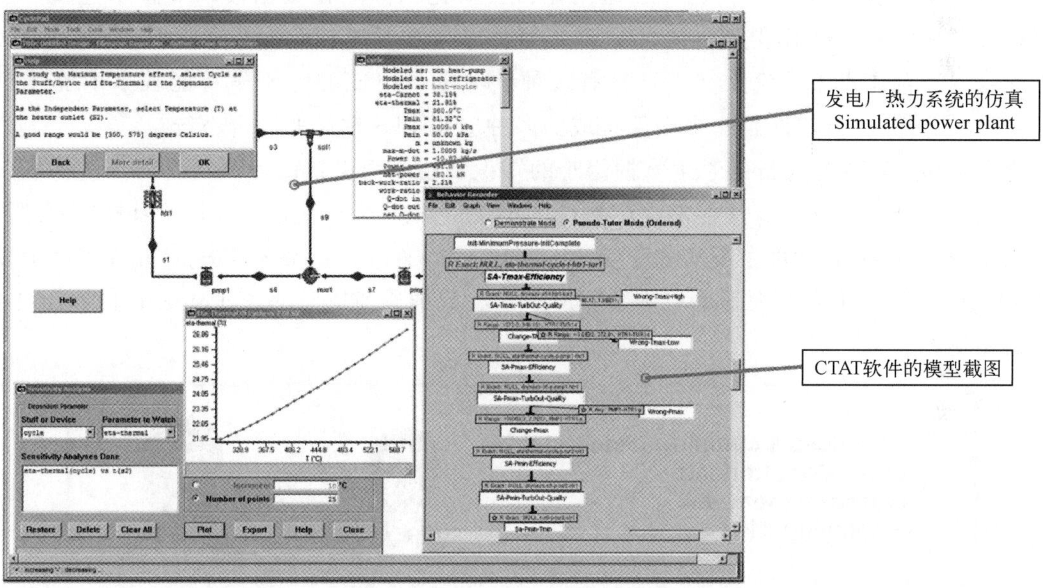

图 3-7　使用 CTAT 开发 CyclePad 热力学仿真器 ITS 的画面

为了便于教师创作 ITS，ASSISTments 完全放弃了规则编写步骤，并消除了 CTAT 的其他步骤，例如接口规范步骤。CTAT 不容易建造脚手架问题，但赫弗南等人认为这是智能导师的一个重要组成部分，因此构建了 ASSISTments。它为脚手架问题提供了一个结构，每个问题都有自己的答案和提示。

事实证明，将教学的创作工具的使用对象瞄准教师，而不是教学设计者或其他类型的课程开发人员，如果这些工具足够容易使用，就会非常成功。由于老师们参与了问题的产生，他们很高兴能和他们的学生一起创作 ITS 案例，并且可以看到同时给予许多学生即时反馈和支持的好处。这是 ASSISTments 成为一个协作或生态系统的开始。教师们开始应用这个项目，且已经编写了 100,000 多个问题（ASSISTments）及其答案和相关的援助，每一个 ASSISTment 都是手写的。因为创作工具为教程的创建提供了结构，所以脚手架问题及其提示很容易创建。

ASSISTments 平台在评估时进行辅助（即引入反思环节），学生们会立即发现他们是否有错误的答案，他们可以立即再操作一次。教师可以实时获得评估结果。利用这些信息，教师可以计划下一节课，引起学生对常见误解的注意，并将学生分组进行补救和加速教学绩效。2013 年有 5 万名学生注册了账号，平均而言，每个工作日有 4000 名学生使用 ASSISTments，其中大约一半学生在夜间写作业时使用，而其余的学生则在学校使用。

赫弗南等人希望创造一些类似维基百科的系统，不是为了创建百科全书条目，而是为了整合教育问题及其反馈，希望每一本常用的数学教材都能得到支持，这样学生就能立即得到反馈。截至 2014 年已经使用了 30 本最常用的 7 年级数学教科书。利用 ASSISTments 软件平台，任何人都可以复制问题，然后分配给他们的学生，这就允许教师之间进行合作。ASSISTments 平台还可以作为一个科学研究平台。希望在 ASSISTments 中可以运行数百个实验，这样就可以尽可能多地了解学习的原理。

随着 ITS 创作工具的非编程化、通用化、大众化、标准化数据接口等技术进步，多种学习资源集成的 ITS 创作得到进展。2018 年格雷瑟（A. C. Graesser）等 24 位作者（来自 8 个不同院校）合作发表了论文《一种具有多种学习资源集成的电子学智能教学系统：Electronix Tutor》[21]。该软件是一个高度集成的多种应用 ITS 软件的联合系统。

论文指出，ITS 是为帮助学生掌握困难的知识和技能而设计的计算机学习环境，它实现了强大的智能算法。这些算法能够在细粒度的层次上适应学习者的学习和学习复杂原理。

Electronix Tutor 软件主要集成了 ASSISTments、AutoTutor 和 Dragoon 等多种成功应用的 ITS 软件，用于海军大学本科生学习电子学。集成在 Electronix Tutor 中的 AutoTutor 软件截图见图 3-8。

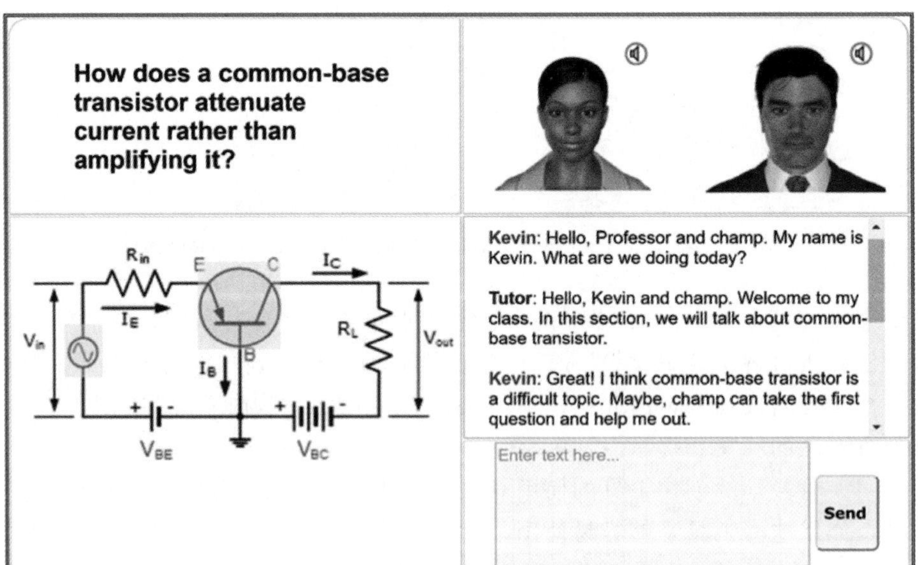

图 3-8　集成在 Electronix Tutor 中的 AutoTutor 软件截图

3.6.3　通用智能辅导框架（GIFT）

通用智能辅导框架（generalized intelligent framework for tutors，GIFT）是一种由美国陆军研究实验室开发的开源 ITS 架构[22]。GIFT 的目的是开发和整合基于计算机 ITS 的能力，以方便创作（无须编程）、管理指令、评估学习和表现。

GIFT 的研发目标是建立一种编写、部署、管理和评估 ITS 的技术标准。在研发期间，GIFT 一直在追求自动化教学、课程编写和合理教学策略的最佳实践，并促进正在进行的 ITS 研究。使用 GIFT，用户可以创建具有领域无关的智能导师通用工具软件，这些工具从简单的内容交付到自适应和个性化的学习者体验都有所不同。

该项目的负责人是索提尔（Sottilare）博士。他是美国陆军研究实验室-人类研究与工程部科学与技术专家，指导仿真与训练技术中心智能辅导环境实验室的研究。他在美国陆军与海军训练和仿真方面拥有 28 年的经验，担任研究员、工程师和项目经理。他被授予美国陆军研究开发与工程司令部建模与仿真终身成就奖。

索提尔指出，当前大多数的 ITS 的好处都是关于记忆、理解和应用相对简单的事实、概念和结构良好的程序性知识，而不是很适合支持复杂或结构不良的知识环境。在这些环境中，受训者被期望应用实践和判断，锻炼他们的适应性和创造性技能。ITS 已经显示出了巨大的前景，但之前 50 年的研究并没有成功地使 ITS 在军事训练中无处不在，也没有成为军事教育系统的首选工具。

ITS 的使用受到其高开发成本、有限的重用、缺乏标准以及对学习者需求的适应性不足的限制。它在军事领域的应用进一步受到军队所处的复杂和不明确的环境的阻碍。当复杂的学习领域可能需要新颖或混合的方法时，ITS 通常被构建为特定于领域的、具体的、独一无二的、主要依赖于领域的解决方案，专注于单一的教学策略（例如，模型跟踪或基于约束的方法）。因此，需要一个模块化的 ITS 框架和标准来增强重用、支持创作、优化教学策略，并降低用户在培训和教育中采用 ITS 解决方案所需的成本和技能。正是出于这种需要，研发 GIFT 的想法出现了。

GIFT 有三个主要功能，即创作、教学管理和分析评估。首先，它是创建新的 ITS 组件、方法、策略和整个辅导系统的框架；其次，GIFT 是一个教学管理器，它把优选的教学原则和策略整合在 ITS 中使用；最后，GIFT 是一个实验测试平台，用于分析 ITS 组件、工具和方法的有效性和影响。GIFT 基于以学习者为中心的方法，其目标是改善适应性辅导学习效应链中的联系。

GIFT 用于 ITS 创作过程的设计目标如下：

① 减少创作 ITS 的时间和成本；

② 提高可用性，减少创作 ITS 所需的专业知识；

③ 结合良好的教学设计原则；

④ 结合良好的人-机交互设计原则；

⑤ 结合良好的教学原则；

⑥ 允许领域专家、系统设计师、培训师和教师开发、组织和使用领域知识来创作 ITS；

⑦ 允许快速集成领域独立知识（例如，学员数据）和组件（例如，传感器、模型、模块）来创建 ITS。

为了方便创作，GIFT 的知识本体描述了五个核心创作过程，以支持 ITS 和组件的快速和高效开发。这些过程支持以下开发：用户模型、特定领域的知识、通用教学策略、人-机界面、来自组件的 ITS。

虽然在撰写本文时，GIFT 中并非所有的元素都完全成熟，但知识本体给出了它们之间的关系和相互作用。

GIFT 将继续沿着创作、指导和评估这三个主要方向发展。目的是将 GIFT 作为一套工具、方法和启发式方法提供给用户，并鼓励开放的开发。这些开发可以被评估并包含在基线中，以造福用户。美国陆军研究实验室的研究项目将继续侧重于评估和验证用于 GIFT 基线的模型和方法。一些基于 XML（可扩展标记语言，extensible markup language）的配置工具正在开发中，以增强 GIFT 的编写能力和可用性，包括学习者建模工具、调查编写工具、领域知识文件编写工具、事件报告工具和实验支持工具。GIFT 正在评估其他 ITS 结构，以利用开源和政府开发的能力。

到目前为止，GIFT 已经成功应用于多个领域。如外部仿真、严肃游戏和基于计算机的训练环境、教授物理、团队军事任务和团队战术训练，以及解决结构不良的程序性认知问题[23]。

2023 年本杰明 • 戈德堡（Benjamin Goldberg）博士在十一届 GIFT 用户研讨会上发表论文：《支持未来的学习理念：2040 年的 GIFT》[24]。戈德堡博士是美国陆军作战能力发展司令部-士兵中心的高级研究科学家，也是 GIFT 的共同创造者。戈德堡博士是专项研究的技术负责人。该项目专注于未来陆军训练系统的训练管理工具的开发和评估。他的研究重点是智能辅导和人工智能技术的应用，建立自适应训练计划，提高作战技能，加速技能掌握和作战准备。戈德堡博士研究适应性教学系统，并且在多次高影响力的会议上发表了论文。他拥有建模与仿真博士学位。

论文对《陆军训练和教育学习概念 2020～2040》规划（ALC）中提出的未来陆军训练和教育生态系统为中心的高级主题，提出了深入应用人工智能技术实现陆军教学和训练 ITS 的计划。

论文透露，由研究人员、实践者和操作者组成的跨学科团队正在战略性地开发它们。建立关于现代化工具、方法和技术的指导主题；优化和互联陆军三个学习领域，即机构、作战和自我发展的开发和技能进步：这些概念为陆军人员如何在未来环境中发展和维持技能提供了一个令人兴奋的视角。这个计划借鉴了组织心理学、认知心理学、学习工程、数据科学、人工智能和学习技术标准等成熟的原理。

适应性教学系统和学习工程界特别感兴趣的是：强调在互联架构上学习技术和数据驱动过程；ITS 的能力将支持高保真的综合和现场训练经验；仿真作战环境；促进直接技能转移。ITS 将提供所需的能力，在培训机会中实现最佳利用和评估。此外，ITS 必须扩展到更广泛的训练和教育项目和资源中，建立更广泛的陆军人才生态系统。

论文指出，ALC 强调了陆军在其学习和发展领域实施以学习者为中心的原则和实践的承诺。它强调了培养面对复杂和不确定的战场操作环境所需的能力的重要性，包括解决问题、创造力和基于探究的学习。它还涉及使用先进的军事技术，例如，采用自适应虚拟仿真学习环境来训练士兵在不确定、有争议、恶劣和有限信息环境中的作战能力。

ALC 讨论了根据学习者的需要定制学习经验的重要性，以及使用教学和综合训练环境的原则，确保士兵学习如何在压力和高认知负荷时期改善决策和表现。应用基于认知科学的学习原理对于发展和维持适应性心理模型至关重要，这些模型需要在不稳定的环境中发挥作用。除了传统的工作活动外，ALC 还强调明确的团队合作发展；提出了学习产品开发人员和设计师为期望的学习成果量身定制学习的策略和方法；强调了教学设计师需要熟悉所有主要学习理论的基础，以便开发具有教学效果的学习和训练经验，使士兵能够成功地应对多领域环境所提出的要求。理解基于研究的理论原则与源自这些原则的教学技术和策略之间的联系至关重要。因为如果不这样做，当与神经科学、人工智能和其他技术支持系统等领域的进步相结合时，可能会导致不稳定和不充分的教学设计。总体而言，陆军致力于改善学习成果，并愿意投资人员实现这一目标。

戈德堡博士指出，为了赋能 ALC 规划的目标，GIFT 应当在如下几个重点方面取得进展。

(1) 开放系统架构

未来的学习概念是以能力驱动的方法为中心，将学习领域和培训经验联系起来。因此提供一个通用的、可扩展的自适应教学框架至关重要。GIFT 必须具有跨功能和跨平台的互操作性，这些功能和平台支持一个领域内的不同内容和开发阶段。换句话说，GIFT 应该提供灵活的基础设施来集成和互操作核心教学技术组件，否则这些组件将被视为独立的解决方案。无论应用程序或服务是什么，都需要有一条简单的路径集成到已经存在的支持组织级别培训和教育的生态系统中。这一广泛的需求必须通过开放的系统架构开发战略来实现。该战略继续建立在 GIFT 的基本原则之上，同时突出其作用并简化与指定培训生态系统的连接。这些需求将涉及使用 GIFT 的可扩展数据模型和模式来管理实时、虚拟现实和扩展现实（XR）的培训和教育经验中产生数据的收集、保留和分析。

(2) 生成式人工智能对适应性训练实践作用的分析

戈德堡博士询问了 ChatGPT 如何看待生成式人工智能在智能辅导和适应性训练领域的作用，回答如下：

大型语言模型和生成式人工智能的进步有可能对陆军的智能辅导和适应性训练实践产生重大影响。这些进步可以提高 ITS 生成个性化和适应性训练内容的能力。训练内容可以根据个别士兵的特定需求和学习方式进行定制。

大型语言模型和生成式人工智能对 ITS 的一个主要影响是能够对士兵的询问生成自然语言响应，这可以帮助士兵获得关于他们表现的即时反馈，并更好地理解所覆盖的材料。生成式人工智能还可用于创建交互式仿真，为士兵提供练习关键技能的逼真环境。

生成式人工智能对 ITS 的另一个重要影响是生成个性化培训内容的能力。通过分析个别士兵的表现和学习风格数据，人工智能可以根据他们的特定需求生成量身定制的训练内容。这些内容可以实时动态调整，以确保士兵在适合他们当前技能和知识的水平上不断受到挑战。

生成式人工智能还可用于为士兵提供更逼真、更吸引人的训练体验。例如，人工智能生成的“剧情”可以仿真复杂的现实世界情况，使士兵能够在安全可控的环境中练习决策技能。此外，生成式人工智能还可以用来创建虚拟教练，在训练过程中为士兵提供反馈和指导，提供个性化的指导和支持。

总体而言，大型语言模型和生成式人工智能的进步对陆军的智能辅导和适应性训练实践的影响是显著的。这些进步可以为士兵提供更有效和个性化的训练体验，帮助他们培养关键技能，更好地为他们在战场上可能面临的挑战做好准备。

戈德堡博士指出，从 ChatGPT 以上答案中可以得出两个有趣的见解。

首先，强调以对话为基础的辅导。通过对话代理技术研究学习者和受训人员与经过专门训练的语言模型交互的方法，改变学习者与教学材料和行动后反思的交互方式。这些“代理”可以被训练成具有基于学生个体差异和能力水平的潜在教学属性的领域专家。研究GIFT如何与语言模型过程相关的代理直接交互是一个值得研究的领域，这可以支持新的交互式学习技术与传统的教学内容协同。此外，可以研究创新方法来实施技术引导的行动后反思（AAR）和学习反思期。通过GIFT的互操作评估技术，学习者的状态信息可以在评估事件之后输入到会话代理中，这可以告知个人和团队级别的优势和劣势，将推动更加集中和个性化的补救。

其次，收获了生成式人工智能在支持现实剧情和更个性化内容开发中的作用。内容创建和管理领域一直是智能辅导研究人员和开发人员面临的挑战。系统或实验协议的适应性和个性化程度越高，所需的内容和变化就越多。

为了满足ALC的愿景，需要研究人工智能技术如何采用学习目标结构并生成引人入胜的内容和问题集。支持者可以定义和细化他们想要在教学计划中强调的确切概念和关系，并可以通过技术构建和迭代改进内容和实践剧情。同样，这些支持者定义的结构可以用来构建可操作的能力框架，这些框架可以从整个学习生态系统收集的数据中得到信息。

(3) 学习标准和建立最佳实践

在所有学习概念主题和所需的能力中，都存在对学习标准的需求。目标是建立基于可实现和可执行的学习标准。这些标准与培训系统开发和获取策略保持一致，旨在推动在实验室环境中开发和完善解决方案的可伸缩性，以便工具、方法和最佳实践工作流程可以在学习工程师和实践者等广泛受众中复制和重新实现。

创建官方学习标准是一件大事。通过受控的数据语法指导性能和体验报告实现结构化，以便确保系统可以输出数据。这些数据可以组合在一起，在生态系统中驱动更健壮的学习曲线分析，驱动获得健壮和可扩展的学习生态系统所需的数据结构。

ALC还需要一组最佳实践，用于跨不同受众和学习策略的广泛实现。一个标准存在并不意味着它适用于所有用例，从业者必须知道如何最好地实现它。在未来ALC中实施的学习策略以学习科学理论为基础，并考虑到不同的互动和评估要求。为了满足这种灵活性，将需要实现这些技术的最佳实践和技术。

经验表明，在ITS中使用跟踪和记录培训经验机制具有重要性，在不同粒度级别上对任务和能力进行建模具有必要性，利用仿真数据标准来帮助自动制作综合培训剧情具有必要性。

从最佳实践的角度来看，在检查新的学习策略时必须考虑以下因素：

① 建立支持知识和技能发展背后的科学的学习资源；

② 利用这些资源收集数据；

③ 应用评估结构，应用数据驱动技术进行客观绩效评估；

④ 输出具有适当粒度和上下文/元数据的评估；

⑤ 纵向建模技术，结合附加评估来推断熟练程度和预测绩效结果。

ALC中的原则为定义面向未来的ITS能力奠定了基础。这些能力与学习工程原理、学习科学、下一代科学技术和教育最佳实践的使用相一致，确保了陆军有效地管理和发展士兵和陆军文职的能力。今后，GIFT和类似的ITS培训管理工具将在把这些概念变为现实方面发挥越来越重要的作用。

采用 GIFT 开发的单兵作战仿真训练 ITS 软件截图见图 3-9，基于 GIFT 开发的认知共享团队作战仿真训练 ITS 截图见图 3-10。

图 3-9　采用 GIFT 开发的单兵作战仿真训练 ITS 软件截图

图 3-10　基于 GIFT 开发的认知共享团队作战仿真训练 ITS

3.7 基于可解释人工智能的 ITS

3.7.1　通过自我解释提高学习能力

魏斯平（A. Weerasinghe）的论文《通过自我解释提高学习能力》[25] 指出，即使学生获得了足够的知识，在考试中获得了及格分数，他们也很难将知识转移到新的环境中。因此，研究人员非常注重寻找克服浅层学习问题的方法。自我解释被描述为一个向自己解释，试图理解文本或其他媒介中出现的新信息的活动，并且已被证明有助于获得深度的知识。对自己解释教材有助于将新信息整合到已有知识中，因此自我解释可以被视为一种知识建构活动。研究结果表明，自我解释不仅仅是产生推论以填补知识空白的过程，而且是修复自己对所研究主题的心理模型的过程。在这种情况下，自我解释有助于识别和消除误解。因此，自我解释也促进了反思，这是许多学生缺乏的元认知技能。

3.7.2 解释和定性推理

安德斯·鲍尔（Anders Bouwer）等人指出[26]，定性推理常常被视为产生解释的有力基础。因为人们会将感兴趣的行为明确地按照相关成分、过程、因果关系、数量空间、假设、状态和路径来建模，从而忽略不必要的细节，例如数量值。然而，定性推理和解释之间的联系往往被看作是一种直接的一对一的映射。而对人类解释的研究表明，这是一种简化。解释是一个互动的过程，语境在其中起着重要的作用。

定性模型的一个关键角色是知识本体，它提供了关于系统行为的计算机能够理解的原因。知识本体是明确的，并且代表了系统及其行为的不同特征，从而原则上由计算机程序做出的行为分析可以通过用户能够理解的方式与用户通信。

ITS中的任务、目标和知识需要指导性解释的主要问题是：用户需要知道什么？这在很大程度上取决于用户的任务和目标。基于工业仿真活动的工作中，主要有三种类型的用户：

① 获得工厂如何工作的知识的人；

② 开发如何控制工厂的技能的人；

③ 接受关于如何完成一项任务的建议的人。

为了处理这些对信息的不同需求，定义了四种基本的解释类型。每种解释主要使用某一类型的知识：教学（时间知识）、决策（相关知识）、理由（因果知识）和理论（结构知识）。

可解释的ITS取决于模型的内容，涉及模型的结构、详细程度、知识本体论原语和词汇。如果需要多个层次的解释，那么就需要多个模型或视图，以及选择合适模型或视图的机制。但是，除了这些方面之外，解释也应该被看作是一个交流过程，这通常需要通过规划和交互才能成功。

3.7.3 可解释的战术行为人工智能仿真训练系统

迈克尔·范伦特等人的论文《一个可解释的小单位战术行为人工智能系统》[27]，在军事仿真训练领域，首次提出了可解释的人工智能（explainable AI，XAI）概念。

随着军事仿真和电脑游戏中的人工智能（AI）系统变得越来越复杂，用户也越来越难以理解计算机仿真控制实体的活动。在用于训练的仿真和游戏中，行为的可解释性是必不可少的。学生必须理解仿真实体行为背后的基本原理，以及他们的行为如何影响仿真实体。医学诊断专家系统通过添加解释生成系统来解释系统的内部过程，解决了这一问题。军方也可以借鉴此类方法。

此类方法的本质是扩展人工智能系统，这样它们就可以在执行过程中或事后解释自己的行为。理想情况下，这种可解释的AI可以向用户呈现一个易于理解的因果推理链，即根据用户的命令，通过AI的知识和推理，实现最终的行为。

范伦特等人提出的技术是“全谱命令（FSC）”。FSC 的“任务”分为三个阶段：计划、执行和事后审查。

在计划阶段，用户阅读操作命令（明确指定任务的目标和细节），组织他的部队构成，并为整个任务创建一个初始计划。该计划被表示为“执行矩阵”，其中包括连队的每个子单位（每个排）的一行和任务计划的每个基于时间的阶段的一列。“行动代码（通过无线电调用的关键字）”或预定义的时间戳被设置以协调排的行动和执行阶段之间的转换。一旦计划完成，用户通过单击“Execute”按钮进入执行阶段。

在执行阶段，用户监视他的士兵执行矩阵时的行为，收集关于敌方士兵的位置、组成和行动的信息，并通过发布“动态”命令来修改初始计划。与传统游戏中的视角不同，FSC 中的用户必须从游戏世界中连长角色的第一人称视角监视战斗并调整自己的计划。这种指挥方式有时与行动相当遥远，这包括用户的角色可能会被杀死，从而导致任务立即失败。在执行阶段，用户在环境中移动，发送和接收来自下级和上级单位的无线电传输，监视他的士兵和反对派的行动，并发布指令来修改他的初始计划。连长工作的一个重要部分是保持“态势感知”——对仿真世界中正在发生的事情有一个清晰的心理模型，这包括何时实现了使命目标，何时无法实现使命。

FSC 的最后阶段是行动后审查（AAR）。AAR 是军方训练的规定，军方和教育研究者都已经认识到事后问题反思的重要性。AAR 过程为用户和教师提供了一套新的用户界面和工具，旨在帮助发现发生了什么，为什么会发生，以及用户如何做得更好。AAR 界面包括任务统计屏幕、操作命令审查屏幕、显示用户初始计划供审查的屏幕、显示对手计划供审查的类似屏幕以及任务回放屏幕。从 AI 的角度来看，事后回顾中最有趣的组件是任务回放屏幕。任务回放屏幕让用户和教练能够通过控制执行暂停、倒带和快进回放任务。与执行阶段不同的是，用户可以通过“上帝之眼”摄像机观看回放，可以自由移动、查看游戏中任何时间、任何地点发生的事情。可解释的 AI 系统通过两种方式增强了这种回放能力，这个软件平台已经应用到小单位战术行为仿真训练中。

马克·G. 科尔（Mark G. Core）等人发表论文《构建可解释的人工智能系统》[28]，提出了一种模块化和通用的体系结构来解释仿真实体的行为。他们指出 FSC 虽然新颖，但这项研究并没有解决从解释专家系统决策中吸取的经验教训如何应用于解释仿真实体的行为。

一种改进的技术方案是建立一个高层次的知识库，其中包含有关领域的事实和解决问题的策略，并使用自动程序编写器根据该规范构建专家系统模型。技术的挑战（例如，可执行代码必须与外部仿真接口互联）和现实世界的约束（例如，人们很少或根本无法控制仿真实体，因为它们已经预先被构建或设计好了），导致 XAI 的问题更加复杂。在面向 FSC 的 XAI 后续项目中，面临着这些挑战。在构建另一个特定于仿真的解释系统时，要求在自己新构建仿真实体与已有仿真实体之间寻求一个中间地带。遵循这一理念，重新设计了系统，以支持：

① 重用和开发公共行为表示的领域独立性，同时灵活地处理特定于仿真的特性；

② 解释实体行为背后动机的能力；

③ 模块化，允许外部组件，如 GUI 自然语言生成器和导师与系统接口互联。

改进的 XAI 体系结构的关键特性是它的领域独立性和模块化。解决了将解释系统连接到目标仿真器的技术难题，以便实现对新问题的支持。

3.7.4 可解释人工智能教学工具（EXAIT）

绪方博明等人的论文《EXAIT：个性化学习的教育可解释人工智能工具》[29]指出，XAI 在教育领域引起人们对公平、问责制、透明度和道德的关注。XAI 是增加人工智能系统信任的新兴方法之一，它促进了“使人类用户能够理解、适当信任和有效管理新一代人工智能合作伙伴”方法的使用。XAI 通过解释模型的决策过程，可以提高学生的信念感，增加他们对人工智能的信心，可以对学生的学习成绩产生积极影响。对于老师来说，XAI 通过解释为什么这个问题被推荐来提高学习成绩，使老师理解什么解释方法对提高学习成绩是有用的。

绪方博明等人提出的系统被称为 EXAIT（可解释人工智能教学工具，educational explainable artificial intelligent tools）。它旨在将两种教育解释的优势结合到一个学习工具中，实现学习者的自我解释和人工智能生成解释的共同进化。首先，该系统提供潜在学习路径的人工智能建议，以培养信任和学习者意识。其次，学生完成一项任务后，比如一道数学题，用一支手写笔将他们的计算结果和最终答案输入系统，以供评估。再次，系统通过交互式回放提示学生自我解释他们的回答过程，并及时注释点，以表明应用于克服子问题的知识。最后将时间序列分析应用于自我解释和回答过程数据，以便提取信息。例如回溯或卡住点，这些信息可能表明依赖的相关知识存在问题。系统的最终目标是通过将自我解释分析纳入 AI 推荐模型，完成共生的解释循环。

EXAIT 系统及其设计的学习周期的目的，是增强对学生当前学习状态的系统性理解，并通过系统解释和练习自我解释他们的回答过程来提高学生的学习意识。目前，该系统已在日本中学的数学和英语科目中实施，但它并不局限于这些科目，会有更广泛的应用。

参考文献

[1] Nwana H S. Intelligent tutoring systems：An overview [J]. Artificial Intelligence Review，1990，4 (4)：251-277.

[2] Shute V J，Psotka J. Intelligent tutoring systems：Past，present，and future [M]. Handbook of research for educational communications and technology，Macmillan，1994：570-600.

[3] Woolf B P，Beck J，Eliot C，et al. Growth and maturity of intelligent tutoring systems：A status report [J]. Smart machines in education，2001：99-144.

[4] Woolf B P. Building intelligent interactive tutors：Student-centered strategies for revolutionizing e-learning [M]. San Francisco：Morgan Kaufmann，2010.

[5] Murray T. An overview of intelligent tutoring system authoring tools：Updated analysis of the state of the art [M] // Murray T，Blessing S B，Ainsworth S，eds. Authoring Tools for Advanced Technology Learning Environments. Dordrecht：Springer Netherlands，2003：491-544.

[6] Murray T，Blessing S B，Ainsworth S . Authoring tools for advanced technology learning environments [J]. Springer Netherlands，2003.

[7] Alkhatlan A，Kalita J. Intelligent tutoring systems：A comprehensive historical survey with recent developments [J]. International Journal of Computer Applications，2019，181 (43)：1-20.

[8] Carbonell J R. AI in CAI：An artificial-intelligence approach to computer-assisted instruction [J]. IEEE Transactions on Man-Machine Systems，1970，11 (4)：190-202.

[9] Anderson J R，Corbett A T，Koedinger K R，et al. Cognitive tutors：Lessons learned [J]. Journal of the Learning Sciences，1995，4 (2)：167-207.

[10] Ritter S，Anderson J R，Koedinger K R，et al. Cognitive Tutor：Applied research in mathematics education [J]. Psychonomic Bulletin & Review，2007，14 (2)：249-255.

[11] Ritter S, Fancsali S. MATHia X: The next generation cognitive tutor [J]. Semantic Scholar, 2016: 624-625.

[12] Vanlehn K, Lynch C, Schulze K, et al. The andes physics tutoring system: Lessons learned [J]. International Journal of Artificial Intelligence in Education, 2005, 15 (3): 147-204.

[13] VanLehn K. The behavior of tutoring systems [J]. International Journal of Artificial Intelligence in Education, 2006, 16 (3): 227-265.

[14] Shute V J. A macroadaptive approach to tutoring [J]. Journal of Interactive Learning Research, 1993, 4 (1): 61.

[15] Kabudi T, Pappas I, Olsen D H. AI-enabled adaptive learning systems: A systematic mapping of the literature [J]. Computers and Education: Artificial Intelligence, 2021, 2: 100017.

[16] Heffernan N T, Heffernan C L. The ASSISTments ecosystem: Building a platform that brings scientists and teachers together for minimally invasive research on human learning and teaching [J]. International Journal of Artificial Intelligence in Education, 2014, 24 (4): 470-497.

[17] Mitrovic A, Suraweera P, Martin B, et al. Authoring Constraint-Based Tutors in ASPIRE [C]. Springer Berlin Heidelberg, 2006.

[18] Mitrovic A, Martin B, Suraweera P, et al. ASPIRE: an authoring system and deployment environment for constraint-based tutors [J]. International Journal of Artificial Intelligence in Education, 2009, 19 (2): 155-188.

[19] Aleven V, McLaren B M, Sewall J, et al. The cognitive tutor authoring tools (CTAT): Preliminary evaluation of efficiency gains [M] //Ikeda M, Ashley K D, Chan T W. Intelligent Tutoring Systems. Heidelberg: Springer Berlin Heidelberg, 2006: 61-70.

[20] Aleven V, McLaren B M, Sewall J, et al. Example-tracing tutors: Intelligent tutor development for non-programmers [J]. International Journal of Artificial Intelligence in Education, 2016, 26 (1): 224-269.

[21] Graesser A C, Hu X G, Nye B D, et al. ElectronixTutor: An intelligent tutoring system with multiple learning resources for electronics [J]. International Journal of STEM Education, 2018, 5 (1): 15.

[22] Mitrovic A, Martin B, Suraweera P, et al. ASPIRE: An authoring system and deployment environment for constraint-based tutors [J]. International Journal of Artificial Intelligence in Education, 2009, 19 (2): 155-188.

[23] Fletcher J D, Sottilare R A. Shared mental models in support of adaptive instruction for teams using the GIFT tutoring architecture [J]. International Journal of Artificial Intelligence in Education, 2018, 28 (2): 265-285.

[24] Goldberg B, Spain R. Supporting future learning concepts: GIFT in the year 2040 [C] //Proceedings of the 11th Annual Generalized Intelligent Framework for Tutoring (GIFT) Users Symposium (GIFTSym11). US Army Combat Capabilities Development Command-Soldier Center, 2023: 19.

[25] Weerasinghe A, Mitrovic A. Enhancing learning through self-explanation [C]. International Conference on Computers in Education, IEEE, 2002: 244-248.

[26] Bouwer A. Explanation and qualitative reasoning [J]. Loch Awe Scotland, 1999: 26-31.

[27] Lent M V, Fisher W, Mancuso M . An explainable artificial intelligence system for small-unit tactical behavior [J]. AAAI Press, 2004.

[28] Core M G, Lane H C, Lent M V, et al. Building explainable artificial intelligence systems [C]. Conference on Innovative Applications of Artificial Intelligence, AAAI Press, 2006.

[29] Ogata H, Flanagan B, Takami K, et al. EXAIT: Educational explainable artificial intelligent tools for personalized learning [J]. Research and Practice in Technology Enhanced Learning, 2023, 19: 19.

第4章 知识工程与知识本体

4.1 知识工程概念

爱德华·阿尔伯特·费根鲍姆（Edward Albert Feigenbaum）等人认为，知识工程是在计算机上建立专家系统的技术。他是世界首个人工智能专家系统开发者和知识工程创始者，他的重大贡献在于通过实验和研究证明了实现智能行为的主要手段在于知识，在多数实际情况下是特定领域的知识。他最早倡导“知识工程”。在费根鲍姆主导下联合领域专家历时20年开发出了世界上第一个专家系统程序（DENDRAL）[1]。DENDRAL可以根据给定的有机化合物的分子式和质谱图，从几千种不同的分子结构中挑选出一个正确的分子结构。费根鲍姆曾经为医学、工程和国防等部门研制成功一系列实用的专家系统，荣获1994年度的图灵奖。

费根鲍姆有一句名言：力量隐藏在它们的知识库中。他提出：

① 为了解决特定领域的一个具体问题，除了需要公共的知识，还需要大量与所解问题领域密切相关的知识，即所谓领域知识。

② 为了解一个问题，很难用严格的数学方法描述，必须采用一种不确定的试探性解题方法。

③ 除了运用演绎方法外，必须求助于归纳的方法和抽象的方法。

④ 必须处理问题的模糊性、不确定性和不完全性，因为现实世界就是充满模糊性、不确定性和不完全性的。

任何一种人工智能专家系统都是由知识库和推理“引擎”构成，这也是任何一种智能教学系统的基本构成。智能教学的终极目标是辅助人类教师向学生高效传授具有模糊性、不确定性和不完全性问题，又称结构不良问题的解决方法。因此知识工程是智能教学的基础。

4.2 知识本体、领域知识本体和信息标准化

知识本体的研究与开发属于知识工程范畴，是知识工程的核心，是任何一个领域实施计算机智能教学必须首先解决的知识表达问题。

人类通过计算机和互联网的知识表达和应用，才真正开始把知识从一般概念上升为科学严谨的知识本体。这也是广泛深入实现人工智能应用，即计算机化知识处理和大数据处理的基础和“生态环境”。这也是一个长期的、艰巨的、贯穿人类生产活动与社会活动整个生命周期的，同时也是大规模广泛发动人类参与的活动。需要以科学的方法总结、重构、更新、创新和标准化人类的知识，特别是各领域的知识。

以相关知识本体国际标准作为开发本领域和本专业知识本体的基础和依托，是实施智能教学知识表达、知识传承和评估的最佳技术路线。因为凡是国际标准或国家标准都是一个领域或专业使用频率非常高的知识，并且凝聚了众多专家长年积累的集体智慧，经过了大量的实践检验与修正。本章首先介绍相关信息标准的知识本体化概念，然后进行有针对性的修改和扩展，将国际标准转化为适用于仿真与智能教学的领域知识本体，命名为 SOM。

4.2.1 知识本体模型

知识是什么？这是一个自古至今直到未来，人类认识真实世界包括人类自己的永恒课题。随着人类生产力和科学技术的发展，关于知识的认知正在不断进展中。

在历史的长河中，人类对知识的认知理论称为“本体论”（ontology），科技领域称其为“知识本体”。知识本体的概念出自哲学的本体论或称为存在论。英语单词 ontology 是来源于希腊语的单词“存在”和“学问”的组合。人类最早研究这个论题的时间可以追溯到古希腊时代，当时哲学家试图研究当事物发生变化的时候，如何去发现事物的本质。亚里士多德（Aristotle），把存在区分为不同的模式，建立了一个范畴系统（system of categories），包含的范畴有：实体、质量、数量、关系、行动、感情、空间和时间。亚里士多德以他卓越的学识和深刻的洞察力，抓住了人类认知中最关键的概念[2]。

本体论得到迅速发展的时期是从 20 世纪 90 年代开始。主要原因是计算机技术的发展以及人工智能技术的探索，迫切需要使用本体论来定义知识的规范，以便在软件实体之间共享、重用和使用计算机处理知识。近年来，IT 界将其重要意义比喻为人工智能的“生态环境”。与此同时也不断加深了对知识的认知。

1991 年，美国计算机专家尼彻斯（R. Neches）等人在完成美国国防部高级研究计划局（defense advanced research projects agency，DARPA）的一个关于知识共享的科研项目中，提出了一种构建智能系统的新思想，并发表论文，题目是《知识共享的使能技术》[3]。尼彻斯团队认识到：构建智能系统涉及两个部分，一个部分是知识本体，另一个部分是“问题求解方法（problem solving methods，PSMs）”。知识本体涉及特定知识领域中的共有知识和知识结构，它是静态的知识。而 PSMs 涉及在相应知识领域进行推理的知识，它是动态的知识（过程知识）。PSMs 使用知识本体中的静态知识进行动态的推理，就可以构建一个智能系统。这样的智能系统就是一种知识库，而知识本体就是知识库的核心。

1995 年，格鲁伯（T. R. Gruber）在人工智能研究中发表论文《面向知识共享的本体设计原理》[4]。论文定义“知识本体是概念化的显式规范”，这个定义比较著名，在知识本体的研究中广为流传。

1998 年，鲁迪·施图德（Rudi Studer）等发表论文《知识工程原理和方法》[5]。论文在前人对知识本体定义的基础上，给出了一个更加明确的解释：知识本体是对概念体系的明确的、形式化的、可共享的规范。

几十年来，基于知识本体的计算机与互联网信息标准历经了从内容层面到结构层面，即

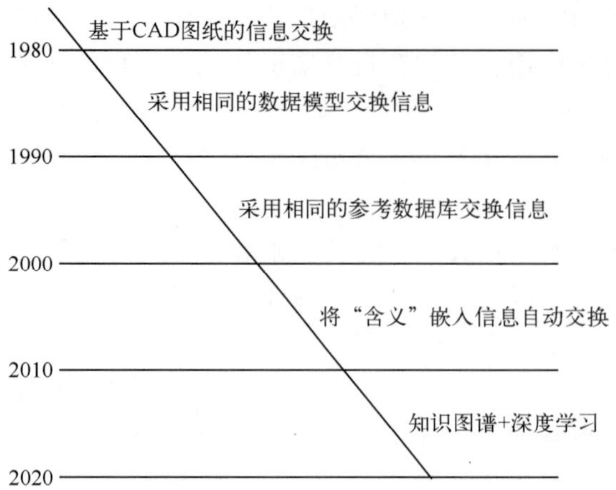

图 4-1 信息交换技术的进展

从符号、图像、语法到语义的发展。信息传递/交换/共享从字符、位图和向量图的拼写选择和图形绘制演变到电子文本的人工导引连接，目前已经进展到由计算机自动导引连接的“智能”化阶段。信息交换技术的进展情况如图 4-1 所示。

计算机软件和互联网信息标准，例如 XML、DOM（文档对象模型）、UML（通用建模语言）、RDF（资源描述框架）、DAML＋OIL 语言和 OWL2（知识本体网络语言-2），已经在全球任何使用计算机网络和数字化通信的系统和设备中运行，可以说是世界上使用范围最广和应用人数最多的信息标准。

知识本体的开发和应用已经形成一门学科，称为“知识本体工程”。在信息系统领域应用的知识本体主要用于表达信息的内容和机理。

在研究如何用计算机表达知识时，首先需要认识人类自然语言和文字文档的局限性问题。人们发现如果直接用人类自然语言在计算机中表达信息，其不足体现在如下方面：

① 歧义性（ambiguous）。即容易引起有歧义的表述。

② 模糊性（vague or inherently fuzzy）。或者说非清晰性。

③ 非逻辑推演性。因为语法不是语义，语言很难直接实施逻辑推理。

④ 离散性。或者说不完备性。

⑤ 非定量性。或者说非数值计算性。

⑥ 任意性。例如，文言文、诗句或地域方言的表达方式。

⑦ 不同国家语言不同。包括语法不同，表达方式有差异。

⑧ 同义语的多种解释。

⑨ 易错性（error-prone）。或因人而异性，人们对自然语言掌握的程度不同。

⑩ 不连贯性（inconsistency）。会导致不可推理性。

⑪ 背景依赖性（context dependent）。或者说语境依赖、上下文依赖性。

通过分析人类自然语言文字文档局限性问题，计算机信息科学家逐渐理清了知识本体到底是什么，或者说知识本体模型是如何构成的。采用知识本体工程方法解读人类知识后认识到：知识本体模型由内容信息和结构信息构成，两者缺一不可。如图 4-2 所示，知识本体模型是内容信息与结构信息的交集。

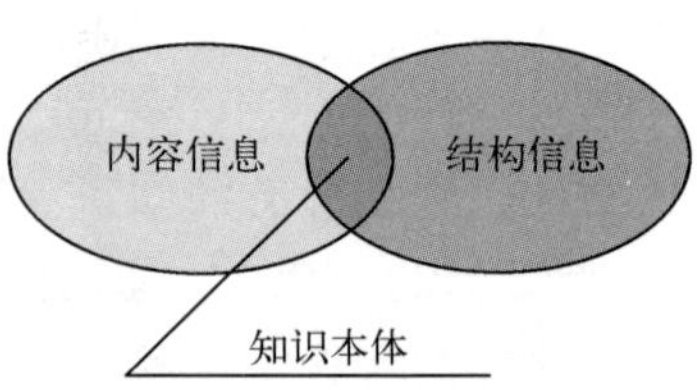

图 4-2 知识本体的构成

知识本体构成要素的简单解释是：

① 内容信息，是一切事物的名称、类型和属性；

② 结构信息，是各事物之间的，包括名称、类型和属性之间的，连接关系和/或影响关系。

安德森（John R. Anderson）教授创立了理性思维的自适应控制系统 ACT-R 理论。该理论认为人类知识由陈述性知识（或称声明性知识）和程序性知识（或称过程性知识）构成。陈述性知识和程序性知识都是通过实践获得的。认知技能的提升依赖于将这些知识转化为专家系统规则定性模型，这些规则模型代表了程序性知识。从知识工程的观点来看，陈述性知识等同于内容信息，程序性知识等同于结构信息（详见第 2 章）。

本章后面将进一步展开知识本体的基本要素、事物和关系的深层定义，及其在过程系统领域的人工智能应用。

4.2.2 知识本体的基本类型

知识各种基本要素的不同组合构成了多种知识本体类型。施图德等人将知识本体划分为以下基本类型[5]：

① 领域知识本体（domain knowledge ontologies）：捕捉某一特定领域（例如数学、物理、化学、电子、医学、机械等领域）有效的知识。

② 通用知识本体（generic knowledge ontologies）：适用于多个领域，通用知识本体也被称为上层（超级）知识本体和核心知识本体。

③ 应用知识本体（application knowledge ontologies）：包含对特定领域知识建模的所有必要知识，通常是领域知识本体以及方法和任务知识本体的组合。

④ 表达性知识本体（representational knowledge ontologies）：表达性知识本体不定义任何特定领域的具体知识。这种知识本体提供有表达性的实体，而不说明所代表的是什么。众所周知的表达性知识本体是人工智能创始人之一马文·明斯基提出的框架本体，它定义了框架、槽和槽约束等概念，允许以面向对象或基于框架的方式表达知识。

施图德认为，上面提到的知识本体几乎都以一种独立解决问题的方式捕获静态知识（static knowledge），而不是动态推理知识。例如医学、发电厂、汽车、机械行业的领域模型。然而，知识工程也关注解决问题的知识，因此其他有用的知识本体类型被称为“方法和任务知识本体（method and task ontologies）”。任务知识本体提供特定于具体任务的术语，方法知识本体提供特定于具体问题求解方法的术语。“方法和任务知识本体”为领域知识提供了一个推理的视角，即与推理引擎直接相关。

施图德在文献［5］中指出：知识本体以其最强烈的形式试图捕捉普遍有效的知识，而不依赖于它的具体使用。这是一开始的观点，是一个与哲学渊源密切相关的观点，是不完全的、不可取的观点。因而，人工智能研究人员很快就放弃了这一观点。因为事实证明，知识的具体使用影响了它的建模和表示。因此，任何基于知识的系统（KBS）至少包括两个基本部分：领域知识本体和解决问题的知识本体。这同尼彻斯团队的认知[3]是完全相同的。

目前知识本体常用计算机语言构成。有的用于表达知识内容，有的用于表达某个领域的知识结构机理，有的还可以按照给定的原理实现知识的分析和推理：这要依据使用目的而定。知识本体语言可以是非形式化的，例如中文、英文等自然语言的概念表达，一般不能实施计算机推理；或者是半形式化的，例如计算机软件常用的 UML 标准；还有形式化的，例如一阶逻辑、描述逻辑及 DAML＋OIL 标准等可以实施计算机逻辑推理。

知识本体语言的深度可以分级（L^x）。例如，IEEE 标准上层知识本体（SUO，standard upper ontology）定义了 1000～2000 个项目，达到了 L^8 级水平；ISO 15926 标准的参考数据类达到 70000 种，级别更高。

4.2.3 知识本体模型设计规则

知识本体信息标准可分为上层（顶层、通用）和领域两类。上层知识本体标准规定多领域通用的知识，相关国际标准通常是上层知识本体。用于某一领域或特定专业的知识本体属于领域知识本体，为仿真与智能教学系统设计的专用知识本体是领域知识本体。无论是上层或是领域的知识本体设计都应当尽可能遵循如下基本规则：

① 使所有的人（不只是设计者）都能共享理解知识的结构。

② 使知识可以再使用。

③ 使包含在信息系统实行中的结构成为显式并且便于理解。

④ 说明知识的详细程度在知识本体中具体化的水平能达到一个适当的级别（通用型、有限通用型、领域应用型、运作型等）。

⑤ 能够在信息开发的不同阶段（分析、概念表达、设计等）使用知识本体的结构。

格鲁伯提出了设计知识本体需要遵循的具体规则[4]：

① 清晰性：采用自然语言客观如实并且充分必要地定义知识本体项目的含义。

② 连贯性：知识本体模型在逻辑上是通顺的，不得推论出自相矛盾的结果。

③ 可扩充性：基于现有的知识本体词汇可以定义新的特殊用途的项目，而无须改变现有的定义。

④ 兼容性：知识本体的概念说明其可以在不同的表达系统和不同的表达风格中实行。

⑤ 基本性：或称为最小知识本体授权（委托），即确定最少只定义哪些项目就能够在本质上实行知识一致性的传达。

依据知识本体工程的最新进展，作者增加了如下三条新的参考规则：

⑥ 图示性：知识本体模型可以与图示模型相互映射，称为知识图谱，以便在应用时更加直观、形象、快捷和方便，可以应用图论和网络拓扑方法处理知识。

⑦ 互操作性：能与其他知识本体互操作，例如能够与高通用的语义网标准语言（基于XML的OWL2）互操作。

⑧ 可推理/可计算性：采用知识本体模型直接可以实施逻辑推理、定性推理或用算法半定量或定量求解。

以上8条规则都能满足的知识本体设计是困难的，具体的应用需求常常也是没有必要的，规则间还有可能是相互冲突的，因此需要具体问题具体分析，将8条规则折中考虑。

4.3 工业自动化系统和集成标准ISO 15926

工业自动化系统和集成标准ISO 15926，是一种经典的上层知识本体，是本书开发智能仿真培训系统专用知识本体的依据，是多国几百位专家合作，历经20多年的艰辛研发的成果。通过该标准大家可以认识到知识工程研发项目的艰巨性。

ISO 15926是关于过程工厂，包括石油和天然气生产设施，生命周期数据集成的标准，是用于计算机信息存储与构造知识库的标准。其中第一部分和第二部分已经列为国家标准（GB/T 18975.1～18975.2）。

标准将过程工厂生命周期信息以通用化与概念化的数据模型表达，是实施信息库和数据仓库共享、传送、交换和自动审查的基础。数据模型的设计采用了与参考数据联合的方式。标准的实例表达了大多数用户常用、过程工厂通用或两者皆有的信息。对一个具体的生命周期活动的支持，是基于使用适当的与数据模型链接的参考数据，并引入时间因素实现的。

ISO 15926 由 13 个部分构成，每一个部分分别颁布。ISO 15926-7 是具体执行方法，使用了 W3C 的语义网技术。

ISO 15926 应用对象：

① 技术管理人员。主持确定 ISO 15926 中的哪一部分适合本行业需要。

② 过程工厂生命周期信息制定人员。

国际标准 ISO 15926 全名为：工业自动化系统和集成——包括石油和天然气生产设施生命周期数据集成，即“Industrial automation systems and integration—integration of life-cycle data for process plants including oil and gas production facilities”。标准包括多个部分组成，有的已经颁布，有的还处于讨论开发中。其中第二、四和七部分是核心部分，都已颁布。

第一部分（ISO 15926-1：2004）：概述和基本原则。详述涉及过程工厂的工程、建设和操作信息的表达方式，对应的国家标准是 GB/T 18975.1—2003。

第二部分（ISO 15926-2：2003）：数据模型。描述标准中用于过程工厂生命周期信息的“实体”。对应的国家标准是 GB/T 18975.2—2008。

第三部分（ISO 15926-3：2007）：几何图形与拓扑学。采用几何图形与拓扑学定义参考数据库中的“对象”（即知识图谱）。它基于 ISO 10303（ISO 10303-1：2024），并且标准形状的字典是从 ISO 10303-42［ISO-10303-42，2003］和 ISO 10303-104（ISO 10303-104：2000）中精选得到。（未见国家标准）

第四部分（ISO 15926-4：2024）：核心参考数据。支持具体的生命周期，取决于适当的使用基于数据模型（ISO 15926-2：2003）的参考数据。ISO 给出了以电子表格形式的参考数据，目前有 20000 个独立的条款，分别对应常用的石油化工、炼油和天然气过程的单元化设备，例如泵、热交换器、储罐、运输工具等。（未见国家标准）

第六部分（ISO 15926-6：2024）：参考数据的开发和验证规则。定义了一种开发和确认参考数据的方法。（未见国家标准）

第七部分（ISO 15926-7：2011）：分布式系统集成实施方法“模板方法”。本部分详述了基于第二部分数据模型的集成、共享、互换和集成过程工厂生命周期信息的执行方法。一个“模板”就像一个数据图表。第七部分描述了模板的目录，并且定义了一个执行和独立的模板方法。该方法用于定义、核实和扩展模板，还包括了目前的初始模板集合，以便使用第二部分中的概念模型。它由识别符定义和一阶逻辑原理构成。核实及扩展由模板扩展软件完成。ISO 15926-7 是具体执行方法，使用了 W3C 的语义网技术。使用 ISO 15926-7 需要对概念数据模型及 ISO 15926-2 有所了解，并且具有一些 OWL2 标准相关的知识。（未见国家标准）

第八部分（ISO 15926-8：2011）：分布式系统集成的实现方法。描述了网络知识本体语言的执行。本部分定义了采用 RDF 和 OWL2 描述第七部分的模板的信息生命周期集成和数据交换的详细说明。（未见国家标准）

为什么需要 ISO 15926？简单的回答是：人们可以更容易、更便宜地交换和再利用复杂工厂和项目的信息。因为，国际标准ISO 15926是用来有效地集成、共享、互换和转交过程工厂整个生命周期的信息标准。

在信息交换中，当维护所有项目的精确含义时，没有人不忧虑信息复制、互换或转交中产生的错误。更何况对合作伙伴有关数据库的内部处理工作和方法全然不知情。例如，当设计部门向业主交付设计图纸和设计文本资料时，特别是大型工业系统的设计，面对如此大量的图纸和资料信息，双方都面临几乎无法一一核实和审查的难题。往往是走过场一笔带过，因此有可能遗留设计质量和安全方面的隐患。

① 当信息正确地传递，最终产品的质量和可靠性增加。

② 当确知信息将正确地传递，行动会更快。因为不必检查信息复制、互换或转交的错误。

在设计、建设和运行大型项目（资本资产）时，传递和访问这些项目（资本资产）的信息的工作量很大。美国国家标准与技术研究院（NIST）在2004年《关于美国大型工业设施不充分的互用性成本分析报告》中指出，某些公司40%的工程时间消耗在寻找及核实信息上。总的来说，研究表明美国的大型工业项目计算机辅助设计（CAD）、工程和软件系统，由于缺少互用性（interoperability），每年消耗的成本在150亿美元以上。

ISO 15926使得在各种应用中交换信息更加容易，体现在两个方面：

第一方面是提供了“数据字典”。当信息交换大量地用手工键入数据或采用点对点定制映射时，需要创建一些类型的数据字典，包括了相关设备的所有对象及相应的属性。机构越大，所需要花费的功夫越大。ISO 15926字典已经被大量的来自世界各地的专家开发出来其中已经定义了大家所需要的高使用概率的化工设施信息。

第二方面是提供了“语义”或称“语境”功能。将语境嵌入信息以便计算机精确地自动处理语义。今天，当人们交换信息时，需要管理信息的处理。因为使用者（常常）错误地假定应用的背景规则和行业隐语的一致性，本书称这些背景规则为“语境”（上下文），没有语境会迷失语义。如果使用了ISO 15926的全部细节，可以从根本上构建信息本身的语义（语境）使得信息交换更容易。当建立了信息模型，就可以获取每一个术语的精确含义并且把它们嵌入其他相关术语中。这使得计算机之间的直接对话更容易，因为参与者恰恰期望知道的隐含意思已经不存在了（或限制在最小范围）。

以上两个方面是相互依存的，可以解决信息的含糊性（或者称为模糊性）。当信息的含糊性被消除后，信息交换操作会非常成功和快捷。信息越含糊，实现有效信息交换的成本就越高。因此人们给出一个简单的公式：

$$含糊性=成本$$

当然，要去除企业、组织机构或同伴之间信息交换的含糊性需要付出很大的努力。在克服了信息的含糊性的基础上，要实现信息的集成、共享、互换和继承，必须解决信息的互用性。互用性（interoperability）是动态且精确地交换或共享装置整个生命周期的有用信息，这种交换或共享是通过软件自动联系的，不需要人工解释。

在计算机领域的互用性是不同类型的计算机、网络、操作系统和应用层面有效的联合工作，无须预先通信，就可以进行有效的信息交换。

实现互用性的优点是：

① 增强企业经济竞争力；

② 压缩市场交易时间；

③ 减少基础建设的薄弱环节；

④ 扩大公司的市场；

⑤ 降低供应链成本；

⑥ 提供软件产品的全球准入度。

通过以上优点可见，为了提高企业在全球的国际化和竞争优势，实现信息的互用性是非常必要的。

4.4 ISO 15926 知识本体扩展

ISO 15926 是关于过程工厂，包括石油和天然气生产设施，生命周期数据集成的标准。主要是基于静态知识本体，用来实现计算机化信息共享和传递。虽然标准考虑了 3D 空间加时间的四维要素，但主要还是为了 3D 设计和跟踪过程工厂的设备与部件在工厂生命周期内的维修、更换或补充的信息管理。该标准目的不是针对过程工厂动态变化信息的故障诊断和监控，因此缺乏完整的动态知识本体的内容。过程仿真培训系统的知识本体恰恰是以动态知识本体为主，因此完全照搬 ISO 15926 标准是行不通的。但毕竟两者都属于过程工厂领域，并且 ISO 15926 是全球第一个工业应用的上层知识本体[6]，有相当多的内容特别是构建知识本体的原理可以借鉴。以下按知识本体内容信息和结构信息构建方法两大类型，对基于仿真的智能教学系统知识本体构建原理进行探讨。

4.4.1 知识本体内容信息分类

ISO 15926-2 是在大量过程工业应用实践的基础上，经过科学与严谨的归纳和总结得到的指导性标准，其关于内容信息的本体化归类在原则上可以全盘采纳。经过大量的过程安全评估和实时在线故障诊断实例验证，知识本体的内容信息应当选用“事件”作为通用类，并且应划分为“具体事件”和“概念事件”。“具体事件”对应 ISO 15926 标准的“可能个体”，“概念事件”对应 ISO 15926 标准的“抽象对象”。为了适应实际应用，当具体事件的可观测性无法实现时，需要将其转换成概念事件处理。

(1) 具体事件 (specific event)

具体事件的特点：

① 具有单一性（唯一性）；

② 具有可观测性，通过检测仪表直接定量测取；

③ 在因果影响关系中具有量化且直接传播特性；

④ 通常属于事件类别中的具体物理化学参数；

⑤ 是导致偏离、误差或危险发生、扩大或传播的主因。

具体事件通常是工艺、物理、化学及生理参数。

(2) 概念事件 (general event)

概念事件的特点：

① 具有复合性；

② 概念事件属性无法唯一可观测；

③ 具有类别的属性，可能是一种分类的类别项；

④ 可以具有关系的属性；

⑤ 具有多维对象的属性，其中可能含有多种具体事件；

⑥ 在因果影响中影响作用无法量化说明，但确实有影响，甚至可能有多种影响。

实际工程系统中概念事件可以分为三种：

① 工业或（工艺）过程类事件；

② 有人员参与的行动类事件；

③ 物理化学或生理现象事件。

2008年，美国化学工程师学会（AIChE）的化工过程安全中心（CCPS）在第三版《危险评估程序指南》[7]中首次提出相同概念。但名称不同，具体事件称为过程参数的具体项，概念事件称为过程参数的通用项。

1992年，美国能源部核安全政策和标准办公室颁布的《根原因分析导则》[8]，对事件和由事件构成的因果事件链进行了定义。

事件：是一次实时发生的事情（例如，管道破裂、阀门故障、动力损失）。注意，事件也可能严重影响能源工程设施的预定任务。用事件定义危险传播的因果事件链，称为因果因素链。

因果因素链（事件序列和因果因素）：是一种因果顺序，在这种顺序中，某个特定的动作创建了一个条件，从而促成或导致了一个事件，同时这也创造了新的条件，又会导致另一个事件。序列中较早的事件或条件称为上游因素。

4.4.2 知识本体结构信息分类

知识本体结构信息的通用类型是“关系”。关系可以分类为“连接关系”和“影响关系”两大子类。

连接关系沿用ISO 15926-2和ISO 10303-11的分类和定义，并且同时适用于具体事件和概念事件。连接关系用于搭建静态知识本体的完整结构。

影响关系用于搭建动态知识本体的完整结构。其内在机理参考了ISO 15926-2关于“事件原因”（cause of event）的定义和解释。即：

① 事件原因具有“影响关系”的属性；

② 影响关系必须涉及一个原因事件，称为“引发事件”；

③ 影响关系还必须涉及一个由原因事件直接导致的后果事件，称为“被引发事件”；

④ 原因事件对后果事件的影响是通过原因事件激发的“活动”所导致的；

⑤“活动”是一种“事件”；

⑥“活动事件”是有向的，从“引发事件”指向“被引发事件”。

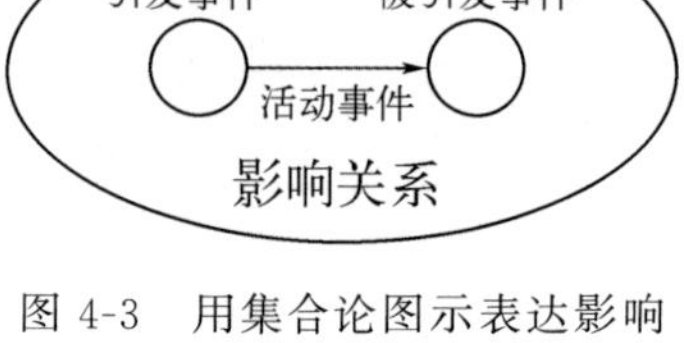

图 4-3　用集合论图示表达影响关系的内在机理

可以用一个集合论图示表达影响关系的内在机理，见图4-3。例如，有一条上游管线连接着一个储罐顶部入口，当管线中液体的流量增加时会导致储罐中液位上升。如果按照标准“事件原因”直译，则影响关系被称为“上游流量增加”，这时用“引发事件”来称呼“影响关系”，显然不确切；用“被引发事件”来称呼“影响关系”，即“储罐液位升高”，也不确切。

当原因事件和后果事件都是具体事件时：准确的称呼应当是具体影响关系为“正作用”。HAZOP 方法中称为“定量增加”。例如，当上游流量增加时导致储罐液位上升。“正作用”的另外一重潜在含义必定是，当上游流量下降时导致储罐液位下降，与 PID（比例-积分-微分）控制器的“正作用”概念完全一致。同理，“反作用”影响关系与以上作用机制都相反，与 PID 控制器的“反作用”概念完全一致。HAZOP 方法中称为“定量减少”。

当原因事件和后果事件中任何一个为概念事件或都为概念事件时，则认定属于概念影响关系。常用默认推理的“导致”描述。“导致”有多种可能的含义，例如：allowing 许可、允许，result in 导致、产生，lead to 导致、通向，cause 引发、使产生，bring about 带来，issue in 导致，generate 产生、发生，reflect on 导致、招致，instigate 主使、教唆，等等。

图 4-4 是关系的分类定义的汇总图。如图所示，影响关系主要有三个子类型，即具体关系、逻辑关系和概念关系。

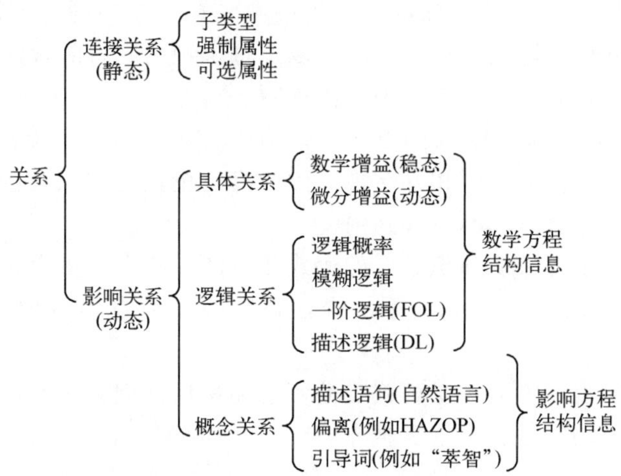

图 4-4　关系的分类定义汇总图

事物间复杂的关系构成一个巨大的网络图，是结构信息的图形化表达。2012 年，谷歌研发团队将其称为知识图谱。实际上就是知识本体的图形化映射，重点突出了结构信息的网络图形化特征。图形化特征沟通了图论、网络拓扑、神经网络、数据挖掘和深度学习等技术与知识本体的融合。

(1) 具体关系（即具体影响关系）

具体关系是定量的数值影响关系，也是具体原因事件对具体后果事件的以实数表达的量化影响关系，常称为“增益关系”。当增益＞0.0 时，是“正作用”影响关系；当增益＜0.0 时，是“反作用”影响关系；当增益＝0.0 时，定义为当前没有影响关系存在。

例 1： 自变量（具体原因事件）、因变量（具体后果事件）、描述逻辑的“与门”“或门”关系和稳态增益关系共同构成代数方程组。映射为图形化表示时，自动控制领域称为信号流图（SFD），人工智能领域称为神经网络。

例 2： 自变量（具体原因事件）、因变量（具体后果事件）、描述逻辑的“与门”“或门”关系和动态微分增益关系共同构成微分方程组。

例 3： 当无法确切测量所有增益值，只考虑变量偏离的阈值时，可以构建符号有向图

(SDG)。SDG 是一种定性模型，既可以表达稳态定性模型也可以表达动态定性模型。

例 4：当无法确切测量所有增益值，只考虑“与门”和“或门”影响的概率值时，可以构建故障树（FT）或事件树（ET）。

例 5：当变量之间的影响关系通过拉普拉斯变换成“$1/s$”（积分算子）后，则微分方程变换成代数方程，其图形化表达即信号流图。

（2）概念关系（即概念影响关系）

概念关系是无法定量描述的影响关系。可以用自然语言描述，例如“导致”、“伴随”、“部分”或“相反”等。

例 1：通过概念关系可以构建因果事件链。链中所有相邻的两个事件都是一个原因与后果事件“对偶”，即一个因果事件对，影响的方向从原因事件指向后果事件。因果事件链的各事件间逻辑关系都为“与门”，事件间的排列按照一定次序。例如，专家系统的“if-then”规则与 HAZOP 的显式危险剧情有相同特征。

例 2：通过概念关系可以构建因果有向图（CDG）模型（美国 G2 实时专家系统采用此类模型）。CDG 在图形上与 SDG 一样都出现了网状结构，这种网状结构具有隐含大规模因果事件链的能力，因此称为隐式结构。同时可以通过推理引擎将隐含的链状结构完备地搜索出来。可能正因为如此，其又有了知识图谱的称呼。

例 3：本书提出专家系统 AI3 的知识本体结构将 SDG 与 CDG 融合为 SOM 模型，允许具体事件与概念事件在条件允许时相互转换，因此具有更强的知识表达能力。

（3）描述逻辑（DL，description logics）

描述逻辑是一种基于对象的知识表示的形式化方法，建立在概念和关系之上，概念是对象的集合，关系是对象之间的二元关系。描述逻辑是一阶逻辑（FOL）的一个可判定的子集。

特点：具有很强的表达能力；是可判定的，总能保证推理算法终止。

表示逻辑算子的常用符号：¬（逻辑非门）、∧（逻辑与门）、∨（逻辑或门）、→（逻辑蕴含）。

在知识本体结构信息中主要使用逻辑与门和逻辑或门，逻辑非门在推理过程中涉及，逻辑蕴含在概念关系的默认推理中使用。

4.4.3 影响方程

除了将概念事件引入 SOM 知识本体模型的表达之外，还必须对事件间影响关系的表达方式进行开发，便于使用。本书作者提出了建立基于多重条件的影响方程的方法[9]，该方法将定性代数的建模方法扩展到事件代数和符号逻辑的范畴，扩展了 SDG 模型节点状态只有 3 个（+、0、-）的限制。配合专用的定性推理引擎和建模软件平台，实现了允许任意定义的多引导词自动危险识别和分析。在影响方程中引入了 3 类条件，以便表达危险剧情分析的所有逻辑推断，并且采用简单的符号表达事件及逻辑推断。三类条件分别是约束条件、危险传播条件和逻辑推断条件。

通过使用事件代数和符号逻辑的扩展概念，得到了基于多重条件的影响方程，解决了因果分析中多引导词定性/定量混合建模问题。

影响方程是 SOM 的一种结构化数学逻辑符号的表达，它的重点是用来表达知识本体的结构信息。因此，影响方程的表达方式有其特殊的限定（restriction）规则。影响方程之所以称为“结构化”，主要在于突出表达结构信息。内容信息本身的结构是静态连接结构，一般用二维表格就可以得到充分表达（例如主题、项目、属性、特性和类之间关系的显示等）。因此，内容信息的静态关系可以采用自然语言文档、表格、OWL2 或 ISO 15926-2 处理。而唯独多维影响关系信息需要专门的知识本体表达，以便简明且完备地记录、保存、传递、审查、修改和共享（再使用）结构信息。作者提出的影响方程见式（4-1）。

$$C_j \leftarrow S(\pm d_g \cdot E_i^{P_l}, \pm R_k)$$
$$(i=1,2,\cdots,n)$$
$$(j=1,2,\cdots,m)$$
$$(k=1,2,\cdots,x)$$
$$(l=1,2,\cdots,y)$$
$$(g=1,2,\cdots,z) \tag{4-1}$$

影响方程式（4-1）中箭头符号“←”表示从原因事件指向后果事件，即影响关系的方向。为了适合危险分析和评估，影响方程中外加了引导词和保护层变元。实际应用时可以按需要增减相关变元。式（4-1）所有变元说明如下：

C_j——后果事件；

S——事件序列构造符（constructor of event sequence）；

d_g——引导词（显式表达为单一引导词，隐式表达为引导词向量）；

E_i——关键事件（pivotal event）；

P_l——保护层；

R_k——原因事件。

列写影响方程的主要限定规则如下：

① C_j 是因变量对应后果事件，必须位于影响方程的左边；

② E_i 和 R_k 是自变量对应原因事件，必须位于影响方程的右边；

③ 事件序列构造符 S 限定所有关键事件（pivotal event）E_i，必须按照单串型危险剧情的顺序从右向左依次排列，即关键事件在影响方程中不遵循交换律；

④ 原因事件 R_k 紧跟在它直接影响的关键事件之后，R_k 的嵌入不影响关键事件（pivotal event）序列的排序，即 R_k 不参与事件序列排序；

⑤ 关键事件（pivotal event）前为“－”号表示两相邻事件间的影响关系方向相反；

⑥ 原因事件前为“－”号表示该原因是使能原因或条件原因。

影响方程表达危险剧情结构信息的例了如下。在以下的结构图（图 4-5 至图 4-8）中，标有“R”的方框表示原因事件；标有“C”的方框表示后果事件；圆球是关键事件 E_i；有向实线箭头表示因果影响关系和影响方向；有向虚线箭头表示具体事件构成的反向影响关系，或者使能原因或条件原因至关键事件的因果影响关系。以下的例子有意取消安全评估中的引导词（偏离事件）和保护层，以便了解常用影响方程的结构信息表达原理。

例 1：三要素型剧情。是危险剧情的最简单结构形式，剧情由一个原因事件、一个中间关键事件和一个后果事件串联构成。剧情结构图见图 4-5。描述三要素剧情结构信息的影响方程见式（4-2）。

$$C_1 \leftarrow E_1 + R_1 \tag{4-2}$$

例 2：单串型剧情。结构图见图 4-6，影响方程见式（4-3）。

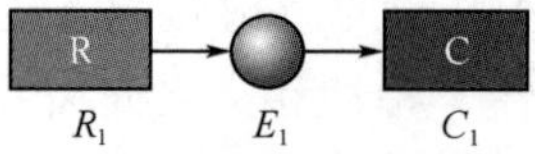

图 4-5　三要素型剧情结构图

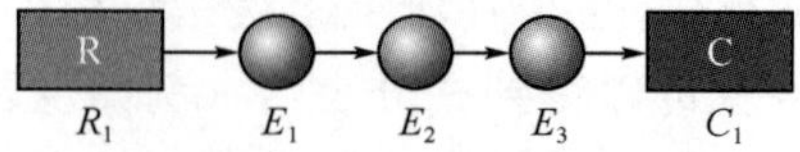

图 4-6　单串型剧情结构图

$$C_1 \leftarrow E_3 + E_2 + E_1 + R_1 \tag{4-3}$$

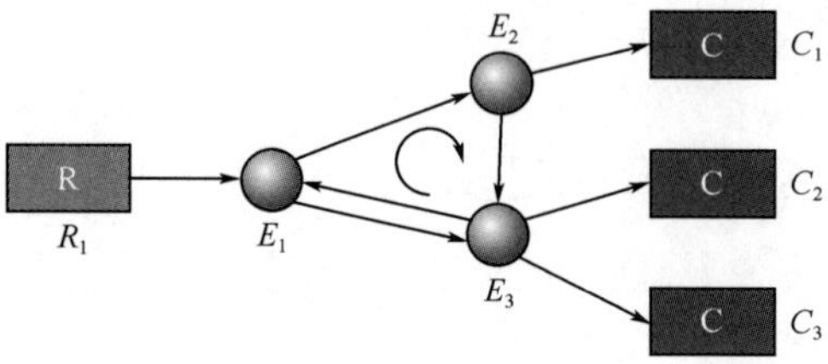

图 4-7　正树型剧情结构图

例 3：正树型剧情。即事件树结构（或决策树，行为树等），结构图见图 4-7。关键事件 E_1 和 E_3 之间有反向影响，通常是反馈信号，会导致形成回路，可以通过对影响方程（4-4a）直接自动推理得到。由于 R_1 不参与事件序列排序，影响方程（4-4a）可以简化成方程（4-4b），仍能保持图 4-7 中的所有结构信息。

$$\begin{cases} C_1 \leftarrow E_2 + E_1 + R_1 \\ C_2 \leftarrow E_3 + E_2 + E_1 + R_1 \\ C_2 \leftarrow E_3 \pm E_1 + R_1 \\ C_3 \leftarrow E_3 + E_2 + E_1 + R_1 \\ C_3 \leftarrow E_3 \pm E_1 + R_1 \end{cases} \tag{4-4a}$$

$$\begin{cases} C_1 \leftarrow E_2 + E_1 + R_1 \\ C_2 \leftarrow E_3 + E_2 + E_1 \\ C_2 \leftarrow E_3 \pm E_1 \\ C_3 \leftarrow E_3 + E_2 + E_1 \\ C_3 \leftarrow E_3 + E_1 \end{cases} \tag{4-4b}$$

例 4：领结型剧情。结构图见图 4-8，影响方程见式（4-5）。该影响方程隐含表达了 9 个单串剧情，都可以从该影响方程中直接自动双向推理得到，可见影响方程能够压缩存储信息。

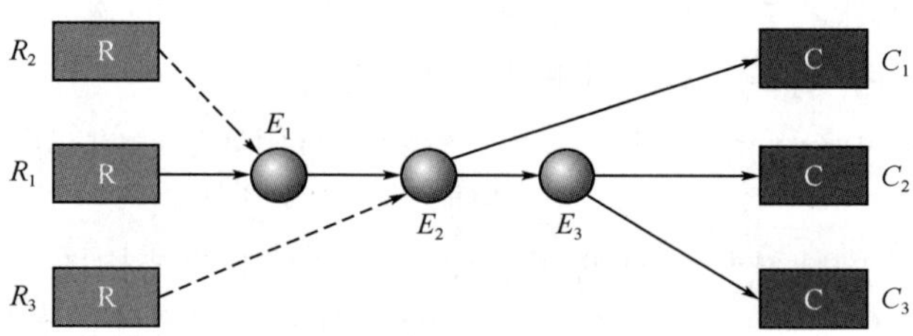

图 4-8　领结型剧情结构图

$$\begin{cases} C_1 \leftarrow E_2 - R_3 + E_1 - R_2 + R_1 \\ C_2 \leftarrow E_3 + E_2 + E_1 \\ C_3 \leftarrow E_3 + E_2 + E_1 \end{cases} \tag{4-5}$$

影响方程方法的优点是：

① 可以充分且必要地表达所有知识本体的有向结构信息。

② 可以直接实现计算机化自动正向、反向和双向推理。

③ 可以直接向半定量、定量、微分方程组转换，可以方便地实现多层建模（multi-scale

modelling）联立计算，有利于建立非形式化、半形式化和形式化模型之间的有机联系。

④ 影响方程忠实地执行了“最小知识本体授权（minimal ontological commitment）”规则，简单、明确切中要害。经过大量实际应用表明，与现有的知识本体标准比较（例如描述逻辑 DL），最小知识本体授权规则具有简单、明了、易于理解、易于掌握、易于使用、易于推广等优点。

⑤ 影响方程是一种有效压缩存储知识本体结构信息的方法。

4.5 过程系统领域知识本体总貌

通过以上对知识本体的探讨和解读，已经可以建立起过程系统领域知识本体的总体概念，见图 4-9。

本书探讨的过程系统领域知识本体的核心内容是因果事件链，所建的知识模型就是因果事件网络，又称知识图谱。网络和链中的要素是“事件”和“有向关系”。事件分为具体事件和概念事件，关系分为连接关系（或称属性关系）和影响关系。

图 4-9 中双向的箭头表示所涉及的要素可以相互转换，这种相互转换的实质是“定性”与“定量”的转换。钱学森大师的系统论关于定性与定量方法的精辟论述中指出，从建模一开始就应老老实实承认理论的不足，求援于经验判断，让定性的方法与定量的方法结合起来，最后定量。同时指出，现在能用的、唯一能有效的处理开放的复杂巨系统（包括社会系统）的方法，就是从定性到定量的综合集成方法。这个方法是在复杂巨系统研究实践的基础上，提炼、概括和抽象出来的。图 4-9 中的双向箭头，从知识本体的内容和结构角度对定性与定量的关系给出了形象化解释。

在数学范畴的定量化代数方程、微分方程、非线性方程、偏微分方程等，具有可数值化计算和可推理特性，都是所谓形式化知识本体。中间存在着一个过渡的灰色地带，例如半定量表达、概率表达、隶属函数模糊表达、不确定性的确定度指数表达等，可姑且称为半形式化知识本体。基于经验、纯定性的概念事件所构成的知识本体，即所谓非形式化知识本体。

常用的因果事件链、因果因素链、剧情（危险剧情）、事件序列、危险序列或专家系统的“if-then”规则等，都是知识图谱领域化之后的形式。其主要特征是链中任何相邻事件间的逻辑关系都是“与门（and）”，并且是知识本体的显式表达。知识本体的显式表达构成智能教学系统中完整的问题分析、解释或答案。

在因果事件链中引入“或门（or）”逻辑关系后，使得链状结构出现分支，变为网络状结构，通常称为“与或图”。这种网络结构可以隐含大量的链状结构，因此是知识本体的隐式表达，必须通过推理引擎将网络结构中的所有相关且独立的链状结构“挖掘”出来，又称为针对结构信息的深度学习。

图 4-9 中还表达了一层含义，即关系也是事件。因此知识本体的结构中存在两种类型的网络，或称两层网络。一层是由逻辑关系和连接关系构成的静态网络，可以详细解读事件本身的类型、属性和特征。另一层是由逻辑关系和影响关系构成的动态网络，可以详细解读过程系统中各种事件的时空变化。两重网络结构的有机联合表达了知识本体的完整结构，即 ITS 的充分必要的知识模型。

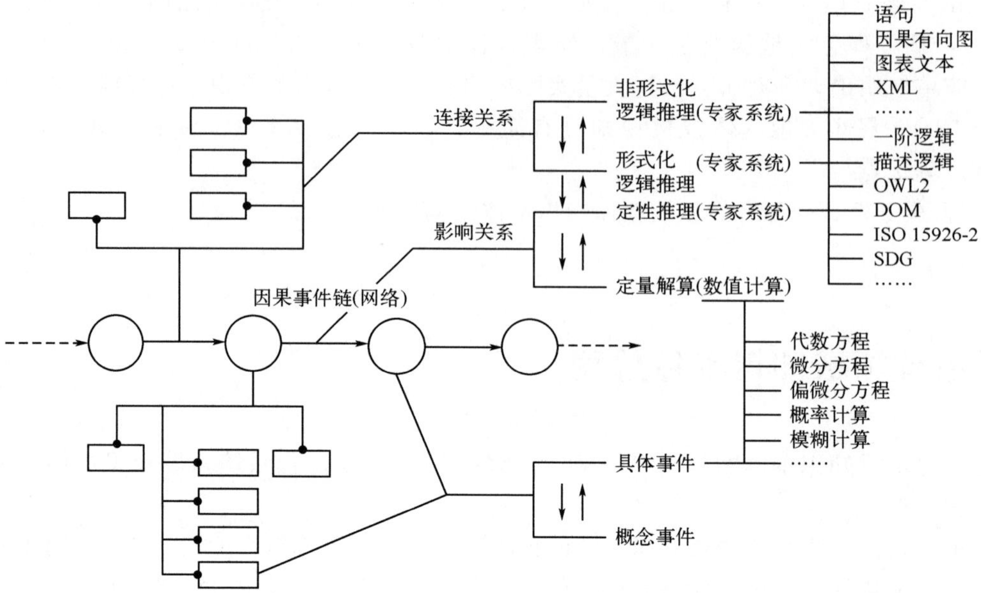

图 4-9 过程系统领域知识本体总貌图

事物间复杂的连接关系“和/或”影响关系构成一个巨大的双层网络图，是知识本体结构信息的图形化表达。

参考文献

[1] Lindsay R K, Buchanan B G, Feigenbaum E A, et al. DENDRAL: A case study of the first expert system for scientific hypothesis formation [J]. Artificial Intelligence, 1993, 61 (2): 209-261.

[2] 冯志伟. 关于术语 ontology 的中文译名— “本体论” 与 “知识本体” [C]//厦门大学. 第六届汉语词汇语义学研讨会论文集. 教育部语言文字应用研究所, 2005: 67-69.

[3] Neches R, Fikes R, Finin T W, et al. Enabling technology for knowledge sharing [J]. Ai Magazing, 1991, 12 (3): 36-56.

[4] Gruber T R. Toward principles for the design of ontologies used for knowledge sharing? [J]. International Journal of Human-Computer Studies, 1995, 43 (5/6): 907-928.

[5] Studer R, Benjamins V R, Fensel D. Knowledge engineering: Principles and methods [J]. Data & Knowledge Engineering, 1998, 25 (1/2): 161-197.

[6] Batres R, West M, Leal D, et al. An upper ontology based on ISO 15926 [J]. Computer Aided Chemical Engineering, 2005, 20: 1543-1548.

[7] Grossel SS. Guidelines for hazard evaluation procedures, third edition [J]. Chemical Engineering Progress, 2008, 104 (5): 51.

[8] Guideline D. Root cause analysis guidance document [J]. 1992.

[9] 吴重光. 系统建模与仿真 [M]. 北京: 清华大学出版社, 2008.

第5章 定性与经验建模

5.1 定性仿真基础

5.1.1 定性仿真概述

定性仿真（QSIM，qualitative simulation），顾名思义是与定量仿真相比较而言的概念。定量仿真方法都是关于建立当系统的结构、参数和状态准确已知条件下的数学模型（称为定量数学模型），以及求取定量数学模型确切量值解的应用问题及方法。定性仿真方法是关于建立当系统的结构、参数和状态不完全已知条件下的数学模型（称为定性数学模型），以及求取定性数学模型的近似解、行为预测或趋势展望的应用问题及方法。科学家、工程师在所面对的客观世界，特别是复杂系统问题中，能够获取的信息往往是不完全的。因此，定性仿真具有广泛的实用意义。

定性仿真在国际上已有近50年的历史。定性仿真的理论与方法研究起源于人工智能领域。近年来已经成为一种工业AI新的主流研究与应用方向。20世纪70年代，两位本领域的创始者乔安·德克尔（Johan De Kleer）[1-4]和肯尼斯·D.福布斯（Kenneth D. Forbus）[5-7]在美国麻省理工学院人工智能实验室从事的科研项目中提出了定性物理和定性推理理论，以及初级求解方法。

福布斯在大学课程中解释定性物理概念时认为：定性物理是将物理世界的直觉知识理论化。定性物理的主要任务是开发推理方法，在感兴趣的任务中应用每一种直觉知识。定性物理致力于采用人类的常识推理方法开发计算机化模型。

早期，德克尔研究的定性推理是在物理学的经典力学和电工学领域。他发现比较聪明的学生在分析电路时，先看电路是否可以简化，若能找出捷径往往不用计算就可以得出结论。而比较迟钝的学生则采用基尔霍夫定律对电路进行逐点计算后才能得到结论。德克尔采用了一种定性论证的方法，目的在于通过简单的提问，得到直接的回答。为此，还开发了一个程序，称为“牛顿（newton）”。将该程序用于分析一个简单的经典力学问题，取得了成功。“牛顿”在用定性知识分析力学问题时，将多种预测的可能性表达为一组有多个分叉的行为树（又称“可能性树”，possibility tree）。其中的某一事件链，称为“剧情（scenario）”。然后用可能性树回答“发生了什么”。“牛顿”程序求解问题的方法是先定性，当定性分析无法得出结论时，再用定量数学计算的方法。这种方法可以看作是ITS模型跟踪方法的原型。

德克尔的简单经典力学问题如图 5-1 所示。图中将凹面上的特征点用符号进行标记。C_1 为凹面左端端点，高度为 h_1。C_2 为凹面的最低点。从 C_1 到 C_2 的路径为 S_1。C_4 是凹面右端端点。C_3 为 C_2 到 C_4 路径上的一个中间点，高度为 h_2。C_3 到 C_4 的直线距离为 L。

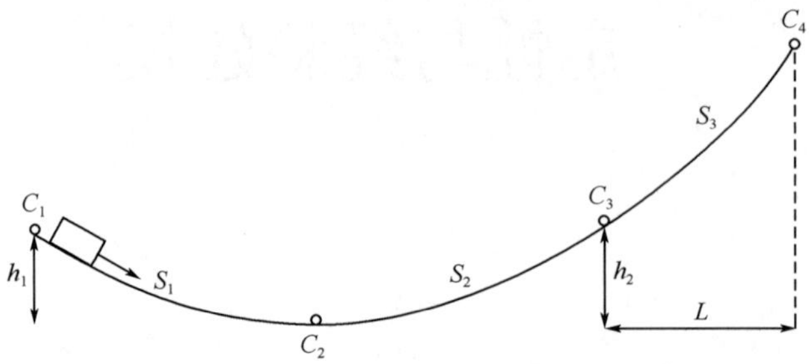

图 5-1　滑块在凹面上的无摩擦运动

采用特征点符号，通过定性推理得出的行为树见图 5-2。利用行为树可以定性地直接回答滑块运动的多种可能结果。

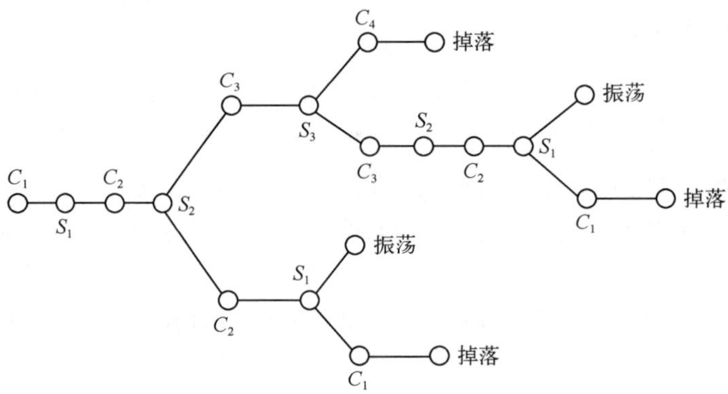

图 5-2　滑块运动的行为树

福布斯对定性推理进行了深入研究。他认为定性推理包含两方面的内容，其一是建立具有连续特性世界的空间、时间和量值方面的定性表达（即定性模型），其二是将以上表达用于在信息量不完全条件下的推理（定性推理）。

定性推理包含四方面的内容：

① 调查过程。观察各种情况，确定“什么现象可能相关”。

② 分析过程的活动性。确定“什么正在发生”。

③ 影响分析。确定“什么正在改变”。

④ 限度分析。确定“什么可能接着发生”。

为了使定性推理得到比较明确的结论，福布斯将定量化的增量算符引入推理过程。即在推理过程中，每向前搜索一步，都有四种可能。福布斯定义四种可能分别是：U，单调增加；D，单调减少；C，维持恒定；?，不能确定是否为 U、D 或 C。

增量算符引入推理可以说是一种粗略的半定量推理方法，使得原来定性推理中存在的盲目性得到改观。可能性树和增量算符是定性仿真方法的两大要素。后来经本杰明・奎珀斯（Benjamin Kuipers）[8,9] 的研究，发展成为广为应用的定性仿真算法。可能性树可以看作是一种事件树，在定性仿真算法中标准化为可以看作“行为树（behaviour tree）”。增量算符的概念在定性仿真算法中用于定义状态变化的趋势，“＋”表示增加，“－”表示减少，“0”

表示不变或变化不大。

多年来德克尔、福布斯和奎珀斯一直活跃在人工智能定性仿真领域。发表了多部专著和大量学术论文，在故障诊断、系统监控、自动设计、智能控制、智能学习、图形识别等应用领域取得多项成果。

在定性仿真的基础上发展起来的半定量仿真已经形成了多个分支。奎珀斯等人提出了半定量仿真的 Q2、Q3 和 Nsim 算法，基于福布斯定性过程理论的自解释仿真方法，模糊定性仿真方法，等等。

在对定性仿真的起源和进展进行简要探讨之后，可以得到有意义的结论：定性仿真是采用定性推理方法，建立和求解由非完备知识所构成的定性代数方程或定性微分方程模型，得到被仿真对象的定性行为预测的过程。

定性仿真（QSIM）、定性推理（QR）、定性物理（QP）、定性过程推理（QPR）和基于深层知识的人工智能技术，在其共性内容上可以看成属于同一领域。

5.1.2　定性线性代数方程及求解

（1）定性线性代数方程的表达

定性线性代数方程与定量线性代数方程相同之处是：方程所描述的是静态问题，变量之间的关系是单调线性关系。不同之处是：定性线性代数方程变量的取值通常是一个离散的“三值”集合。设定性变量为 x，其定性值定义为

$$x=\begin{cases}+, & x>0\\ 0, & x=0\\ -, & x<0\end{cases} \tag{5-1}$$

定性线性代数方程的表达式通常与定量线性代数方程相同，仅在求解规则上有区别。为了明确区分定量和定性方程，福布斯采取了用定性算符的方式。例如，运动学第一定律，合力 F 等于质量 M 乘加速度 a，见式（5-2）。引入定性增加 ∞_{Q+} 和定性减少 ∞_{Q-} 算符后，运动学第一定律可以表达成定性算式式（5-3）和式（5-4）。福布斯的表达方式虽然在概念上明确了定性方程左端变量和右端变量不是数值相等的关系，但是表达方式比较特殊，不便于使用和理解。

$$F=Ma \tag{5-2}$$

$$a\ \infty_{Q+}\ F \tag{5-3}$$

$$a\ \infty_{Q-}\ M \tag{5-4}$$

本书作者提出了影响方程的表达方式，定义如下。

定义 1：将定性代数方程的右端变量和左端变量用向左的箭头“←”连接，表示右端的自变量（原因方）对左端因变量（后果方）有定性影响。

定义 2：如果自变量对因变量的影响是增量方式，即该自变量定性值为“＋”会导致左端因变量定性值为“＋”，或该自变量定性值为“－”会导致左端因变量定性值为“－”。这种情况下应在该自变量前面赋以“＋”，称其为正作用关系。

定义 3：如果自变量对因变量的影响是减量方式，即该自变量定性值为“＋”会导致左端因变量定性值为“－”，或该自变量定性值为“－”会导致左端因变量定性值为“＋”。这种情况下应在该自变量前面赋以“－”，称其为反作用关系。

定义 4：令定性自变量集合为 x_i（$i=1,2,\cdots,n$），因变量为 y，则定性代数式表达为式（5-5）。

$$y \leftarrow \sum \pm x_i \quad (i=1,2,\cdots,n) \tag{5-5}$$

定义 5：当且仅当表达变量自身的取值时，才用“=”号。例如，A 的取值为“+”，表达为 $A=+$。

采用影响方程后，运动学第一定律可表达为

$$a \leftarrow F-M \tag{5-6}$$

影响方程既能简单明确地表达左右端变量是定性关系，又能用相同的定量代数方程算式同时表达变量间的定性关系，而且与定量方程一样便于书写、便于理解。

再看一个比较复杂的例子。已知六个变量 A、B、C、D、E 和 F 相互关系的定量代数方程组为式（5-7），仅需将“=”号改为“←”符号，即直接转化为定性代数方程组式（5-8）。显然，如果用福布斯的表达方式将十分麻烦。

$$\begin{cases} A=D \\ B=E+F \\ C=A-B \end{cases} \tag{5-7}$$

$$\begin{cases} A \leftarrow D \\ B \leftarrow E+F \\ C \leftarrow A-B \end{cases} \tag{5-8}$$

（2）定性线性代数方程的运算规则

定量线性代数方程变量之间的关系是单调线性关系，也就是说变量之间的运算只有加（+）或减（−）两种。必须指出，定性变量之间的关系是单调线性关系不是确切的量值关系，因此变量之间的运算关系虽然标记为“+”或“−”，但其含义有所不同。定性加法的运算规则如下。

$$c \leftarrow a+b$$

b \ a	+	0	−
+	+	+	?
0	+	0	−
−	?	−	−

按照定性加法的规则，当两个都取正值（或负值）的变量相加，结果仍为正值（或负值）。但是两个变量中一个取正值，另一个取负值，则结果会出现二义性。如果取正值的变量的绝对值较大，则结果为正，反之为负。当出现二义性情况时，规则中标以“?”。

定性减法的运算规则如下，同样也有二义性的情况出现。

$$c \leftarrow a-b$$

b \ a	+	0	−
+	?	−	−
0	+	0	−
−	+	+	?

例 1：见式（5-8）定性方程组，已知一组初值为

$$\begin{cases} D=0 \\ E=+ \\ F=0 \end{cases} \tag{5-9}$$

预测 A、B 和 C 的值。步骤如下：

① 因为 $A \leftarrow D$，且 $D=0$ 所以直接得到 $A=0$；

② 已知 $E=+$，$F=0$，执行定性加法运算 $B \leftarrow E+F$，得到 $B=+$；

③ 已经求得 $A=0$，$B=+$，执行定性减法运算 $C \leftarrow A-B$，得到 $C=-$。

例 2：见式（5-8）定性方程组，已知一组初值为

$$\begin{cases} D=0 \\ E=+ \\ F=- \end{cases} \tag{5-10}$$

预测 A、B 和 C 的值。步骤如下：

① 因为 $A \leftarrow D$，且 $D=0$ 所以直接得到 $A=0$；

② 已知 $E=+$，$F=-$，执行定性加法运算 $B \leftarrow E+F$，得到 $B=?$，这是一个二义性结果；

③ 对于上一步二义性结果，如果有可能对 E 和 F 的绝对值进行比较，则有如下三种可能结果：

a. 如果 $|E|=|F|$，执行定性加法运算 $B \leftarrow E+F$，得到 $B=0$，再执行定性减法运算 $C \leftarrow A-B$，得到 $C=0$；

b. 如果 $|E|>|F|$，执行定性加法运算 $B \leftarrow E+F$，得到 $B=+$，再执行定性减法运算 $C \leftarrow A-B$，得到 $C=-$；

c. 如果 $|E|<|F|$，执行定性加法运算 $B \leftarrow E+F$，得到 $B=-$，再执行定性减法运算 $C \leftarrow A-B$，得到 $C=+$。

本例说明，引入半定量信息是解决定性方程求解二义性的重要途径。

例 3：多于两个自变量的定性代数方程组的例子，见式（5-11）。

$$\begin{cases} A \leftarrow D+C-E+F \\ B \leftarrow E+F-A \\ C \leftarrow A-B+D+E-F \end{cases} \tag{5-11}$$

此种定性代数方程组已经变得难于求解，因为在定量信息不足的前提下，出现二义性的可能人为增加，其解的含糊性也变得更加严重。因此，靠人工求解复杂的定性代数方程已经变得非常困难和没有多少实用意义。

实践证明，定性代数方程的应用并不在于已知某些变量的定性值去求解某些未知变量的定性值，而是在于如何利用系统中各变量间的定性关系，去揭示事物演化的可能规律。

(3) 采用定性线性代数方程预测动态过程稳态定性趋势

虽然定性代数方程是描述静态问题的方法，但是，只要将定性变量的取值和运算规则重新定义，定性代数方程就可以用来预测过程动态变化的稳态定性趋势。这一点在德克尔、福布斯的理论和方法中已经得到体现。

采用定性线性代数方程预测动态过程的稳态定性变化趋势，需要将定性变量的取值和运算规则重新定义，定义后的规则如下。

规则一： 定性变量 x 的取值限定为如下三种。

① $x=+$ 表示变量的变化趋势为增加；

② $x=0$ 表示变量的变化趋势为恒定；

③ $x=-$ 表示变量的变化趋势为减少。

规则二： 定性变量之间的影响关系限定为两种。第一种是自变量的变化导致因变量的变化具有相同的趋势，称为正影响，用符号“+”表示；第二种是自变量的变化导致因变量的变化具有相反的趋势，称为负影响，用符号“−”表示。

规则三： 变量的增加或减少所导致的扰动在系统中的可能传播路径称为相容通路（或一致性通路），变量取值为“0”不能导致扰动通过该变量传播。在可能的相容通路中，所有相邻的自变量和因变量的取值必须满足规则二的关系。

规则四： 互相关联的相容通路是重构预测或展望“行为树”的基本元素。

规则五： 寻找可能的相容通路的过程，是基于相容规则采用深度优先搜索或广度优先搜索方法在所有变量中依据相互影响关系进行推理搜索的过程。

采用定性线性代数方程预测动态过程的定性变化趋势，定性方程的表达形式与影响方程的定义完全一致，不需要任何改动，不同之处是物理含义不同。此处，变量相互影响已不是变量自身，而是变量的微分，即变化率的概念。

此种问题的求解采用图论方法不但直观形象，而且便于实现计算机化求解大规模复杂系统模型。

例 1： 为了便于对照定性代数方程求解和动态趋势分析的不同点与相同之处，仍选择式（5-8）为例，即式（5-12）。式中所有相互关系是变化趋势导致的因果影响。

$$\begin{cases}A \leftarrow D \\ B \leftarrow E+F \\ C \leftarrow A-B\end{cases} \tag{5-12}$$

式（5-12）可以按照一定规则转化为符号有向图（SDG）。符号有向图由节点和连接节点间的有向支路组成。节点的状态遵循规则一，即“+”、“0”或“−”三种常用变化趋势。按照规则二，变量节点间为正影响时，从自变量到因变量连以实线箭头；变量节点间为负影响时，从自变量到因变量连以虚线箭头。式（5-12）对应的符号有向图见图 5-3。

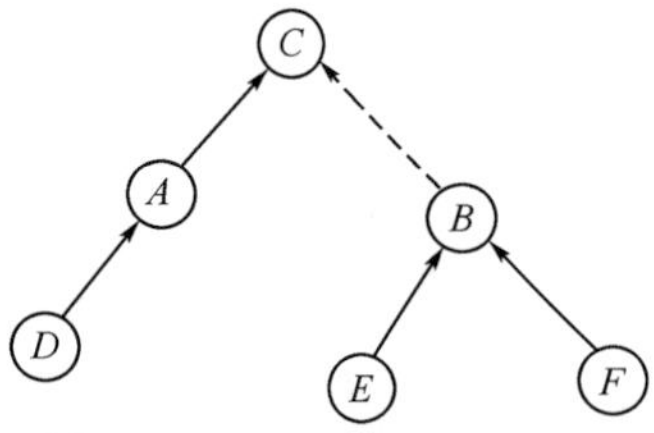

图 5-3　定性影响方程转化为符号有向图

观察图 5-3 发现有 3 个节点，即 D、E 和 F 只有影响其他节点的输出箭头，而没有影响它们自身的输入箭头，此种节点称为原因节点。其中节点 C 也比较特殊，只有输入的箭头，没有输出的箭头，此种节点称为后果节点。可以以 3 个原因节点分别作为起点，依次令其状态为趋势增加或减少，按照规则三可以搜索到 6 条可能的相容通路。相容通路又称一致性通路，在安全评价和故障诊断中称为危险传播路径，也称为危险剧情，实质上是因果链。在因果链中，任何相邻的两个节点，前面一个是原因，后面一个是后果。可能的相容通路见图 5-4。

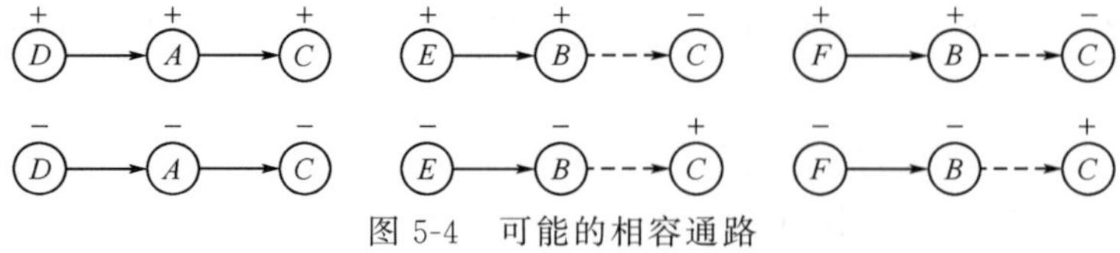

图 5-4　可能的相容通路

6 条相容通路表达了干扰分别从 3 个原因节点 D、E、F 传播到唯一的后果节点 C 的全部可能通路，又称为传播路径或“剧情”。

例 2： 如果例 1 中 3 个原因节点同时出现偏离（或称为干扰），将会对后果节点 C 产生何种影响？运用图论搜索的方法可以求解。令一组初值为 $D=0$，$E=+$，$F=0$，按照相容通路规则得到的结果见图 5-5。

从图 5-5 可以直观看出，这是一个特例，实际上只是一条相容通路作用的结果。因为，除了节点 E 有趋势增加的偏离，节点 D 和 F 都没有偏离变化。

再令一组初值都有偏离发生，为 $D=-$，$E=+$，$F=+$，按照相容通路规则得到的结果见图 5-6。考察图 5-6，可以看出这还是一种特例。因为 3 个初值导致的 3 条相容通路都是使节点 C 的变化趋势减少。

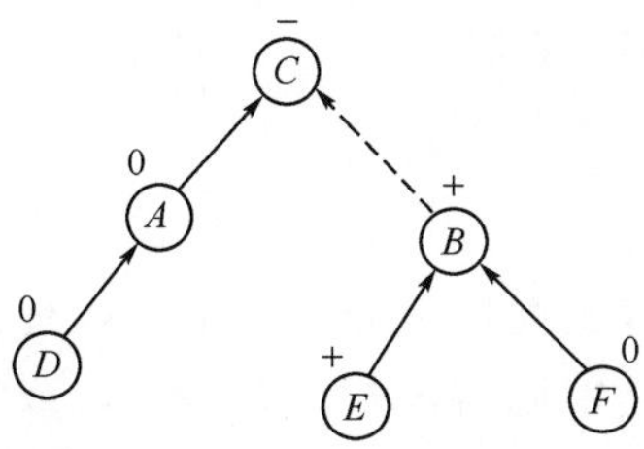

图 5-5　多原因搜索结果图 1

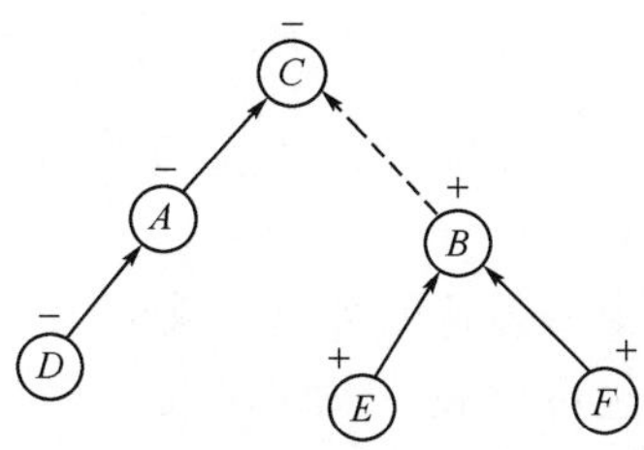

图 5-6　多原因搜索结果图 2

对于本问题，只要将初值中的 E 或 F 改为“－”，或将 D 改为“＋”则 3 条相容通路对节点 C 的影响，包括 E 和 F 对 B 的影响，会出现相反的情况，即一路的作用使节点值为“＋”，而另一路的作用使节点值为“－”，出现了二义性问题。如果不借助于半定量方法确定两个作用中哪一个更强一些，或者是否可以相抵消，则无法得到明确的结论。虽然在出现二义性问题时无法确定节点 C 的状态值，但运用符号有向图技术已经得到了更为重要、更为实用化的结论。即图 5-4 可能的相容通路结果，无论 D、E 和 F 如何取值，对 C 的影响只能有 6 种传播的可能。得到这些结论，C 的确切取值为“＋”或“－”已经不重要。

对照前面的例题可知，运用图论解法和按照定性代数运算规则的解法得到的未知变量的定性值结果是完全一致的。与使用定性代数运算规则的人工解法相比，运用图论解法可以通过得到相容通路记录下偏离传播的路径，这在危险识别和故障诊断中是十分有用的功能。同时，运用图论的方法可以采用计算机自动求解复杂影响方程组，这是定性仿真实际应用的重要方面。

定量非线性代数方程是否也对应有定性非线性代数方程呢？回答是肯定的，但极少有人研究，而且难以获得应用。原因在于，为了揭示非线性特征，必须取得深入全面的有关变量及其相互关系的知识，这在某种含义上已经不属于定性的范畴。此外，变量间的非线性关系可能已经不满足单调函数的假设。

5.1.3　定性常微分方程及求解

5.1.3.1　定性常微分方程的表达

一个定性常微分方程（QDE）可以看作是对应的一组大规模定量常微分方程（ODE）族的某种抽象表达。定性常微分方程模型具有表达大量的不同定性行为的潜能。

在表达形式上定性常微分方程与定量常微分方程相同。定性常微分方程由一系列有约束的变量组成，一个变量表示了一个在实轴上（包括$\pm\infty$）连续可微的函数。

与定量微分方程不同的是，在定性常微分方程中，每一个变量的范围表示成量空间，包括独立的时间变量。一个量空间是有限的集合，其中的元素完全地排列为界标值的系列，用来表示在实轴上重要的定性值。每一个量空间包括了0、$-\infty$和$+\infty$界标。一个纯定性模型仅表述在界标中的顺序数（半定量扩展，可以提供相应于界标的可能的实数值）。

定性常微分方程的代数及微分运算采用常见的简单公式，又称为二元组或三元组函数，在仿真时体现为约束。所有变量用统一的时间t计量。具体表达式如下：

$$(\text{ADD}\ x\ y\ z)\equiv x(t)+y(t)=z(t) \tag{5-13}$$

$$(\text{MULT}\ x\ y\ z)\equiv x(t)y(t)=z(t) \tag{5-14}$$

$$(\text{MINUS}\ x\ y)\equiv y(t)=-x(t) \tag{5-15}$$

$$(\text{DERIV}\ x\ y)\equiv\frac{\mathrm{d}x(t)}{\mathrm{d}t}=y(t) \tag{5-16}$$

$$(\text{CONST}\ x)\equiv\frac{\mathrm{d}x(t)}{\mathrm{d}t}=0 \tag{5-17}$$

以上约束所表达的都是明确的函数关系，一般而言定性常微分方程都是此种类型。定性常微分方程也可以表达未知函数的约束，但要求必须是单调增函数关系M^{+}，或单调减函数关系M^{-}。定义见式（5-18）和（5-19）。

$$(M^{+}\ x\ y)\equiv y(t)=f[x(t)],f\in M^{+} \tag{5-18}$$

$$(M^{+}\ x\ y)\equiv y(t)=-f[x(t)],f\in M^{-} \tag{5-19}$$

单调函数关系的规定可以减少定性求解过程中的多义性，从而在应用中具有实际意义。

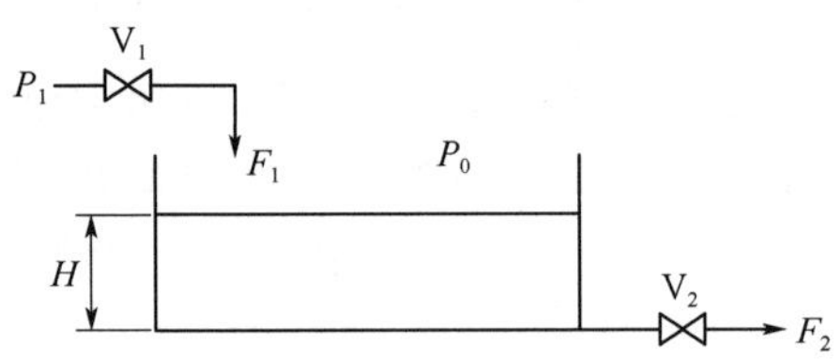

图5-7 敞开式圆筒形储水槽

【例】见图5-7，一个简单的敞开式圆筒形储水槽。设其直径为D，液位高度为H，上游阀门为V_1，流通能力为C_1，阀门开度为K_1，流量为F_1，阀门上游水压为P_1，当地大气压为P_0，水槽下游出口阀门为V_2，流通能力为C_2，阀门开度为K_2，流量为F_2。

为了与定量模型比较，首先列写本系统的定量数学模型，然后列写定性模型，可以分辨它们的区别和联系。

（1）定量模型

依据定量仿真建模知识，假定水槽中水的总质量为m，水的密度为ρ，当地的重力加速度为g，则：

$$F_1=K_1C_1\sqrt{(P_1-P_0)} \tag{5-20}$$

$$F_2=K_2C_2\sqrt{H\rho g} \tag{5-21}$$

$$m=0.25\pi D^2H\rho \tag{5-22}$$

$$\frac{\mathrm{d}m}{\mathrm{d}t}=F_1-F_2 \tag{5-23}$$

$$\frac{\mathrm{d}H}{\mathrm{d}t}=\frac{F_1-F_2}{0.25\pi D^2\rho} \tag{5-24}$$

以上方程组，对于任何一组初始条件，即V_1和V_2的开度K_1与K_2和水槽中的初始液位H，都可以通过解析或数值积分方法求得液位H随时间的确切变化规律（过程响应曲线），以及 H 的最终稳态值。

（2）定性模型

$$F_1 = \mathrm{CONST} \tag{5-25}$$

$$F_2 = M^{+}(P) \tag{5-26}$$

$$P = M^{+}(H) \tag{5-27}$$

$$m = M^{+}(H) \tag{5-28}$$

$$\frac{\mathrm{d}m}{\mathrm{d}t} = F_1 - F_2 \tag{5-29}$$

式（5-25）是一个约束条件，说明 F_1 是处在某一定值状态，即阀门 V_1 处于某一恒定的开度 K_1 状态。式（5-26）表示 F_2 与液位高差所形成的压力 P 为单调增关系。式（5-27）表示压力 P 与液位 H 为单调增关系。式（5-28）表示水槽中水的总质量 m 与液位 H 呈单调增关系。式（5-29）是一个一阶微分方程描述物料流动与质量变化的动态特性，与定量微分方程结构相同。与定量模型比较，可看出定性模型侧重于宏观趋势变化的描述，并且多数模型是用于约束过滤而不是数学计算。

5.1.3.2　定性常微分方程的解法

定性常微分方程的求解即定性仿真（QSIM）。定性仿真的求解方法是，对于每一个状态变量，寻找其可能的展望（evolution）。定性仿真的结果是得到一个可能的行为树，用于表达当模型有多于一种可能解时，其不同解的分支情况。

奎珀斯发表了比较系统的 QSIM 算法，石纯一等人将奎珀斯的 QSIM 算法进行了综合，本书作者进行了修改补充。该算法用系统部件的参量作为变量来描述系统的特性，依据物理定律得到约束关系，将参量随时间的变化视为定性状态序列。QSIM 算法从初始状态出发，首先生成所有可能的后继状态，然后通过约束条件滤波消除不可能的后继状态。重复以上过程直到没有新的后继状态出现为止。

（1）有关术语定义

在描述算法之前，将有关术语定义如下。

定义 1： 变量是时间的一个有理函数。有理函数 f 定义域为 $(a,b)\rightarrow(-\infty,+\infty)$，$f$ 连续可微，在任何闭区间都存在有限的极值点，$\frac{\mathrm{d}f(t)}{\mathrm{d}t}$ 的极限从上趋向 a 至下趋向 b。

定义 2： 每一个变量有一个界标值集合，将变量的值域分成不同的子集。界标值至少包括零、变量的起始点、终点和极值点。对于变量 p 的界标 p_i，如果有 t，使得 $p(t)=p_i$，则称 t 是变量的一个区分时间点。

定义 3： 设 $p_0<\cdots<p_N$ 是变量 p 的界标值，p 在时间 t 的值为

$$QVAL(p,t)=\begin{cases} p_i, & p(t)=p_i \\ (p_i,p_{i+1}), & f(t)\in(p_i,p_{i+1}) \end{cases} \tag{5-30}$$

p 在时间 t 的趋向为

$$QDIR(p,t)=\begin{cases} inc, & \frac{\mathrm{d}p(t)}{\mathrm{d}t}>0 \\ std, & \frac{\mathrm{d}p(t)}{\mathrm{d}t}=0 \\ dec, & \frac{\mathrm{d}p(t)}{\mathrm{d}t}<0 \end{cases} \tag{5-31}$$

式中，inc 为变量增加趋向；std 为变量稳定（或小范围波动）趋向；dec 为变量减少趋向。

p 在时间 t 的状态为

$$QS(p,t)=\langle QVAL(p,t),QDIR(p,t)\rangle \tag{5-32}$$

定义 4：对于任何变量 p，其行为定义为一个状态序列：

$QS(p,t_0),QS(p,t_0,t_1),QS(p,t_1),QS(p,t_1,t_2),\cdots,QS(p,t_{n-1},t_n),QS(p,t_n)$

其中，$t_0,\cdots,t_n$ 是 p 的界标值。

定义 5：系统的区分时间点定义为变量的区分时间点的并集。于是，当变量状态改变时，系统的状态就发生改变。

定义 6：系统的行为定义为系统状态在时间区分点和时间区间之间交替变化的序列。

定义 7：当 $QVAL$ 到达或离开一个界标值时，称为变量发生了转移。当有一个变量发生转移时，就称该系统发生转移。每个时间区分点标志了一个转移，行为转移的序列定义为 $\{r_i\}$，每个行为有一时间函数 f，将转移映射到相应的时间区分点。从时间点状态到时间区间状态的转移称为 P 转移，反之称为 I 转移。将每一个转移采用规则进行初步过滤得到 P 后继和 I 后继。P 定性初步后继规则和 I 定性初步后继规则如下。

P 定性初步后继规则：

$$\begin{array}{lcl}
QS(f,t) & \Rightarrow & QS(f,t_i,t_{i+1}) \\
\langle l_j,std\rangle & & \langle l_j,std\rangle \\
\langle l_j,std\rangle & & \langle (l_j,l_{j+1}),inc\rangle \\
\langle l_j,std\rangle & & \langle (l_{j-1},l_j),dec\rangle \\
\langle l_j,inc\rangle & & \langle (l_j,l_{j+1}),inc\rangle \\
\langle l_j,dec\rangle & & \langle (l_{j-1},l_j),dec\rangle \\
\langle (l_j,l_{j+1}),std\rangle & & \langle (l_j,l_{j+1}),std\rangle \\
\langle (l_j,l_{j+1}),std\rangle & & \langle (l_j,l_{j+1}),inc\rangle \\
\langle (l_j,l_{j+1}),std\rangle & & \langle (l_j,l_{j+1}),dec\rangle \\
\langle (l_j,l_{j+1}),inc\rangle & & \langle (l_j,l_{j+1}),inc\rangle \\
\langle (l_j,l_{j+1}),dec\rangle & & \langle (l_j,l_{j+1}),dec\rangle
\end{array}$$

I 定性初步后继规则：

$$\begin{array}{lcl}
QS(f,t_j,t_{j+1}) & \Rightarrow & QS(f,t_{i+1}) \\
\langle l_j,std\rangle & & \langle l_j,std\rangle \\
\langle (l_j,l_{j+1}),inc\rangle & & \langle l_{j+1},std\rangle \\
\langle (l_j,l_{j+1}),inc\rangle & & \langle l_{j+1},inc\rangle \\
\langle (l_j,l_{j+1}),inc\rangle & & \langle (l_j,l_{j+1}),inc\rangle \\
\langle (l_j,l_{j+1}),inc\rangle & & \langle (l_{j-1},l_j),std\rangle \\
\langle (l_j,l_{j+1}),dec\rangle & & \langle l_j,std\rangle \\
\langle (l_j,l_{j+1}),dec\rangle & & \langle l_j,dec\rangle \\
\langle (l_j,l_{j+1}),dec\rangle & & \langle (l_j,l_{j+1}),dec\rangle
\end{array}$$

$$\langle (l_j, l_{j+1}), dec \rangle \qquad \langle (l_j, l_{j+1}), std \rangle$$
$$\langle (l_j, l_{j+1}), std \rangle \qquad \langle (l_j, l_{j+1}), std \rangle$$

定性初步后继规则体现了线性单调约束条件，即，状态的转移不会出现非线性突变。判断规则中体现了如下原则：

① 一个变量的状态处于界标之间，并且是增长的趋势，则一种可能的后继状态是，该变量会到达上限界标；

② 然而，当所有的变量尚在持续变化时，某些后继不会到达界标；

③ 当一个变量在某个状态下正在增加，它的下一步不会减少；

④ 通常一个状态的后继会有多种可能性。

(2) 定性仿真算法

QSIM 首先对每一个变量的所有定性状态用 P 与 I 转移规则进行初步过滤，生成可能的后继状态，然后用定性模型设定的特定约束进行二次过滤，直到没有新的状态出现为止。具体方法是，将初始状态送入“活动”表，然后重复如下步骤①至⑤，直到表空为止。

① 从活动表中选一个状态。

② 对每个参数按转换表规则进行初步过滤，找出所有可能转移。

③ 用定性模型的元组函数约束集合进行二次过滤。

④ 生成新的状态集合，作为当前状态的后继状态。

⑤ 对新状态做全局过滤，剩下的送活动表。

全局过滤是为了排除：

① 无变化；

② 循环，新状态与某个前趋状态相同；

③ 发散，某个变量值为∞，当前的时间点必定为结束点。

(3) 定性仿真结果表达

奎珀斯提出了两种 QSIM 的结果表达方法，定性行为树和定性仿真曲线。

① 定性行为树。定性行为树采用特殊的符号通过连接线段表示，常用符号见图 5-8。

例：如图 5-7 所示的敞开式圆筒形储水槽，经过定性仿真得到如下 5 个结果：水槽被灌满，导致溢出；水槽的水全部流空；水槽的液位达到平衡，即液位不变；水槽的液位在溢出前达到平衡；水槽的液位恰好在水槽边沿达到平衡。

采用常用符号表达的定性行为树如图 5-9 所示。从图中看出，定性行为树的起始或终止点处于时间点位置，定性行为树的分支发生于时间区间位置。

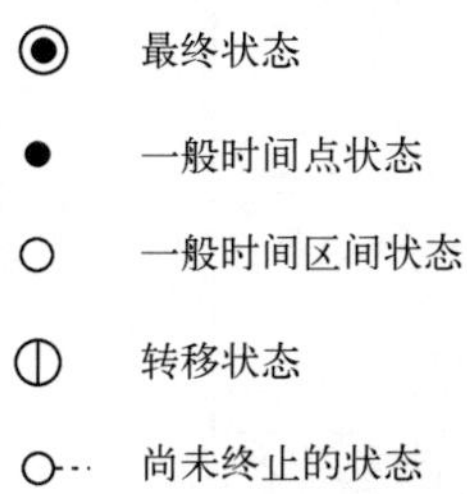

图 5-8　定性行为树常用符号

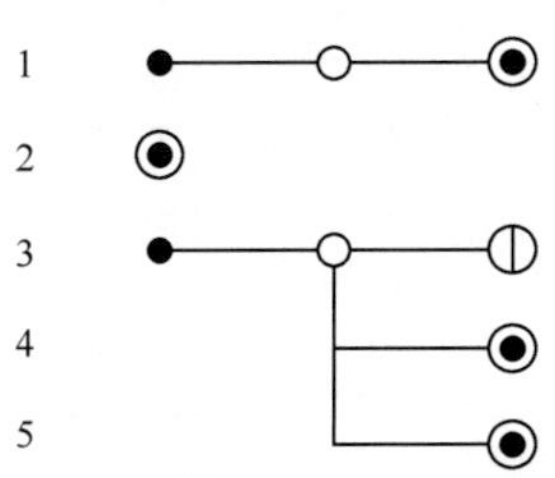

图 5-9　水槽液位定性行为树

② 定性仿真曲线。定性仿真曲线是对应行为树的每一个分支结果采用简要的趋势化表达。定性曲线中表达了时间点定性位置、时间区间定性位置、界标位置，并且在时间区间内

用等间距的点表达变化趋势。在时间点上用向上的箭头表达增加趋势，用向下的箭头表示减少趋势，用圆圈表示处于平衡状态。图 5-10 至图 5-14 表达了敞开式圆筒形储水槽定性仿真得到的 5 种结果。

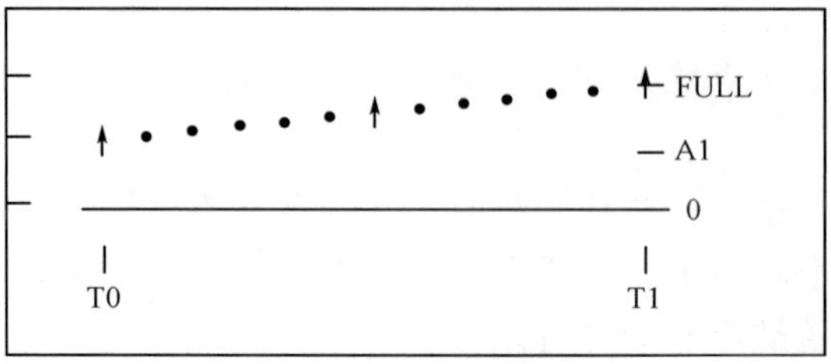

图 5-10　水槽被灌满

FULL—水槽液位满；A1—液位；T0—定位仿真开始时间；T1—定性仿真结束时间；0—0 液位

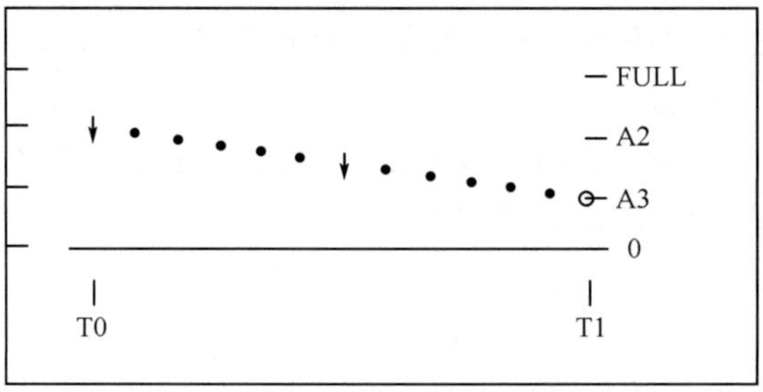

图 5-11　水槽的水全部流空

A2，A3—液位

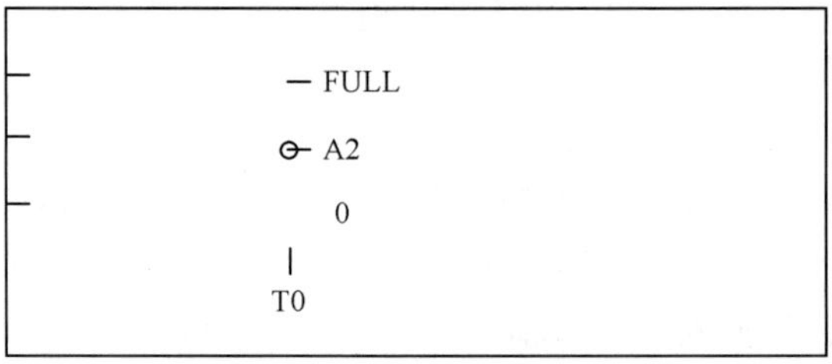

图 5-12　水槽的液位达到平衡

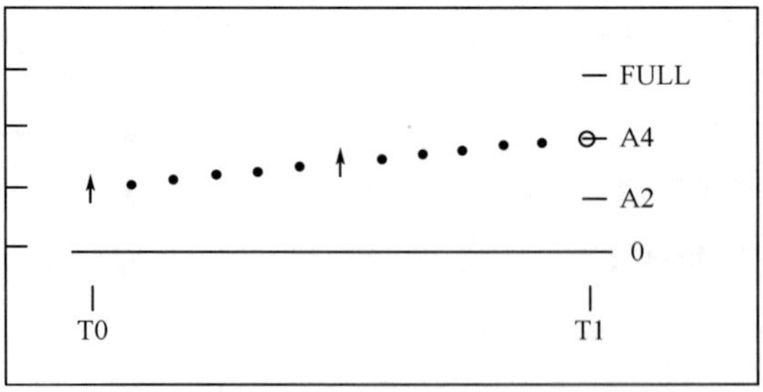

图 5-13　水槽的液位在溢出前达到平衡

A4—液位中间值

③ 定性仿真解的多义性和虚假解。由于定性仿真的解是模型多种可能行为的解释，在仿真算法中总是设法产生所有一致性的后继。因此，定性仿真的一个问题是，这些解有的在

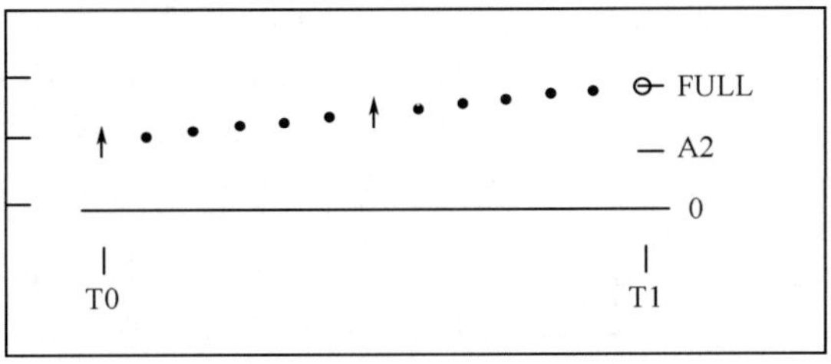

图 5-14　水槽的液位恰好在水槽边沿达到平衡

现实物理世界确实有可能存在，但有些解在现实中是不可能存在的。这种在现实中不可能存在的解称为虚假解。为了克服这一缺点，一种有效的途径是设法找到合理的约束，尽可能过滤掉虚假解。

5.1.4　定性仿真推理引擎原理

(1) 推理引擎的作用

定性仿真包括两方面的内容，定性建模和定性求解。对于定性求解问题，无论是定性代数方程还是定性微分方程，其求解都有一个共同特征，即采用搜索推理找到所有可能的解(或称预测或展望)。由于求解具有多义性，当模型比较复杂时，搜索推理的工作量很大，而且必须满足高完备性、高效率和自动解释的要求。在实际应用中靠人工求解已经显得无能为力。

采用搜索推理方法开发出计算机软件进行自动推理是定性仿真唯一有效的方法。这种计算机自动推理软件又称为推理引擎。研究和开发高效率的多种用途的推理引擎，求解复杂的大规模的定性模型，是定性仿真的一个重要课题，也是现代人工智能技术的重要课题。

推理引擎的基础方法是深度优先搜索和广度优先搜索。

(2) 深度优先搜索和广度优先搜索原理

深度优先搜索（DFS，depth first search）和广度优先搜索（BFS，breadth first search）是在网络图中通用的搜索算法。网络图由节点和连接节点的线段，称为支路（又称边或弧）组成。节点支路图又称为 VE 图，当支路没有方向时称为无向 VE 图，当支路有方向时称为有向 VE 图。深度优先搜索和广度优先搜索方法可以进行图的遍历，或者说在 VE 图中对所有节点和支路万无一失的搜索方法。该方法既可以适用于无向 VE 图也可以适用于有向 VE 图。

采用深度优先搜索可以搜索到图中距根节点（或称起始节点）最远的节点与支路集合。其搜索特点是：访问图中的每一个节点和每一条支路；有组织地尽可能快捷地从根节点移动；仅当遇到终止节点时，才选定较近的节点；每一步判定只选择一个不重复的邻近节点，直到将所有具备关联特性（又称一致性或相容性）的节点与支路集合全部找出为止。

深度优先搜索在一个由 N 个节点和 M 条支路所组成的图中，其探索次数为 $\theta(N+M)$。深度优先搜索可以经扩展用于解决其他有关图的问题。例如，找到图中任意两节点间的一条通路或所有通路，找到图中的一个环路或所有环路（回路），等等。

深度优先搜索采用了给节点和支路设置“符号”，以及从节点和支路获取“符号”的机制进行搜索。见图 5-15，由 13 个节点和 12 条无向支路组成。13 个节点分别标以不重复的符号，令节点 1 是起始节点，节点 T 是目标节点。在搜索过程中当任何一个节点有多于一个对外连接的支路时，寻找的顺序均从左到右依次进行，但是此种机制不一定立即执行，因为深度优先搜索仅当遇到终止节点，并且尚未找到目标节点时，才针对该节点较近的另外一个节点继续搜索。当该终止节点所有对外的支路全部搜索完且尚未找到目标节点时，沿原搜索路径回退一步继续重复以上方法搜索，直到将目标节点找到为止。深度优先搜索示意框图见图 5-16。

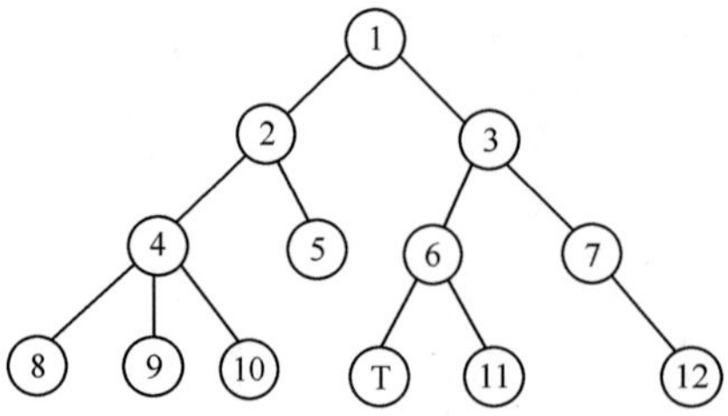

图 5-15　DFS 和 BFS 无向 VE 图搜索举例

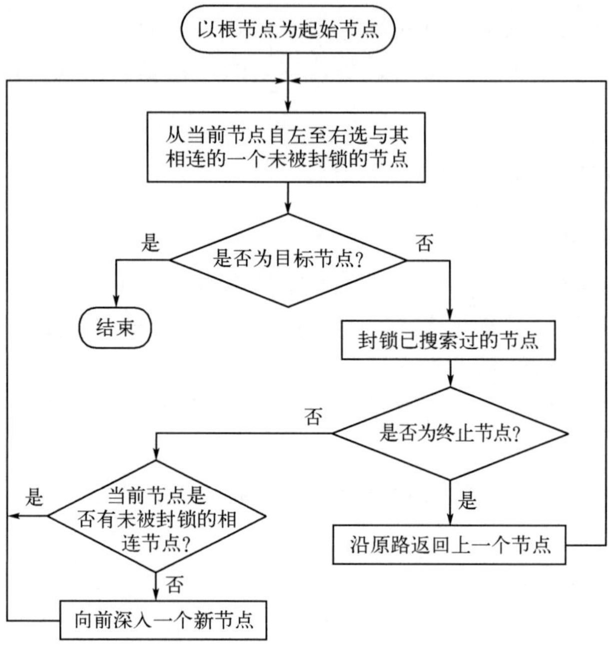

图 5-16　深度优先搜索示意框图

按照以上方法用深度优先搜索进行搜索的顺序为：1,2,4,8,9,10,5,3,6,T。即第 10 步找到目标节点 T。

广度优先搜索的节点编号要求与深度优先搜索相同，寻找的顺序也可以统一为从左到右依次进行。与深度优先搜索不同的是，搜索顺序是沿起始点最近的节点到最远的节点依次分层进行，直到搜索到目标节点为止。广度优先搜索示意框图见图 5-17。

采用广度优先搜索对图 5-15 搜索的顺序为：1,2,3,4,5,6,7,8,9,10,T。第 11 步找到目标节点。

对于该 VE 图理想的搜索路径为：1,3,6,T。除非约束条件将所有的无效节点都封住，任何完备的搜索方法都无法达到理想搜索的效率，但是都能达到与理想搜索相同的结果。

通过对两种搜索的比较可以看出：当所搜索的目标路径都较短或具有近似长度时，用 BFS 比较有利；当所搜索的目标路径较长时，用 DFS 比较有利。

DFS 和 BFS 在无向 VE 图和有向 VE 图中的搜索区别是，在有向 VE 图中只考虑从当前节点出发的支路，不考虑指向当前节点的支路。

深度优先搜索和广度优先搜索都具有遍历特性，这是保证搜索过程达到完备性的充分必要条件。因此，其是定性仿真中采用计算机推理引擎求解定性代数方程和定性微分方程的算法基础。

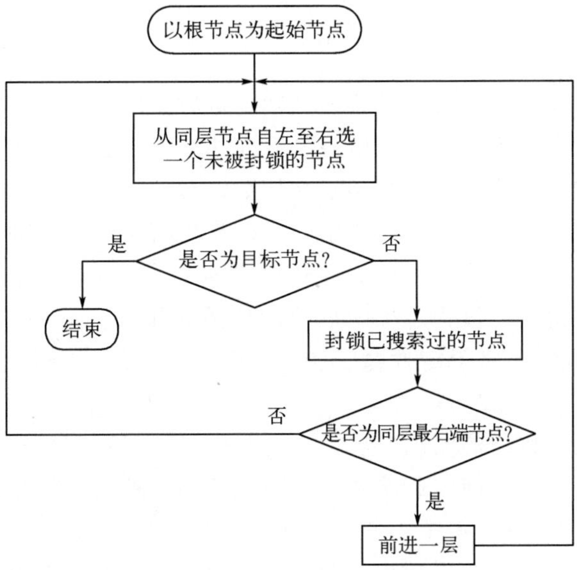

图 5-17　广度优先搜索示意框图

5.2
定量和定性仿真模型与解法体系

将定量数学模型和定性数学模型及其求解方法进一步展开和细化，可以得到如图 5-18 所示的定量和定性仿真模型与解法体系。通过该图可以将人工智能定性方法与符号有向图（SDG）定性方法统一起来。图 5-18 表达了定性仿真与定量仿真两者的区别和联系。

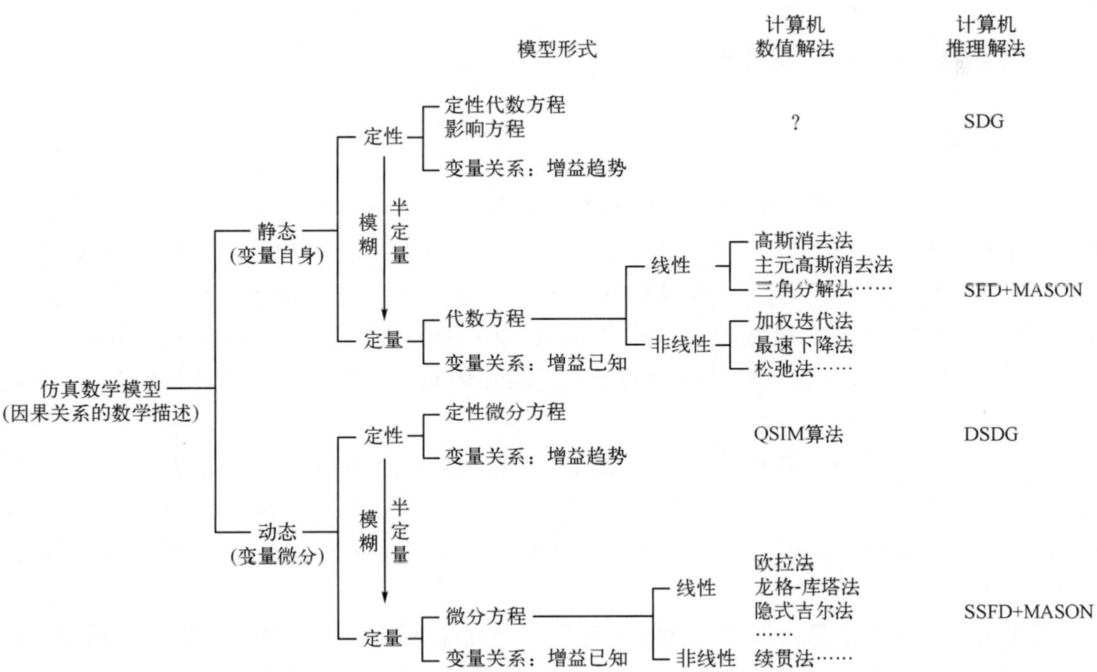

图 5-18　定量和定性仿真模型与解法体系

如果将自变量定义成原因，因变量定义成后果，则仿真数学模型可看作是因果关系的数学描述。

当因果关系可以用增益系数表达并且为已知常数时，由变量本身所构成的方程即是描述静态问题的代数方程。当因果关系可用增益系数表达，但无法确切知道其值，而只能表达为定性趋势时，由变量本身所构成的方程是定性代数方程。

定性与定量微分方程与代数方程的区别是，变量中有无微分项的存在。

目前，能够求解复杂定性代数方程的计算机方法只有 SDG 推理方法。应用成熟的领域是危险的识别、分析和诊断。过程系统中危险的传播属于动态问题，因此 SDG 模型节点的状态是变化率的定性趋势，属于定性微分方程的范畴。为了与静态 SDG 区别，采用动态 DSDG 表示。

求解定量线性代数方程组的图论方法，主要步骤是将代数方程转化为信号流图（SFD），采用推理搜索方法找出相关的前向通路和所有独立回路，然后运用梅逊（Mason）公式得到方程的数值解。在图 5-18 中将两种方法的结合表示为“SFD＋MASON”。

定量线性常微分方程组的图论解法主要步骤是通过拉氏变换将微分方程转换为含有 S 算子的代数方程形式，并且表达成含有 S 算子的信号流图（SSFD），采用推理搜索方法找出相关的所有独立前向通路和所有独立回路，然后运用梅逊（Mason）公式得到指定通道标准传递函数。在图 5-18 中将两种方法的结合表示为“SSFD＋MASON”。

定性方法可以通过半定量或模糊方法向定量方法转化。在数学概念上“模糊”需要大量的定量信息，因此已经超出定性的范畴。

至于定量代数方程和微分方程的计算机数值解法可以在多种算法库和文献中得到，在此不作解释。

5.3 符号有向图(SDG)建模

5.3.1 引言

符号有向图是一种由节点和节点之间有方向连线的支路构成的网络图，英文缩略语为 SDG（signed directed graph）。与定性线性代数方程及求解方法中的采用定性线性代数方程预测动态过程的定性变化趋势的内容对照，可以发现，SDG 其实就是定性代数方程组的一种图论表达形式。在人工智能领域，称 SDG 模型为深层知识模型（deep knowledge based model），运用 SDG 模型揭示复杂系统的变量间内在因果关系及动态影响，该模型是定性仿真的一个重要分支。

SDG 具有揭示潜在危险以及故障在系统中传播规律的特殊作用，四十多年来在危险级别非常高的化学工业领域，为了进行有效的计算机自动危险与可操作性分析（HAZOP，hazard and operability study）以及在线故障诊断（on-line fault diagnosis），许多学者进行了不懈的努力。

日本东京大学艾瑞等人最先尝试将图论应用于化工过程中的故障诊断[10]。他们将符号有向图（SDG）称为符号图（signed digraph），用于表示系统元素之间影响的数学模型，引入了符号有向图模型概念，用于表示系统的状态。为了避免进行复杂而低效的定量仿真，他们将系统结构中表示故障传播的数学模型进行了定性简化。系统故障的原因可以定位在反映异常模式的因果图中最大强连通分量处。他们发现即使这种模式只被部分观察到，故障单一起源的假设在某种程度上也减少了作为故障第一原因的可能候选范围。

20 世纪 80 年代有关 SDG 定性仿真的研究被局限在纯定性的范畴。20 世纪 90 年代初开始，模糊集合理论（fuzzy set theory）被引入 SDG 方法。

美国普渡大学以文卡塔（V. Venkatasubramanian）教授为首的过程系统研究室群体对 SDG 的理论、方法和应用做出了显著成绩[11-17]。

文卡塔团队比较详细地综述了 SDG 在故障诊断领域的应用[11]。在此基础上他们应用 SDG 建模和推理方法解决了危险与可操作性分析（HAZOP）的智能化软件平台开发[12,13]。

他们提出一种有向图模型称为 HDG，使用 HDG 进行自动化 HAZOP 取得成功。HDG 可以看作是标准 SDG 的延伸。除了与 SDG 对应的过程变量节点和连线外，HDG 还有异常原因和不利后果节点，其中包含对 HAZOP 有用的危险识别所需的知识。这些节点可以连接到流程变量。HAZOP 是通过使用适当的引导词（如增加、减少、伴随、早、晚、先或后等）在过程变量中产生偏差，并通过 HDG 模型的传播推理发现所有可能的不利后果来找到危险剧情。通过对危险剧情的分析找到具体的安全措施，以便防止各危险剧情的发生，或减缓不利后果的严重程度。HAZOP 是在工业中一种行之有效的系统的危险识别程序。HAZOP 通常由一组工艺、设备、自控、操作和安全专家通过系统地考虑过程工厂行为的所有可能偏差来执行。这是一个劳动和知识密集型的过程，可以从智能化 HAZOP 中受益。过程单元的 HDG 模型是用独立于过程的方式开发的，因此可以用于各种工艺流程。在此框架的基础上，利用 Gensym 公司专家系统外壳 G2 实现了一个面向对象的 HAZOP 专家系统，命名为 HAZOPExpert。软件提供了图形化 HAZOP 模型构建工具，使用户可以开发新模型或向过程单元的现有模型添加更多知识。HAZOPExpert 也可以用于分析间歇过程，在数个实际化工过程实现了智能化辅助 HAZOP 应用。

文卡塔团队应用 SDG 建模和推理方法开发了主元分析（PCA）和 SDG 联合的故障诊断系统[14,15]。PCA 是一种过程监控和故障诊断的有用工具。一般方法要求用户通过解释被测量变量对残差和主成分的贡献来确定根原因，对于大型流程来说，这可能很烦琐，而且通常是不可能的。它还阻碍了高级监督任务的自动化，比如选择纠正措施及其相关成本。使用符号有向图可以自动解释基于 PCA 的故障诊断。基于 PCA-SDG 的故障诊断算法也是利用专家系统外壳 G2 实现的，该方法在某炼油厂催化裂化装置（FCCU）上应用成功。

文卡塔团队考虑到定性趋势分析（QTA）是一种数据驱动的半定量技术，已被用于过程监控和故障检测与诊断（FDD）。尽管 QTA 提供了比较快速和准确的诊断，但随着用于诊断的传感器数量的增加，QTA 的计算复杂性也在增加，可能会妨碍它在非常大规模的工厂中的实时应用。在大多数化工厂中，测量是高度冗余的，这种冗余可以通过对测量数据进行主元分析（PCA）来利用。该团队提出了一种用于大型装置故障诊断的 PCA-QTA-SDG 联合技术[16]，趋势提取的计算复杂度降低了约 40%。对于较大的过程，这种计算复杂性的降低预计会大大增加。

文卡塔团队的论文《用于操作员培训诊断问题解决的智能教学（辅导）系统框架》[17]，提出了基于 SDG 模型及推理的故障诊断软件、联合仿真器软件构成操作员培训的 ITS 框架，及其具体方法和应用。研发动机是，在复杂的化工过程中，故障诊断问题的解决构成了操作员活动的主要部分。对操作人员进行故障诊断培训和制定适当的纠正策略将有助于最大限度地减少过程中断与事故，从而提高工厂的可靠性和安全性。这一点再怎么强调也不为过。他们提出并实施了一种智能操作员培训框架，以提高诊断问题解决的培训效率。一个动态仿真器和一个基于计算机的 ITS 组成了智能培训系统。它可以帮助操作员组织系统知识和包括症状原因关系在内的操作信息，并可能提高他们的操作绩效。

智能训练环境由如下部分组成：

① 化学过程工厂的交互式实时仿真器；

② 专家操作人员的计算机模型；

③ 允许对受训者进行自动评估和指导以提高其诊断技能的组件以及图形用户界面；

④ 为了使智能训练系统更有效，通过智能超媒体接口提供包括基于 SDG 的症状-原因关系在内的过程相关信息/解释系统。

该系统也可用作工艺操作人员的联机辅助和补救行动的培训，这是化工领域最早研发成功的基于仿真的智能培训系统，给了后续研究人员宝贵的启示。

比较遗憾的是文卡塔团队的研究成果没有实现大规模工业应用和进一步的发展。大概与所有的研究成果都是采用 G2 专家系统软件平台支撑有关。G2 是价格昂贵只租不卖的商业软件，因此制约了 SDG 技术的推广应用和发展。他们没有研发自己的图形化建模软件平台和推理“引擎”这两个关键技术，导致无法对建模技术和推理机制继续创新。2000 年以后，文卡塔团队研究方向出现变更，在 SDG 领域的研究逐渐停止。

2000 年以来，计算机技术、软件技术、自动控制技术和工业 AI 技术正在快速发展。由本书第一作者带领的科研团队在两个国家 863 项目的支持下，将 SDG 技术不断创新，在化学工业领域中得到实际应用。并且在智能安全评价及大规模工业应用、实时在线智能故障诊断和基于仿真的智能教学软件平台等方面都取得了重大进展。详见第 1 章介绍。吸取文卡塔团队的经验和教训，本书作者团队最有利的优势是所有相关核心技术，例如高精度过程工业仿真器、新一代人工智能专家系统软件平台 AI3、高速高效多功能推理算法和推理引擎软件等，都是具有自主知识产权的技术，参考文献详见 [18-29]。这些方法和技术构成了本书的主要内容。

5.3.2 SDG 模型及定义

为了说明 SDG 模型的结构，举一个简单的例子。见图 5-19 所表示的过程系统，该系统由一个开口容器、一台离心泵、一个控制阀（V_1）、一个手动阀（V_2）和若干管道组成。其中，容器的液位由一个单回路控制器（LIC）控制，LS 是液位变送器，上游入口流量为 F_1，下游出口流量为 F_2，离心泵出口压力为 P。图 5-20 是该系统的 SDG 模型的一种表达。

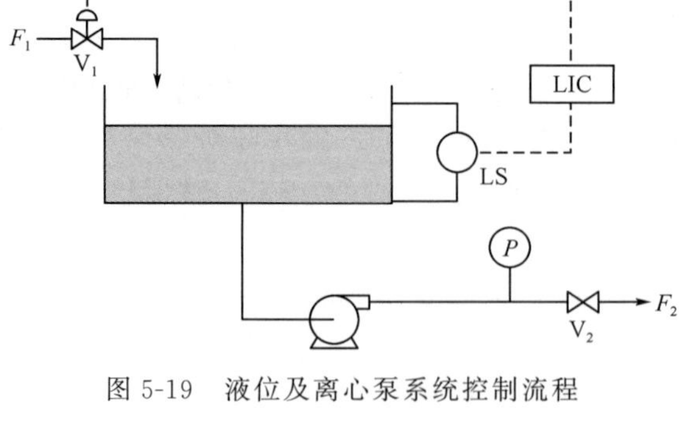

图 5-19 液位及离心泵系统控制流程

图 5-20 中的节点表示过程系统中的物理变量，如流量、液位、温度、压力和组成等，还包括操作变量，如阀门、开关等，以及相关的仪表，如控制器和变送器等。

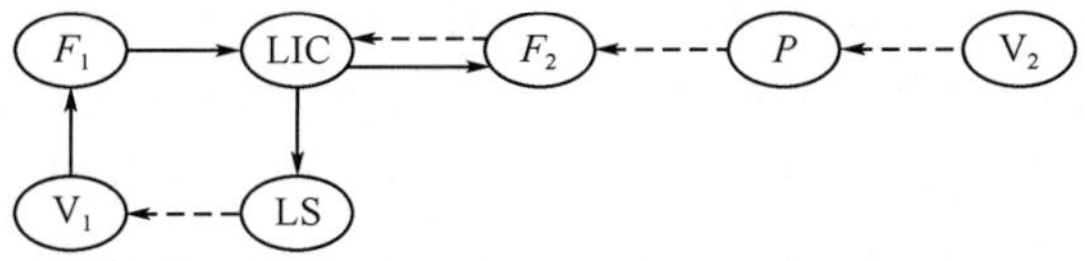

图 5-20　液位及离心泵系统 SDG 模型

SDG 中所有节点在相同时刻状态观测值的集合称为一个瞬时样本（pattern）。如果样本只包括“+”、“−”或“0”3 种状态符号，称为三级 SDG 样本。在三级样本中，节点所表示的变量超过了上限阈值（threshold）取“+”，超过了下限阈值取“−”，在上、下限阈值之间为正常状态，取“0”。表 5-1 是某一时刻观测得到的液位及离心泵系统 SDG 三级样本。

表 5-1　SDG 的一个瞬时样本

变量	F_1	F_2	LIC	P	LS	V_1	V_2
符号	+	+	0	−	−	+	+

SDG 中节点之间的有向支路表示节点之间的定性影响关系。注意不是相关性关系，而是因果影响关系。箭头上游节点称为初始节点（initial node），下游节点称为终止节点（terminal node）。如果初始节点变量增加（或减少）影响到下游节点变量也增加（或减少），则支路影响称为增量影响（positive influence）或称为正作用，用“+”符号表示，在 SDG 图中用实线箭头相连。若两相邻节点的影响使终止节点取与初始节点相反的符号，则称为减量影响（negative influence）或称为反作用，在 SDG 中用虚线箭头相连。

SDG 模型看似简单，它却能够表达复杂的因果关系，并且具有包容大规模潜在信息的能力。以图 5-20 所表示的 SDG 模型为例，令图中的每一个节点都表示一个物理变量，并且都按量空间定义取“+”“−”“0”三种状态中的一种。其中某个节点取“+”表示该物理变量超过了允许的上限，取“−”表示低于允许的下限，取“0”表示变量处于正常范围。则图 5-20 的 SDG 所表达的所有节点可能取得不同状态的组合，又称为样本（patterns）数，为 2187 个。

$$3^7=2187 \tag{5-33}$$

$$3^{100}=5.15\times10^{47} \tag{5-34}$$

$$P_{\max}=3^N \tag{5-35}$$

若节点数为 100 个，则节点状态组合的样本的总数达到 5.15×10^{47} 个！也就是说当今的海量数字计算机也难以容纳下这些组合。节点组合的样本总数 $P_{\max}$ 由式（5-35）计算，N 为节点数。由于有向支路是实际系统节点关系的表达，计算 $P_{\max}$ 时节点之间的位置不能调换，因此，$P_{\max}$ 的计算符合“密码锁”的规律。如果仅就 SDG 模型表达能力而言，支路也有包含信息的能力。支路有两种取值状态，增量影响与减量影响。设支路总数为 M，则样本总数可用式（5-36）表达。对于如图 5-20 所示的例子，样本总数为 559872 个。通过这一计算充分说明 SDG 具有包容大量信息的能力。

$$P_{\max}=3^N 2^M \tag{5-36}$$

从数学概念可知，常微分方程的通解有无穷多个，定性微分方程的解是有限个可能性的预测。由于实际系统约束的存在，其可能解的总数总是远小于式（5-36）计算得到的数量。

SDG模型能够定性地表达各节点的值如果偏离了正常值，相应于所有的样本，这些偏离将会在系统中如何传播的所有可能的路径。对于一个瞬时样本，在SDG中可以推理搜索到已经发生偏离的节点及支路传播路径。这种路径由方向一致并且已经产生影响的若干支路形成的通路构成，又称为故障传播路径（fault propagation pathway）或相容通路（consistent path）。相容通路是能够传播故障信息的通路，消去与相容通路无关的节点和支路后，余下的残图称为该样本的原因-后果图（CEG，cause and effect graph）。

对SDG的基本概念作进一步的精确定义如下。

定义一： SDG模型 γ 是有向图 ζ 与函数 φ 的组合，即 (ζ,φ)。

① 有向图 ζ 由四部分组成 $(N,B,\partial^+,\partial^-)$。

a. 节点集合。$N=\{n_1,n_2,\cdots,n_m\}$；

b. 支路集合。$B=\{b_1,b_2,\cdots,b_n\}$；

c. 影响“关系对”。∂^+：$B\rightarrow N$（支路的起始节点）。∂^-：$B\rightarrow N$（支路的终止节点）。该“关系对偶”分别表示每一个支路的起始节点和终止节点。

② 函数 φ：$B\rightarrow\{+,-\}$，其中 $\varphi(b_k)(b_k\in B)$ 称为支路 b_k 的符号。

以上定义是假定系统的状态描述为状态变量相应于每一个元素的值，这些值可以取为正常状态的值，以及大于或小于正常状态的值。

定义二： SDG模型 $\gamma=(\zeta,\varphi)$ 的样本是一个函数 ψ：$N\rightarrow\{+,0,-\}$，$\psi(n_\alpha)(n_\alpha\in N)$ 称为节点 n_α 的符号。

即：$\psi(n_\alpha)=0 \quad |X_{n\alpha}-\underline{X}_{n\alpha}|<\varepsilon_{n\alpha}$

$\psi(n_\alpha)=+X_{n\alpha}-\underline{X}_{n\alpha}\geqslant\varepsilon_{n\alpha}$

$\psi(n_\alpha)=-\underline{X}_{n\alpha}-X_{n\alpha}\geqslant\varepsilon_{n\alpha}$

式中，$X_{n\alpha}$ 为节点 n_α 的阈值上界（实数）；$\underline{X}_{n\alpha}$ 为节点 n_α 的阈值下界（实数）；$\varepsilon_{n\alpha}$ 为节点 n_α 的阈值偏离指数。

对于一个给定的具有可观测样本的SDG模型，其状态变化的传播方式由原因-后果图（CEG）所表达，定义如下。

定义三： 具有样本 ψ 的SDG模型 $\gamma=(\zeta,\varphi)$ 之中，如果 $\psi(\partial^+b_k)\varphi(b_k)\psi(\partial^- b_k)=+$，则该支路 b_k 称为相容；如果 $\psi(n_\alpha)\neq 0$，则该节点 n_α 称为有效节点。

定义四： 当一个SDG模型 $\gamma=(\zeta,\varphi_1,\varphi_2,\cdots,\varphi_k)$ 的样本 ψ 和一系列的函数 φ_k（$k=1,\cdots,k$）确定时，如果 $\psi(\partial^+b_1)\varphi(b_1)\cdots\varphi(b_k)\psi(\partial^- b_k)=+$，则支路组合亦称为在 ψ 样本下的相容。

如果所有模型的符号可以测量确定，定义三将重复地使用。当包括有不可观测的节点（支路）时，采用定义四。依据定义四，如果一系列的支路函数 $\varphi(b_1)\cdots\varphi(b_k)$ 替换为一个支路组合 $\varphi_\pi(b_1,\cdots,b_k)$，$\varphi_\pi$ 是每一个 $\varphi(b_k)(k=1,\cdots,k)$ 的乘积，则 $\psi(\partial^+b_1)\varphi_\pi(b_1,\cdots,b_k)\psi(\partial^- b_k)$ 等效于 $\psi(\partial^+b_1)\varphi(b_1)\cdots\varphi(b_k)\psi(\partial^- b_k)$。

定义四可以视为一条定理，说明了SDG中节点和支路选定的相对性原理和化简规则。也就是说，如果为了进一步揭示系统的内在联系，在已经了解了系统的内在影响的定性机制的前提下，可以在原有的SDG模型中增加节点和支路；另一方面，如果为了简化SDG模型，特别是当某些通路上不可观测的节点较多时，可以适度合并节点和支路。

定义五： ζ 的子图 ζ^* 若包括了全部有效节点和所有的相容支路，则 ζ^* 称为图模型 γ 在样本 ψ 下的原因-后果图（CEG）。

5.4 SDG 建模方法和原则

SDG 建模是定性仿真的基础，具有很强的针对性和灵活性。由于 SDG 模型仅由节点和有向支路组成，因此在形式上只要画出节点和有向支路就是 SDG 模型。然而要使 SDG 模型能够符合实际系统的客观规律，即能够真正表达过程系统的定性特征，其中每一个节点、每一条支路都需要慎重考虑，涉及对过程的深入了解和实践经验。

SDG 建模主要有两种，数学模型推导法和经验法，或者两种方法结合使用。

5.4.1 数学模型推导法 SDG 建模

当已知过程系统的稳态代数方程模型或动态常微分方程时，可以从数学模型直接推导得到 SDG 模型。

(1) 由代数方程推导 SDG 模型

由代数方程推导 SDG 模型的步骤是：首先将代数方程的增益系数定性简化成“1”，即仅保留增益系数的正负号，也就是自变量对因变量的影响是“增量”还是“减量”。然后把方程的“=”改为向左方向的箭头“←”，则将代数方程转化为影响方程。通过影响方程直接可以得出 SDG 模型。方法是，将影响方程的变量名直接作为 SDG 模型节点名，节点间的有向支路是影响方程在图模型上的映射。取每一个影响方程的右端自变量（原因点）向左端因变量（后果点）做有向支路。当自变量的符号为“+”时是实线箭头所构成的有向支路，当自变量的符号为“−”时是虚线箭头所构成的有向支路。将影响方程的自变量全部映射完毕，SDG 模型即绘制完成。

例： 已知定量代数方程为式（5-37），推导该代数方程的 SDG 模型。

$$\begin{cases} x_1=2x_2-3x_3+5x_4+0.6x_5 \\ x_2=-3x_1+x_3-2x_5 \\ x_3=0.5x_1+2.2x_3-7.1x_4 \\ x_4=x_3+4.2x_5 \\ x_5=-0.9x_4 \end{cases} \tag{5-37}$$

将式（5-37）转化为影响方程式（5-38）。

$$\begin{cases} x_1 \leftarrow x_2-x_3+x_4+x_5 \\ x_2 \leftarrow -x_1+x_3-x_5 \\ x_3 \leftarrow x_1+x_3-x_4 \\ x_4 \leftarrow x_3+x_5 \\ x_5 \leftarrow -x_4 \end{cases} \tag{5-38}$$

先在图中画出 x_1、x_2、x_3、x_4 和 x_5 节点，标以变量名。从影响方程式（5-38）中逐

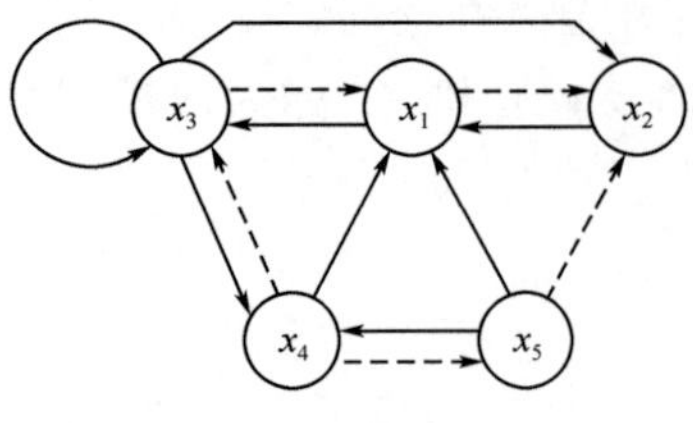

图 5-21 代数方程组的 SDG 模型

一选取自变量，对应节点画支路。直到自变量选完，SDG 模型即完成。本例代数方程组的 SDG 模型见图 5-21。

注意在节点 x_3 处有一个自环支路。如果应用 SDG 模型的目的是进行危险识别、危险分析或故障诊断，则此种自环支路对于搜索相容通路没有意义，因此应当删去。

（2）由常微分方程推导 SDG 模型

当 SDG 模型的支路表示变量的增量影响，则 SDG 表达了常微分方程的稳态定性图模型。此种 SDG 模型是过程工业危险识别、危险分析和故障诊断中的常用模型。

如果已经得到了过程系统的高阶常微分方程模型，通过一定的变换总可以写成式（5-39）一阶微分方程组的形式。

$$\frac{\mathrm{d}x_i}{\mathrm{d}t}=f_i(x_1,x_2,\cdots,x_n) \tag{5-39}$$

当一个支路从 x_j 起始，终止于 x_i，如果两变量之间存在影响，则偏导项 $\frac{\partial f_i}{\partial x_j}\neq 0$，并且该支路的符号等于偏导 $\frac{\partial f_i}{\partial x_j}$ 的符号，即 $\frac{\partial f_i}{\partial x_j}>0$ 时，支路符号为“+”，$\frac{\partial f_i}{\partial x_j}<0$ 时，支路符号为“－”。当 $\frac{\partial f_i}{\partial x_i}\neq 0$ 时，出现自环支路，由于自环支路对搜索故障源没有意义，通常应该删去。

由常微分方程推导 SDG 模型的步骤是：

① 将高阶常微分方程转化为一阶微分方程组形式；

② 对每一个微分方程的每一个自变量逐一取偏导 $\frac{\partial f_i}{\partial x_j}$；

③ 沿用一阶微分方程组的结构，取消一阶微分方程的常系数，替换成偏导 $\frac{\partial f_i}{\partial x_j}$ 的正/负符号，将方程等号改“←”，左端微分项改成变量自身，即得到影响方程；

④ 将影响方程直接映射成 SDG 模型。

例：已知一阶常微分方程组为式（5-40），推导该微分方程的 SDG 模型。

$$\begin{cases}\frac{\mathrm{d}x_1}{\mathrm{d}t}=2x_2-3x_3+5x_4+0.6x_5\\ \frac{\mathrm{d}x_2}{\mathrm{d}t}=-3x_1+x_3-2x_5\\ \frac{\mathrm{d}x_3}{\mathrm{d}t}=0.5x_1+2.2x_3-7.1x_4\\ \frac{\mathrm{d}x_4}{\mathrm{d}t}=x_3+4.2x_5\\ \frac{\mathrm{d}x_5}{\mathrm{d}t}=-0.9x_4\end{cases} \tag{5-40}$$

求得各影响关系的偏导如下：

$$\frac{\partial f_1}{\partial x_2}=2>0,\frac{\partial f_1}{\partial x_3}=-3<0,\frac{\partial f_1}{\partial x_4}=5>0,\frac{\partial f_1}{\partial x_5}=0.6>0$$

$$\frac{\partial f_2}{\partial x_1}=-3<0,\frac{\partial f_2}{\partial x_3}=1>0,\frac{\partial f_2}{\partial x_5}=-2<0$$

$$\frac{\partial f_3}{\partial x_1}=0.5>0,\frac{\partial f_3}{\partial x_3}=2.2>0,\frac{\partial f_3}{\partial x_4}=-7.1<0$$

$$\frac{\partial f_4}{\partial x_3}=1>0,\frac{\partial f_4}{\partial x_5}=4.2>0$$

$$\frac{\partial f_5}{\partial x_4}=-0.9<0$$

将式（5-40）转化为影响方程组式（5-41）。

$$\begin{cases}x_1 \leftarrow x_2-x_3+x_4+x_5\\x_2 \leftarrow -x_1+x_3-x_5\\x_3 \leftarrow x_1+x_3-x_4\\x_4 \leftarrow x_3+x_5\\x_5 \leftarrow -x_4\end{cases}\tag{5-41}$$

直接对应影响方程组映射得到本例常微分方程组的 SDG 模型，见图 5-22。

微分方程组取偏导后的 SDG 模型描述了节点变量出现偏离变化时的因果影响，因此可以表达偏离在系统中的传播路径。虽然图 5-21 与图 5-22 的 SDG 模型形式相同，但含义不同。

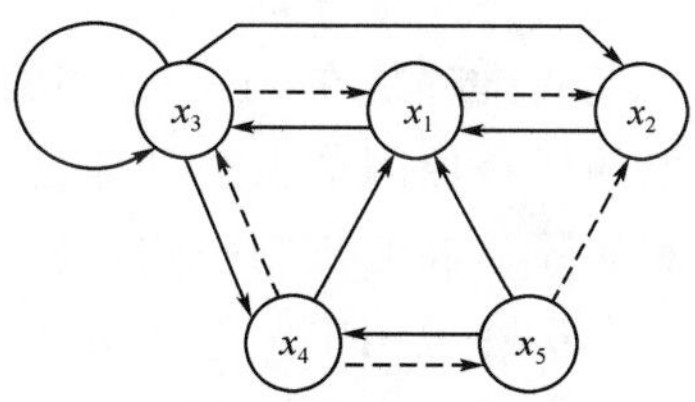

图 5-22　微分方程组取偏导后的 SDG 模型

5.4.2　经验法 SDG 建模

在实际应用中，定量动态模型很难得到，所以经验法是 SDG 建模的主要方法。当过程系统已经存在并且处于投入生产运行的阶段，经验法 SDG 建模的主要依据是过程操作数据和现场操作人员的经验。由于操作人员的经验取决于个人的认知水平，有可能出现不完备的情况，或者含有猜测的成分。当过程系统尚处于设计阶段，主要依据是工艺设计资料、过程控制设计资料或相似工厂的操作数据和操作经验。

为了提高 SDG 建模质量和建模效率，防止模型的缺陷和错误，建议按如下步骤进行。

步骤一：经过多位专业技术人员集体讨论，挑选出与故障相关的关键变量作为节点；

步骤二：尽量找出直接导致这些关键节点故障的节点和支路的组合，从原理上分清是增量影响（正作用）还是减量影响（反作用），然后用支路与各关键节点相连；

步骤三：分析和确认关键变量节点之间的影响关系，用“＋”或“－”相连支路；

步骤四：采用经验知识，经过集体讨论，结合现场信息或通过部分动态定量仿真计算，对 SDG 模型进行检验、案例试验、修改和化简，直到模型满足设计要求。

在 SDG 建模中，节点和支路的确定原则是，在符合客观规律的前提下，应当有利于揭示故障的原因及后果。

实践证明，按照以上四个步骤进行 SDG 建模可以提高建模效率，克服建模经验不足所导致的无从下手、模型缺陷和常见的错误。步骤一目的在于保证 SDG 模型中的节点是重要节点；步骤二可以防止遗漏掉直接影响重要节点的多种主要原因；步骤三强调把握系统中危险传播的主要路径，使其应当在关键节点中传播；步骤四是对构建的 SDG 模型进行检验和验证，保证模型的质量符合实际。高质量的能够抓住过程系统特性要害的 SDG 模型绝不是一次建模就能得到，必须经过反复试验、多次修正才能得到。

5.5 SDG 模型的主要推理机制

基于 SDG 模型的推理是完备且不重复地在 SDG 模型中搜索（穷举）所有的相容通路。搜索任务通过推理“引擎”自动完成。高效、准确、超实时的推理引擎是 SDG 定性仿真的核心与关键。对于大系统 SDG 模型，为了提高效率，应当采用分级或分布式推理策略。

SDG 的推理机制主要有两种：正向推理（安全评价模式）和反向推理（故障诊断模式）。

正向推理的前提是 SDG 所有节点的状态未知。在 SDG 模型中，从选定的原因节点向后果节点探索可能的、完备的且独立的相容通路。每一个原因节点都要对所有的后果节点做一次全面探索，并且在探索中对通路经过的节点做相容性标记（预估）。最后应当对所有探索到的可能的且独立的相容通路进行合理性分析。由于正向推理机制和安全评价的机制一致，所以称其为安全评价模式。

反向推理是在 SDG 已知的瞬态样本中进行。从当前所关注的后果节点（报警节点）向可能的所有原因节点（又称为根节点）反向探索可能的且独立的相容通路。由于反向推理机制和故障诊断的机制一致，所以称其为故障诊断模式。

在实际应用中，例如危险与可操作性分析（HAZOP），需要在中间节点施加偏离，从偏离节点正向推理探索不利后果，再从偏离节点反向推理探索原因。此外，用于危险识别和分析的 SDG 模型与用于故障诊断的 SDG 模型在结构上是不同的。故障诊断的推理需要从关键报警节点首先反向搜索原因，然后从搜索得到的所有原因节点正向推理搜索不利后果。这种方法可以提高识别故障剧情的完备性。

5.6 SDG 建模实例

虽然 SDG 模型的用途不同模型的结构有所不同，但是关键节点及主要支路，即 SDG 主体结构是共有的部分。以下案例重点讨论 SDG 模型的主体结构建模案例。

5.6.1 世界系统 SDG 建模

人类和动植物世代生活的地球是一个极其复杂的大系统。尽管如此，只要选出关键变量，就可以建立宏观 SDG 模型。如果所关心的是世界人口、工业和污染三大问题，为了建立 SDG 模型，首先必须了解清楚三个变量自身的特性和相互因果影响关系。

人口、工业和污染自身的变化是一个增加或减少的过程。人口的发展会促进人口进一步增加；工业的发展也会促进工业进一步发展；人口增加客观上会增加环境污染；环境污染反过来会导致疾病，对人口有减少作用，同时也会制约工业发展；工业发展会促进人口增加，另一方面会导致污染增加。

根据以上分析，列写影响方程式（5-42）如下：

$$\begin{cases}\text{人口}\leftarrow\text{人口}+\text{工业}-\text{污染}\\ \text{工业}\leftarrow\text{工业}-\text{污染}\\ \text{污染}\leftarrow\text{人口}+\text{工业}\end{cases}\tag{5-42}$$

依据影响方程直接得到 SDG 世界模型，见图 5-23。

图 5-23 所表达的 SDG 世界模型是一个高度抽象的定性模型。事实上如果将节点和支路进一步展开，可以得到极为复杂的世界定性 SDG 模型。高度抽象的 SDG 模型也有特殊的用途。比如在开发复杂的定量过程系统模型时，可以先开发一种框架模型，并且依据实际约束条件反复修正，以便把握变量之间正确的影响关系。框架模型就是 SDG 模型。

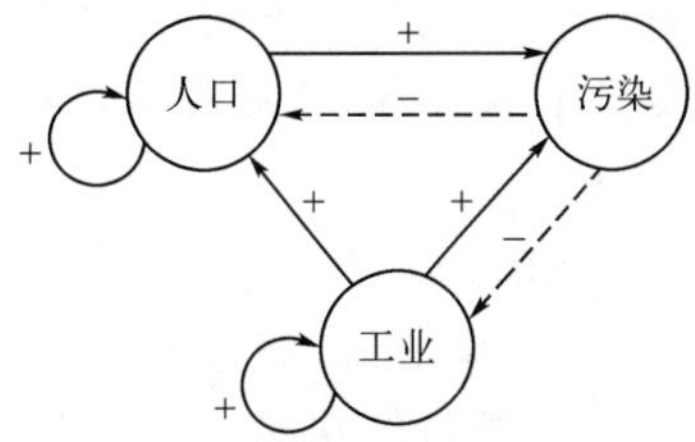

图 5-23　SDG 世界模型

5.6.2　离心泵与液位系统 SDG 建模

（1）离心泵与液位系统工艺流程说明

如流程图 5-24 所示，离心泵系统由一个储水槽、一台主离心泵、一台备用离心泵、管线、控制器及阀门等组成。上游水源经管线由控制阀 V1 控制进入储水槽，上游水流量通过孔板流量计 FI 检测。水槽液位由控制器 LIC 控制，LIC 的输出信号连接至控制阀 V1。离心泵的入口管线连接至水槽下部，管线上设有手操阀 V2 及旁路备用手操阀 V2B、离心泵入口压力表 PI1。离心泵设有高点排气阀 V5、低点排液阀 V6。主离心泵电机开关是 PK1，备用离心泵电机开关是 PK2。离心泵电机功率 N、总扬程 H 及效率 M 分别有数字显示。离心

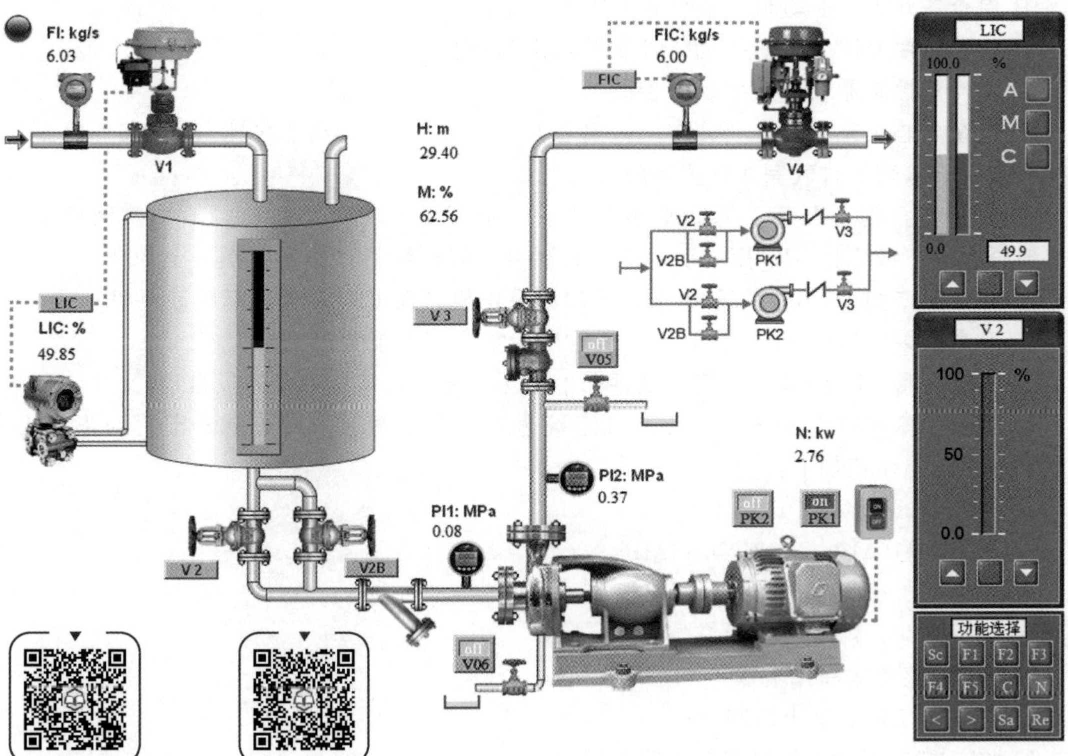

图 5-24　离心泵单元流程图画面

离心泵与储罐液位系统开车演示

离心泵与储罐液位 F1 事故排除演示

泵出口管线设有出口压力表PI2、止逆阀、出口阀V3、出口流量检测仪表、出口流量控制器FIC及控制阀V4。

图5-24离心泵电机上方的小流程图表示了主离心泵和备用离心泵的安装方式。注意备用离心泵的开关位号是PK2。其他手动阀门位号与主泵相同。本软件规定，只要按下PK2，所有的手动阀门虽然位号相同，但是V2、V2B、V3、V5和V6阀门都是属于备用泵系统。

离心泵系统相关的指示仪表、控制器及控制阀、手动操作器和开关及快开阀门说明如下。

① 指示仪表。

PI1　离心泵入口压力，MPa；　PI2　离心泵出口压力，MPa；

FI　低位储水槽入口流量，kg/s；　H　离心泵扬程，m；

N　离心泵电机功率，kW；　M　离心泵效率，%。

② 控制器及控制阀。

LIC　低位储水槽液位控制器，%；　FIC　离心泵出口流量控制器，kg/s；

V1　低位储水槽入口控制阀；　V4　离心泵出口流量控制阀。

③ 手动操作器。

V2　离心泵入口阀；V2B　离心泵入口旁路备用阀；V3　离心泵出口阀。

④ 开关及快开阀门。

V5　离心泵高点排气阀；　V6　离心泵低点排液阀；

PK1　离心泵电机开关；　PK2　离心泵备用电机开关。

(2) 离心泵冷态开车步骤

① 检查各开关、手动阀门是否处于关闭状态。

② 将液位控制器LIC置手动，控制器输出为零。

③ 将流量控制器FIC置手动，控制器输出为零。

④ 进行离心泵充水和排气操作。开离心泵入口阀V2，开离心泵排气阀V5，直至排气口出现蓝色点，表示排气完成，关阀门V5。

⑤ 为了防止离心泵开动后储水槽液位下降至零，手动操作LIC的输出使液位上升到50%时投自动；或先将LIC投自动，待离心泵启动后再将LIC给定值提升至50%。

⑥ 在泵出口阀V3关闭的前提下，开离心泵电机开关PK1，低负荷起动电机。

⑦ 开离心泵出口阀V3，由于FIC的输出为零，离心泵输出流量为零。

⑧ 手动调整FIC的输出，使流量逐渐上升至6kg/s且稳定不变时投自动。

⑨ 当储水槽入口流量与离心泵出口流量达到动态平衡时，离心泵开车达到正常工况。此时各检测点指示值如下：

a. FIC，6.0kg/s；FI，6.0kg/s。

b. PI1，0.15MPa；PI2，0.44MPa。

c. LIC，50.0%；H，28.4m。

d. M，62.6%；N，2.76kW。

(3) 离心泵停车操作步骤

① 首先关闭离心泵出口阀V3。

② 将LIC置手动，将输出逐步降为零。

③ 关PK1（停电机）。

④ 关离心泵进口阀 V2。

⑤ 开离心泵低点排液阀 V6 及高点排气阀 V5，直到蓝色点消失，说明泵体中的水排干。

⑥ 最后关 V6。

(4) 事故设置及排除

① 离心泵入口阀门堵塞。

事故现象：离心泵输送流量降为零，离心泵功率降低，流量超下限报警。

排除方法：首先关闭出口阀 V3，再开旁路备用阀 V2B，最后开 V3 阀，离心泵恢复正常运转。

合格标准：根据事故现象能迅速做出合理判断。能及时关泵并打开阀门 V2B，没有出现储水槽液位超上限报警，并且操作步骤的顺序正确为合格。

② 电机故障。

事故现象：电机突然停转，离心泵流量、功率、扬程和出口压力均降为零，储水槽液位上升。

排除方法：立即启动备用泵。步骤是首先关闭离心泵出口阀 V3，再开备用电机开关 PK2，最后开泵出口阀 V3。

合格标准：判断准确。开备用泵的操作步骤正确，没有出现储水槽液位超上限报警为合格。

③ 离心泵“气缚”故障。

事故现象：离心泵几乎送不出流量，检测数据波动，流量下限报警。

排除方法：及时关闭出口阀 V3；关电机开关 PK1；打开高点排气阀 V5，直至蓝色点出现后，关阀门 V5；然后按开车规程开车。

合格标准：根据事故现象能迅速作出合理判断。能及时停泵，打开阀门 V5 排气，并使离心泵恢复正常运转为合格。

④ 离心泵叶轮松脱。

事故现象：离心泵流量、扬程和出口压力降为零，功率下降，储水槽液位上升。

排除方法：与电机故障相同，启动备用泵。

合格标准：判断正确。合格标准与电机故障相同。

⑤ FIC 流量控制器故障。

事故现象：FIC 输出值大范围波动，导致各检测量波动。

排除方法：迅速将 FIC 切换为手动，通过手动调整使过程恢复正常。

合格标准：判断正确。手动调整平稳，并且较快达到正常工况为合格。

(5) 离心泵与液位系统 SDG 建模

按照经验法完成离心泵与液位系统的 SDG 建模，首先将建模所涉及的过程范围之内的相关部件、变量按需要一一列出，如下：

FI：水罐（储水槽）上游入口流量；FL：水罐漏水流量（可能出现的情况）；LIC：水罐液位；N：泵电机功率；FIC：泵出口流量；P1：泵入口压力；P2：泵出口压力；IN：变量检测单元；V1：液位控制阀；V2：离心泵入口阀；V3：离心泵出口阀；V4：流量控制阀。

经分析，水罐液位 LIC 和泵出口流量 FIC 是关键变量节点。需找出对关键变量节点直接影响的因素。

见图5-25的左半部为关键变量LIC的影响因素，水罐上游入口流量FI增加时，LIC上升，且FI是原因，LIC是后果，因此从FI作一条有向实线支路指向LIC。当水罐可能的泄漏量FL增加时，LIC下降，且FL是原因，LIC是后果，因此从FL作一条有向虚线支路指向LIC。

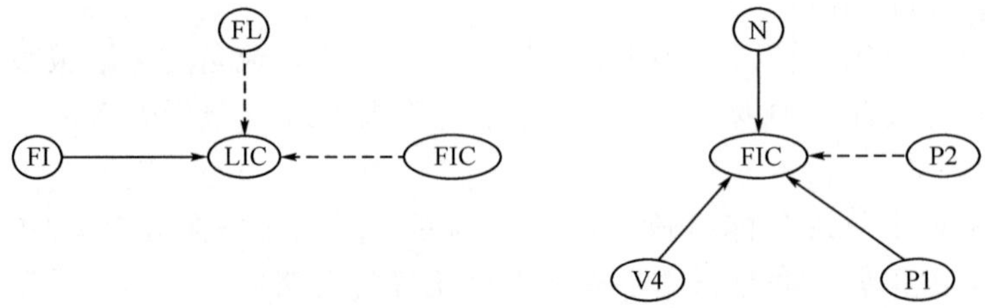

图5-25　对关键变量节点直接影响的SDG部分模型

引入水罐漏水流量FL说明了一种将故障原因引入SDG模型的方法。实际上FL是无法直接检测的，但是经确认，LIC的减小确实不是由于FI和FIC的变化所引起，那么只可能是水罐损坏泄漏即FL所致。FL可以看作是一种非正常原因节点，此种节点只有箭头向外，没有箭头进入。

进一步引申，也可以将不利后果引入SDG模型。例如，当FIC减小是泵出口管路破裂导致，而管路中的物料是易燃气体或液体，则可能引发燃烧或爆炸；而管路中的物料是有毒气体或液体，则可能引发人员中毒、环境污染等不利后果。此种情况，可在FIC节点引出一个不利后果节点，此种节点只有箭头进入，没有箭头输出。

当泵出口流量FIC加大时，LIC下降，且FIC是原因，LIC是后果，因此从FIC作一条有向虚线支路指向LIC。

见图5-25的右半部为关键变量FIC的影响因素，对其有直接影响的有四个因素，N、P1、P2、V4。通过对离心泵特性的分析可知，泵电机的功率N越大，泵出口流量FIC越大。此外当电机功率为零时，可能是电机电路损坏或断电故障。当电机功率相当小时，可能是离心泵叶轮和驱动轴脱落，负载很小所致。离心泵出口压力P2越低，泵出口流量FIC越大。离心泵吸入压力P1越大时，泵出口流量FIC越大。阀门V4开大，FIC加大。因此，可以得到图5-25的右半部的SDG部分模型。

本过程涉及两个单变量控制回路，LIC和FIC。采用SDG模型可以细致地表达控制回路中控制器、变送器、检测元件、信号线、阀门定位器、阀杆运动等多种因素的相互影响关系。然而，目的是在过程宏观定性分析时，可以将控制系统内部结构略去，只考虑控制器在过程中的作用，也就是突出正作用和反作用影响。对于有控制器作用的部分，引入两个节点，控制器输入节点IN和控制器输出节点OUT。当输出连接到控制阀时，OUT直接替换为阀门。当控制器为正作用时，输入信号IN增大，输出信号OUT也增大，两者用实线箭头相连。当控制器为反作用时，输入信号IN增大，输出信号OUT减小，两者用虚线箭头相连。见图5-26，是液位控制系统为反作用时的SDG模型。

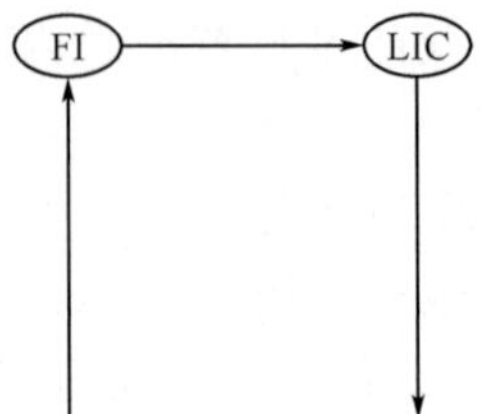

图5-26　反作用控制器的SDG模型举例

除了以上所分析的关键变量直接影响的因果关系外，还有一些因果关系补充如下：

液位控制阀V1开大，流量FI加大。可从V1作一实线箭头指向 FI。同理，流量控制阀 V4 开大，泵出口流量增加。可从 V4 作一实线箭头指向 FIC。

依据离心泵出口流量与出口压力的特性可知，当出口阀门 V3 开大时，泵出口压力 P2 减小。可以从 V3 作一虚线箭头指向 P2。同时依据离心泵特性可知，P2 减小，流量 FIC 加大，可以从 P2 作一虚线箭头指向 FIC。

在离心泵的吸入端，阀门 V2 关小，依据伯努利原理动压头加大，静压头 P1 减小。可从 V2 作一实线箭头指向 P1。由于 P1 的减小，会导致 FIC 减小，可从 P1 作一实线箭头指向 FIC。

综合以上结果，下一步考虑关键变量 LIC 和 FIC 的影响关系。FIC 是原因，当 FIC 减小时，LIC 上升或是下降减缓。可从 FIC 作一虚线箭头指向 LIC。到此，列写系统影响方程的条件具备，见式（5-43）。从影响方程直接得到离心泵与液位系统的整体 SDG 模型，见图 5-27。

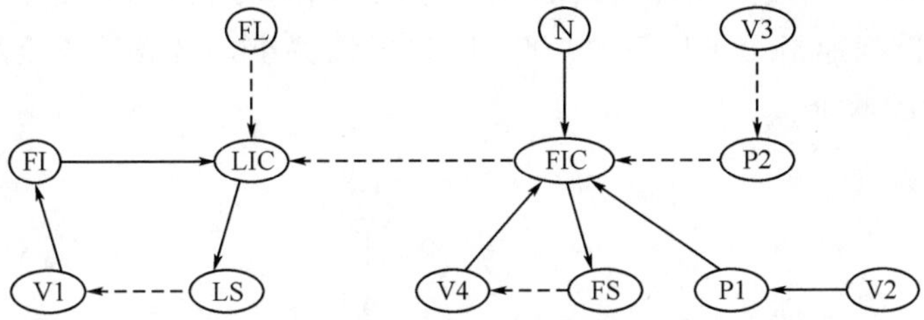

图 5-27　离心泵与液位系统的整体 SDG 模型

当建立了初步的 SDG 模型后，进一步工作是检验 SDG 模型的正确性。可以采用多种已知原因及后果的故障案例对 SDG 模型进行验证，检验能否在 SDG 模型中得到完全一致的危险的相容通路。

以下选择了 8 个案例。已知各节点在 8 种故障时的偏离状态实测数据如表 5-2 所示。将表中数据按照不同的案例赋予 SDG 模型的各节点，然后进行从关键变量节点 SDG 反向推理，找到故障原因，分析和试验结果是否一致。此种检验的机理与故障诊断相似。在以下的验证案例中，SDG 模型推理结论都正确，而且结论唯一（即符合隔离特性）。验证试验表明 SDG 模型达到了故障诊断设计要求。

$$\begin{cases} \mathrm{LIC} \leftarrow \mathrm{FI} - \mathrm{FL} - \mathrm{FIC} \\ \mathrm{FI} \leftarrow \mathrm{V1} \\ \mathrm{V1} \leftarrow -\mathrm{LS} \\ \mathrm{LS} \leftarrow \mathrm{LIC} \\ \mathrm{FIC} \leftarrow \mathrm{N} + \mathrm{P1} + \mathrm{V4} - \mathrm{P2} \\ \mathrm{V4} \leftarrow -\mathrm{FS} \\ \mathrm{FS} \leftarrow \mathrm{FIC} \\ \mathrm{P1} \leftarrow \mathrm{V2} \\ \mathrm{P2} \leftarrow -\mathrm{V3} \end{cases} \tag{5-43}$$

表 5-2　偏离状态实测数据

案例	LIC	FIC	LS	FS	FI	N	P1	P2	V1	V2	V3	V4	诊断结果(故障源)
1	0	−	+	−	−	0	−	0	−	−	0	+	V2 关小
2	0	−	+	−	−	−	+	−	−	0	0	+	N=0,电机故障
3	0	−	+	−	−	−	+	−	−	0	0	+	N>0,叶轮脱落

续表

案例	LIC	FIC	LS	FS	FI	N	P1	P2	V1	V2	V3	V4	诊断结果(故障源)
4	－	0	－	0	－	0	0	0	－	0	0	0	V1 关小
5	＋	0	＋	0	＋	0	0	0	＋	0	0	0	V1 开大
6	－	＋	－	＋	0	0	0	0	0	0	0	＋	V4 开大
7	＋	－	＋	－	0	0	0	0	0	0	0	－	V4 关小
8	＋	－	＋	－	0	0	－	0	0	－	0	＋	V2 关小

案例验证一：V2（离心泵入口阀）关小出现汽蚀。

从图 5-28 结果看出，按照相容通路的定义对 SDG 模型进行全面搜索，所得到的相容通路只有一条。而且准确地指出了故障源是阀门 V2 开度关小，最终导致流量 FIC 减小。说明 SDG 模型通过了本项验证。

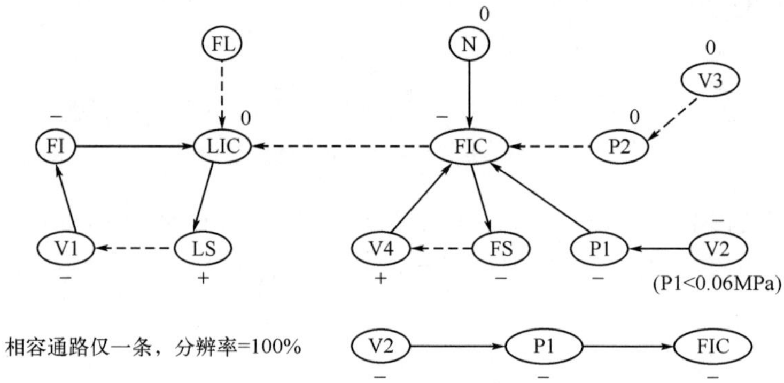

图 5-28　案例验证一推理结果

案例验证二：电机故障。

图 5-29 结果表明，按照相容通路的定义对 SDG 模型进行全面搜索，所得到的相容通路只有一条。准确地指出了故障源是电机功率减小，导致流量 FIC 减小。但是实际情况是电机功率 N 降为 0，可能是停电事故，如果没有停电则是电机本身的故障。对于此问题 SDG 模型需增加一个验证行动判断事件。

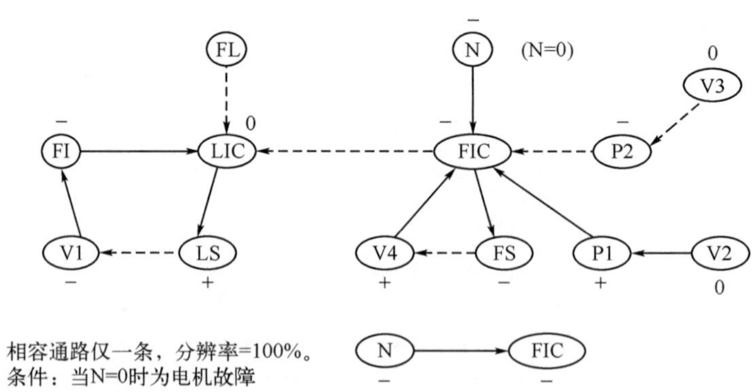

图 5-29　案例验证二推理结果

案例验证三：叶轮脱落。

图 5-30 结果表明，按照相容通路的定义对 SDG 模型进行全面搜索，所得到的相容通路

只有一条。准确地指出了故障源是电机功率减小，导致流量 FIC 减小。此种情况是电机功率 N 减小，说明电机本身正常，但是处于空转状态，即没有负载。对于本离心泵系统而言，只有离心泵叶轮脱落会导致电机空转。否则，只要电机正常总会存在一定的负载。

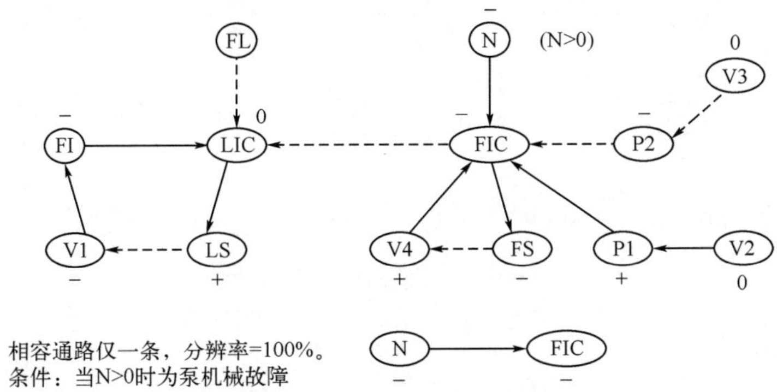

图 5-30　案例验证三推理结果

案例验证四： V1 关小，此时 LIC 置手动。

图 5-31 结果表明，按照相容通路的定义对 SDG 模型进行全面搜索，所得到的相容通路只有一条。准确地指出了故障源是阀门 V1 开度减小，导致流量 FI 减小。由于控制器 LIC 置手动，SDG 模型结构有变化，即 LS 至 V1 的支路断开。此时 FIC 保持不变，即储水槽的出口流量不变，而入口流量减少。入不敷出导致 LIC 下降。相容通路准确地表达了上述历程。

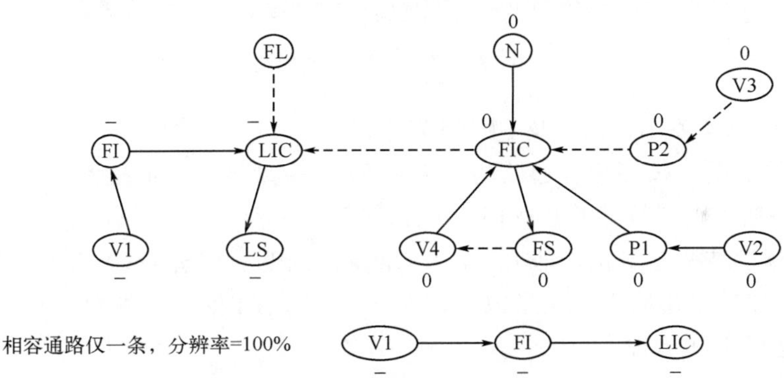

图 5-31　案例验证四推理结果

案例验证五： V1 开大，此时 LIC 置手动。

图 5-32 结果表明，按照相容通路的定义对 SDG 模型进行全面搜索，所得到的相容通路只有一条。准确地指出了故障源是阀门 V1 开度加大，导致流量 FI 增加。由于控制器 LIC 置手动，SDG 模型结构有变化，即 LS 至 V1 的支路断开。此时 FIC 保持不变，即储水槽的出口流量不变，而入口流量增加，导致液位 LIC 上升。相容通路准确地表达了上述历程。

案例验证六： V4 开大，LIC 及 FIC 都置手动。

图 5-33 结果表明，按照相容通路的定义对 SDG 模型进行全面搜索，所得到的相容通路只有一条。准确地指出了故障源是阀门 V4 开度加大，导致流量 FIC 增加。由于控制器 LIC 置手动，SDG 模型结构有变化，即 LS 至 V1 的支路断开。同理 FS 至 V4 的支路断开。此时 FIC 增加，即储水槽的出口流量增加，而入口流量 FI 不变，导致液位 LIC 下降。相容通路准确地表达了上述历程。

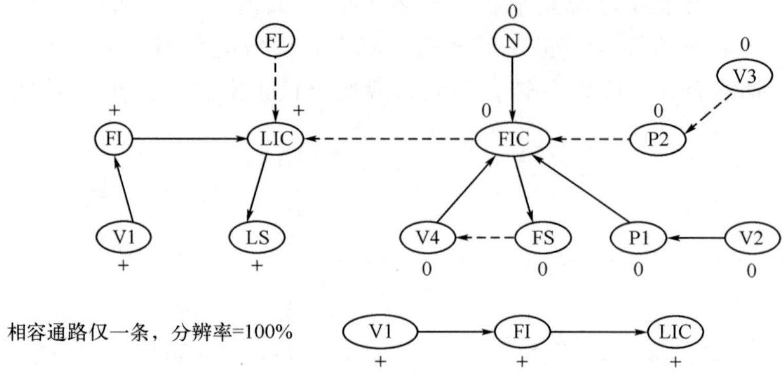

图 5-32　案例验证五推理结果

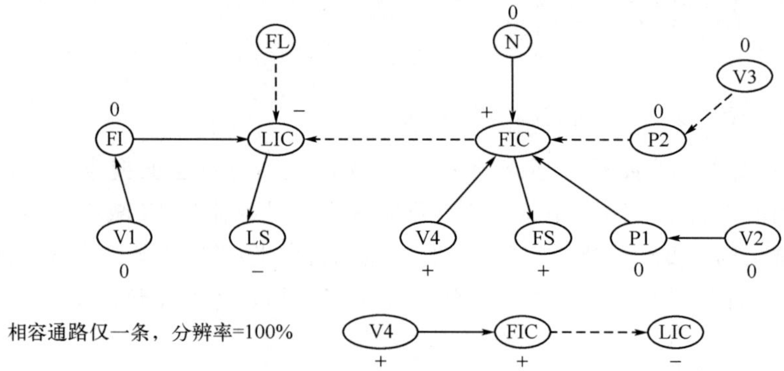

图 5-33　案例验证六推理结果

案例验证七： V4 关小，LIC 及 FIC 都置手动。

图 5-34 结果表明，按照相容通路的定义对 SDG 模型进行全面搜索，所得到的相容通路只有一条。准确地指出了故障源是阀门 V4 开度减小，导致流量 FIC 下降。由于控制器 LIC 置手动，SDG 模型结构有变化，即 LS 至 V1 的支路断开。同理 FS 至 V4 的支路断开。此时 FIC 流量减小，即储水槽的出口流量减小，而入口流量 FI 不变，导致液位 LIC 上升。相容通路准确地表达了上述历程。

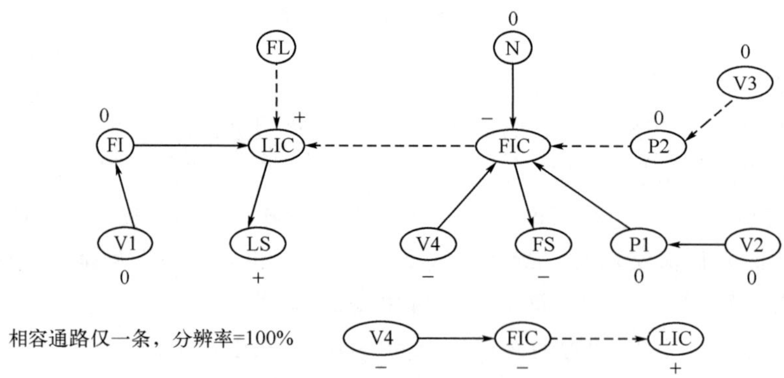

图 5-34　案例验证七推理结果

案例验证八： V2 关小，LIC 置手动，FIC 低位报警，汽蚀，其后 LIC 高位报警。

图 5-35 结果表明，按照相容通路的定义对 SDG 模型进行全面搜索，所得到的相容通路

只有一条。准确地指出了故障源是阀门 V2 开度大幅减小，导致流量 FIC 下降。由于控制器 LIC 置手动，SDG 模型结构有变化，即 LS 至 V1 的支路断开。此时即使控制器加大 V4 的开度也制止不了 FIC 减小，即储水槽的出口流量减小，而入口流量 FI 不变，导致液位 LIC 上升。相容通路准确地表达了上述历程。

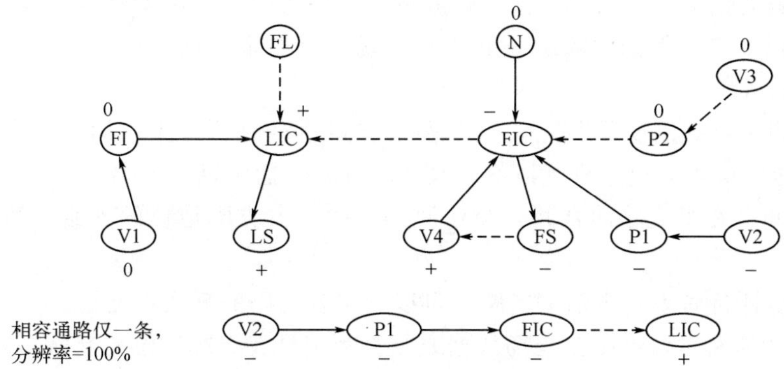

图 5-35　案例验证八推理结果

通过以上八个案例的试验说明，所得到的 SDG 模型具有较高的质量。对于每一个设定的节点偏离或故障，都只有一条相容通路，并且将原因与后果关联起来，达到了 100%的分辨率和 100%的完备性。当然，本案例所有的节点都是可观测的，属于比较理想的情况。设计时只要模型正确，都能达到比较满意的效果。

5.6.3　SDG 模型简化

(1) SDG 模型简化的目的

在实际应用中，SDG 模型的质量非常重要，因为低水平的 SDG 模型会给出实际过程完全不可能出现的结论，甚至是完全错误的结论。这种模型不能投入应用。

SDG 模型的质量主要体现在两方面：其一是完备性，即在 SDG 模型中能够搜索到全部有关的且正确的相容通路；其二是高分辨率，又称隔离特性，即在 SDG 模型中搜索给出的结论是唯一准确的。

在实际应用中难于两者兼顾，因为 SDG 模型是一种定性模型，容易出现多义性结论。所以，当注意了 SDG 模型的完备性时，往往会降低模型分辨率。而注意了模型的分辨率时，又可能降低了模型的完备性。解决此问题不能仅靠修改或简化 SDG 模型，还必须借助于定量信息、增加约束条件、采用特殊的推理机制等方法。最可靠的实用方法是增加“验证行动”。

理想情况是，当 SDG 模型中所有的节点都是可观测的，所有因果关系都是单调变化函数，并且 SDG 模型必须是完全正确的，则可以达到较高的完备性和分辨率。

采用经验法建立的 SDG 模型，容易出现错误和遗漏，必须进行反复修改或简化。SDG 的用途不同，简化的目标也有所不同。若用于安全评价，简化 SDG 模型是为了：便于揭示故障传播的路径，尽可能达到揭示危险传播路径的完备性，尽可能减少或消除次要的、实际上不可能的相容通路（称为伪相容通路）。若用于故障诊断，简化是为了：提高故障诊断的分辨率，实时在线的可用性及可信性，完全消除伪相容通路，甚至提高分辨率而适当降低完备性要求。

（2）SDG 模型简化原则

以下原则不一定解决所有问题，但加以考虑会提高 SDG 建模质量。

① 可观测变量节点的合并与简化原则：节点与干扰源及故障传播关系不大者可取消。

② 不可观测变量节点的合并与简化原则：

a. 不可观测变量节点的状态未知，在故障诊断应用中可以尽量取消。

b. 潜在的根节点，例如故障源，虽然不可观测，如果取消可能改变正确 SDG 的结构，因此不能随意取消。

c. 对于中间不可观测变量节点，当有多条支路通过时须慎重。例如，取消该节点会引出实际中不可能的伪相容通路或消掉不该取消的危险传播路径。

③ 两节点间存在多支路的合并与简化原则：找出占支配地位的支路，消去非支配地位的支路。

a. 用于安全评价时不一定消去支路，可以列出各支路的现实可能性。

b. 用于故障诊断时，可根据现场数据或经验判定具有支配地位的支路。

c. 如果负反馈支路属于非控制反馈变量（例如自衡现象），且不足以补偿或抵消干扰的传播时，该支路可取消。

d. 如果可以得到相关数据，满足半定量分析的条件，利用 SFD 分析找出占支配地位的支路，消去非支配地位的支路。

e. 合理修改 SDG 结构，尽量减少节点不相关支路。

④ 故障因素的引入：按故障发生的机制和历史事故经验添加节点和支路。

⑤ 非单调影响的单调化：将非线性关系的影响分段线性化的。如果非线性规律是单调变化的，可以看成线性单调变化。

⑥ 条件支路：

a. 安全评价时，对控制回路置手动，即取消反馈支路。

b. 故障诊断时，可以闭合自动控制反馈支路。

⑦ 不考虑某种故障或危险时，取消该变量的相关节点或支路。

5.7 因果有向图(CDG)建模与推理

因果有向图（CDG，causal directed graph）在原理上是定性线性代数方程的图形化表达和求解问题。所不同的是：

① 变量的值不一定是唯一可测量的具体事件，可以是用自然语言描述的概念事件；

② 推理不仅依据变量偏离为“＋”或为“－”导致的“真”或“假”定性逻辑值，还要依据概念事件是否发生的定性逻辑值“真”或“假”。

世界著名的工业 AI 软件平台 G2 采用 CDG 建模，CDG 建模和推理原理如下。

5.7.1 二元变量的因果模型

一种重要的定性模型形式使用二元变量，通常表示为一组变量作为因果有向图中的节点。这些因果有向图（CDG）中的节点之间用有向箭头连线（弧）表示因果联系，这可以用规则的形式来表述。例如："如果（原因）C1 为真（true），那么（结果）E 为真"，以及"如果 C2 为真，那么 E 为真"。这将在因果有向图模型中表示为 C1、C2 和 E 的节点，以及 C1 到 E 和 C2 到 E 的有向连接。如图 5-36 所示。

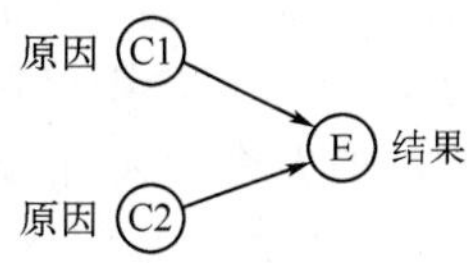

图 5-36　一个简单的因果有向图模型

以上 CDG 模型解释为"C1 导致后果 E""C2 导致后果 E"。箭头方向与逻辑含义的常规符号相匹配，写为 C1==>E 和 C2==>E。常把这个图读成"C1 导致 E""C2 导致 E"。这个图的另一个等效解释在诊断案例中相关性更强。其中如果 E 是已知的"真"症状，那么可以将模型解读为"C1 是后果 E 的可能原因""C2 是后果 E 的可能原因"。也就是说，至少有一个原因 C1 或 C2 是为真的。此外，通过"if-then"导致的"反正面"性质中，"NOT(E)"意味着"NOT C1"和"NOT C2"。也就是说，如果已知后果 E 是"假"（false）的，那么可以得出可能原因 C1 和 C2 是"假"的结论。

当"真"值对应于异常条件/故障时，称为故障传播模型。当异常条件存在时，这些模型中的"故障"或"问题"事件的值为"真"，当不存在时为"假"。因此，"真"是故障传播模型中的"坏"值，而"假"表示"好"或"OK"。模型还必须表示"未知"，因为可能没有足够的观察（数据）来确定问题/故障是否存在。

图 5-37 是车辆故障模式与影响分析（FMEA）因果有向图模型的一小部分示例。

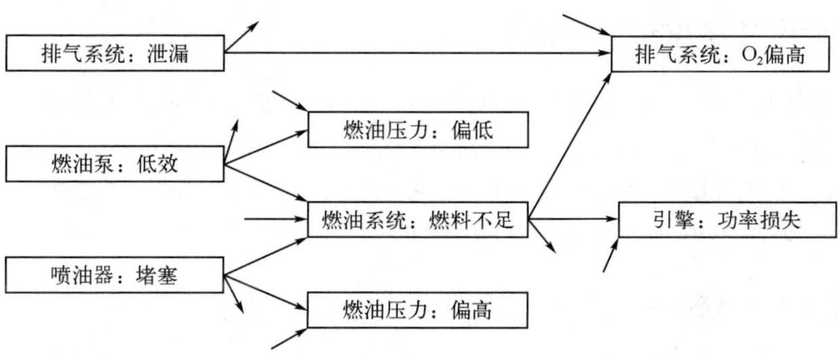

图 5-37　车辆故障模式与影响分析（FMEA）因果有向图模型

方框代表问题/故障，有向连接代表因果关系。(所有的有向连线连接两个节点，图 5-37 中没有把两个问题联系起来的有向连线，只是为了暗示存在其他问题。）如果燃油泵是低效率的，图 5-37 预测，这将导致燃油压力表显示低压，燃油系统的燃料供给不足。燃料不足将反过来导致发动机在行驶时产生功率损失。相反，如果 O$_2$ 传感器读数高，则可能是排气系统泄漏或燃料不足的原因。反过来，燃料不足的可能原因包括燃油泵低效和喷油器堵塞。左边的三个问题可能是根原因问题——该事件表达为没有输入。诊断意味着从观察到的症状（如高氧含量读数或发动机失去动力）开始，返回以确定最可能的根原因。

在许多"根原因分析"的实践中，故障问题与诸如核反应堆"提供冷却"之类的功能有关。问题节点可以表示这些功能故障，而这些故障又可能是由特定设备或程序故障引起的。"燃料系统：燃料不足"是子系统无法提供正常功能的一个例子。

与规则的情况一样，节点可以具有"与"逻辑或"或"逻辑。大多数故障传播模型默认采用"或"逻辑，因此，如果任何一个输入为真，则输出为真，并传播故障的后果。"与"逻辑有时是有用的，例如，如果主泵和备用泵必须在流量同时为零时，处理单元才会失效，则需要“与”门。也可以使用更复杂的门，例如“m of n”门（M/N），如果 n 个可用输入中的 m 个为真，则该门的结论为真。

对于大多数实际应用，与故障传播模型相关的逻辑并不是严格的二元逻辑，而是被称为“三值”逻辑，因为它必须把“未知”作为一个值。例如，对于或门，有一个输入为真，则输出为真，即使其他输入为假或未知。如果或门的所有输入都是未知的，则输出是未知的。对于与门，任何一个输入是未知的，则输出是未知的。

故障传播模型可用于“预测”和“诊断”，如下所述。这意味着为某些节点输入数据（基于自动测量或人工输入）并且运行时，“推理引擎”通过在模型中传播信息得出尽可能多的结论。一些节点可能会定期根据自动测量自动接收新值。其他的节点可能只在被请求时才得到值，作为自动化测试策略的一部分或向人类用户提出的问题，可能没有与之关联的任何直接测试或自动测量。例如，像“5 号滚筒温度高”这样的问题可能有一个温度传感器，可以自动用于确定真或假的值。或者，一个人可能会走到那个储罐并执行手动测试（行动），然后输入真、假或未知的值。或者，可能存在根原因问题，例如“蒸馏塔盘堵塞”，在维护操作时没有实际的直接测试。这些问题的真假值只能根据故障传播模型间接推断出来。

因果事件之间的时间延迟可以建模。在这种情况下，时间延迟被存储为表示因果关系的弧线（有向箭头的连线）。在关于时间延迟的部分中，除非另有说明，否则通常被认为没有时间延迟。这被称为“静态”因果模型，示例如下。

5.7.2 使用故障传播模型进行预测

按照箭头从已知的 C1 或 C2 值“向前”或“向后”看，以确定 E，这被称为使用模型进行“预测”或“仿真”。在以下四个预测示例中，所有因果事件的初始状态都是未知的。然后，为 C1 或 C2 输入单个测量值。在图 5-38 的例子中假定节点为“或逻辑”。

图 5-38 一个采用因果有向图进行预测的例子。

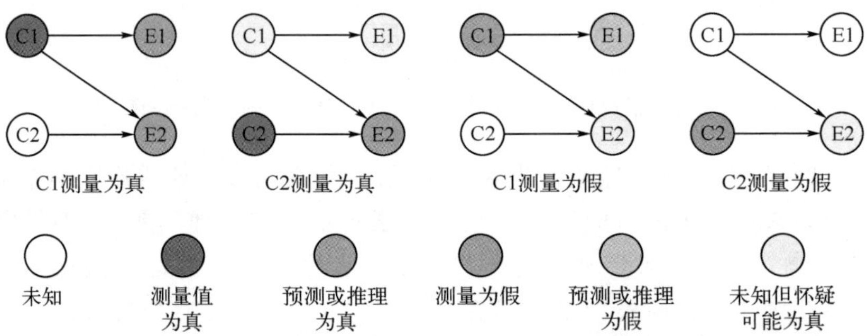

图 5-38 一个采用因果有向图进行预测的例子

彩图

在第一个预测示例中，观察到 C1 为真。利用该模型，可以预测 E1 和 E2 都是真的。此种情况无法得出关于 C2 的任何结论，所以它仍然是未知的。在这里用粉红色来强调 E1 和 E2 不是直接观察到的，只是预测到的。这种区别很重要，因为模型中可能存在错误，并且可能存在时间延迟（稍后讨论）。现在，假设因果之间没有时间延迟（即没有动态响应过程），那么这些模型是“静态的”。

第二个预测示例显示了 C2 测量为“真”的结果。此时可以预测 E2 也应该为“真”，但不能预测 C1 或 E1 的值，因为这两个节点都不在 C2 的下游。

第三个示例中，观察到 C1 为假（正常）。可以预测 E1 为假，这是因为 E1 只有一个输入。还有一个假设是模型是完整准确的，即 E1 确实没有其他输入。无法预测 E2 的值。假设 C1 为假，则 C2 的值必须与 E2 的值匹配，但 C2 是未知的。

第四个示例中，观察到 C2 为假，但不能在此基础上做出预测。E1 和 E2 的值都将匹配 C1，但 C1 是未知的。

作为整个故障诊断过程的一部分，预测问题向下游的影响非常有用。一个原因是其可以评估问题/故障的影响，帮助确定修复工作（行动）的优先级，并警告人们即将到来的进一步的并发症（通常在一段时间延迟之后，无论是否建模）。预测还有助于警报相关性，当看到额外的事件时，识别它们与现有问题是否有关，并且如果观察中存在可能发生的错误，也有助于确认它。

对于静态模型（没有时间延迟的模型），预测是“即时的”。即，当原因值发生变化时，预测的后果值立即发生变化。在时间延迟的情况下，只有在指定的时间延迟后，数值才会改变。在图 5-38 中，如果 C1 和 C2 都被设置为真（在同一时间或不同时间），那么 E2 的预测值将在基于这两个原因的最小预测时间后改变为真。

因果模型在节点中不保留历史记录——每个节点只有一个当前值，但可以根据其输入更改当前值。因此（除非有一个有向弧线的回路），系统的整个状态可以基于没有输入的节点集来预测——这是诊断术语中的根原因。其中的一个含义是，由此得出的预测并不依赖于根原因之前的值，而只依赖于它们当前的真值。因此，在图 5-38 的示例中，假设 C1 被设置为真，E1 和 E2 的预测值与第一个预测示例一样为真。如果将 C1 设置为假，则必须更改先前的 E1 和 E2 预测值，结果现在应该与第三个预测示例类似。E1 现在被预测为假。不再有任何证据支持 E2 的真或假结论，所以 E2 必须退回到未知。如果 C1 的值返回为未知，则该示例中的所有值都返回为未知——不支持任何其他结论。即使在时间延迟的情况下（没有循环——步进式诊断），结果最终也会达到示例中所示的“稳态”值。

如果存在循环（步进式诊断），那么如果从所有未知值开始，则需要对每个循环中的变量的值进行初始估计或观察，以确定循环中节点的未知值以外的值。注：在 AI3 中推理机自动避开循环搜索，不存在此问题。

5.7.3 使用故障传播模型进行诊断

诊断包括在相反的方向上使用上述模型进行推理。基于一个测量，假设观察到 E2 为真值，可以将模型解读为“C1 是 E2 的可能原因”“C2 是 E2 的可能原因”。如果 C1 和 C2 是不可测量的，不知道 C1 或 C2 是否为真，或者是否两者都为真，但知道至少有一个是为真的。故障隔离将需要额外的信息，例如确定其他节点（如 C1、C2 或 E1）的测量值。在这种情况下，就是说 C1 和 C2 在一个“歧义群”中，即知道它们中至少有一个是真的，但还不知道是哪个，也称它们为“可疑”，即它们可能都是真的。对于存在多个故障的系统，在进行诊断时可能存在多个歧义组。在因果模型的三值逻辑中，“可疑”是“未知”的变体。“可疑”的值仍然是未知的，但是诊断过程在因果图之外创建了一个额外的约束：每个歧义组必须至少有一个成员为真。在本章示例中，用黄色表示“可疑”，“可疑”的值与特定的歧义组相关联。

将可能的原因归因于观察到的后果的一般过程也称为溯因法（双向推理）。溯因法用于查找与具有通过测量、测试或手动输入发现的节点的观察值一致的根原因（没有输入的节点，推断为真）。通常的目标是找到能够解释观测值的最小可能的根原因集。一个完整的系统将因果关系图视为一组约束条件，所有的真/假/未知的观察值和估计值都应该与这些约束条件一致，或者在模型或观察中考虑到错误的情况下尽可能地保持一致。给定观测值，对所有节点估计尽可能多的值，这种估计通常是通过从观测值向上游和下游传播二元变量值来完成的。

图 5-39 的四个示例都从含有未知值开始，并说明输入一个观察值来启动诊断。在某些情况下，可以诊断出问题，然后可以传播其值“真”以进行进一步预测。

使用因果模型的诊断示例（以及随后的预测），见图 5-39。

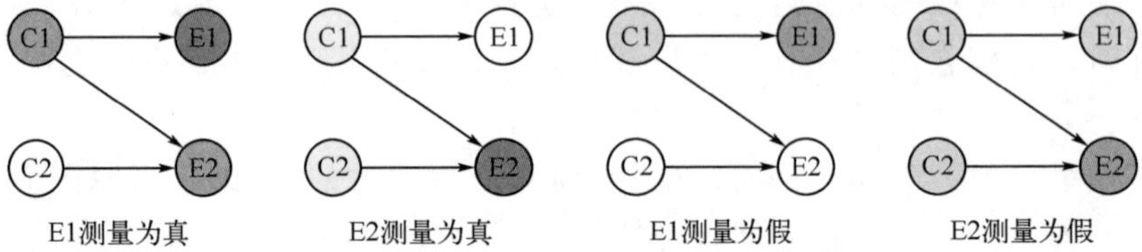

图 5-39　使用因果模型的诊断示例

彩图

在图 5-39 的第一个诊断示例中，观察到 E1 为真。然后可以反向推断出 C1 一定为真，这是因为 E1 只有一个输入。在模型完备的假设下，E1 为真唯一可能的原因是 C1 必须为真。现在已经推断出 C1 为真，进一步可以预测 E2 为真。当看上游时，属于“推断”；当看下游时，属于“预测”：这种区别主要在有时间延迟的情况下起作用。严格地说，如果从 C1 到 E1 存在时间延迟，推断 C1“为真”。但不能得出关于 C2 的任何结论，除非做一个单故障假设。事实上，如果没有直接测量来确定 C2，就无法确定 C2 是真还是假。或者说 C2 被 C1 的故障“掩盖”了，因为无法观察到 C2 的变化。C2 甚至不是一个“可疑”，因为没有观察到的证据（对 C2 的直接测试或从其下游节点进行的测试）表明 C2 是“真”的。

在图 3-39 的第二个诊断示例中，E2 被观察到为真。可以得出结论，C1 和 C2 是同一歧义组中的“可疑”，至少其中一个是真的，但不知道是哪一个，或者两者都是真的。如果没有进一步的测量验证（行动），就不能确定 E1。

在图 3-39 的第三个诊断示例中，观察到 E1 为假。可以得出结论，C1 一定是假的。这是由 if-then 逻辑的“反负”属性得出的，语句“C1 暗示 E1”也意味着“NOT（E1）暗示 NOT（C1）”。在这个例子中，E1 只有一个输入，因此 C1 也不可能为真。如果没有进一步的信息，无法确定 C2 或 E2 是否为真。基于一个“良好”的观察，没有证据表明存在故障，因此没有“可疑”。

在图 5-39 的第四个诊断示例中，E2 被观察到为假。根据“反负”属性，C1 和 C2 都必须为假。在这种情况下，由于 E1 只有一个输入，可以预测它也一定是假的。

5.7.4　掩蔽和单故障假设的结果

即使图 5-39 的简单示例演示了掩蔽的后果，以及选择进行单一故障假设。但在第一个示例中（E1 观察到为真），除非可以直接观察到 C2，否则无法确定 C2 的值，因为在 C1 被诊断为真的情况下，E2（C2 唯一观察到的后果）将始终为真。C1 的故障掩盖了 C2，可以假设一次只有一个故障，从而得出 C2 为假的结论。然而，这里不需要这样的假设，因为 C2 从来不是可疑。

在图 5-40 的例子中，E1 和 E2 都为真。

一个显示掩蔽的例子见图 5-40，没有或只有一个为假的预测案例。

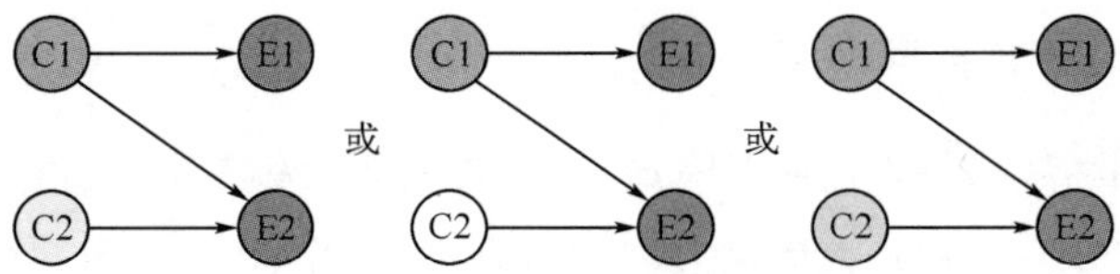

图 5-40　一个显示掩蔽的例子

彩图

图 5-40 与前面的“诊断示例”案例一样，C1 被诊断为真。在这个模型中，只有对 C2 进行直接测试（行动）才能确定它的值，否则它的值将被掩蔽。在面向事件的系统中，后果通常一次到达一个。如果首先测量 E2 为真，则 C1 和 C2 都是可疑的，如图 5-39 第二个“诊断示例”案例所示。然后，当 E1 被测量为真时，由于 C1 是 E1 的唯一可能原因，因此 C1 被诊断为真，那就只剩下 C2 是可疑的了。由于使用的是静态模型，因此可以设计一个诊断系统，使观察的顺序不影响结果。在这种情况下，即使首先观察到 E1 为真，当随后观察到 E2 为真时，也会将 C2 添加为可疑项。这将导致图 5-40 最左边的情况。另一种选择是说 E2 为“真”已经被预测“解释”了，因此不需要进一步的处理。在这种情况下，C2 仍然是未知的，并且没有被设置为可疑，如图 5-40 的中间情况所示。图 5-40 的第二种策略可以减少“可疑”。这是一种溯因推理策略，强调诊断最少量的根原因，但不严格要求单一故障假设。然后，结果可能取决于接收事件的顺序，这取决于算法实现的细节。坚持使用单个错误假设将导致诊断 C1 为“真”，并声明 C2 为假，如图 5-40 最右边的情况。

单一故障假设在强制“最小”解释方面很有吸引力，许多诊断技术都需要这种假设。但对于大型系统来说，这不是一个好的假设。的确，在短时间内，不太可能出现一个新故障。但是，检测、诊断和修复故障（行动）的时间往往很长，以至于在早期故障仍在修复时会出现其他故障，甚至被忽略，直到可以完成主要维护工作。

在风险研究中，一个典型的假设是，任何根原因故障的概率独立于其他任何故障。假设单个故障违反了这一点，那么意味着一旦发现一个故障，就会降低另一个故障发生的可能性。最好避免做出这些物理上不可能的假设。实际上，当以“独立”方式建模的故障确实以某种未建模的方式交互时，通常会增加其他故障的概率。例如，一个故障可能导致过热、振动、过载或应力，这增加了另一个故障的可能性，通常被建模为一个独立的根原因。

在流程工业和网络管理等大型系统中，多重故障是常见的。幸运的是，在这些情况下，也有如此多的测量（行动），通常可以使用足够的测量（行动）来诊断任何故障得到唯一的原因。尝试找到一种直接的方法来测试根原因是一种很好的实践，即使这种测试碰巧是昂贵的。但是经常发生的情况是，“向下游”测试比直接测试便宜，因此充分利用故障模型的观察结果是有好处的。G2 采用多种“行动”来验证故障诊断结论，这是其能够在过程工业实时在线应用中具有高成功概率的关键所在。

从图 5-40 的例子中可以明显看出，即使做出了一个单一的错误假设，也最好使用它来将其他可能的根原因标记为“未知”（上面的中间情况）。因为在没有证据支持的情况下，断定其他根原因为真（有故障的）是没有道理的。得出这些额外的结论往往没有什么好处。故障诊断需要给出与修复或补偿诊断出的故障有关的最重要的行动。

可以将各种行动归结为三类，即故障诊断不确定性问题的验证行动、发现事故苗头的抑制故障的行动、故障已经发生后的减缓行动。即真正把安全生产的国家标准——预防与应急行动的“20 要素”，实时在线化。这就是工业 4.0 故障诊断“数字孪生”的核心目标。

5.7.5 回路（因果图中有向弧的循环）

循环产生于物质世界。过程工业中明显的例子包括反馈控制回路，由物料/产品热交换器或材料循环引入的回路，等等。另一个例子是在放热化学反应中：输入温度的增加导致反应速率的增加，但增加的反应速率导致产生的热量增加，这反过来又导致温度升高。这就导致了众所周知的化学反应器的“多稳态”现象——即使知道反应器的入口条件，也无法预测出口温度。通常有三种可能性：一切都很冷，一切都很热，或者介于“不稳定”的稳定状态之间。其中第三种状态通常必须保持非常小心的控制。（在一些工业装置中，将热量从输出端回收到输入端会使稳定性变得更糟。）

因果模型将不可避免地反映这些循环。即使对于静态模型，布尔值也可能存在“多重稳态”的相同问题：一旦某个或门的“真”值循环被触发，就会独立于根原因而自我维持。具有时间延迟的模型是一个没有阻尼的离散时间动态系统，因此循环不仅可以传播单个值，还可以传播随时间变化的整个重复模式。正如预测部分所指出的，必须在每个循环中观察到一个值，以将预测值解析为除未知之外的任何值。同样，对于诊断，只要在每个周期中存在观测值，就可以解决歧义。回路不会对预测和诊断算法构成主要问题，算法只需要进行测试，以确保在两次遇到相同节点时传播停止，即可避免循环。

在 AI3 软件平台中，当实施高速高效通路推理时，推理机能够自动识别循环，并自动避开循环。除通路推理识别外，还能实施高速高效独立回路（循环）推理识别。

5.7.6 一个更完整的故障诊断示例

图 5-41 是一个稍微更完整的故障诊断示例。在这种情况下，处理一系列输入，并在 3 个数据输入后得出诊断结论。

一个具有 3 个连续观测值条目的诊断示例见图 5-41。

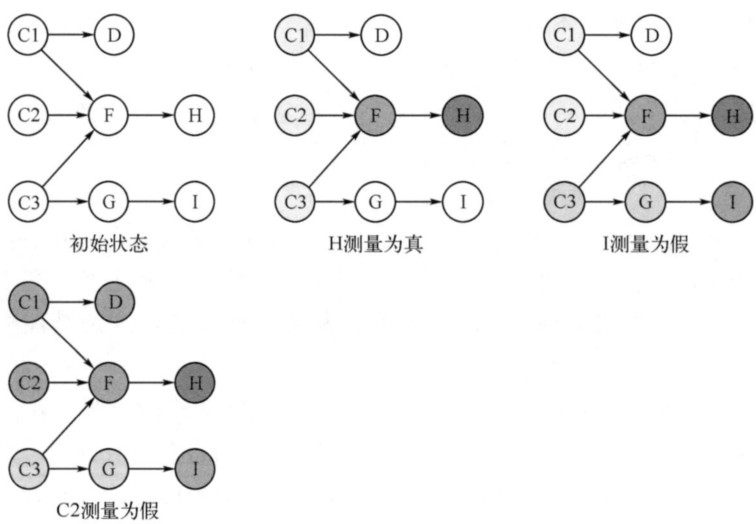

图 5-41 一个具有 3 个连续观测值条目的诊断示例

彩图

图 5-41 的示例从所有诊断状态未知开始。第一个观察结果是 H 是“真”的。由于 H 只有一个输入，因此可以推断 F 为真。因此，有一个由 C1、C2 和 C3 组成的歧义组。这些可疑中至少有一个是“真”的。接下来，观察到节点 I 为假。因此，G 和 C3 都可以被推断为“假”。最后，直接观察（测试）表明 C2 为假。既然从 C2 和 C3 到节点 F 的输入现在被认为是假的，那么 F 的唯一可能的“真”输入必须是 C1。因此，得出结论，C1 必须被推断为“真”，诊断完成。现在可以预测 D 也一定是“真”的。

5.8 符号有向图与因果有向图融合建模

5.8.1 因果有向图故障诊断的优点和不足

第 5.7 节介绍了 G2 如何采用因果有向图（CDG）模型实施故障分析及其诊断原理。可以清楚地看出，G2 的 CDG 方法实质上是一种基于故障模式与影响分析（FMEA）模型，通过从中间报警节点反向定性逻辑推理，找到故障原因的方法。优点是，可以在模型中存在某些节点信息不完备时，通过其他节点的“旁证”信息，分析获取“预测的候选故障（但不是确认的）”的故障模式。因为 FMEA 有能力追踪到最后一个确认“验证行动”为“真”的下一个事件必然是“根原因”事件。G2 引入了“验证行动”后，模型可以追踪到“根原因”事件，并且根原因事件的前一个事件应当是确认根原因的“验证行动”事件。G2 提出的验证行动是自动验证行动、多步逻辑验证行动或人工现场验证行动等。这是 G2 能够在过程工业应用成功的最主要优势，即在接近事故发生的“最近”点位的具体事件报警，开始诊断推理。并且 G2 采用了多种“行动”来验证故障诊断结论。这一诊断机制也引出了 G2“零信任模型”的概念。这是 G2 能够在过程工业实时在线应用具有高成功率的关键所在，应当是对传统故障诊断理论和方法的“革命性”突破。传统的故障诊断理论和方法总是企图在信息不完备的条件下不进行“验证行动”也能得到诊断结论。因此在实际系统上成功几乎是不可能的。传统的故障诊断理论和方法的另外一个主要缺点是，不能诊断出确切原因和故障的来龙去脉，并通过自然语言解释。G2 采用 CDG 模型诊断方法克服了这两个难点。

G2 除了具备自动/人工“验证行动”外，还具备在不同事故工况下提供具体的“维修行动”、“恢复正常工况的操作行动”和“事故已经发生采取减缓行动”的指导。这些功能使 G2 成为人-机协同的实时在线人工智能专家系统。

但是不难发现，当距离故障发生的路径比较远时，CDG 的推理可能需要很多的“验证行动”。如果涉及比较多的人工验证行动确认根原因，则费时费力。而且紧急事故不容太多的“验证行动”，否则可能贻误战机。此外，正如斯坦利的分析认为，检测、诊断和修复故障（行动）的时间往往很长，以至于在早期故障仍在修复时会出现其他故障（详见第 5.7.4 节）。因此 G2 只能采取“最后一公里”式的诊断建模。即，最好是只要一次“测试行动”就可以确认根原因。这在预先建模时是不难做到的，但是，这种情况可能已经越过了事故发生的苗头时段，已经濒临事故的发生。因此 G2 的模型同样会贻误战机，不利于排除事故。

从 G2 存在的不足发现，G2 建模很明显避开了诊断事故苗头问题，即危险传播趋势预测功能不强。G2 提供了一种多连线关联事件百分数故障定位功能。这种功能看似可以部分诊断事故苗头，但也有不确切的问题。因为当多种原因共同导致一个事故后果发生时，多种原因不一定是同时发生的。如果百分比包含的是最先发生的那些原因，则属于诊断事故苗头还说得过去，反之就不是在事故苗头状态给出的诊断。

5.8.2 符号有向图与因果有向图融合建模优势

SDG 模型可以通过第一原理的定性推理弥补 CDG 模型的不足。即 SDG 是依据过程系统的实时数据进行事故传播路径的推理分析，因此有能力跟踪事故发展趋势的路径并进行诊断。但 SDG 的“最后一公里”没有 CDG 的优势。主要原因是只依据工况数据不能完全确认根原因，必须联合 CDG 的“测试验证”方法和推理方法，才能实现优势互补。将 SDG 与 CDG 融合建模必须改进推理引擎，使得推理引擎能够在 SDG 模型中任意插入 CDG 模型，照样能够实现 SDG 相容推理。并且也能融入“最后一公里”的“测试行动”，还能包括给出“危险抑制行动”和“危险减缓行动”实施指令。SDG 与 CDG 融合建模的另外一个优势是通过在 SDG 模型中任意穿插 CDG 事件，可以采用机理和经验相结合的方法把剧情描述得更加清楚透彻。因此该融合称得上是知识工程的新进展。

仅就构建 ITS 跟踪模型而言，其基本要求是尽可能完备细致、充分必要的表达过程知识。与故障诊断不同，SDG 与 CDG 融合建模几乎达到了 ITS 过程知识表达的完美要求。因此特别适合用于模型跟踪智能教学和促进学生概念转变。这是 AI3 新一代融合建模与推理引擎技术在智能教学中的创新发展。

AI3 要求构建能够彻底确认解决问题的模型和推理机制，而不是像 G2 采用的纯 CDG 模型存在较多模棱两可的推理机制。这也是 AI3 的建模原则。AI3 软件平台将 G2 的多种类型的“行动”简化为三类行动，包括根原因诊断不确定性问题的“验证行动”、发现事故苗头的“抑制行动”、故障已经发生后的“减缓行动”。因此，AI3 能够真正把安全生产的国家标准——预防与应急行动的关键要素，实时在线化实施。这是工业 4.0 人工智能“数字孪生”人-机协同的重要目标。

5.8.3 SDG 与 CDG 融合建模要点

（1）SDG 与 CDG 融合建模要点

① 将第一原理微分方程组用因果网络图直接转化为定性微分方程组，即符号有向图（SDG）模型。或者，采用结合实际的经验矩阵法获取变量间影响关系，构建影响方程。实现第一级定性仿真与半定量仿真技术的融合。

② 在同一 SDG 模型中融合因果有向图（CDG）模型。主要是在第一级 SDG 主干模型中嵌入原因事件、后果事件、条件事件、约束事件、验证行动、故障抑制行动、事故减缓行动和概念事件等信息，实现第二级定性仿真＋半定量仿真＋常识经验模型的融合。

③ 扩展推理引擎的推理机制，使其自动适应 SDG 与 CDG 任意融合模型的多功能推理。

④ 通过多功能推理引擎，配合源自仿真器或源自实际检测的工业过程大数据，实施“大数据＋SDG＋CDG”深度融合的知识图谱全谱模型的智能化运算。

⑤ 实施教育数字化转型的基于问题、基于案例或基于剧情的模型跟踪智能辅导，以及工业 4.0“数字孪生”关键问题的多功能识别、深度分析、科学决策和精准行动与控制。

（2）SDG 与 CDG 融合建模吸纳内容

① G2 结合真实世界实际情况的故障诊断方法，即“零信任模型”原则。

② G2 通过关联多种“行动”（手动和自动测试行动、手动操作工况恢复行动、自动工况恢复行动、设备修复更换行动、故障减缓行动、各类行动的时限等）使安全管理要素工业标准比较全面地实现了实时在线运作中。

③ G2 在“根原因”端的定性逻辑判断中引入了“验证行动”环节，以便在多种可能的原因中判断哪一个确实为“真”的方法。

5.8.4　SDG 与 CDG 融合模型推理要点

在危险剧情模型中通过人工 HAZOP，仔细嵌入条件事件、使能事件、人为失误事件、相关概念事件及半定量、风险概率、时间因素、机理计算数据等信息，不但可以进一步提高剧情诊断分辨率，还可以更完备、更准确、更详细地揭示和描述危险剧情。在基于 SDG 模型推理获得的主干危险剧情中嵌入条件事件和使能事件必须结合实际。原因事件、中间关键事件和后果事件都可能涉及条件事件或使能事件，见图 5-42。必须依据实际情况将事件准确嵌入到相关剧情中。

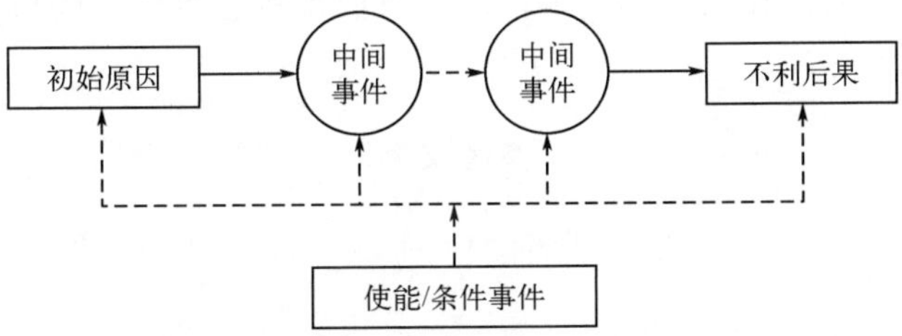

图 5-42　条件事件和使能事件与剧情的关系

在单纯的 SDG 模型中，在因果事件链或网络中推理是没有问题的（只要因果关系是正确的，符合实际的）。但 SDG 模型中间嵌入了概念事件（即 SDG 与 CDG 融合模型）需要嵌入默认推理时，则原 SDG 模型或危险剧情的一致性结构可能被隔断或消掉。因此在具体事件和概念事件混合模型中只考虑其中具体事件对偶的相容性，可能会出现误判。例如：图 5-43 纯 SDG 具体事件链 A 串的第 2 和第 3 事件中间插入了概念事件或概念事件串（用虚线简化表示），即 B 串所示，推理机也会判定为相容。实际上该事件串从事件 3 继续推理是不相容的，因为第 2 到第 3 具体事件间的影响关系，即 C 因果对偶被消掉了。

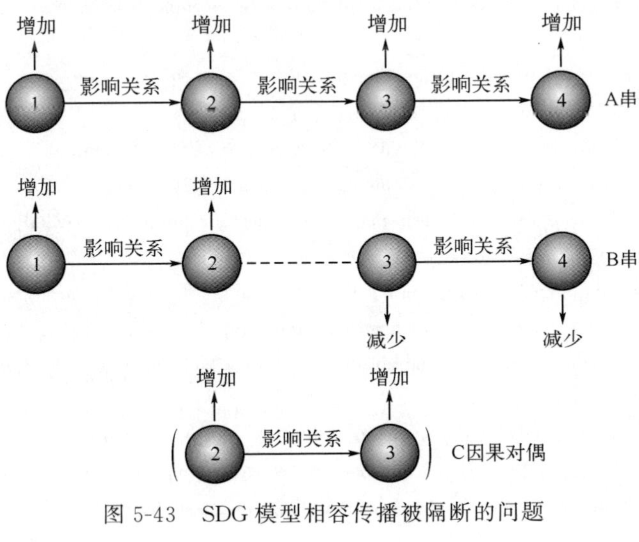

图 5-43　SDG 模型相容传播被隔断的问题

一种正确保持相容性的手工建模方法是：在插入概念事件（或概念事件串）后，复制一次第 2 具体事件，这样无论嵌入多少个概念事件都可以保持 C 因果对偶不被消掉。从而使得该剧情正确的相容特性不变。如图 5-44 中的 D 串示意模型所示。

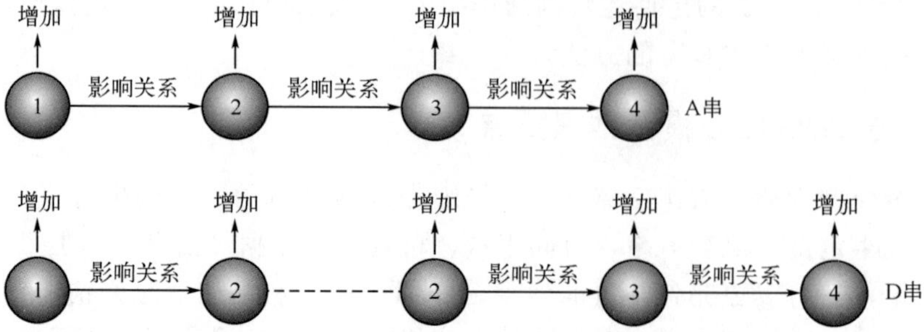

图 5-44　复制第 2 具体事件保持相容特性不变的建模方法

AI3 软件扩展的特殊智能推理功能是：在具体事件因果对偶中允许任意插入“条件”或“概念事件”，能够自动记忆和处理具体事件因果对偶被概念事件分隔后的相容状态，即不必手工复制具体事件。

参考文献

[1] De Kleer J，Brown J S. A qualitative physics based on confluences [J]. Artificial Intelligence，1984，24 (1/2/3)：7-83.

[2] Kleer J D，Williams B C . Diagnosis with behavioral modes [J]. Morgan Kaufmann Publishers Inc，1989.

[3] Forbus K D，Kleer J D . Building problem solvers [J]. MIT Press，1993.

[4] Behandish M，Maxwell I J，Kleer J D，et al. AI research associate for early-stage scientific discovery [J]. CEUR Workshop Proceedings，2021：2964.

[5] Forbus K D. Qualitative process theory [J]. Artificial Intelligence，1984，24 (1/2/3)：85-168.

[6] Forbus K D. Qualitative process theory：Twelve years after [J]. Artificial Intelligence，1993，59 (1/2)：115-123.

[7] Forbus K D. Using qualitative physics to create articulate educational software [J]. IEEE Expert，1997，12 (3)：32-41.

[8] Kuipers B. In encyclopedia of physical science and technology，third edition. Editor-in-Chief [J] . Academic Press，2001.

[9] Kuipers B . Qualitative reasoning：Modeling and simulation with incomplete knowledge [J]. Automatica，1996，25 (4)：571-585.

[10] Iri M，Aoki K，O' Shima E，et al. An algorithm for diagnosis of system failures in the chemical process [J]. Computers & Chemical Engineering，1979，3 (1/2/3/4)：489-493.

[11] Venkatasubramanian V，Rengaswamy R，Kavuri S N. A review of process fault detection and diagnosis Part Ⅱ：Qualitative models and search strategies [J]. Computers & Chemical Engineering，2003，27 (3)：313-326.

[12] Vaidhyanathan R，Venkatasubramanian V. Digraph-based models for automated HAZOP analysis [J]. Reliability Engineering & System Safety，1995，50 (1)：33-49.

[13] Srinivasan R，Venkatasubramanian V. Automating HAZOP analysis of batch chemical plants Part Ⅰ. The knowledge representation framework [J]. Computers & Chemical Engineering，1998，22 (9)：1345-1355.

[14] Vedam H，Venkatasubramanian V. Signed digraph based multiple fault diagnosis [J]. Computers & Chemical Engineering，1997，21：S655-S660.

[15] Vedam H，Venkatasubramanian V. Automated interpretation of PCA-based process monitoring and fault diagnosis using signed digraphs [J]. IFAC Proceedings Volumes，1998，31 (10)：219-223.

[16] Maurya M R，Rengaswamy R，Venkatasubramanian V. Fault diagnosis by qualitative trend analysis of the principal

components [J]. Chemical Engineering Research and Design，2005，83 (9)：1122-1132.

[17] Shin D，Venkatasubramanian V. Intelligent tutoring system framework for operator training for diagnostic problem solving [J]. Computers & Chemical Engineering，1996，20：S1365-S1370.

[18] 杨帆，萧德云 . SDG 建模及其应用的进展 [J]. 控制理论与应用，2005，(05)：93-100.

[19] Zhang Z Q，Wu C G，Zhang B K，et al. SDG multiple fault diagnosis by real-time inverse inference [J]. Reliability Engineering & System Safety，2005，87 (2)：173-189.

[20] 吕宁，王雄 . 基于 SDG 的加热炉 HAZOP 与故障诊断 [J]. 系统仿真学报，2006，(06)：1660-1663.

[21] 刘玥，张贝克，吴重光 . 基于模糊推理的计算机辅助 SDG-HAZOP 新方法 [J]. 计算机工程与应用，2006，(11)：201-204.

[22] Lü N，Wang X. SDG-based HAZOP and fault diagnosis analysis to the inversion of synthetic ammonia [J]. Tsinghua Science and Technology，2007，12 (1)：30-37.

[23] Yang F. Research on dynamic description and inference approaches in SDG model-based fault analysis [J]. 2008.

[24] Wei-hua Z，Wu C，Xa Y，et al. Classification of hazard scenario and SDG qualitative identification method [C] // 2008 Asia Simulation Conference-7th International Conference on System Simulation and Scientific Computing. IEEE，2008：1223-1227.

[25] 刘玥，张贝克，吴重光 . 基于模糊推理的计算机辅助 SDG-HAZOP 新方法 [J]. 计算机工程与应用，2006，(11)：201-204.

[26] 吴重光 . 系统建模与仿真 [M]. 北京：清华大学出版社，2008.

[27] Gao D，Wu C G，Zhang B K，et al. Signed directed graph and qualitative trend analysis based fault diagnosis in chemical industry [J]. Chinese Journal of Chemical Engineering，2010，18 (2)：265-276.

[28] Wu C G，Xu X，Zhang B K，et al. Domain ontology for scenario-based hazard evaluation [J]. Safety Science，2013，60：21-34.

[29] 吴重光，纳永良 . 知识图谱建模与智能推理技术 [M]. 北京：化学工业出版社，2021.

第6章
智能教学通用专家系统

6.1 新一代人工智能软件平台 AI3

6.1.1 新一代人工智能软件平台 AI3 概述

AI3 是 Artificial Intelligence 3 的简称，即人工智能-3，是一个面向事件的人工智能“专家系统”软件平台。AI3 可以用自然语言标准化、图形化、细粒度、直观、形象、方便和快捷地构建过程工业知识图谱全谱模型（第一原理＋大数据＋SDG＋CDG＋经验知识的因果网络模型）。该模型有能力蕴含极为丰富的工业大数据、静态陈述性（又称声明性）知识和动态过程性知识。其中涉及约占全部知识 80％的隐性知识。AI3 的演绎、归因和双向（溯因）因果反事实高效多功能推理决策，是新一代人工智能的核心技术之一，可以将知识模型中的隐性知识用自然语言显性化自动寻踪解释。AI3 软件的结构原理示意如图 6-1 所示。

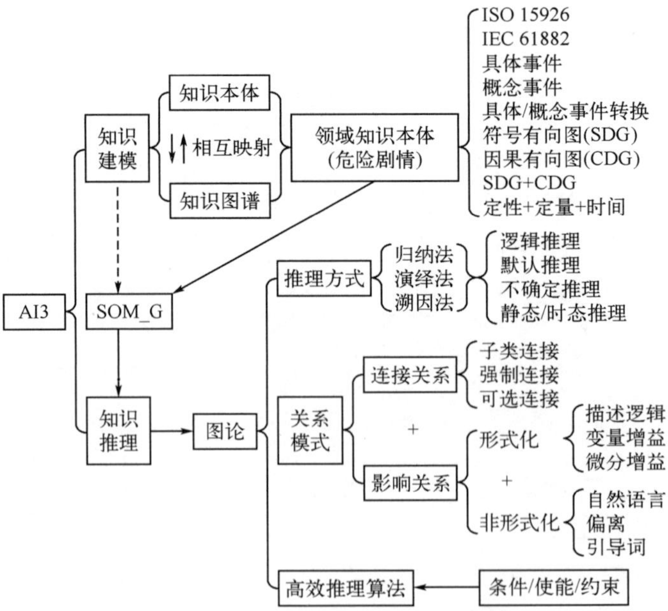

图 6-1　AI3 软件的结构原理示意图

混合仿真的初级方法是使第一原理模型和常识经验模型各起各的作用，即优势互补。高级混合仿真技术是“深度融合”方法，AI3 也是“深度融合”方法，具体实施方法如下：

将第一原理微分方程组用因果网络图直接转化为定性微分方程组，即符号有向图（SDG）模型，实现第一级定性仿真＋半定量仿真技术的融合。在同一 SDG 模型中融合因果有向图（CDG）模型，实现第二级定性仿真＋半定量仿真＋常识经验模型融合。通过实际检测的工业过程大数据＋多功能推理引擎的特殊技术，实现“大数据＋SDG＋CDG”的深度融合的知识图谱全谱模型的智能化计算。实施工业 4.0“数字孪生”关键问题的多功能求解。

AI3 是一体化“深度融合”建模与仿真的技术路线，是通过结合工业实际特殊研发的一系列易学易用的知识图谱图形化建模技术，无需建模专家，初学者就可以直观、方便、快捷地构建过程知识模型。详见作者的著作：

①《系统建模与仿真》[1]，该书是国内第一部论述定量仿真和定性仿真混合建模及工业应用的著作，也是普通高等教育“十一五”国家级规划教材，由清华大学出版社出版，书中所提技术比美国艾斯本技术公司提出的混合建模与仿真技术早了 12 年。

②《知识图谱建模与智能推理技术》[2] 由化学工业出版社出版。该书对 AI3 的融合建模与仿真，高效多功能推理算法，AI3 建模与仿真原理，建模与仿真案例，软件平台使用方法，AI3 在智能安全评价、智能故障诊断及智能“专家陪练”仿真教学应用等方面进行了详细论述和介绍。

AI3 是一种具有自主知识产权的，能够助力实现工业 4.0 的，支持知识管理、知识传承、知识创新、数字转型和数字孪生的应用工具软件。国家版权局著作权登记号：2016SR372689。

AI3 的理论和工业 AI 应用意义如下：

① 科技部 2020 年将“工业领域知识自动构建与推理决策技术及应用”“混合增强在线教育关键技术与系统研究”，列为新一代人工智能重大项目申报指南。

② 科技部 2021 年将“因果推理与决策理论模型研究”和“复杂动态系统智能理论与方法”列为新一代人工智能重大项目申报指南。

③ 科技部 2022 年提出新一代人工智能共性关键技术涉及：

a. 面向人-机协同任务的情境认知与效能优化；

b. 情境认知与推演方法；

c. 心智理论的意图模型；

d. 构建人-机协同的虚实融合仿真环境。

在人工智能基础模型关键技术研究方面提出：

a. 进行新型模型架构、训练和学习方法研究；

b. 知识表征及认知架构，实现具有宽认知能力的基础模型；

c. 基于认知架构的基础模型可解释性，大幅提高基础模型可信性等。

④ 科技部在新一代人工智能创新应用方面提出：

a. 进行智能制造过程中数据认知与生产决策研究；

b. 进行数字孪生模型研究；

c. 进行认知模型研究；

d. 研究工况模式认知的动态决策技术；

e. 建立机理模型、时空数据及知识图谱和认知知识图谱；

f. 实现过程多目标优化及时空动态决策等算法和技术。

以上连续 3 年国家级人工智能重大项目申报内容，与 AI3 已经达到的主要技术指标、相关功能和特点高度一致，并且都是本书知识体系的重点内容。目前欧美发达国家将其确认为工业 AI 技术、工业 4.0 数字化转型和“数字孪生”的核心技术。

2024 年采用微软最新推出的 VS-2022 编译系统 VC＋＋语言将 AI3 全面升级为 64 位软件平台。软件总规模达到数十万行源代码。做到了 AI3 人工智能软件平台可以在普通微机中高效运行，为工业 4.0 人工智能技术大规模推广应用创造了先决条件。

新一代人工智能软件平台 AI3 以及其在基于仿真的智能教学中的应用，是本书全部内容的聚焦重点。用于智能教学的软件平台由 7 个典型化工单元仿真软件与 AI3 教师版及学生版软件联合构成新一代基于仿真的人工智能教学系统——SimAI3。该系统将仿真实践训练技术与更高阶思维认知训练技术密切结合，成功构建现代 STEM（科学、技术、工程和数学）“V 图”探究式教学的标志性环境。

SimAI3 是 AI3 软件平台在智能教学中的应用，是教育数字化转型的必备认知工具。学习使用 SimAI3 软件系统需要具备一定的工业 4.0“数字孪生”知识建模以及“危险与可操作性分析（HAZOP）”知识，包括因果推理创新思维方法基础。

本章首先介绍 AI3 专业版使用方法，其后介绍 AI3 专业版在基于仿真的智能教学领域的扩展部分 SimAI3，包括教师版和学生练习考核版的功能和使用方法。

6.1.2 AI3 多功能知识图谱建模类型

AI3 具有多功能知识图谱建模能力，其可进行的多种图形化知识建模类型及主要应用见图 6-2，包括因果知识（动态过程知识）建模和相关知识（静态概念知识）建模两大类。

因果知识建模主要包括符号有向图（SDG，signed directed graph）建模、因果有向图（CDG，causal directed graph）建模，以及 SDG＋CDG＋大数据融合工业 4.0“数字孪生”建模。

相关性知识建模又分为两类，一类已经包含在 SDG 和 CDG 建模之中，通过对话框输入事件的主要属性，也可以单独用事件的图形化方法灵活构建概念导图模型。

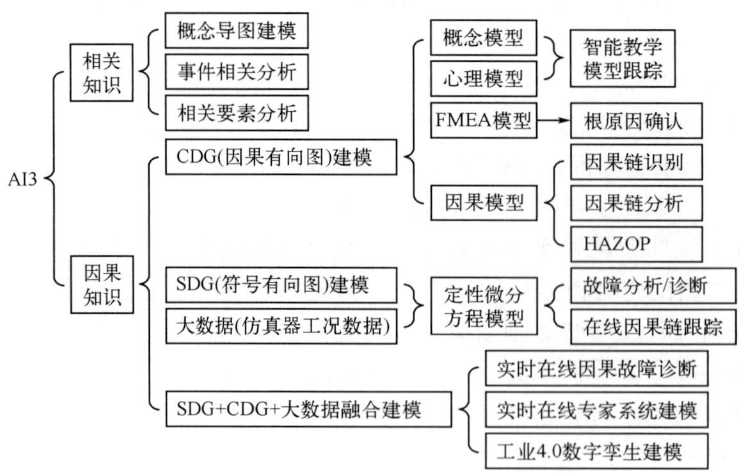

图 6-2　AI3 多功能建模类型及主要应用概览

6.1.3　AI3 高效多功能推理类型

AI3 具有高效多功能复杂模型推理搜索和分析功能。推理包括演绎、归因和双向（溯因）因果反事实推理三种。推理引擎适用于联立模型和离散模型，以及两者皆有的混合模型。多种模型的多功能推理类型，包括不确定性默认推理、相容推理和默认＋相容混合推理等。见图 6-3。

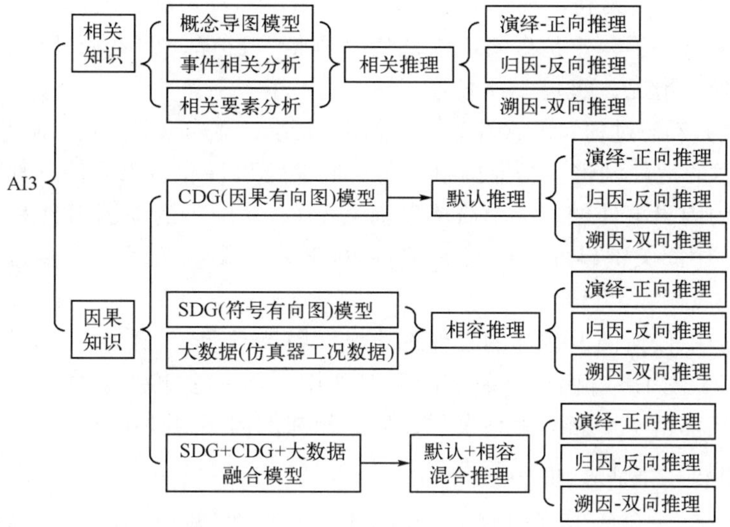

图 6-3　AI3 高效多功能推理类型概览

AI3 引入了国际著名的 G2 实时在线人工智能专家系统“零信任模型”的理念。密切结合工业实际，推理过程对于不确定性事件嵌入了“测试验证行动”，以便确认根原因和给出工业现场精准和有效的安全措施指令。

对单独构建的概念导图也可以实施三种相关性推理，例如，完成事件相关性分析、相关要素分析或复杂相关网络的通路求和/求积计算分析等。

6.2
AI3 建模基本术语

以下基本术语的解释主要源自相关国际标准 ISO 15926 和 IEC 61882，部分术语进行了扩展和引申。

(1) 危险剧情（hazard scenario）

危险剧情是由危险事故的根原因起始，在物料流、能量流、动量流和信息流的推动下，使危险在过程（系统）中传播，引发一系列中间事件，最终导致不利后果的完整事件序列集合，又称以根原因为首和以不利后果为尾的因果事件链。因果事件链中任意两个相邻事件对偶都具有因果性。危险剧情包括原因事件、中间事件、后果事件和影响关系事件四个要素。原因事件包括具体事件和概念事件。中间事件包括具体事件、概念事件、条件事件、验证事件和使能事件。后果事件包括具体事件和概念事件。影响关系事件将前三种事件连接成危险剧情，也是动态过程知识的完整表达。

安全评价、故障诊断的重要目标，就是识别过程工业系统中的危险剧情。危险剧情是安全评价信息的核心内容。危险剧情既详尽地表达了评价和故障诊断过程，也详尽地表达了评价和故障诊断的结论。危险剧情的发现及应用是现代安全技术的一项重要进展。即，能够将安全防线前移到事故苗头阶段。HAZOP方法是基于剧情的分析方法，也是安全领域国际公认的识别危险剧情的有效方法。

Scenario一词源自意大利，现在英语中广泛使用，本意为剧本或脚本。人类评估的危险事件序列是人工编纂，不一定是事实，因此用“剧情”翻译。常见的翻译有：剧本、剧情、脚本、场景、情景、情况、想定、预案等。

AI3中的剧情是动态过程知识的图谱化、简明、精准、显式（非隐式）描述和数字化表达。

AI3中最基本的危险剧情，是原因事件、中间关键事件和后果事件三种事件通过影响关系事件连接构成的因果事件链。一个简单案例见图6-4。图中的原因事件和后果事件采用矩形3D图标表示，中间关键事件采用圆形3D图标表示，影响关系在两相邻事件中间用带箭头的直线表示。

在因果事件链中任何两两相邻的事件都构成“因果对偶”。例如，图6-4中的1→4、4→5、5→6和6→2四个因果对偶，每一个因果对偶中，前一个事件是原因事件，后一个事件是后果事件，并且都由一个影响关系事件连接。相邻的因果对偶中前一个对偶的后果事件是下一个因果对偶的原因事件，依此类推。

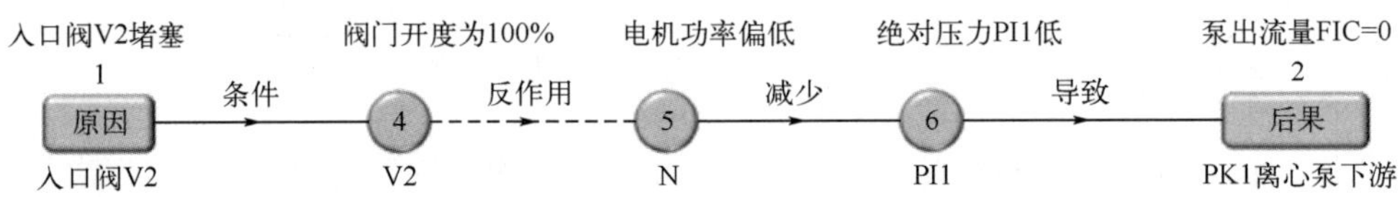

图6-4 AI3中的简单因果事件链剧情模型案例

（2）事件（event）

事件是有关过程的，用来描述过程的物理、化学状态或按照某种规律正在发生的事情。事件分为具体事件和概念事件两大类。

AI3中定义了四种类型的事件，即原因事件、中间关键事件、后果事件和影响关系事件。除影响关系事件外，其他三种事件都可以定义为具体事件，也可以定义为概念事件。

（3）具体事件的属性

具体事件的属性具有单一性（唯一性）。事件属性具有可观测性，在因果影响链中具有量化且直接传播特性，属于事件类别中的具体项目。

在AI3中的具体事件必须是对应仿真单元中定义为（国家标准）位号的具体事件。例如离心泵与液位仿真单元中的：LIC、FIC、N、H、PI1、PI2、V1、V2、V2B、V3、PK1等。AI3中记忆了对应仿真单元的所有位号，自动查证。对规定位号进行各种修改，包括改变大小写或掺杂有其他符号包括中文字符等，都不是具体事件。

（4）具体事件的例子

压力、温度、液位、流量、流速、组成、时间、顺序、电压、电流、功率、转速、黏度、pH值、心律、血压、血脂、血糖、白细胞、血小板等均属于具体事件。

（5）概念事件的特点

概念事件的属性具有复合性，事件属性无法唯一可观测。在因果影响中，影响作用无法量化说明，但确实有影响，甚至可能有多种影响，常用“导致”描述。概念事件可能是一种分类的类别项，其中可能含有多种具体项，也可能是某事件发生的条件、约束或没有测量仪表测试的具体事件。

AI3 中所有非位号对应的事件都是概念事件。概念事件没有或无法用测试数据寻踪。在 AI3 中只要属于概念事件都用紫红色图标表示，有“不确定”的含义。

（6）概念事件的例子

① 工业或（工艺）过程分类事件。例如混合、汽化、结晶、精馏、吸收、萃取、干燥、选矿、发电、炼铁、纺织等。

② 有人员参与的行动类型事件。例如开离心泵、开压缩机、开/关阀门、卸料、吹扫、置换、排气、调整、开汽车、开飞机、操纵挖掘机、行走、跑步、爬高、下矿井、挖隧道、管理、指挥、运行软件、通信、上网、维修等。

③ 物理化学或生理现象事件。例如腐蚀、磨损、挤压、污染、膨胀、振动、冲击、侵蚀、风化、烧烤、雷电、水淹、辐射、氧化、化合、聚合、水解、中毒、发炎、肿痛等。

（7）原因事件（cause）

原因是偏离发生的缘由。原因可以是设备失效、人为失误或外部事件等。安全工程技术人员的职责是识别可信的原因。

（8）初始原因（initiating causes，又称初始事件）

在一个事故序列中的第一事件是初始原因。初始原因通常是设备失效、人员失误、软件失效或外部事件等，它由根原因所导致。

（9）根原因（root cause）

根原因如果得到矫正，能够防止由它所导致的事故或类似的事故再次发生。它是最根本的原因，并且可以通过逻辑分析方法识别和通过安全措施加以纠正。

为了识别根原因，要识别一系列相互关联的事件及其原因。沿着这个因果事件序列应当一直追溯到根部，直到识别出能够矫正错误的根原因。通常根原因是管理上存在的某种缺陷。识别和纠正根原因将会大幅度减少或消除该事故或类似事故复发的风险。

（10）后果事件（consequence）

在因果链中，后果事件是中间事件偏离所导致的结果。工业安全所关心的是不利后果。例如，储罐压力超高导致有毒物料的释放，进而导致人员中毒、爆炸与火灾等，这些都是重大不利后果。

（11）关键事件（pivotal events）

关键事件是在危险剧情中按时间顺序位于初始原因之后的事件，并且是可以改变后果的事件。考虑安全措施（保护层）时常常涉及关键事件，并且有助于识别关键事件。关键事件是危险剧情中不可或缺的事件，多个危险剧情之间如果有关联，必然存在关键事件。失事点事件是一种典型的关键事件。

（12）失事点事件（loss event）

在危险剧情中，一个危险工况的开始处是失事点事件的识别位置。

（13）引导词（guide word）

引导词是 HAZOP 中使用的一个简单的词或词组，用来限定或量化意图，并且可以通过联合参数得到偏离。常见的引导词有：无、较多、较少、部分、异常、伴随、相反、先于、之后、超前、迟后和波动等 12 个（见国际标准 IEC 61882）。

(14) 偏离 (deviation)

偏离是指对安全评价意图或设计意图的偏离。意图解释为系统在该事件上期望如何操作，它提供了一个参考点以便施加偏离。通过系统地使用HAZOP的引导词，对每一个中间关键事件加以组合，可以得到有实际意义的偏离。

例如：较多+温度=温度过高；较少+流量=流量过小；伴随+杂质=含有杂质；异常+反应=反应异常。

(15) 安全措施 (safeguard)

安全措施是指在安全评价位置的防止性（主动）保护措施或减缓性（被动）保护措施，以及管理系统，该保护措施减少了原因和偏离发生的概率或减缓了不利后果的严重程度。

(16) 防止措施 (preventive safeguards)

防止措施（又称抑制型措施）位于初始事件发生后，失事点之前。过程处于非正常工况或失控状态时防止措施介入。它的作用是当非正常过程条件消除时，恢复系统控制或取得安全状态，中断事故序列（危险剧情）的传播，并且避免失事点的发生。

防止措施不影响初始原因事件发生的可能性，但影响由该初始原因所引发的失事点发生的概率。防止措施的目的是防止一个或更多的严重失事点的发生。防止措施影响危险剧情的发生频率。常用的防止措施或设备有：BPCS（基本过程控制系统）、报警/联锁系统、安全阀、止逆阀/呼吸阀、紧急切断阀、阻火器、紧急排放系统、操作工恢复系统正常工况、操作工响应系统报警、火源控制系统、熄火系统、冷却系统、功能安全仪表。

(17) 减缓措施 (mitigative safeguards)

减缓措施的作用是减小一个失事点事件的不利后果严重度，是紧跟在失事点事件后面的那些安全措施。减缓措施的目标是检测和对紧急状态做出响应。其对失事影响的减缓是与没有安全措施的影响相比较而定。常用减缓措施或设备有：

紧急释放安全阀，第二容器（双防爆墙），爆炸容纳结构/阻挡墙/储罐，火灾/释放/泄漏检测、报警仪，溢出/气泡/蒸汽减缓（吸收塔）系统，防火结构钢支承，人员防护设施（防火服、防火头盔、过滤式呼吸器等），冲击阻力结构，防火堤（围堰）、沙袋，焚烧炉，消防设施，紧急响应（人员逃生设施）。

(18) 影响关系

决策集中发生在因果对偶的因果关系上。在AI3中影响关系是指因果对偶之间的因果关系，是动态过程知识的表述，用独立定义的“影响关系”事件表达。影响关系是构成过程知识的关键要素，影响关系就是决策，涉及事件下一步影响哪一个事件，如何影响，影响是否已经发生，如何发生，影响的程度如何，后果是什么，应当采取什么有效措施包括行动应对，等等。影响关系不仅描述了事情“是什么”，更进一步描述了事情“为什么”和“怎么样”。

AI3的影响关系等同于国际标准ISO 15926中的“(cause_of_event)”，直译是用被导致的事件加以描述。但这种表述非常容易混淆影响关系的原意。确切地说，影响关系包含引发事件、被引发事件和由引发事件指向被引发事件的活动（“活动”也用“事件”表达）三个要素，影响关系表明了被导致的事件是引发事件的“活动”所致，影响关系直接涉及三个事件要素本身状态的变化与变化趋势。

依据IEC 61882国际标准，AI3中对于由两个具体事件构成的因果对偶，影响关系具有

“正作用”或“反作用”属性。必须定量检测引发事件的变化是否超过“阈值”，被引发事件是否也超过“阈值”，从而通过一致性“四规则”判断该影响关系是否发生，或者说危险是否已经从原因事件传播至后果事件。AI3 推理引擎采用相容原理推理。

不是由两个具体事件构成的因果对偶，用“偏离”引导词表达影响关系。例如：导致、引发、异常、定性增加、定性减少、早、晚、先、后、波动、唆使等。AI3 推理引擎采用默认推理机制推理。

影响关系用来表达变化过程的因果事件网络、更为广泛的隐马尔科夫网络（动态过程）等。其在概念上和应用领域上与相关性构成的静态知识图谱有根本区别，但又密切关联，使用时往往同时涉及。

(19) 因果事件链（causal chain）

在一个事件序列中，所有相邻的两个直接相关的事件都互为因果关系，称为因果事件链。

如果因果事件链第一个事件是原因，最后一个事件是不利后果，则构成危险剧情。专家系统的推理就是在因果事件链中自动搜索可能的（评估模式）或当前实际发生的（故障诊断模式）危险传播路径。

在因果事件链中，任一事件的状态仅取决于相邻的前一事件的状态，并且忽略中间若干事件的状态，不影响事件链的总影响关系及当前状态。

(20) 相容推理（consistency reasoning）和一致性判定“四规则”

相容推理是因果事件链“相容性”，又称一致性、符合性或连贯性推理。在复杂事件影响关系网络中，AI3 依据相容规则可以搜索得到全部可能的危险传播路径。相容规则是判断相邻事件是否符合所要求的且实际发生的逻辑影响关系的规则。

例如：相邻两个事件都属于具体事件，且两事件间遵循正影响关系。前一事件状态为正增加时，后面的相邻事件状态必须也是正增加。只有满足这种条件，危险才会在这两个相邻因果事件中传播，即符合相容规则。否则不符合相容规则，即危险不可能在这两个相邻因果事件中传播。反之，前一事件为减小状态，则后一事件必须也为减小状态，才符合相容规则。

实际上，相容推理就是基于危险剧情的安全评估分析的全部过程和最终目标，与人工安全评价 100％一致。

AI3 中完成任何一种推理后，在“剧情解释详细报告”中凡是相容通路，都是危险可能传播的路径，因果链中的具体事件的图标都变成浅橙色。这表示危险沿传播路径所达到的位置以及哪一个剧情已经发生。

相容性判定“四规则”用图 6-5 表示。AI3 推理引擎在推理过程中随时判断两相邻具体事件构成的因果对偶的偏离状态与影响关系的正或反作用模式的四种组合逻辑关系。凡是不符合图 6-5 关系者，危险不会在此因果事件对偶传播，并且会立刻中断此路径推理，这就是一致性或条件约束相容推理原理。由于 AI3 是具体事件和概念事件融合的因果网络模型，推理引擎具有穿越概念事件实施一致性判定推理的特殊功能。

(21) 相关性关系

在 AI3 中，相关性关系是描述事情“是什么”，是静态知识的表述，主要是描述主题事件与哪些属性相关，在概念上必须与影响关系相区别。AI3 的主题事件是原因事件、中间事件、后果事件、影响关系四种事件。

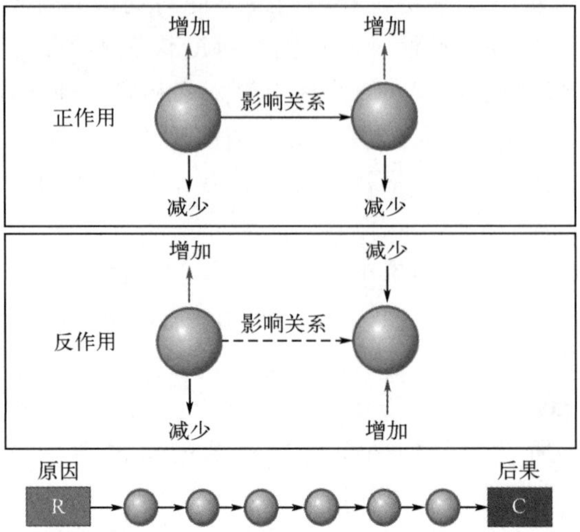

图 6-5 相容性判定“四规则”

彩图

原因事件、中间事件和后果事件相关属性涉及主题事件的名称、标识序号、事件状态、事件信息、相关安全措施和备注信息等。

影响关系事件相关属性涉及（主题事件的）因果对偶描述、标识序号、偏离引导词、事件信息、相关安全措施和备注信息等。对于具体事件对偶的影响关系相关属性还包括阈值、正/反作用、风险度、影响度等。

AI3 中所有事件的相关属性都用对话框填写方式输入。

（22）正向推理（forward reasoning）

在识别危险剧情时，按因果事件链从原因向后果推理搜索的过程称为正向推理。解释误操作导致不利后果的危险剧情常使用正向推理。在哲学领域正向推理称为演绎推理，即从一般到个别。正向推理给出正确的前提，就必然能推出结论（结论不能为假）。演绎推理无法使知识增加，因为结论包含于前提之内。逻辑学中有名的三段论（syllogism）就是典型的例子：

危化品都具毒性或易燃易爆特性。

苯是危化品。

因此，苯具毒性或易燃易爆特性。

AI3 中用鼠标点击工具栏的正向推理按钮实现从所有原因事件的正向推理。

（23）反向推理（backward reasoning）

在识别危险剧情时，按因果事件链从不利后果向原因推理搜索的过程称为反向推理。在危险识别中反向推理称为后果优先方法，可以节省分析时间，不易遗漏重大不利后果的危险剧情。因为正向推理如果最后没有重大不利后果，前面的推理分析就浪费了时间。在哲学领域反向推理称为归纳推理，即从个别到一般。当“前提”为真时，可推出某种一般性的结论。归纳推理可以扩展知识，因为结论比前提能包含更多的信息。大卫·休谟（David Hume）曾举出一个归纳推理的范例：

太阳每天从东边升起。因此，太阳明天将从东边升起。

AI3 中用鼠标点击工具栏的反向推理按钮实现从所有不利后果事件的反向推理。

(24) 溯因推理 (abductive reasoning)

溯因推理又称为双向推理，从中间事件的偏离开始，分别向不利后果及原因推理，搜索危险剧情。这种推理方法的结构较为复杂，而且可能包括演绎与归纳两种论证。溯因推理的主要特征是给出一组或多或少有争议的假设，要么该假设成为其他可能解释的证据，要么展现出赞成某一结论的可能性，从而在多个可能的结论中探索并倾向于某一个。

危险与可操作性分析（HAZOP）是采用溯因推理，故障诊断也采用溯因推理。在专家系统中，溯因推理是一种有效的知识库询问与回答方法。当完成 HAZOP 以后，分析得到的所有危险剧情就是知识库的内容。当询问任何一个危险相关事件（即中间事件）时，自动推理机就从该事件双向推理得到直接有关的所有危险剧情信息，这也是智能学习专家系统的运行方式。

AI3 中用鼠标首先选定一个网络模型的中间关键事件（显示红色方框），然后点击工具栏的双向推理按钮实现对该选定中间事件的双向推理。

(25) 正常工况 (normal situation)

是过程系统中所有危险都被抑制和控制的工况。AI3 中自动从对应仿真单元接收正常工况数据。

(26) 非正常工况 (abnormal situation)

过程系统出现了设计工况的偏离时称为非正常工况。正常工况与非正常工况的分界线处，是存在和识别初始原因的位置。

AI3 中自动从对应仿真单元接收随机非正常工况的“快门”数据。

(27) 传输 (transmission)

AI3 依据了经典数学方程的定义，即相邻因果事件的定量影响称为传输，并且体现在影响关系中，即支路上。传输的乘积如果是原因发生频率与不利后果严重度的乘积，则为剧情风险。此时将中间事件间的发生频率都考虑为 1.0。如果传输都为<1.0 的数，则乘积是事件链传输的概率乘积，用于事件树的传输计算。总传输的和是将各支路的传输权重相加，可以用于计算通过率，例如蚁群法通量计算。

AI3 能够自动计算并显示各剧情的总传输。

(28) 知识本体 (ontology)

现代观点认为“知识本体是概念表达的明确规范”，或者解释为“知识本体是一个领域的概念和它们之间关系的详细说明”。知识本体用来确定什么是一个领域中所感兴趣的事物以及相关信息是如何构造的。知识本体可以帮助人们对领域知识进行系统的分析，把领域知识形式化，使之便于计算机处理。知识本体还可以实现人和人之间以及人和计算机之间知识的共享，实现在一定领域中知识的重复使用。

简言之，知识本体是由内容信息和结构信息组成，两者缺一不可。内容信息是一切事物的名称、类型和属性。结构信息是各事物之间包括类型和属性之间的因果性或相关性关系。语义和语境常常包含在结构信息中。

AI3 以 ISO 15926 国际标准及其扩展构建以知识本体为核心的知识图谱模型。

(29) 剧情对象模型 (SOM)

剧情对象模型（SOM，scenario object model）是 AI3 知识本体模型关于危险剧情的专有定义。

危险剧情是危险评价信息的核心，它既表达了评价过程也表达了评价结论，因此只要开发成功危险剧情的知识本体，就能实现危险评价全程信息的标准化，其也是智能仿真培训教师模型和学生模型的标准化知识本体。

SOM 是危险识别、危险评价和故障诊断全程信息的通用性标准化表达。它全面、深入细致、准确并且高度概括地表达了内容（状态）信息和结构（关系）信息，表达了具体事件和概念事件及事件之间任意多重影响关系。SOM 的基本要素（简称基元）包括原因、中间关键事件、后果和安全措施及其相关属性。SOM 的基本类型包括内容信息和结构信息的全部基本类型。SOM 模型分显式和隐式两种，显式模型是危险评价结果信息的表达，隐式模型是危险评价过程信息的表达。显式和隐式结构信息的基本类型（简称基类）由事件与关系构成，并且仅有三点、单串、正树、反树和领结 5 种基本类型。SOM 模型可以直接实施自动推理，隐式模型向显式结果的转换由自动推理完成。知识本体 SOM 和 SOM_G(图形化剧情对象模型，即静态＋动态融合型知识图谱）框架见图 6-6。图中双向箭头表示允许相互转换，加号表示融合（允许混合应用）。SOM 中各要素的属性，即连接关系构成的静态知识本体通过表格化表达，一目了然。软件画面中有勾选、提供相关知识库搜索选定、默认或自然语言填表等方法，便于使用。

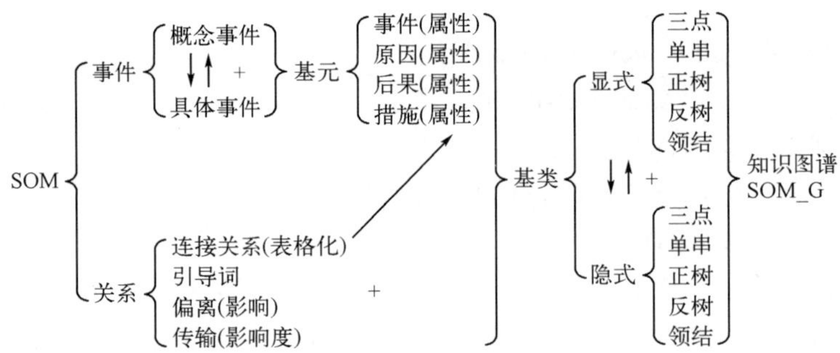

图 6-6　知识本体 SOM 和 SOM_G 框架

（30）SDG（signed directed graph）模型

由具体事件构成的“符号有向图”因果网络模型，是定性微分方程组图谱化表达的第一原理过程知识定性模型。能够在 SDG 模型中引入流程工业系统的工况大数据，实现定性＋半定量故障分析和诊断应用。

（31）CDG（gausal directed graph）模型

由自然语言描述的概念事件构成的“因果有向图”网络模型，是表达过程知识的概念模型，可以实现定性故障分析和诊断应用，可以实现心理模型跟踪的智能教学与训练应用。

（32）SDG 与 CDG 融合模型

由具体事件和概念事件混合表达的大数据＋因果网络过程知识（常识＋自然语言）模型，是 AI3 所特有的第一原理与经验知识“融合”建模方法，配合 AI3 专有的多功能推理引擎可以完成“融合”模型的高效正向、反向和双向推理。

（33）因果反事实溯因推理

萃智（TRIZ）理论又称为发明和创新的理论，由苏联科学家阿奇舒勒(G. S. Altshuller）在 1940 年创立。

萃智理论的先期失效识别（AFD，anticipatory failure determination）是一种采用引导词激发识别事故的能力，又称通过“制造”事故来识别事故的反向思维方法。

朱迪亚·珀尔（Judea Pearl）教授提出了基于“因果模型”和“反事实”（counterfactual）推理的理论。并且称其为“新的因果科学”和“因果革命”。

以上内容详见第 2.4.3 节。

从实用意义上看，AI3 就是在知识图谱模型中实施高效和高完备性“因果反事实溯因推理”的专用软件平台，或者说 AI3 是“萃智（TRIZ）”辅助创新的专用软件平台。

6.3 AI3 专业版启动和工具栏设置

6.3.1　启动 AI3 软件平台

当双击桌面已经拷贝的“AI3-专业版.exe”的运行图标“AI3”以后，电脑桌面即显示本软件的主画面，见图 6-7。

图 6-7　AI3-专业版主画面

找到上方工具栏（第二行）左边第一个按钮图标“▶”，用鼠标单击该按钮，软件进入工作画面，见图 6-8。工作画面（桌面）很大，定义为 20000×20000 像素（培训学习版有所缩小），以便建立大系统模型。在该画面中通过垂直和水平滑块定位桌面的区域，同时在状态栏显示当前鼠标的坐标位置。

为了便于记忆和掌握鼠标操作方法，软件中可以随机调出鼠标基本操作方法提示，见图 6-9。AI3 软件功能和具体使用方法详见本章以下各节说明。

6.3.2　软件工具栏各按钮功能

软件工具栏的操作按钮分三组，即事件生成组、模型编辑组和推理显示组，见图 6-10。

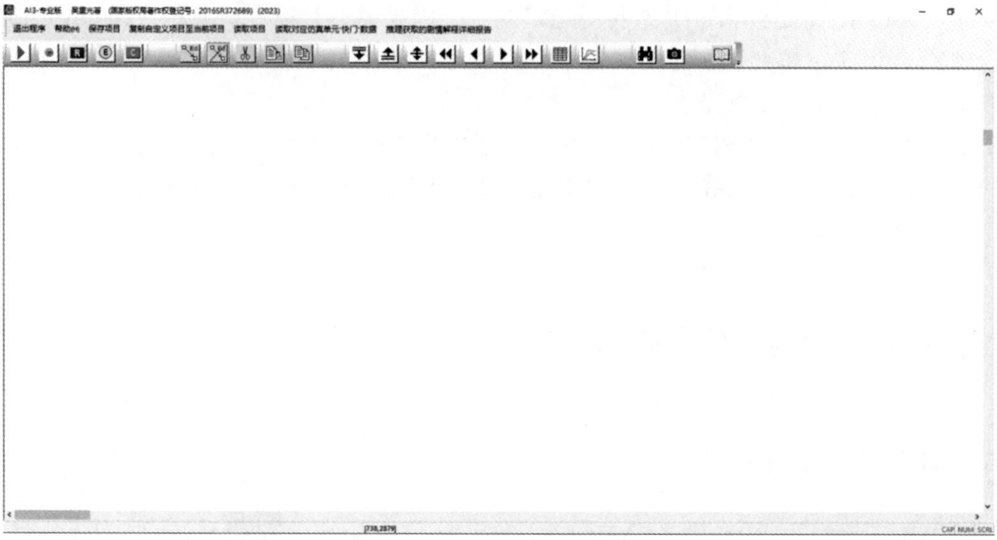

图 6-8　工作画面（桌面）

图示	鼠标操作	连线模式	非连线模式
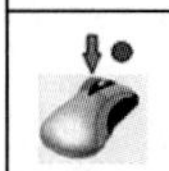	单击左键	菜单和工具栏按钮操作	菜单和工具栏按钮操作
	双击左键	选择/退选双向推理事件	选择/退选双向推理事件
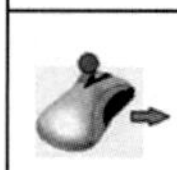	按压左键并拖动	连线	拖动图元
	单击右键	弹出图元对话框	选择删除图元(单击左键退选)

图 6-9　鼠标基本操作方法提示

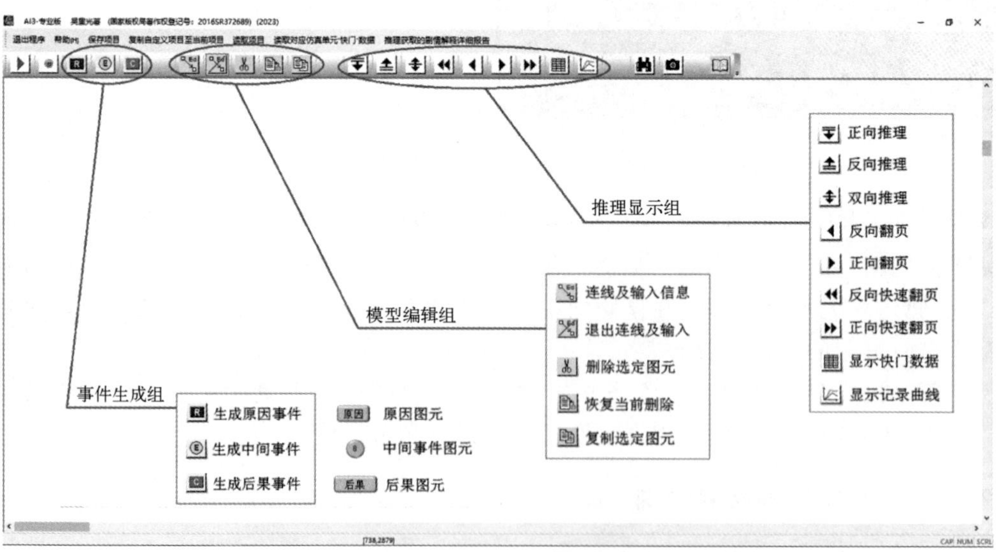

图 6-10　软件工具栏的三组操作按钮说明

当进行一个新项目时，尚未建立知识图谱模型。此时利用“事件生成组”和“模型编辑组”完成知识图谱建模工作。对于已经完成建模的项目和已有模型项目，则采用“推理显示组”对模型实施三种推理和显示所有推理得到的危险剧情结果或误操作诊断结果。

6.4 事件生成组操作

事件生成组设有三个按钮，即生成原因事件、生成中间事件和生成后果事件，见图 6-10。方法是，在单击了“退出连线及输入各事件信息模式”（见模型编辑组）的前提下，鼠标每单击三个按钮中的某一个一次，即在靠近该按钮下部的桌面上生成一个对应的事件图元，见图 6-11。图元的序号自动生成，且不会重复。

注：当删除某个图元时，该序号也删除，未删除的图元序号不会重排改变。

当生成的图元较多时，图元会重叠在同一位置，可以看见的是当前生成的最后一个图元的序号。用下面介绍的图元移动方法，可以将重叠在一起的图元分开。

所生成的图元可以使用鼠标拖放移动到桌面的任何位置。方法是，控制光标移到需要移动的图元区域内时，光标立刻变为“+”形状。此时按住鼠标左键不放，即可将图元拖拉到既定位置，放开按住的鼠标左键，图元就移动到新位置。

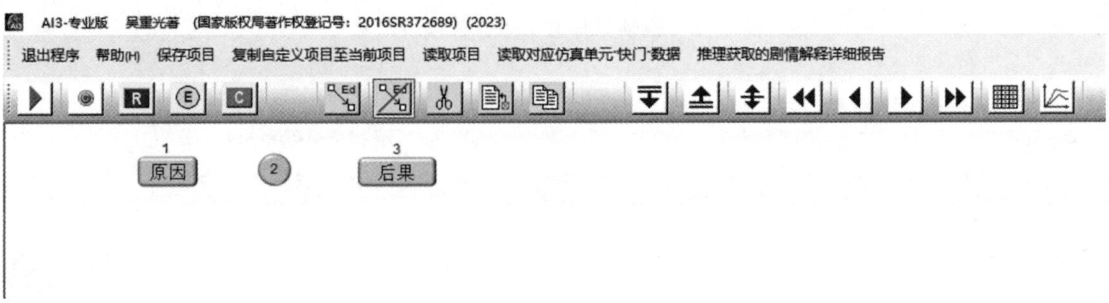

图 6-11　用鼠标点击生成三种事件图元

6.5 模型编辑组操作

模型编辑组设有五个按钮，即连线及输入信息、退出连线及输入各事件信息、删除选定图元、恢复当前删除图元和复制选定图元，见图 6-12。“连线及输入信息”按钮和“退出连线及输入”按钮是互锁模式，按下其中任意一个，另一个将自动弹起，即自动退出先前的模式。

连线及输入各事件信息模式按钮按下时，可以按照操作专家集体“头脑风暴”的分析结果，使用鼠标将原因、中间事件和不利后果事件之间的影响关系用连线图元连接起来，构成因果事件链或网络，又称为动态知识图谱。

软件可以对每一个生成的四种类型图元，包括影响关系连线图元，通过对话框输入属性信息，即静态知识图谱信息。

6.5.1 影响关系连线

图 6-12　工具栏中模型编辑组的五个按钮图标

影响关系连线是将相邻的有直接因果关系的两个事件用有向连线连接起来，最终构成因果链或网络。这是构建知识图谱结构信息的过程。

连线方法是：对选中的因果事件对偶，当光标进入三种事件图元时，光标改变为“+”。按压鼠标左键不松手，拖动鼠标，有一条蓝色虚线跟随，见图 6-13，至相关事件点时，放开按压的左键，即完成一条有向连线，见图 6-14。

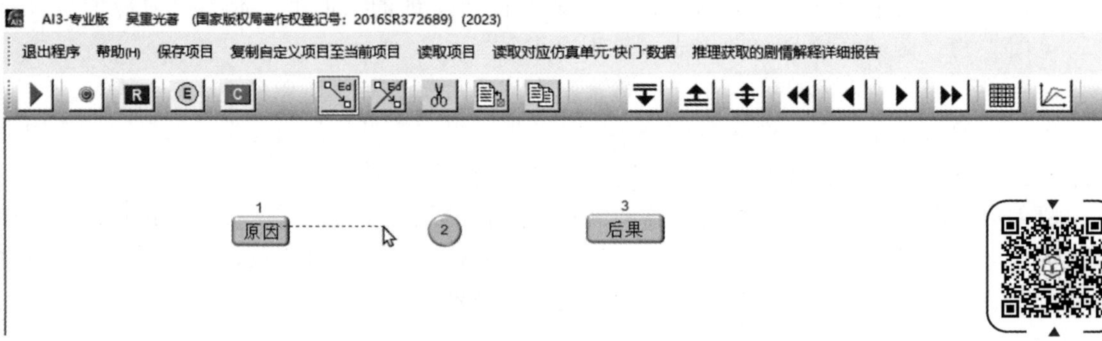

图 6-13　拖动鼠标有一条蓝色虚线跟随

彩图

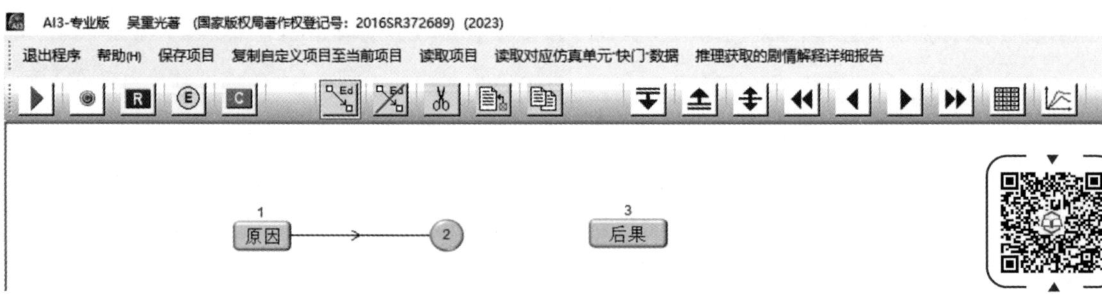

图 6-14　放开按压左键完成一条有向连线

彩图

注意事项：

① 原因与后果事件不能直接相连，必须至少有一个中间事件，才能形成完整剧情。（软件自动限制）

② 从任何两个事件以上的中间事件图元分别连线指向同一个后续事件图元时，前面的事件都独立影响后续事件，前面的各事件与该后续事件之间默认为“或门（or）”逻辑关系。

③ 任何相邻两事件的直接连线关系默认为“与门（and）”逻辑关系。

④ 两相邻事件图元之间不能连接两条及两条以上连线（包括不同方向的连线），必须通过引入新事件表明确切的影响规律才能连线。（软件自动限制）

⑤ 一个事件不允许直接影响自身，除非引入新的事件才能实现。（软件自动限制）

⑥ 原因只允许连出一条影响关系连线，以便表明一个独立的原因。（软件自动限制）

⑦ 同一个原因事件可以重用，注意重用时序号（由软件自动生成的标识序号）不同。

⑧ 后果事件只允许连入一条影响关系连线，以便表明一个独立的后果。（软件自动限制）

⑨ 同一个后果事件可以重用，注意重用时序号（由软件自动生成的标识序号）不同。

⑩ 所有中间事件可以从其他中间事件连入和向其他中间事件连出任意多个确实存在的影响关系连线。

⑪ 同一个中间事件可以重用，注意重用时序号（由软件自动生成的标识序号）不同。

⑫ 连线方向与相邻两事件的序号无关，软件推理只关注连线的方向。

注： AI3 软件设计的以上所有图形化建模“条件”，也可以解释为“约束”，体现了经过大量建模实例的调研后总结的一些经验。目的在于建模时尽量保持逻辑的清晰性和显式特性，尽量避免逻辑混乱或隐含表达，并且使所有的分析细节尽量与国际标准、国家标准以及人工 HAZOP 评估保持一致性。

6.5.2　对话框输入事件信息

当鼠标指向一个事件图元时，单击鼠标右键，即显示该事件信息输入对话框，详见图 6-15。对话框中有 13 项属性内容，各项属性填写要求如下：

① 事件序号：软件自动设定，无须用户输入；凡是背景为灰色的项目都无须用户输入。

② 事件类型：软件自动设定，无须输入。软件定义了 4 类事件，即原因、后果、中间事件及影响关系事件。

③ 事件位置：

a. 对于原因、中间和后果 3 种事件，如果是具体事件应当填写对应仿真单元的位号（详见 AI3 中的“采样工况状态监测一览表”），对于概念事件应当填写事件名称和所处流程中相关设备的具体位置；

b. 对于影响关系事件填写因果对偶，例如：PI1->FIC。建议用“->”或“>”表达因果对偶之间的影响方向和决策目标。

④ 事件信息：对所填写事件的简明描述，原因和后果可在前面注明。

⑤ 安全措施：该事件直接相关的安全措施或安全故障排除操作行动要求的简明描述。

⑥ 状态/偏离：具体事件和概念事件填写内容有所区别，原因、后果、中间事件规定填写“状态”，影响关系规定填写“偏离”。具体要求如下：

a. 对应原因和后果事件，则直接表达原因与后果的简要内容，按规定填写“状态”，建模图元原因和后果的下方显示该“状态”内容。

b. 中间事件图元的下方规定显示事件位置（当填入 7 个仿真单元的对应位号时，表达该事件为具体事件，并且自动判定相容状态）。

c. 影响关系规定填写“偏离”，最好直接填入该处 HAZOP 所采用的“引导词”。例如：对于具体事件对偶，可用无、增加、上升、减少、下降、早、晚、先、后、逆向、伴随、部分、异常、波动等；相邻两事件对偶中有一个以上是概念事件，可用导致、产生、引发、招致、发生、带来、通向、许可、主使、煽动、教唆或使能条件等。即最切合对偶事件的影响关系的自然语言简要表达词语。

⑦ 阈值/影响度上限：只有具体事件才考虑阈值，并且通常仅考虑事件本身量化阈值不考虑影响度。填入变量上限的含义是，该具体事件的当前数值大于阈值上限时，判定为

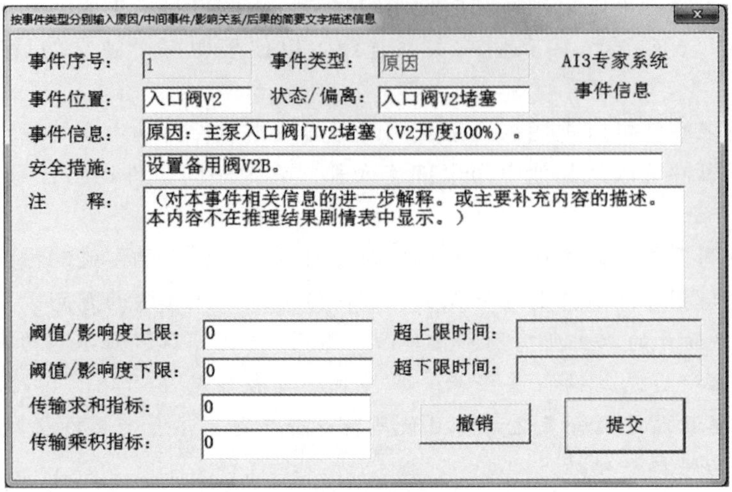

图 6-15　原因事件信息输入对话框

相容。

⑧ 阈值/影响度下限：只有具体事件才考虑阈值，并且通常仅考虑事件本身量化阈值不考虑影响度。填入下限的含义是，该具体事件的当前数值小于阈值下限时，判定为相容。上下限阈值的填写需要技巧，依据用户的逻辑本意，有多种排列组合相对应，以便实现不同的偏离导致的相容状态。

⑨ 超上限时间：暂不使用。（备用项，软件自动获取，无须用户输入。）

⑩ 超下限时间：暂不使用。（备用项，软件自动获取，无须用户输入。）

⑪ 传输求和指标：只有影响关系事件才考虑传输，可以是影响权重或影响历经时间等。依据实际情况，由用户的特殊需要确定。

⑫ 传输乘积指标：只有影响关系事件才考虑传输，可以是概率值、频率值或严重度值等，依据实际情况，由用户的特殊需要确定（例如，计算剧情风险）。当本指标为负值或填入“－1”时，是用来定义相邻两具体事件之间为反作用规律，此时有向连线自动表达为虚线，推理时自动按反作用规律判定。正作用为正值，自动（默认）表达为实线。

⑬ 注释：对本事件相关信息的进一步解释，或需要补充的重要内容的描述。本注释内容供信息查询用，即打开相关对话框即可看到。利用图形化结构及推理引擎可以实现自动查询，本内容不在推理结果剧情表中显示。

注 1：以上 13 项内容是对原因、后果、中间事件及影响关系事件 4 类事件综合要求所给出的比较全面的“属性”项目，是用于表达声明性，又称为静态陈述性知识的项目。对于不同的事件类型有不同的取舍，也就是可以“空项”不填入信息，按实际问题的需要而定。

例如，“阈值”属性一般只涉及具体事件类的具有检测仪表指示的中间事件。对于定量影响关系才考虑“传输”，并且常规评估不考虑传输问题。

注 2：由于 AI3 软件图形化功能对因果网络的表达能力极强，当表达相关的其他信息链、信息网络、行为树、决策树、概念地图（即概念图或思维导图）、定性代数方程组或定性微分方程组等知识图谱时，可以灵活运用各事件类型和对话框给出的属性项目，表达使用者各种模型的设计意图（或者采用组态方法由用户自行创立专用对话框）。

例 1：运用中间事件和影响关系可以图形化精确表达比较复杂的开/停车、异常工况故障处理、事故处理规程（程序型事件树）。简单的规程直接在“安全措施/操作要求”项填写即可。此时连线的方向是从剧情相关事件箭头向外的连线关系，也可以在相关事件对话框的“注释”编辑框中写入行动指令文本。如果不连规程的第一步骤事件，相当于旁注；连入剧情，还可以在规程事件链中设置“原因”或“后果”，参与自动推理。当旁注或连入的事件链方向是指向剧情相关事件时，可以表达比较复杂的条件或使能事件序列（条件型故障树）。条件或使能条件也可以插入主剧情事件链中，按使用者的目的而异，创新建模方法。

例 2：如果影响关系全部定义成相关性关系，则 AI3 软件转换成“概念地图”建模工具。

例 3：如果中间事件全部定义成具体事件，同时影响关系全部定义成具体事件，并且影响关系只有“增加”或“减少”规律，图谱模型就是定性代数方程组，又称稳态增益 SDG 模型。

例 4：如果中间事件全部是具体事件的微分项，同时影响关系全部定义成具体事件，并且影响关系只有“增加”或“减少”规律，图谱模型就是定性微分方程组，又称微分化动态 SDG 模型。

注意事项：

原因与后果事件都是独立的事件，只能对外输出或输入一条影响关系连线。如果有相同的原因事件影响到其他中间事件或中间事件影响到相同后果事件，则需重新生成原因或后果事件，或者通过中间事件与其他事件建立影响关系。

事件分具体事件和概念事件两种，在对话框填写“事件位置”栏时，如果填写与仿真单元软件统一约定的位号（详见软件平台“采样工况状态监测一览表”），则认定为具体事件，否则一律认定为概念事件。在使用中只要改写位号的任一符号，就可以将具体事件变换为概念事件。

对话框中的属性填写必须用简洁且准确的文字描述，必须防止概念模糊或含义混淆的描述。对于具体事件，当读入工况“快门”数据时，自动推理判断是否超越所填写的给定阈值，概念事件不进行阈值判定。

依据 ISO 15926，原因事件、中间事件、影响关系和后果事件等都是事件，因此它们的属性种类有相同的规律。部分属性的具体含义有所不同，但类型名称相同时，应当在填写的内容上加以准确的描述和区分。

剧情图既可以表达“头脑风暴”的评估过程（隐式剧情），也可以表达推理分析结果（显式剧情）。建议构建知识模型时使用直观的、简单目明了的显式剧情表达方式，即每个事件图元最多只有两条连线。

事件序号由软件自动生成，用户不必考虑。事件的种类和数量由用户确定，对话框自动区分事件类型。

影响关系也是事件，因此也具有相同分类的属性。传输（增益）、影响作用规律和影响作用时间体现在影响关系事件中。相邻两具体事件对偶间的定性或定量影响关系只有“正向”和“反向”两种。

图 6-16 是中间事件信息输入对话框，图 6-17 是后果事件信息输入对话框，图 6-18 是影响关系事件信息输入对话框。对话框中以离心泵与储罐液位系统为例，给出了填写内容参考。

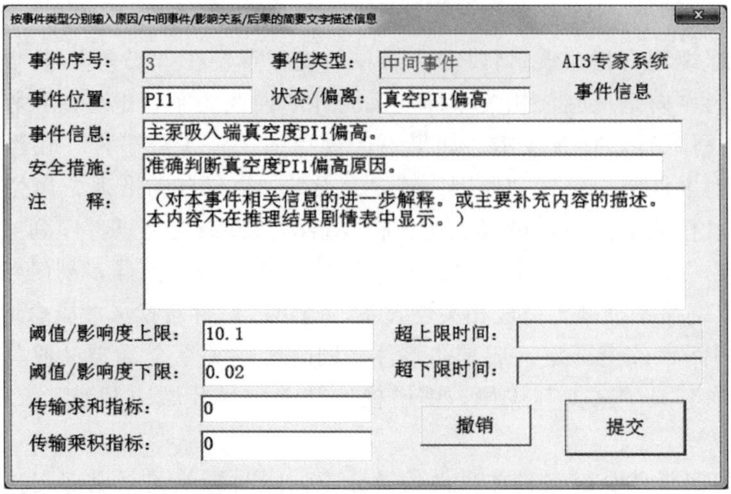

图 6-16　中间事件信息输入对话框

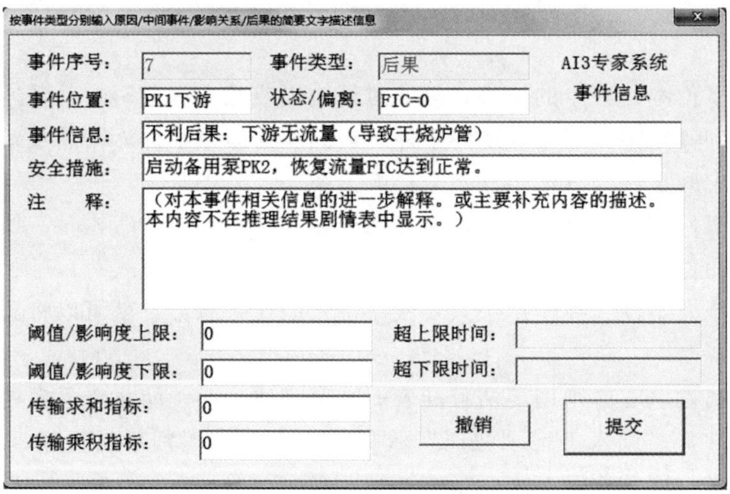

图 6-17　后果事件信息输入对话框

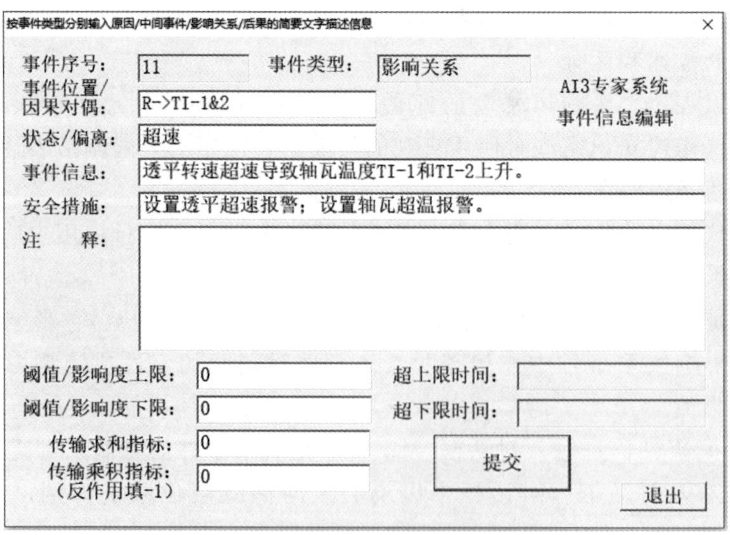

图 6-18　影响关系事件信息输入对话框

6.5.3 删除选定图元

删除选定图元分两步进行。

第一步： 确认处于“退出连线及输入各事件信息模式”（该按钮处于按下状态）。选择需要删除的图元，当光标进入该图元区域（包括连线范围），单击鼠标右键，即可看到被选定的图元会被红色方框框住，或连线变为红色。可以任意选择希望删除的多个图元包括连线。见图 6-19，选择了 4 个事件。

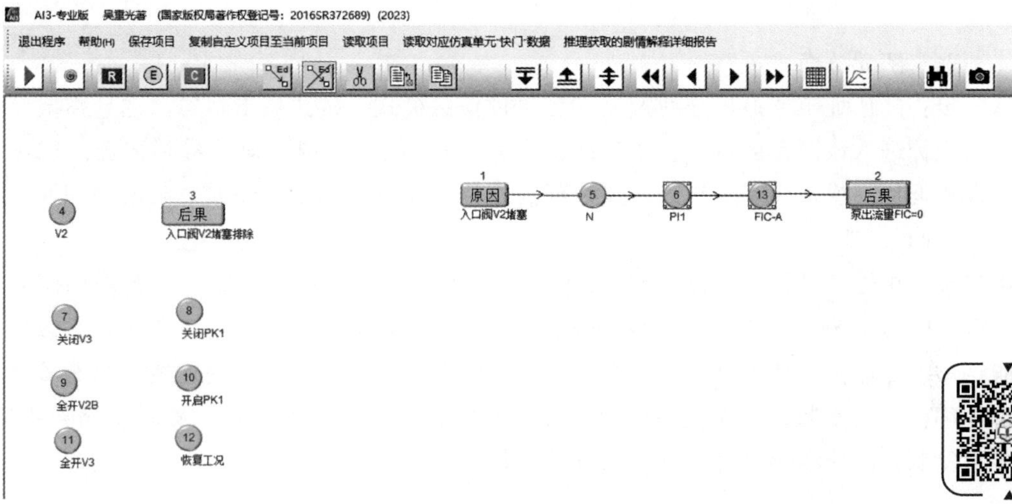

图 6-19　选定删除图元

彩图

第二步： 单击工具栏的剪切按钮“ ”，希望删除的图元即被删除，见图 6-20。注意：如果选择了原因、后果或中间事件，则其相关的连线会自动删除；如果选择了连线，则只删除连线自身。

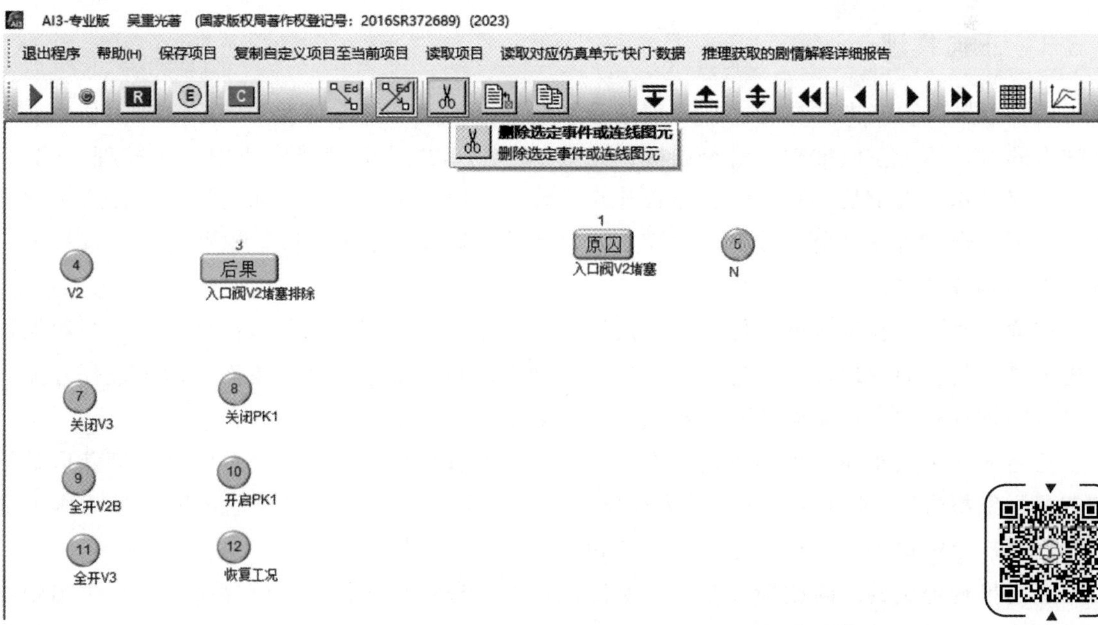

图 6-20　选定图元和相关连线图元自动删除

彩图

如果希望恢复当前选定删除的各图元，只需单击工具栏的按钮“”即可。不设多次递归恢复功能。

6.5.4 复制选定图元

当同一事件需要分别描述在不同的阈值下有不同的剧情结构，或同一事件在显式建模时可能多次出现在不同的剧情结构中，或事件属性有多种相同信息时，为了方便图形化建模，软件允许复制选定的各类图元。必要时只做部分信息修改即可。每次复制的图元允许达到数百个。

复制选定图元分两步进行。

第一步：确认处于“退出连线及输入各事件信息模式”按钮按下状态。选择需要复制的图元，当光标进入该图元区域（包括连线范围），单击鼠标右键，即可看到被选定的图元会被红色方框框住，或连线变为红色。可以任意选择希望复制的多个图元，与删除图元的选择方法完全相同。

第二步：单击工具栏的复制按钮“”，希望复制的图元即被复制，其新增的图元的序号软件自动赋值。为了方便识别，被复制的图元位于选定复制图元的下方。用户可以通过拖动功能将该被复制图元移动到新的位置。注意：如果选择了希望复制的连线，只有该连线的两端事件都被选定复制，才能复制成功，否则即使被选定也不予复制。复制图元需要慎重，不得多重复制，除非继续选择，才能再次复制同一图元。

6.6 推理显示组操作

6.6.1 正向推理

培训版没有正向推理功能。在识别危险剧情时，按因果事件链从初始原因向不利后果推理搜索的过程称为正向推理。解释误操作导致的不利后果危险剧情常使用正向推理。例如：操作工误操作开大了某一阀门，会导致什么危险剧情以及不利后果？如何排除？操作工误操作关闭了一台离心泵，会导致什么危险剧情以及不利后果？如何排除？这些都可以通过正向推理得到剧情结果。

在读取对应的模型数据文件，并且读取了某一相关工况“快门”数据文件后，当用鼠标单击工具栏的正向推理按钮“”时，软件自动完成正向推理，并在桌面显示推理任务完成信息，即推理获取的危险剧情总数和模型的有效支路总数信息，见图 6-21。

然后才能进入正向推理结果信息查询操作。此时直接用鼠标单击菜单栏“推理获取的剧情解释详细报告”，即可进入详细的推理剧情显示画面。注意，当需要退出剧情显示画面模式时，再次鼠标单击工具栏的正向推理按钮，即可返回建模画面。

正向推理得到的危险剧情都是从初始原因开始，按因果事件链的顺序推理，直到出现不利后果为止。显示的结果画面给出如下内容：

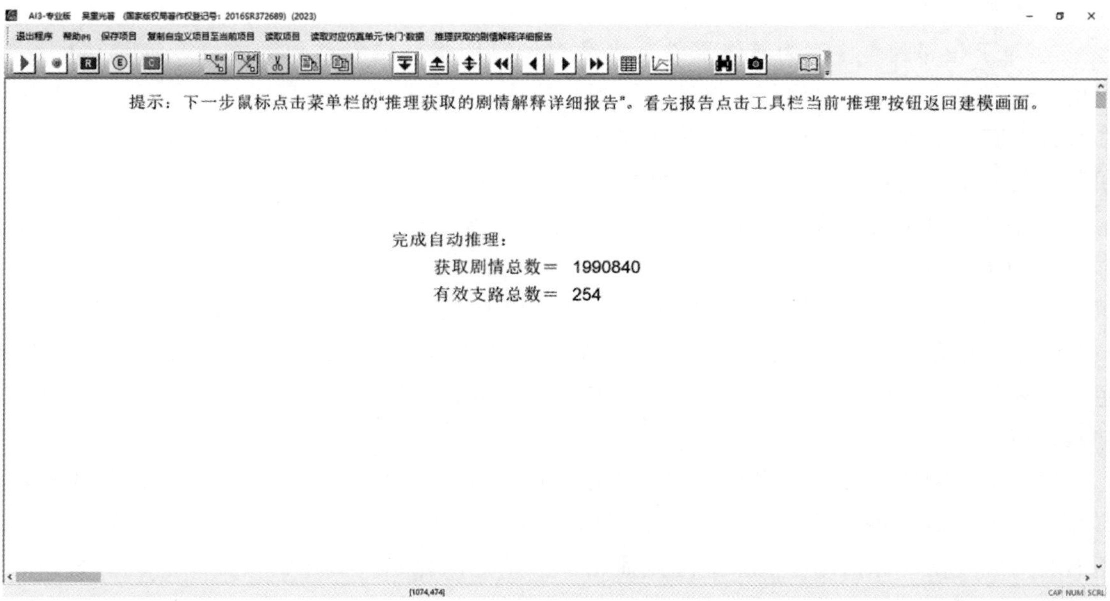

图 6-21　推理任务完成信息

① 完整的因果事件链图，即单原因与单后果剧情链。每一个因果事件链都在链表的左上角标明序号，例如“No:2”，见图 6-22。

依据仿真工况快门数据推理分析报表　（离心泵与储罐液位系统）

No：1

事件位置	状态/偏离	事件信息	安全措施/操作要求	事件链
入口阀V2	入口阀V2堵塞	原因，主泵入口阀门V2堵塞	启用泵入口阀备用阀V2B	原因 1
				1
V2	阀门开度为100%			4
				2
N	电机功率N偏低	主泵电机功率下降至空载状态。	及时查明电机功率偏低原因。	5
				3
PI1	绝对压力PI1低	主泵吸入端真空度偏高,绝对压力PI1降低	准确判断泵入口绝压PI1偏低的原因。	6
				4
PK1离心泵下游	泵出流量FIC=0	不利后果，下游无冷却水流量（导致反应失控）	启用备用阀V2B，按规程重新完成主泵开车。	后果 2

事件链总传输乘积＝ -1.0000　　事件链总传输求和＝ 0.00

No：2

事件位置	状态/偏离	事件信息	安全措施/操作要求	事件链
入口阀V2	入口阀V2堵塞	原因，主泵入口阀门V2堵塞	启用泵入口阀备用阀V2B	原因 31
V2堵塞->V2	条件	V2处于全开时被堵塞	检查V2阀位是否处于开启状态	27
V2	阀门开度为100%	确认V2开状态为V2堵塞提供旁证依据	V2堵塞的快速解决方法是安装备用阀	34
V2影响->N	反作用	V2全开反倒泵电机功率下降到空载状态	泵入口阀V2堵塞，启用备用阀V2B	28
N	电机功率N偏低	主泵电机功率下降至空载状态。	及时查明电机功率偏低原因。	35
功率N->PI1	减少	泵电机N下降导致绝压降低（真空度偏高）	泵吸入端装Y型过滤器，定期冲洗过滤器。	29
PI1	绝对压力PI1低	主泵吸入端真空度偏高,绝对压力PI1降低	准确判断泵入口绝压PI1偏低的原因。	36
PI1->FIC	导致	泵吸入压力下降导致输出流量FIC为零	设置输出流量FIC低低（LL）报警	30
PK1离心泵下游	泵出流量FIC=0	不利后果，下游无冷却水流量（导致反应失控）	启用备用阀V2B，按规程重新完成主泵开车。	后果 32

事件链总传输乘积＝ -1.0000　　事件链总传输求和＝ 0.00

图 6-22　正向推理危险剧情显示画面

② 每一种图元对应文字表格化自然语言详细解释，包括事件在工艺流程的位置、事件的状态或条件、事件信息、相应的安全措施/操作要求等四项重要内容。这是可解释的人工智能（XAI）的具体实现技术。

③ 如果概念事件或仿真软件没有预先输入工况快门数据文件，则不进行相容性判断。事件链图元都为紫红色，即认作概念事件，且全部相容，相当于 HAZOP 报告中的可操作

性详细报告。

④ 对于相邻两事件都为具体事件（自动查询对应事件位号与数据位号一致时）相容情况用色标表示。不相容的相邻具体事件用当前的状态色标表示；相容用浅橙色表示；只要相邻事件中有一个是概念事件（可能是必要的条件事件），或都是概念事件，则默认相容，并用紫红色表示。判断相容时为故障诊断模式。

⑤ 在表格的右端外侧，对应事件链显示每一个图元的序号，以便查询在模型中的位置。

⑥ 在每一个剧情的结束行，显示事件链总传输乘积与事件链总传输求和。色标用绿、黄或红表达数量级的三个级别。当计算总传输乘积时有两种情况：概率乘积＜0.3 为绿色，0.3 至 0.7 为黄色，＞0.7 为红色；风险值＜100 为绿色，100 至 1000 为黄色，＞1000 为红色。求和与风险色标分级相同。当总传输求积时，如果某影响关系不填入数据，则该支路传输默认值为 1.0。

以上推理剧情信息显示功能，是一种可解释的人工智能（XAI）实用技术的具体实现，其核心技术是 AI3 的推理引擎。通过推理引擎自动推理可以“挖掘”出知识模型（库）中所有相关独立的单原因与单后果危险传播路径，即危险剧情。如果需要显示解释分析报告，只要从原因事件开始，沿着因果链上的各事件序列，按照各事件主要属性的内容通过列表方式，将对应事件属性的自然语言描述显示出来，就是一个详尽的人工智能自动解释文本。依据的原理是通过定性推理产生解释。因为定性推理和解释之间的联系是一种直接的一对一的映射。详见本书第 3.7.2 节解释和定性推理。除了自解释功能外，本方法在建模阶段还可以用于验证模型的正确性以及原因影响直至不利后果的可达性。解释文本的不足、错误或遗漏直接反映出模型的缺陷。

桌面每一页显示标有序号的 20 个剧情，分两列，每一列 10 个剧情。如果模型比较复杂，推理得到的危险剧情数量很多，则提供翻页查询功能。“工具栏”蓝色的单三角按钮单击一次翻动 1 页。蓝色的双三角按钮单击一次翻动 10 页。可以通过剧情序号推算页数。指向右边的单三角和双三角按钮是向后翻页，指向左边的单三角和双三角按钮是向前翻页。

6.6.2 反向推理

培训版没有反向推理功能。按因果事件链从中间关键事件或不利后果向初始原因推理搜索的过程称为反向推理。

在读取对应的模型数据文件，并且读取了某一相关工况“快门”数据文件后，当用鼠标单击工具栏的反向推理按钮“⭱”时，软件自动完成反向推理。

然后进入反向推理结果信息查询操作。此时直接用鼠标单击菜单栏推理获取的“剧情解释详细报告”，即可进入详细的危险剧情信息显示画面。反向推理是从不利后果向初始原因推理，因此显示的结果是正向推理倒过来的结果。结果显示方法和翻页查询方法见正向推理部分。注意，当需要退出剧情显示画面模式时，再次鼠标单击反向推理按钮，即可返回建模画面。

6.6.3 双向推理

双向推理必须首先选定中间推理起始事件。用鼠标左键双击所选事件，该中间事件出现一个红色的方框即选定。再次双击选定事件为退掉该事件的选择。然后当用鼠标单击工具栏的双向推理按钮“”时，软件自动完成选定中间事件的双向推理。

所有内容参照正向推理。双向推理选定事件点画面见图 6-23。图中选定了中间事件 5 和 35。选中后的事件有红色的方框。然后进入双向推理结果信息查询操作。此时直接用鼠标单击菜单栏推理获取的“剧情解释详细报告”，即可进入详细的危险剧情显示画面。本案例双向推理结果显示内容应当与图 6-22 相同。结果显示方法和翻页查询方法见正向推理部分。注意，当需要退出剧情显示画面模式时，再次鼠标单击双向推理按钮，即可返回建模画面。

为了完备地搜索与所选中间事件相关的危险剧情，双向推理方法采用了故障诊断模式。即不是简单地从中间事件向初始原因及不利后果推理，而是先反向推理搜索全部相关的初始原因事件，然后从这些原因事件正向推理得到所有危险剧情。这种双向推理方式国际公认完备性高。国外知名专家系统软件基本上都不提供双向推理。本软件提供的双向推理是推理功能的扩展。

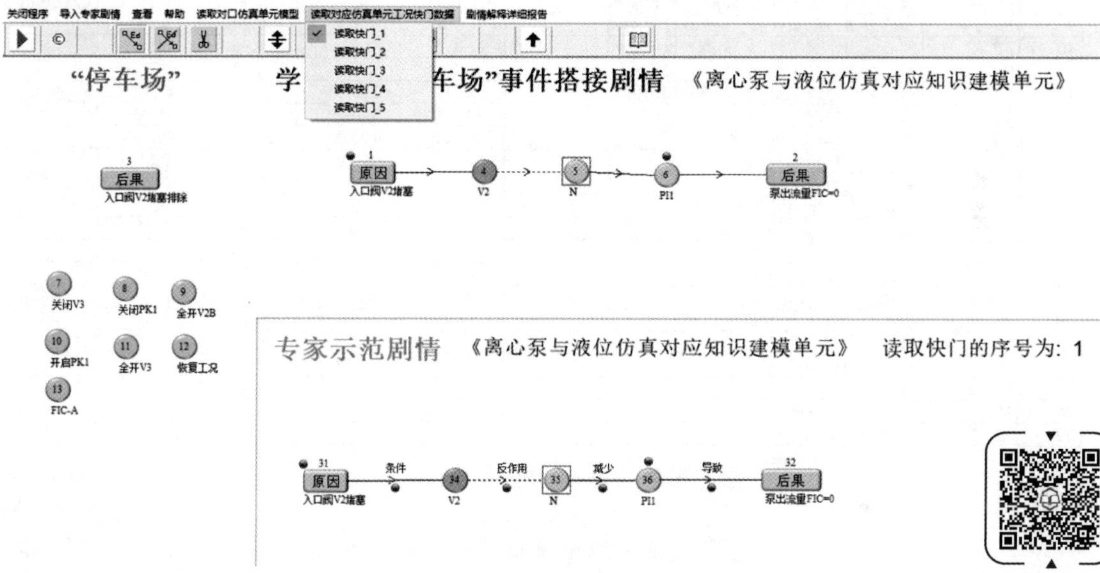

图 6-23　双向推理选定事件点画面

彩图

6.7
工况数据(“快门”)一览表

对于每一个仿真培训软件最多可以一次记录 5 个工况“快门”。随机获取仿真器全工况数据用照相机“快门”隐喻。读取“快门”数据的方法是，用鼠标单击菜单栏“读取对应仿真单元工况快门数据”，在弹出的下拉菜单中选择对应当前剧情的“快门”。见图 6-23。当读取一个在线“快门”之后，单击工具栏的按钮“”，显示当前采样工况状态监测一览表时，桌面显示将如图 6-24 所示。注意：此时按钮为按下保持状态，必须再次单击该按钮才能退出一览表画面。

当前由“快门”采样的工况状态监测一览表中的位号是 AI3 与仿真器共同约定的统一位号。建模时某事件定义了相同的位号，专家系统会自动识别为具体事件，并且自动进行相容性判断。一览表中标明的正常值是设计正常工况所有可观测变量的值，当前值是设定该“快门”时刻的仿真器全工况值，一览表的右上角标有采样时间。正常上限和正常下限是正常值±5%的偏差限，是一个大概的范围。超上限为橙色，超下限为蓝色，在上下限之间为绿色。注意：这个上下限只说明某变量与正常值有了偏离，不是相容判定所用的偏离“阈值”，偏离“阈值”由用户在事件信息输入对话框中按工业过程实际情况设定。

（离心泵与储罐液位系统）**采样工况状态监测一览表** 采样时间：2020-11-28 09:10:08 快门：1

序号	位号	变量名称 （计量单位）	正常值	当前值	正常上限	正常下限	状态
1	LIC	储罐液位控制（%）	50.00	76.17	52.50	47.50	
2	LIC-A	储罐液位控制（%）投自动=1	1	1	0.90	0.10	
3	LIC-M	储罐液位控制（%）投手动=1	0	0	0.90	0.10	
4	LIC-C	储罐液位控制（%）投串级=1	0	0	0.90	0.10	
5	LIC-sp	储罐液位控制（%）给定值	50.00	50.00	52.50	47.50	
6	LIC-mv	储罐液位控制（%）输出值%	49.46	31.04	54.46	44.46	
7	FIC	离心泵出口流量控制（kg/s）	6.00	0.00	6.30	5.70	
8	FIC-A	离心泵出口流量控制（kg/s）投自动=1	1	1	0.90	0.10	
9	FIC-M	离心泵出口流量控制（kg/s）投手动=1	0	0	0.90	0.10	
10	FIC-C	离心泵出口流量控制（kg/s）投串级=1	0	0	0.90	0.10	
11	FIC-sp	离心泵出口流量控制（kg/s）给定值	6.00	6.00	6.30	5.70	
12	FIC-mv	离心泵出口流量控制（kg/s）输出值%	52.43	100.00	57.43	47.43	
13	V2	离心泵入口阀（0-100%）	100.00	100.00	105.00	95.00	
14	V3	离心泵出口阀（0-100%）	100.00	100.00	105.00	95.00	
15	V2B	离心泵入口备用阀（0-100%）	0.00	0.00	5.00	0.01	
16	PK1	离心泵电机开关（0-1）	1	1	0.90	0.10	
17	PK2	备用离心泵电机开关（0-1）	0	0	0.90	0.10	
18	V05	离心泵高点排气阀（0-1）	0	0	0.90	0.10	
19	V06	离心泵低点排液阀（0-1）	0	0	0.90	0.10	
20	FI	储罐入口流量（kg/s）	6.00	3.89	6.30	5.70	
21	LIC-Z	储罐液位（0-100%）	50.00	76.17	52.50	47.50	
22	PI1	离心泵入口压力（MPa）	0.08	0.01	0.13	0.03	
23	PI2	离心泵出口压力（MPa）	0.37	0.25	0.39	0.35	
24	N	离心泵电机功率（kw）	2.76	0.62	2.90	2.62	
25	FIC-Z	离心泵出口流量（kg/s）	6.00	0.00	6.30	5.70	
26	H	离心泵扬程（m）	29.40	23.79	30.87	27.93	
27	M	离心泵效率（%）	62.56	0.00	65.69	59.43	

橙色为当前状态超出正常值上限

绿色为当前状态为正常工况

蓝色为当前状态低于正常值下限（或置空）

图 6-24 当前工况状态监测一览表

彩图

6.8 反应温度记录曲线查询

对于连续反应和间歇反应仿真单元，为了识别全程反应每一时刻的状态，在“快门”中特别加入了从反应温升开始到设定“快门”时刻为止的温度和压力变化曲线，见图 6-25。单击工具栏的按钮“”（显示反应曲线）时，将显示如图 6-25 所示曲线。此时按钮为按下保持状态，必须再次单击该按钮才能退出曲线显示画面。

图 6-25 中绿色的曲线是标准反应温度曲线，红色曲线是学员的反应温度曲线，蓝色曲线是学员反应压力曲线。用鼠标拖动的方法，可以显示出一条红色的垂直直线。可以显示每一秒的瞬时温度和压力数据的寻迹扫描。软件以标准反应温度曲线为基础，自动计算 6 种当前“快门”曲线与标准反应曲线的偏差绝对值积分指标。即：

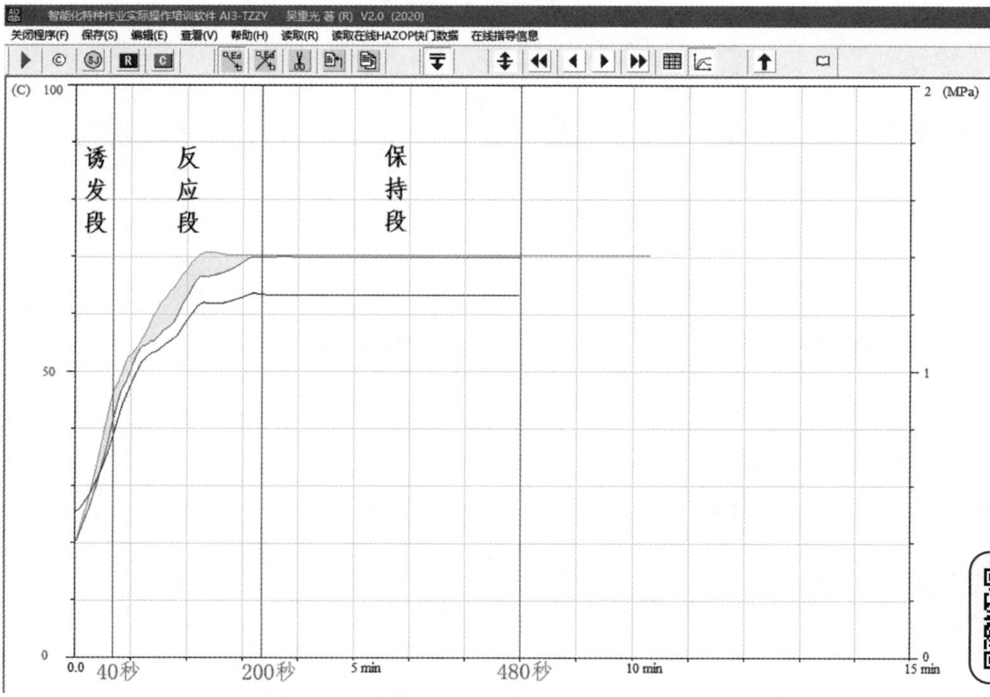

图 6-25　反应温度和压力记录曲线以及误差积分面积截图

彩图

IAY1　反应诱发段温度超上限积分指标，对诱发反应阶段过量加热的定量估计。

IAY2　反应诱发段温度超下限积分指标，对诱发反应阶段加热不足的定量估计。

IAF1　反应段温度超上限积分指标，对反应剧烈阶段冷却量不足的定量估计。

IAF2　反应段温度超下限积分指标，对反应剧烈阶段冷却量过大的定量估计。

IAB1　保持段温度超上限积分指标，对反应保温或保持阶段冷却量不足的定量估计。

IAB2　保持段温度超下限积分指标，对反应保温或保持阶段冷却量过大的定量估计。

在反应过程建模中引用以上 6 种积分指标，可以准确评估反应全过程操作的安全和反应质量水平。可以在当前工况状态监测一览表中显示 6 种积分指标值。曲线显示和积分指标评估功能仅限于连续反应和间歇反应，其他单元没有此功能。

6.9
模型各事件的文字显示方式

教学版 SimAI3 桌面模型各事件的文字显示取自对话框中填写的文字信息，见图 6-26。原因事件图元下方显示对应的对话框中的状态信息；中间事件图元下方显示事件位置，对于具体事件而言就是仿真单元规定的位号；影响关系事件图元在有向线段的上方显示偏离引导词；后果事件图元的下方显示状态。这种内容显示方式可以直接从剧情模型图上读出剧情模型的概要描述。

专业版 AI3 桌面模型各事件图元的文字显示见图 6-27。显示内容有所增加，以便工业应用。即不必经常导出对话框了解事件更多的信息。

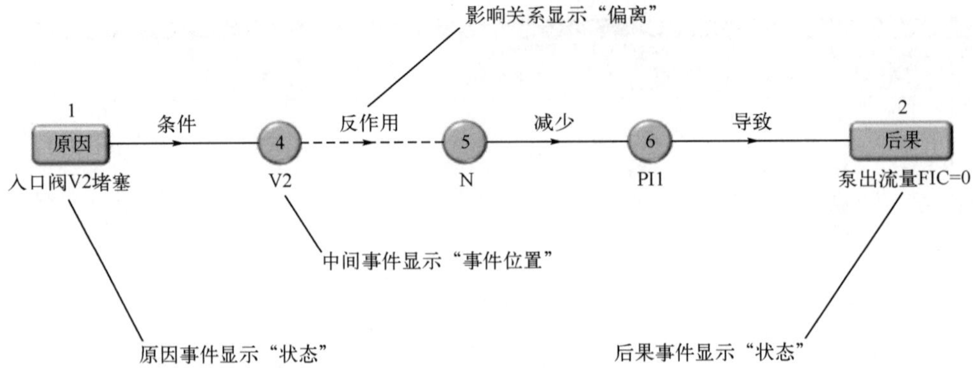

图 6-26　教学版模型中各事件显示的相关文字内容

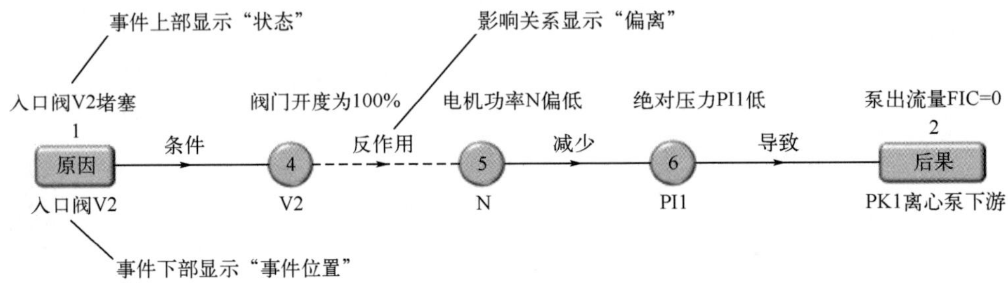

图 6-27　专业版模型中各事件显示的相关文字内容

6.10
AI3 事件图元变色功能

利用 AI3 的 3 种事件图元的变色功能可以直观快速地判定剧情中具体事件在某一工况时刻偏离的情况，即危险在剧情路径上传播的态势，见图 6-28。该功能便于试验各具体事件的阈值上/下限设置是否符合实际，便于调整阈值配合修正剧情的结构，实现模型应对多剧情的故障诊断隔离特性。

事件色标说明	原因事件图元	中间事件图元	后果事件图元
推理前所有事件/概念事件显示浅紫色	原因		后果
具体事件超正常值上限显示红色	原因		后果
具体事件超正常值下限显示蓝色	原因		后果
具体事件在正常值以内显示绿色	原因		后果
具体事件超阈值并相容在剧情报告中显示浅橙色	原因		后果

图 6-28　AI3 的 3 种事件图元的变色功能

彩图

例 1：如图 6-29 所示，是加热炉仿真单元 5 个典型事故剧情的最简单的因果链模型。此时刻从加热炉仿真单元获取了“进料减少”非正常工况的“快门”数据。经推理后模型各图元变色状态说明，5 个剧情模型设定的阈值在第 1 事故发生时达到了故障隔离要求。即只有最上面的“进料减少”剧情的具体事件 TRC-01 超正常值上限变为红色，与此同时其他 4 个剧情都为绿色或浅紫色。

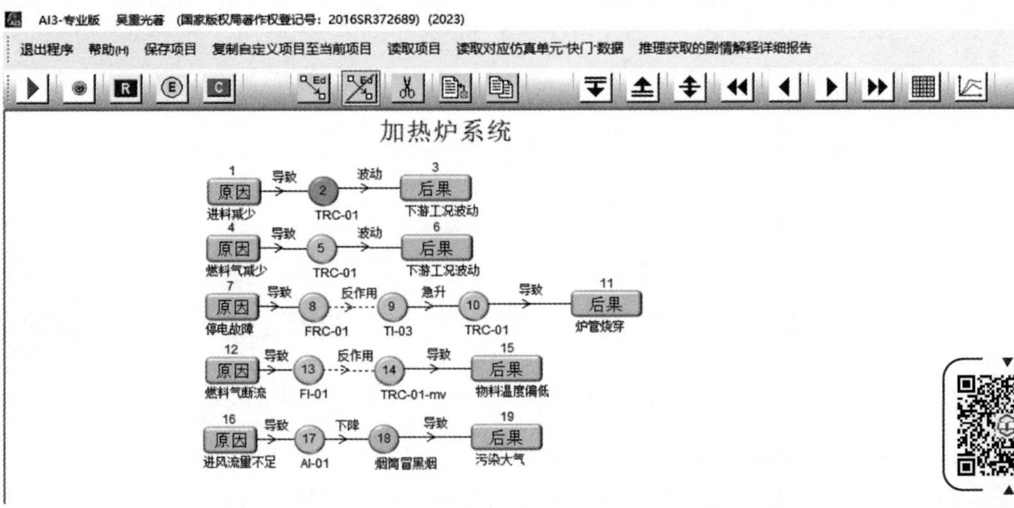

图 6-29　加热炉“进料减少”非正常工况剧情图元变色记录

彩图

例 2：如图 6-30 所示，是透平与往复压缩仿真单元 5 个典型事故剧情的最简单的因果链模型。此时从仿真单元获取了“氢气泄漏”非正常工况的“快门”数据。经推理后模型各图元变色状态说明 5 个剧情模型设定的阈值，在第 4 事故发生时达到了故障隔离要求。即只有第 4 个“氢气泄漏”剧情的具体事件 PR-6 超正常值上限变为红色，与此同时其他 4 个剧情都为绿色或浅紫色。

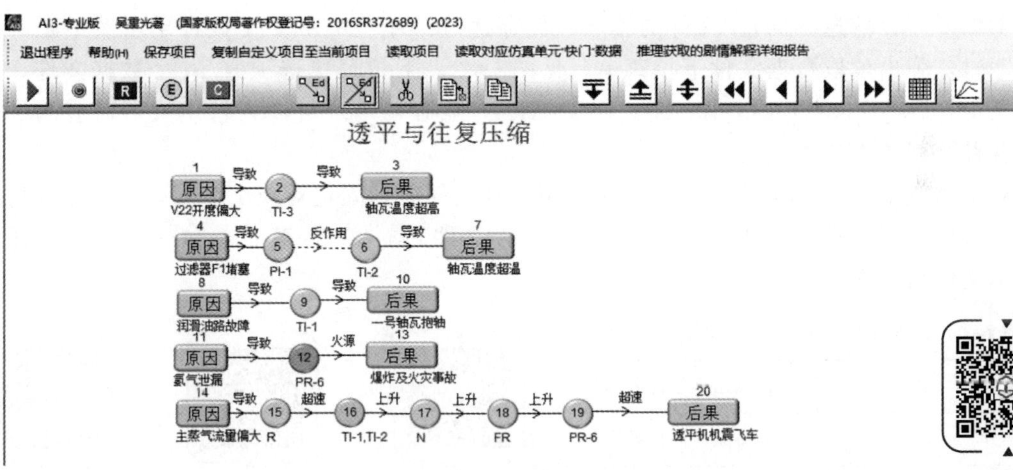

图 6-30　透平与往复压缩“氢气泄漏”非正常工况剧情图元变色记录

彩图

例 3：如图 6-31 所示，是透平与往复压缩仿真单元 5 个典型事故剧情的最简单的因果链模型。此时从仿真单元获取了“主蒸气流量偏大”非正常工况的“快门”数据。经推理后模型各图元变色状态说明前 3 个剧情模型设定的阈值达到了故障隔离要求。第 4 个“氢气泄漏”剧情的具体事件 PR-6 超正常值上限变为红色，是不期望的变色。第 5 个“主蒸气流量偏大”剧情所有具体事件都超正常值上限变为红色，是期望的变色。此种情况需要仔细考察仿真单元给出的“快门 4”和“快门 5”的数据区别，调整阈值有可能实现隔离特性。

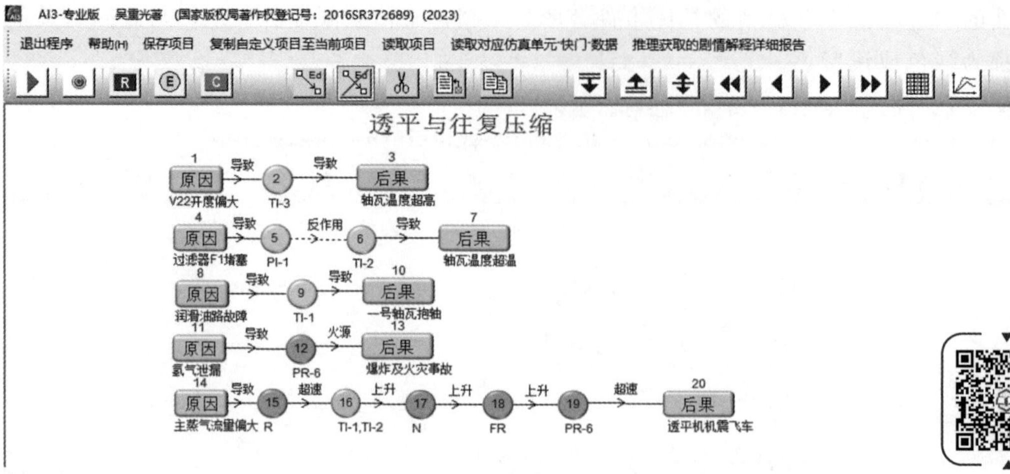

图 6-31 透平与往复压缩“主蒸气流量偏大”非正常工况剧情图元变色记录

彩图

本案例说明，隔离特性的阈值调整和剧情修正，必须满足所有剧情单独发生时，其他剧情都不发生或不完全发生。AI3 的事件变色功能有助于剧情阈值和结构的调整试验，以便实现故障诊断隔离特性。

6.11 模型文件读取和保存

模型文件包括建模时输入和绘制的所有“内容信息”和“结构信息”（AI3-教师版和学生版增加了评分信息数据）。文件的读取和保存通过菜单栏完成。当鼠标单击菜单栏“读取项目”时，弹出读取数据文件下拉菜单，见图 6-32。下拉菜单选项有 10 个数据文件，文件名定义为：csa_1.dat 至 csa_10.dat。对于 AI3-专业版，用户可以自行定义所对应的仿真单元（各种流程仿真软件）。

对于 AI3-教师版和学生版，其中第 1 至 7 号文件分别固定对应 7 个危化特种作业仿真培训软件。用户不得自行改变文件名，见表 6-1。文件 csa_8.dat 至 csa_10.dat 供用户任意使用，但文件名也必须固定不变。

表 6-1 数据文件与仿真培训软件对照表

序号	文件名	仿真培训软件名称
1	csa_1.dat	离心泵与液位系统
2	csa_2.dat	热交换系统
3	csa_3.dat	间歇反应系统
4	csa_4.dat	连续反应系统
5	csa_5.dat	加热炉系统
6	csa_6.dat	精馏系统
7	csa_7.dat	透平与往复压缩系统

热交换器开车和 F1 事故排除演示

间歇反应开车和 F4 事故排除演示

连续反应开车和 F3 事故排除演示

加热炉开车和 F1 事故排除演示

精馏系统开车和 F3 事故排除演示

透平与往复压缩系统开车和 F1 事故排除演示

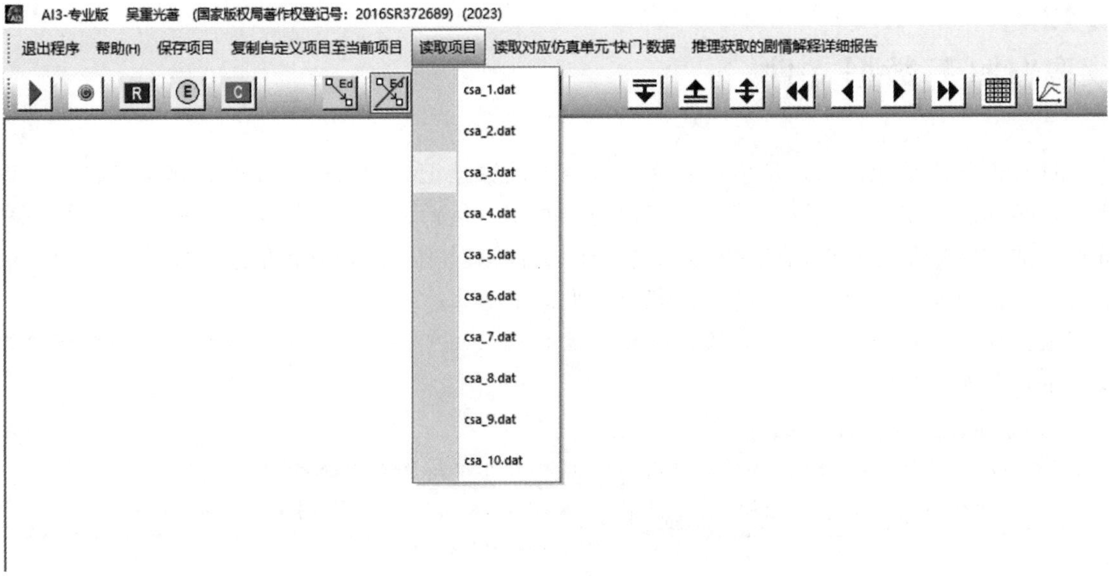

图 6-32　读取数据文件下拉菜单

在下拉菜单中选定一个数据文件后，桌面调出原有知识图谱模型，这时可以修改、补充模型，然后进行自动推理和结果显示验证。

当鼠标单击菜单栏“保存项目”项时，弹出保存数据文件下拉菜单，见图 6-33。注意 AI3-教师版和学生版软件在保存数据文件时，必须按照表 6-1 的规定序号选项，否则会打乱数据的对应关系。此外，每当模型有任何修改或补充时，必须加以保存，否则文件仍维持原来的信息不变。

图 6-33　保存数据文件下拉菜单

6.12 读取“快门”数据文件

每一个化工单元仿真培训软件定义了 5 个工况数据记录“快门”文件。当实施自动推理之前，必须从数据库选择读入某一个“快门”数据，然后完成当前模型 3 种推理中的某一种推理。推理结果是仿真培训软件存入“快门”文件该时刻的推理分析信息。实施推理前，读取对应仿真单元“快门”数据的下拉菜单，见图 6-34。

注：读取的数据一定是仿真培训时保存过的对应的“快门”数据，否则自动推理解释的信息不是所要求的信息。

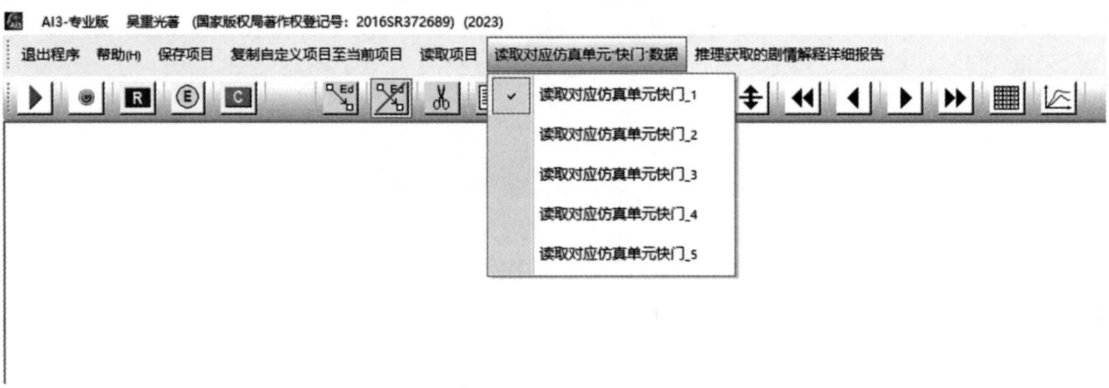

图 6-34 读取对应仿真单元“快门”数据的下拉菜单

6.13 SimAI3-学生训练与考核版使用

所有菜单栏选项、工具栏按钮和鼠标操作与 AI3-专业版一致，选项和按钮进行了简化，以便学生使用。

6.13.1 “AI3-题库”中的文件导入

为了便于推广普及智能教学软件，采用 SimAI3-教师版软件平台为初级建模入门训练设计了 200 个练习题，对应 7 个典型仿真单元，每一个单元约 30 道题。打开 AI3-题库文件夹可见 7 个子文件夹，如图 6-35 所示。以“离心泵与液位系统”为例，在电脑上用鼠标双击图 6-35 最上一行“AI3 题库-1-离心泵与液位系统”，打开该文件夹，可以看到 31 道题的子文件夹，见图 6-36。

双击任一练习题的子文件夹，可以看到如图 6-37 所示的数据文件。用鼠标选中图 6-37 的所有数据文件，粘贴到“AI3 数据库”文件夹中，替换“AI3 数据库”中的相关文件，即完成一道指定练习题的导入任务。如图 6-38 所示。

AI3题库-1-离心泵与液位系统	2024/5/5 7:38	文件夹
AI3题库-2-热交换系统	2024/5/5 7:38	文件夹
AI3题库-3-间歇反应系统	2024/5/5 7:38	文件夹
AI3题库-4-连续反应系统	2024/5/5 7:38	文件夹
AI3题库-5-加热炉系统	2024/5/5 7:38	文件夹
AI3题库-6-精馏系统	2024/5/5 7:38	文件夹
AI3题库-7-透平与往复压缩系统	2024/5/5 7:38	文件夹

图 6-35　AI3-题库中的 7 个子文件夹对应 7 个仿真单元

AI3-智能仿真教学系统-普及版-2024-6-12 › AI3题库-1-离心泵与液位系统 ›

名称	修改日期	类型
S-1-离心泵-F1-入口阀门堵塞故障-A	2024/6/8 19:41	文件夹
S-2-离心泵-F1-入口阀门堵塞故障-加V2...	2024/6/8 19:41	文件夹
S-3-离心泵-F1+P-入口阀门堵塞-A-增加...	2024/6/8 19:41	文件夹
S-4-离心泵-F2-电机线圈烧断故障	2024/6/8 19:41	文件夹
S-5-离心泵-F3-气缚故障	2024/6/8 19:41	文件夹
S-6-离心泵-F4-叶轮松脱故障	2024/6/8 19:41	文件夹
S-7-离心泵-F5-控制器FIC故障	2024/6/8 19:41	文件夹
S-8-离心泵-F3+P-气缚故障-增加故障排...	2024/6/8 19:41	文件夹
S-9-离心泵-F1+F2	2024/6/8 19:41	文件夹
S-10-离心泵-F1+F3	2024/6/8 19:41	文件夹
S-11-离心泵-F1+F4	2024/6/8 19:41	文件夹
S-12-离心泵-F1+F5	2024/6/8 19:41	文件夹
S-13-离心泵-F2+F3	2024/6/8 19:41	文件夹
S-14-离心泵-F2+F4	2024/6/8 19:41	文件夹
S-15-离心泵-F2+F5	2024/6/8 19:41	文件夹
S-16-离心泵-F3+F4	2024/6/8 19:41	文件夹
S-17-离心泵-F3+F5	2024/6/8 19:41	文件夹
S-18-离心泵-F4+F5	2024/6/8 19:41	文件夹
S-19-离心泵-F1+F2+F3	2024/6/8 19:41	文件夹
S-20-离心泵-F1+F2+F4	2024/6/8 19:41	文件夹
S-21-离心泵-F1+F2+F5	2024/6/8 19:41	文件夹
S-22-离心泵-F1+F3+F4	2024/6/8 19:41	文件夹
S-23-离心泵-F1+F3+F5	2024/6/8 19:41	文件夹
S-24-离心泵-F1+F4+F5	2024/6/8 19:41	文件夹
S-25-离心泵-F2+F3+F4	2024/6/8 19:41	文件夹
S-26-离心泵-F2+F3+F5	2024/6/8 19:41	文件夹
S-27-离心泵-F2+F4+F5	2024/6/8 19:41	文件夹
S-28-离心泵-F3+F4+F5	2024/6/8 19:41	文件夹
S-29-离心泵-F1+F2+F3+F4	2024/6/8 19:41	文件夹
S-30-离心泵-F2+F3+F4+F5	2024/6/8 19:41	文件夹
S-31-离心泵-F1+F2+F3+F4+F5	2024/6/8 19:41	文件夹

图 6-36　AI3 题库-1-离心泵与液位系统的 31 道练习题

图 6-37 选中指定练习题文件夹中的所有数据文件

图 6-38 将选中指定练习题子文件夹中的所有数据文件替换“AI3 数据库”中的相关文件操作

6.13.2 SimAI3-学生版操作界面和对话框

由于 SimAI3-3.0 版软件引入了“反思”训练阶段，“反思”前的训练包括了原考核软件的全部功能，“反思”训练阶段包括了原练习软件的全部功能，因此合并为一个 AI3-学生练习考核版软件。

具体操作方法与 AI3-专业版方法相同。为了严格进行剧情结构评分，学生端软件不得新增中间事件，因此将该工具栏按钮取消。同时取消工具栏的“复制图元”和“恢复删除图元”的按钮，使学生无法删除教师设计的原因、中间事件和后果图元。学生只能删除影响关系连线图元，以便在反思训练时修改剧情结构。3.0 版的菜单栏和工具栏操作说明在学生软件中可以随时查询，见图 6-39。显然学生版的操作得到了大大的简化，有利于学生快速上手。

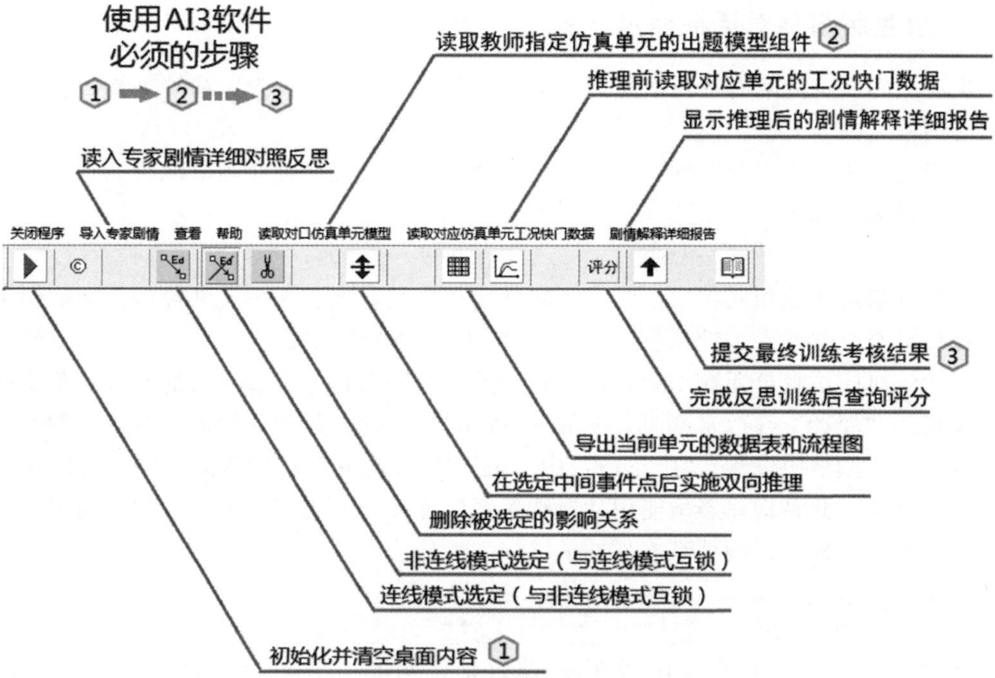

图 6-39　SimAI3-学生练习考核版工具栏和菜单栏操作说明

学生版软件的对话框与教师版基本相同，只有个别显示“窗口”功能不同。见图 6-40，对话框中增加了“事件主题”、“状态/偏离”、“事件信息”和“安全措施”的填写内容简要说明。4 个属性旁边有 4 个显示分项成绩的小“窗口”。在“反思”前都显示“0”，即没有提示“脚手架”的支持，学生必须独立思考。“反思”阶段显示分项成绩（0～10 分），即提供学生“类比推理”的“脚手架”，学生可以通过两次试错找到正确答案。

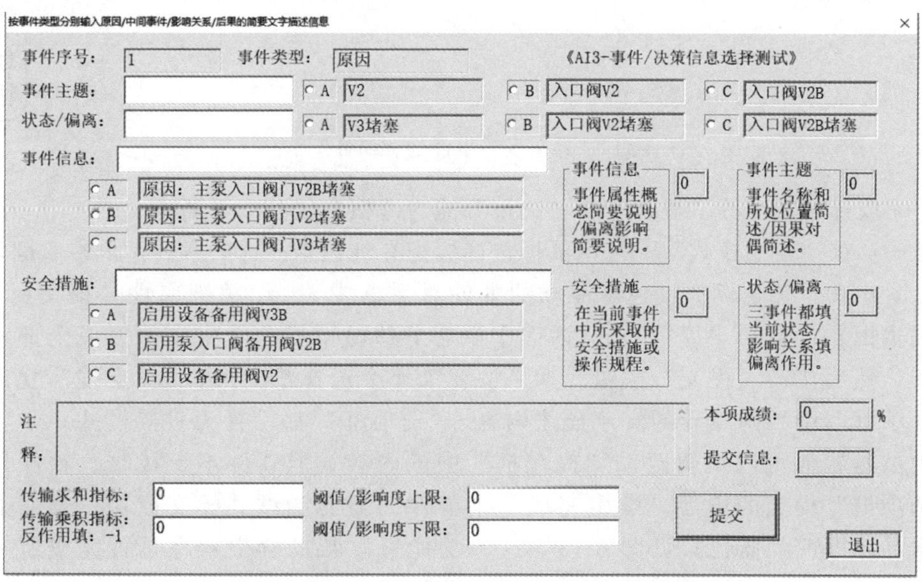

图 6-40　SimAI3-学生练习考核版软件对话框

“本项成绩”窗口显示本事件所有属性选择的百分制总成绩。“反思”前显示“0”，即没有提示“脚手架”的支持。这种功能促使学生动脑思考。

6.13.3 学生版事件对话框使用步骤

学生在教师设定的附有红色水晶球事件的对话框中完成“概念”和“决策”训练/考核。学生版对话框见图 6-40。

教师设计完成的“概念”和“决策”两类“探针”设计文件在 AI3 软件 2.0 版基础上进行了扩展，扩展名称是：

$$\text{csa\_}x4.\text{dat},\text{csa\_}x5.\text{dat}\quad (x=1,2,3,\cdots,8)$$

相关数据都需实施相同扩展。学生版软件运行之前，所有相关文件包括新增的两个文件都要预先拷贝至全部学生端计算机的文件夹“AI3 数据库”中。

学生读入对应仿真单元数据后，即可在“停车场”事件上以及导入的专家示范剧情上看到教师设置的“探针”红色水晶球，见图 6-41 和图 6-42。显然，影响关系的“决策探针”最好在专家示范剧情中设置。“停车场”中一般没有影响关系，当然也可以在“停车场”构建影响关系事件。此种构建必须使用“影响关系”连接具有前因与后果的相邻两事件，否则无法在“停车场”构建影响关系事件。

图 6-41 “停车场”事件的“探针”水晶球

彩图

学生完成过程知识的“概念”与“决策”能力考核方法分如下两步。

步骤一： 在“连线模式”下，用鼠标选择标记有红色水晶球的事件，单击右键，弹出对话框，见图 6-40。凡是标有红色水晶球的事件对话框中，4 个关键属性“提交框”（对话框中的编辑框）都自动“清空”。对话框中没有分值显示栏，学生必须完成全部 4 组三选一的选择，然后按动“提交”按钮。如果按要求 4 个选择都完成，“提交框”立刻显示提交的“选项框”中教师设计的文字描述内容。“选项框”都设置为只读模式，学生无法改动。学生虽然看似可以编辑改动“提交框”中的内容，但软件不予接收。软件只认可学生从“选项框”提交的内容。学生完成一个事件的概念测试并提交成功，桌面上该事件的红色水晶球即变为蓝色，见图 6-43。这一功能可以帮助学生示踪是否完成所有探针事件的考核。

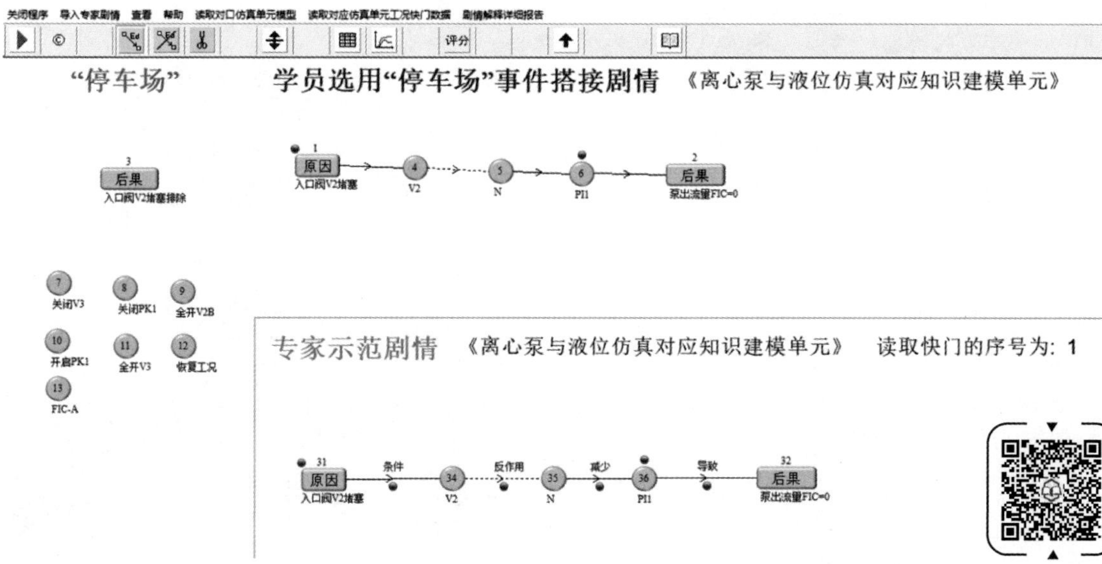

图 6-42　学生导入专家示范剧情后看到"探针"水晶球

彩图

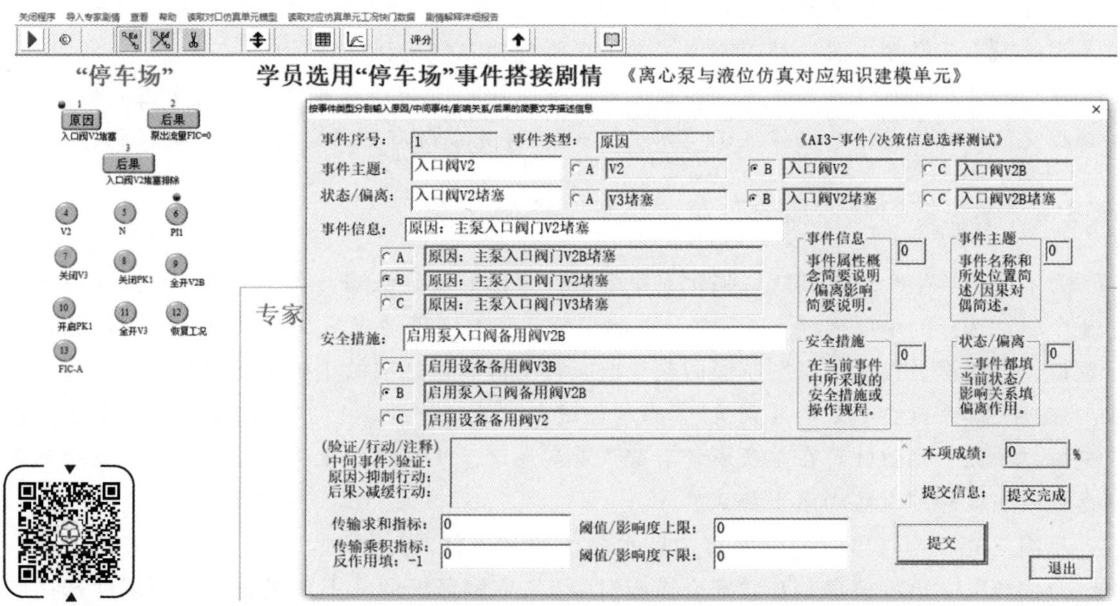

彩图

图 6-43　一个事件的 4 种选项全部提交后对应事件红色水晶球变蓝色

学生提交后，如果不满意，可以再次选择并提交。但是再次提交前也一定要 4 个选择都重选，不得有空，否则会出现不完全的信息提交。因为只要学生决定重选，软件会把所有单选按钮置"空"，如果学生一个选项也不选就按动"提交"按钮，全部 4 个"提交框"都会清空，导致没有信息提交。此时必须按规定全部选择再选一遍，重新提交即可。

步骤二：学生完成所有探针水晶球设置点选项后，必须按动工具栏总提交按钮（蓝色向上的箭头按钮）。此时显示全部"探针"认知测试总成绩报告，见图 6-44。本测试案例共计设定了 8 个探针事件点，总分及平均分均为 100 分。SimAI3 同时记录提交时间，并且将学生考核的全部相关数据存入"AI3 成绩"文件夹以备教师查询。

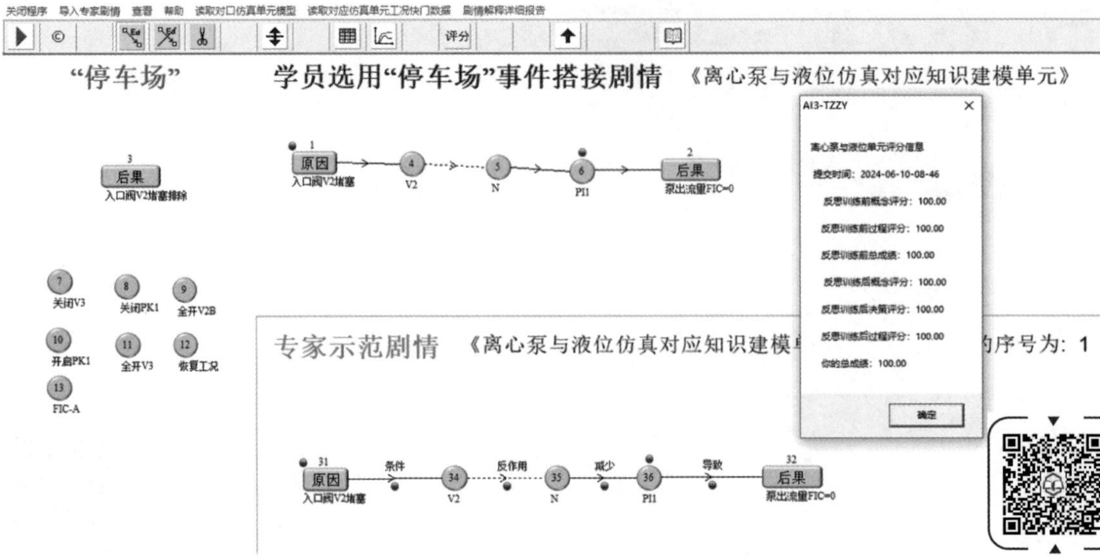

图 6-44 提交全部测试结果，显示总成绩报告

彩图

允许学生再次对探针事件点选择并提交。由于学生无法看到每个事件的测试评分设定值，因此无论选择多少次，都能够训练学生正确地独立分析和思考。

注： 不设“探针”的事件单选按钮无效。学生可以自由编辑或修改“提交框”的内容。按动提交按钮时提交信息框将显示“非测试点”，并完成所有“提交框”内容的接收。

6.13.4 学生练习版“概念”与“决策”评分

为了便于学生个性化训练，强化对每个事件属性的正确认知，在每个事件对话框中增加了 4 个属性选择的单项成绩（0～10 计分制记分）和本项事件成绩（0～100 百分制计分）显示窗口。以便学员在“反思”阶段即刻获取 4 种关键属性选项的正确答案。

注： 一旦导出“专家示范剧情”，系统即进入“反思”阶段。只有在反思阶段学生才能在单击“提交”按钮时，在单项成绩小窗口看到成绩。反思前学生无法看到各单项成绩和本项总成绩，这样可以鼓励学生独立思考。

见图 6-45，当导出一个设置有红色水晶球的某事件对话框时，在其右部“事件主题”、“状态/偏离”、“事件信息”和“安全措施”4 个文字解释框的右上角设置了 4 个属性选择结果的单项成绩小窗口，分别显示学员选定的属性对应的成绩。0 分是初始化得分，也是最低分数，10 分为满分。

当学员完成 4 项单选后，单击“提交”按钮，此时会在 4 个小窗口分别显示每个单项成绩，同时在右下部“本项成绩”窗口按百分制显示本事件选项获得的总成绩，见图 6-46。

只要不按动“退出”按钮（或光标处于对话框之外时误击鼠标键）就可以反复进行选择练习，直到获得满分为止。

6.13.5 认知“反思”功能与综合评估

学生端软件增加了工具栏“评分”按钮。当学生完成反思训练后可以查询最终总成绩的

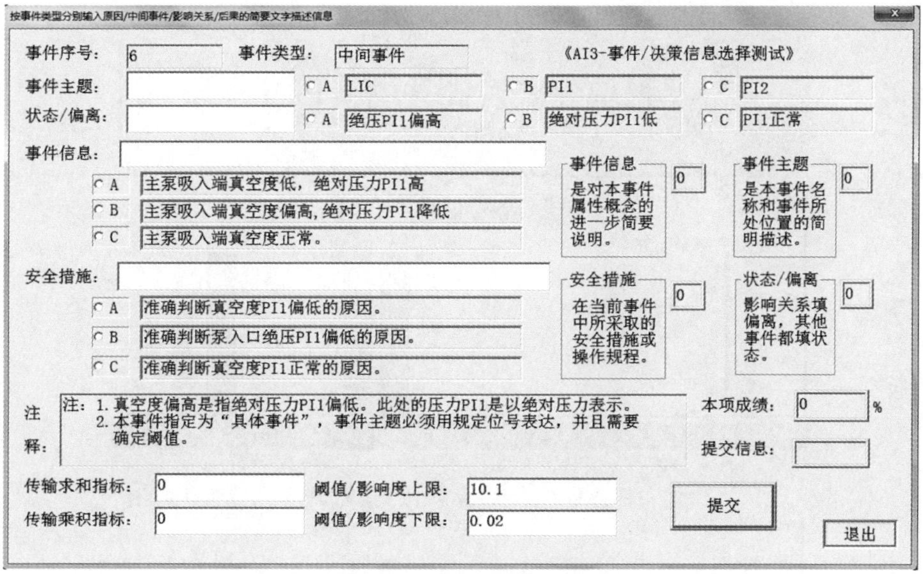

图 6-45　学员进入某事件属性对话框截图

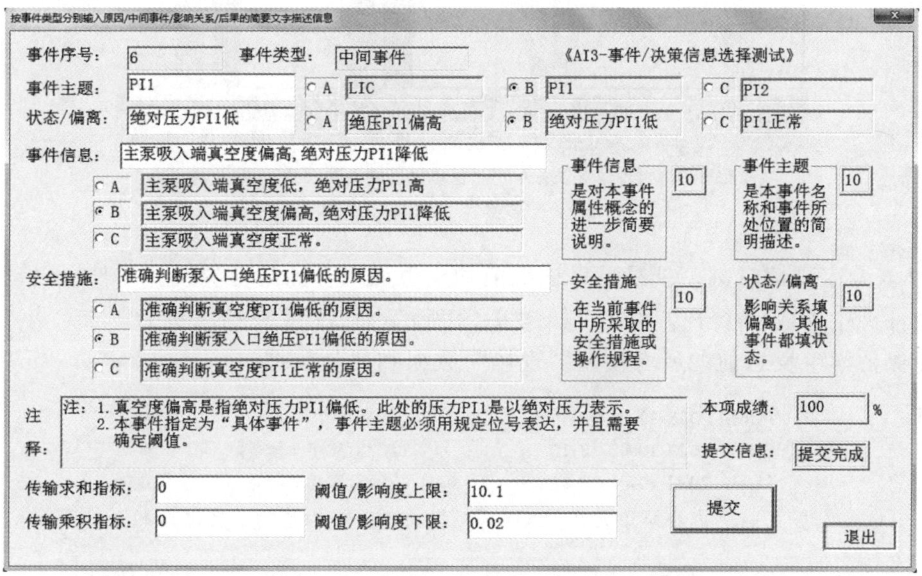

图 6-46　学员完成选项并单击“提交”按钮后获得成绩显示的截图

3D 显示，见图 6-47。自动评分涉及反思训练前成绩和反思训练后成绩的综合评估，这是 AI3 应用现代素质教育方法的重要进展，融合了传统教学中强调给出训练和考核详细成绩的需求。

人类总是在失败与反思中习得。反思训练在提高认知能力方面有特效作用，是个性化教学的主要方法。AI3 通过反思训练及评估实现和强化了这种特效作用。

具体实施方法是：

① 在反思训练之前，即学生根据教师给出的建模组件完成剧情建模全过程中，必须独立思考自行完成建模，软件不提供解释和帮助。特别是在设置“概念探针”的对话框中不显示分项和总成绩（都强制为“0”），学生必须动脑思考。由于不显示“探针”事件对话框的分项成绩和总成绩，因此想通过概率获得满分比开密码锁还难。

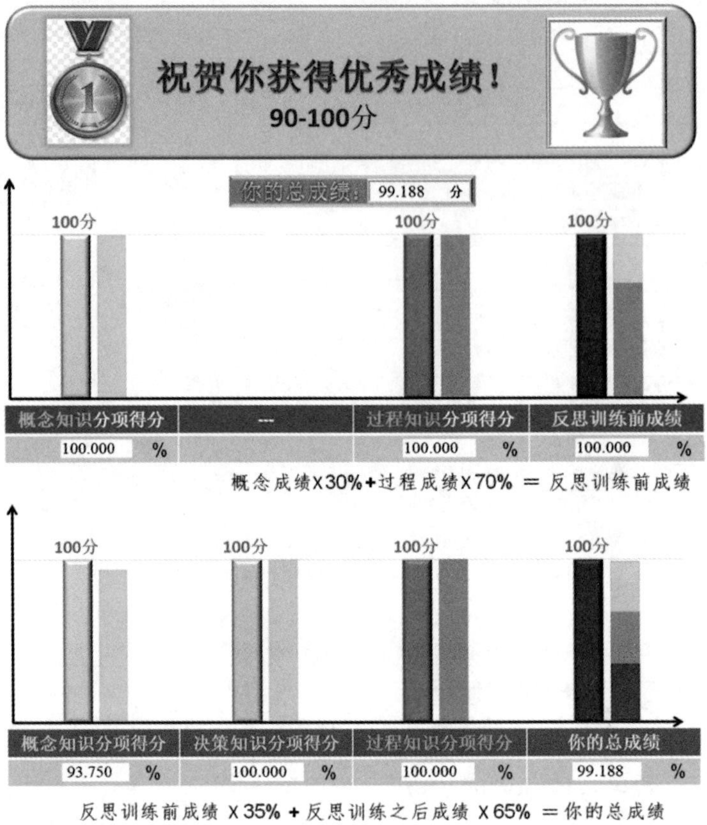

图 6-47　最终总成绩的 3D 显示

② 导入专家剧情时刻，就是反思训练前和反思训练开始的分界线。软件会自动在“AI3 成绩”文件夹中生成一个子文件夹，如图 6-48 所示，该文件夹的名称后附加“年-月-日-时-分”以便保留学生反思前的所有模型“现场”数据和评分数据。

PUMP-2023-10-05-09-40	2023/10/5 9:40	文件夹
PUMP-2023-10-05-13-10	2023/10/5 13:10	文件夹
PUMP-2023-10-05-13-12	2023/10/5 13:12	文件夹

图 6-48　离心泵单元在“AI3 成绩”文件夹中构建的子文件夹案例

③ 导入专家剧情后，所有“探针”水晶球自动变红，包括学生建模剧情链上的“探针”水晶球都变红，这意味着必须全部进行反思训练。反思训练是指所有“概念探针”、“决策探针”和剧情结构 3 种知识结构元素，都要在专家剧情的提示（脚手架）下实施反思训练。此时凡是有“探针”的对话框选项都显示分项得分和总得分。每一个 A/B/C 勾选项试错两次，最多总计 8 次试错就可以获得满分。这种与专家剧情的对照反思技术不是采用直接两两对照就确定修改内容，而是需要学生发挥短期记忆通过“类比推理”改错，而不是机械的不动脑改错。学生构建的剧情结构也必须参照专家剧情全部修改正确，即完成“结构映射”才能获得满分。

国际最新教育研究成果一致认为，21 世纪的教育应该优先培养学生的高阶思维、转移和灵活推理能力，而不是对学科知识的死记硬背。“类比推理”是一种将现象理解为可以对齐、比较和映射的结构化关系系统的能力，在技术丰富的 21 世纪教育实践中发挥着重要作用。“结构映射”是将一个关系系统中的关键对象和关系（学生模型）对齐到另一个关系系统（专家模型）中的过程，以便绘制出更高阶的关系，使推理者能够推断出系统的共性和差异，或更好地理解一个关系系统。[1]

“类比推理”和“结构映射”是实施反思训练的核心技术。AI3 真正自动实现了知识工程的细粒度全面“类比推理”和“结构映射”反思习得过程。

AI3 的教师不在身边的自动反思训练也是个性化教学的重要进展。为了促使学生完成反思训练，总评分成绩中反思训练后的成绩占有相当重的比分。因此学生不认真进行反思训练得不到好成绩，这在传统的教学中很难实现。

反思训练前成绩的评分规则：①概念知识分项得分占反思训练前成绩的 30％；②过程知识分项得分占反思训练前成绩的 70％；③反思训练前不评估决策知识分项成绩。即

反思训练前成绩＝概念成绩× 30％＋过程成绩× 70％

反思训练后（即全部训练完成后）成绩的评分规则：①概念知识分项得分占反思训练后成绩的 20％；②决策知识分项得分占反思训练后成绩的 30％；③过程知识分项得分占反思训练后成绩的 50％。即

反思训练后成绩＝概念成绩×20％＋决策成绩×30％＋过程成绩×50％

总成绩（即全部训练完成后）评分规则：①反思训练之前的成绩占总成绩的 35％；②反思训练之后的成绩占总成绩的 65％；③反思训练之前，即导入专家剧情之前的训练。即

总成绩＝反思训练前成绩×35％＋反思训练之后成绩×65％

AI3 可以全面、细致、严谨、科学地评估学生认知能力。

① 概念探针：评估所学知识是什么的掌握程度；

② 决策探针：评估学生分析问题解决问题的方法；

③ 剧情结构：评估学生过程知识与专家经验的差异。

一旦学生按下工具栏“提交”按钮，SimAI3 则自动在反思训练前构建的子文件夹中保存最终桌面建模“现场”以及全部评分数据，教师端可以查询。图 6-48 是离心泵单元在“AI3 成绩”文件夹中构建的子文件夹，图 6-49 是打开一个子文件夹中的数据文件。如果将这些文件转换成离心泵单元对应的文件名，拷入“AI3 数据库”中，然后启动 AI3 软件就可

xy_1.dat	2023/10/5 9:40	DAT 文件	138 KB
xy_12.dat	2023/10/5 9:40	DAT 文件	8 KB
xy_13.dat	2023/10/5 9:40	DAT 文件	5 KB
xy_14.dat	2023/10/5 9:40	DAT 文件	19 KB
xy_15.dat	2023/10/5 9:40	DAT 文件	17 KB
xyb_1.dat	2023/10/5 10:05	DAT 文件	138 KB
xyb_12.dat	2023/10/5 10:05	DAT 文件	9 KB
xyb_13.dat	2023/10/5 10:05	DAT 文件	6 KB
xyb_14.dat	2023/10/5 10:05	DAT 文件	19 KB
xyb_15.dat	2023/10/5 10:05	DAT 文件	18 KB
离心泵评分信息.dat	2023/10/5 10:05	DAT 文件	30 KB

图 6-49　打开一个子文件夹中的数据文件案例

[1] 引自 *Analogy，Higher Order Thinking，and education*，*Lindsey Engle Richland* 和 *Nina Simms* 著，2015。

以将学生训练的历史“现场”导入桌面全面回顾。此外，在教师版软件通过浏览找到想要查询的子文件夹并点击打开“离心泵评分信息 . dat”文件，即可显示历史训练成绩。不按动工具栏“提交”按钮，软件不保存训练成绩。

SimAI3-学生练习考核版软件在评分画面的下部显示反思训练前学生知识模型的结构矩阵、专家经验模型的知识结构矩阵和学生反思训练后的知识模型结构矩阵。知识模型结构矩阵精准表达了过程知识的结构信息，软件就是通过这种结构信息评估过程知识的成绩。一个简单案例见图 6-50。

学生反思训练前及训练后模型结构与专家模型结构相似度评估

学生反思训练前模型结构矩阵

1	4	2	1	0
4	5	1	1	0
5	6	1	1	0
6	2	1	3	0

专家模型结构矩阵

1	4	2	1	0
4	5	1	1	–1
5	6	1	1	0
6	2	1	3	0

学生反思训练后模型结构矩阵

1	4	2	1	0
4	5	1	1	–1
5	6	1	1	0
6	2	1	3	0

图 6-50　学生与专家过程知识结构信息相似度比较案例

主评分画面的右边显示学生所有“概念探针”和“决策探针”反思训练前和反思训练后的选择细节，是软件模型跟踪的记录，使学生可以进一步查询反思。见图 6-51。

反思训练前“概念探针”评分细节

ID	事件主题			事件状态			事件信息			对口安全措施			单项成绩
1	V2	3	A	V3堵塞	0	A	原因：主泵入口阀门V2B堵塞	0	A	启用设备备用阀V3B	0	A	100.00
	入口阀V2	10	B	入口阀V2堵塞	10	B	原因：主泵入口阀门V2堵塞	10	B	启用泵入口阀备用阀V2B	10	B	
	入口阀V2B	0	C	入口阀V2B堵塞	0	C	原因：主泵入口阀门V3堵塞	0	C	启用设备备用阀V2	0	C	
6	LIC	0	A	绝压PI1偏高	0	A	主泵吸入端真空度低，绝对压力PI1高	0	A	准确判断真空度PI1偏低的原因。	0	A	100.00
	PI1	10	B	绝对压力PI1低	10	B	主泵吸入端真空度偏高,绝对压力PI1降低	10	B	准确判断泵入口绝压PI1偏低的原因。	10	B	
	PI2	0	C	PI1正常	0	C	主泵吸入端真空度正常。	0	C	准确判断真空度PI1正常的原因。	0	C	

反思训练后“概念探针”评分细节

ID	事件主题			事件状态			事件信息			对口安全措施			单项成绩
1	V2	3	A	V3堵塞	0	A	原因：主泵入口阀门V2B堵塞	0	A	启用设备备用阀V3B	0	A	100.00
	入口阀V2	10	B	入口阀V2堵塞	10	B	原因：主泵入口阀门V2堵塞	10	B	启用泵入口阀备用阀V2B	10	B	
	入口阀V2B	0	C	入口阀V2B堵塞	0	C	原因：主泵入口阀门V3堵塞	0	C	启用设备备用阀V2	0	C	
6	LIC	0	A	绝压PI1偏高	0	A	主泵吸入端真空度低，绝对压力PI1高	0	A	准确判断真空度PI1偏低的原因。	0	A	100.00
	PI1	10	B	绝对压力PI1低	10	B	主泵吸入端真空度偏高,绝对压力PI1降低	10	B	准确判断泵入口绝压PI1偏低的原因。	10	B	
	PI2	0	C	PI1正常	0	C	主泵吸入端真空度正常。	0	C	准确判断真空度PI1正常的原因。	0	C	
31	V2	3	A	V3堵塞	0	A	原因：主泵入口阀门V2B堵塞	0	A	启用设备备用阀V3B	0	A	100.00
	入口阀V2	10	B	入口阀V2堵塞	10	B	原因：主泵入口阀门V2堵塞	10	B	启用泵入口阀备用阀V2B	10	B	
	入口阀V2B	0	C	入口阀V2B堵塞	0	C	原因：主泵入口阀门V3堵塞	0	C	启用设备备用阀V2	0	C	
36	LIC	0	A	绝压PI1偏高	0	A	主泵吸入端真空度低，绝对压力PI1高	0	A	准确判断真空度PI1偏低的原因。	0	A	75.00
	PI1	10	B	绝对压力PI1低	10	B	主泵吸入端真空度偏高,绝对压力PI1降低	10	B	准确判断泵入口绝压PI1偏低的原因。	10	B	
	PI2	0	C	PI1正常	0	C	主泵吸入端真空度正常。	0	C	准确判断真空度PI1正常的原因。	0	C	

反思训练后“决策探针”评分细节

ID	因果对偶			偏离作用			偏离信息			对口安全措施			单项成绩
27	V2堵塞->V2	10	A	条件	10	A	V2处于全开时被堵塞	10	A	检查V2阀位是否处于开启状态	10	A	100.00
	V2堵塞->V2B	0	B	反作用	0	B	V2处于关闭时	0	B	检查V2阀位是否处于关闭状态	0	B	
	V2开启	0	C	正常	0	C	V2B处于全开时被堵塞	0	C	检查V2B阀位是否处于开启状态	0	C	
28	V2影响->N	10	A	反作用	10	A	V2全开反倒泵电机功率下降到空载状态	10	A	泵入口阀V2堵塞，启用备用阀V2B	10	A	50.00
	V2全开->N	0	B	正作用	0	B	V2全开使得泵电机下降到空载状态	0	B	V2全开反倒泵电机功率下降到空载	0	B	
	V2全关->N	0	C	减少	0	C	V2全开使得泵电机功率上升	0	C	泵入口阀V2堵塞，启用备用阀V3B	0	C	
29	功率N->PI1	10	A	减少	10	A	泵电机N下降导致绝压降低（真空度偏高）	10	A	泵吸入端装Y型过滤器；定期冲洗过滤器。	10	A	100.00
	V2堵塞->N	0	B	增加	0	B	泵吸入端堵塞导致绝压升高（真空度偏高）	0	B	泵吸入端装盲板。	0	B	
	V2堵塞	0	C	正常	0	C	泵吸入端堵塞导致绝压降低（真空度偏低）	0	C	泵吸入端装过滤网。	0	C	
30	PI1->FIC	10	A	导致	10	A	泵吸入压力下降导致输出流量FIC为零	10	A	设置输出流量FIC低低（LL）报警	10	A	100.00
	泵停->FI	0	B	增加	0	B	泵吸入堵塞导致输出流量FIC偏低	0	B	设置流量FI低（L）报警	0	B	
	吸入堵塞->PI1	0	C	减少	0	C	泵吸入堵塞导致输出流量FI偏高	0	C	设置输出流量FIC高高（HH）报警	0	C	

图 6-51　AI3-学生版“概念探针”和“决策探针”评分细节案例

绝压为绝对压力

6.13.6 “AI3 成绩”文件夹中构建的子文件夹

① 如图 6-48 所示，子文件夹名称的命名方法是：“单元代号”＋“年-月-日-时-分”。

② 单元代号对应的仿真单元如下：

PUMP——离心泵与液位单元；

HEAT——热交换单元；

BAT——间歇反应单元；

JBX——连续反应单元；

FUR——加热炉单元；

TDW——精馏单元；

WFY——透平与往复压缩单元。

③ 子文件夹中的“xx 评分信息 .dat”中增加了 7 个数据，如下：fsqa，fsqb，fsqz，fsha，fshb，fshc，fsqhz。分别是反思训练前概念成绩、反思训练前过程评分、反思训练前总成绩、反思训练后概念评分、反思训练后决策评分、反思训练后过程评分和你的总成绩，显示对话框案例如图 6-52 所示。

图 6-52　查询成绩显示的对话框案例

6.13.7　SimAI3-学生版使用案例

通过如下离心泵与液位系统的“入口阀门 V2 堵塞事故”案例，说明 SimAI3 软件平台学生版的完整使用方法。

① 离心泵入口阀门堵塞（F1）事故简述（相当于教师给出的建模要求或简要“脚手架”）。

事故现象：离心泵输送流量降为零，流量超下限报警，离心泵功率降低，PI1 绝压（绝对压力）降低。

排除方法：首先关闭出口阀 V3，再开旁路备用阀 V2B，最后开 V3 阀恢复正常运转。

合格标准：根据事故现象能迅速做出合理判断，并及时关泵并打开阀门 V2B，恢复正常运转为合格。

② 按本文前部的说明，向“AI3-数据库”文件夹导入题库中的 S-2（剧情-2）全部数据。

③ 进入 SimAI3 软件平台读入全部出题数据。

用鼠标双击图标

，进入 SimAI3 软件平台建模桌面。找到上方工具栏（第二行）左面第一个按钮图标▶，用鼠标单击该按钮，软件进入工作画面。单击菜单栏“读取对口仿真单元模型”，下拉菜单中显示“csa_1.dat（离心泵）”，单击该选项，即读入全部出题数据。桌面的“停车场”区域立即显示教师给出的剧情建模相关事件。见图 6-53。

④ 选用“停车场”相关事件搭接设计“入口阀门 V2 堵塞事故”的剧情模型。

用鼠标在工具栏按下按钮（软件首次默认），可以用鼠标按住右键任意将“停车场”相关事件拖动到“学员选用‘停车场’事件搭接剧情”区域，到位后松开右键即可。通过思考、分析、反复调整和修改，按“原因事件”→“中间关键事件”（至少一个）→“后果事件”的先后排列顺序排成一行，构建一个事故因果链的完整事件序列，见图 6-54。

然后，用鼠标在工具栏按下连线和编辑按钮。用鼠标右键按下相关事件并以拖动的方式，通过影响关系带箭头的连线将事件序列连接成因果链模型，见图 6-55。注意事件 4→5 是反作用影响关系，在连线属性对话框中的右下角填写反作用“－1”并提交，即可完成反作用影响关系设定。设定成功后，可以看到 4→5 是虚线箭头连接。

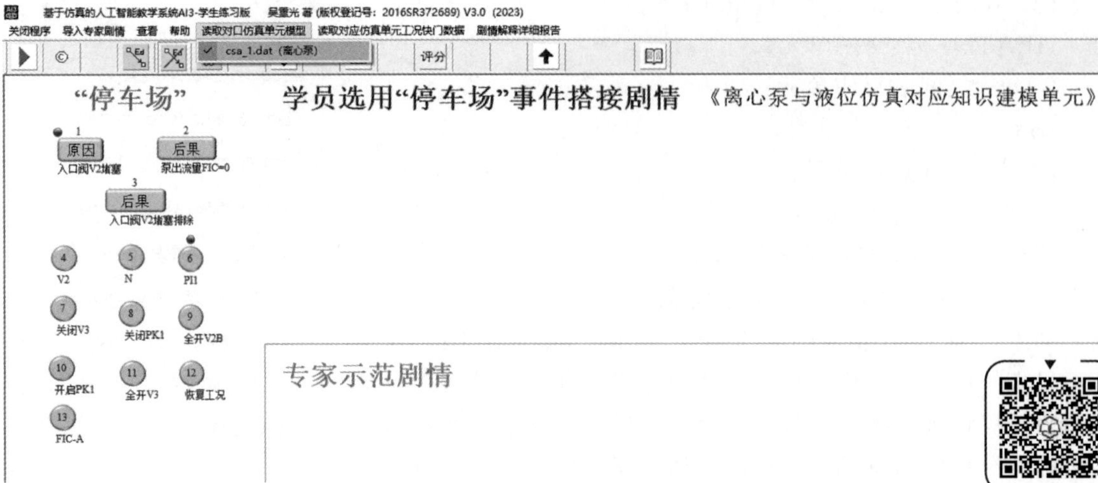

图 6-53　桌面的“停车场”区域显示教师给出的相关事件

彩图

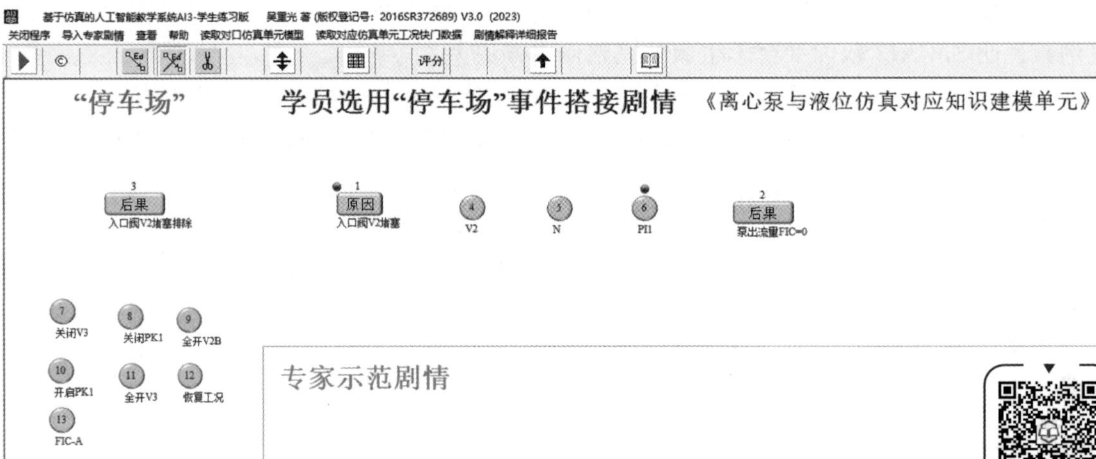

图 6-54　构建一个事故因果链的完整事件序列

彩图

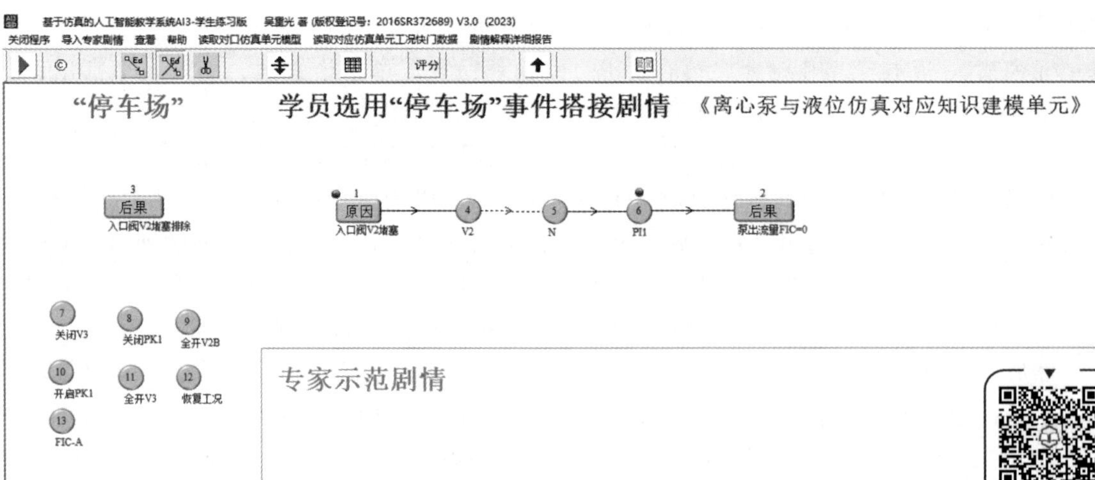

图 6-55　将事件序列连接成因果链模型

彩图

⑤ 完成一次依据仿真工况“快门”数据的双向（溯因）推理，验证剧情在对应“快门”数据的工况下是否相容。

在任意中间事件双击鼠标右键，该事件显示红色方框，即选定双向推理起始事件点位。在菜单栏“读取对应仿真单元工况快门数据”的下拉菜单中按要求选定的“读取快门_1”，然后点击工具栏双向推理按钮，即完成一次依据仿真工况“快门”数据的双向推理。鼠标点击菜单栏“剧情解释详细报告”。可以依据报表右端垂直显示的因果链中的具体事件是否改变为浅橙色，判断该剧情是否全部相容，即验证该剧情的“可达性”是否合格，见图 6-56。注意，此剧情中所有具体事件的阈值教师已经预先设计完成，学生需要逐个体会和了解教师是如何设定阈值的。设定阈值时，必须用鼠标单击工具栏按钮，仔细查看 AI3 提供的“采样工况状态监测一览表”，分清每一个具体事件（变量）正常工况数据和当前数据的差异，并准确设定阈值，见图 6-57。当再次点击被按下的双向推理按钮，将恢复建模画面。此时剧

基于仿真的人工智能教学系统AI3-学生练习版　吴重光 著 (版权登记号：2016SR372689) V3.0 (2023)
关闭程序　导入专家剧情　查看　帮助　读取对口仿真单元模型　读取对应仿真单元工况快门数据　剧情解释详细报告
评分

依据仿真工况快门数据推理分析报表（离心泵与储罐液位系统）

No：1

事件位置	状态/偏离	事件信息	安全措施/操作要求	事件链	
入口阀V2	入口阀V2堵塞	原因：主泵入口阀门V2堵塞	启用泵入口阀备用阀V2B	原因	1
					1
V2	阀门开度为100%				4
					2
N	电机功率N偏低	主泵电机功率下降至空载状态。	及时查明电机功率偏低原因。		5
					3
PI1	绝对压力PI1低	主泵吸入端真空度低，绝对压力PI1高	准确判断真空度PI1偏低的原因。		6
					4
PK1离心泵下游	泵出流量FIC=0	不利后果：下游无冷却水流量（导致反应失控）	启用备用阀V2B，按规程重新完成主泵开车，	后果	2

事件链总传输乘积＝ -1.0000　　事件链总传输求和＝ 0.00

图 6-56　验证剧情“可达性”的推理分析报表

彩图

（离心泵与储罐液位系统）**采样工况状态监测一览表**　采样时间：2023-12-30 17:18:34　快门：1

序号	位号	变量名称 （计量单位）	正常值	当前值	正常上限	正常下限	状态
1	LIC	储罐液位控制（%）	50.00	76.17	52.50	47.50	
2	LIC-A	储罐液位控制（%）投自动=1	1	1	0.90	0.10	
3	LIC-M	储罐液位控制（%）投手动=1	0	0	0.90	0.10	
4	LIC-C	储罐液位控制（%）投串级=1	0	0	0.90	0.10	
5	LIC-sp	储罐液位控制（%）给定值	50.00	50.00	52.50	47.50	
6	LIC-mv	储罐液位控制（%）输出值%	49.46	31.04	54.46	44.46	
7	FIC	离心泵出口流量控制（kg/s）	6.00	0.00	6.30	5.70	
8	FIC-A	离心泵出口流量控制（kg/s）投自动=1	1	1	0.90	0.10	
9	FIC-M	离心泵出口流量控制（kg/s）投手动=1	0	0	0.90	0.10	
10	FIC-C	离心泵出口流量控制（kg/s）投串级=1	0	0	0.90	0.10	
11	FIC-sp	离心泵出口流量控制（kg/s）给定值	6.00	6.00	6.30	5.70	
12	FIC mv	离心泵出口流量控制（kg/s）输出值%	32.43	100.00	37.43	47.43	
13	V2	离心泵入口阀（0-100%）	100.00	100.00	105.00	95.00	
14	V3	离心泵出口阀（0-100%）	100.00	100.00	105.00	95.00	
15	V2B	离心泵入口备用阀（0-100%）	0.00	0.00	5.00	0.01	
16	PK1	离心泵电机开关（0-1）	1	1	0.90	0.10	
17	PK2	备用离心泵电机开关（0-1）	0	0	0.90	0.10	
18	V05	离心泵高点排气阀（0-1）	0	0	0.90	0.10	
19	V06	离心泵低点排液阀（0-1）	0	0	0.90	0.10	
20	FI	储罐入口流量（kg/s）	6.00	3.89	6.30	5.70	
21	LIC-Z	储罐液位（0-100%）	50.00	76.17	52.50	47.50	
22	PI1	离心泵入口压力（MPa）	0.08	0.01	0.13	0.03	
23	PI2	离心泵出口压力（MPa）	0.37	0.25	0.39	0.35	
24	N	离心泵电机功率（kw）	2.76	0.62	2.90	2.62	
25	FIC-Z	离心泵出口流量（kg/s）	6.00	0.00	6.30	5.70	
26	H	离心泵扬程（m）	29.40	23.79	30.87	27.93	
27	M	离心泵效率（%）	62.56	0.00	65.69	59.43	

图 6-57　当前事故数据“采样工况状态监测一览表”

彩图

情中具体事件都依据阈值判定的状态改变颜色，见图 6-58。

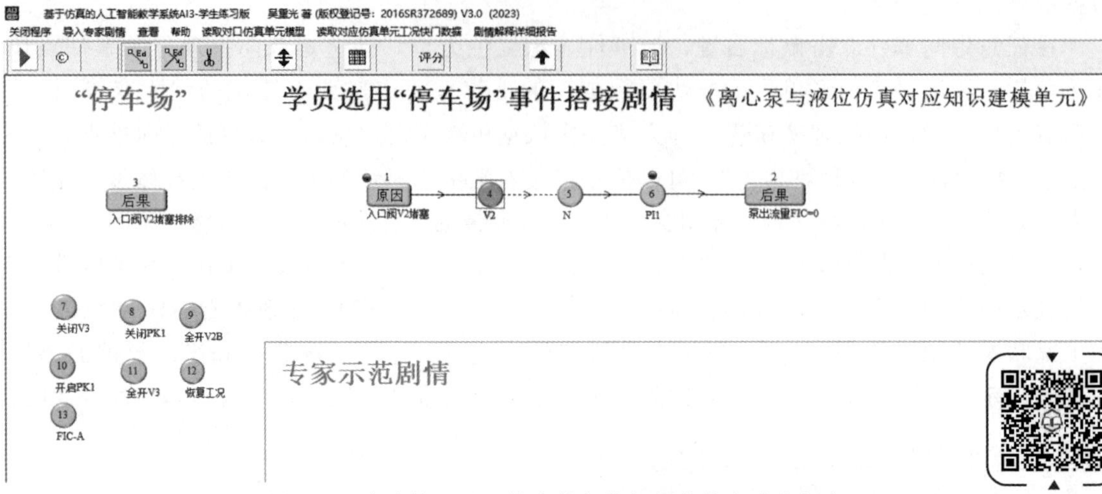

图 6-58　完成推理后具体事件都依据阈值状态改变颜色

彩图

⑥ 对应所有教师设定的“概念探针”红色水晶球事件，完成反思前事件属性选择测试（A/B/C 中三选一）。

执行方法详见第 6.13.3 节步骤一。直到所有红色水晶球都变成蓝色为止，见图 6-59。

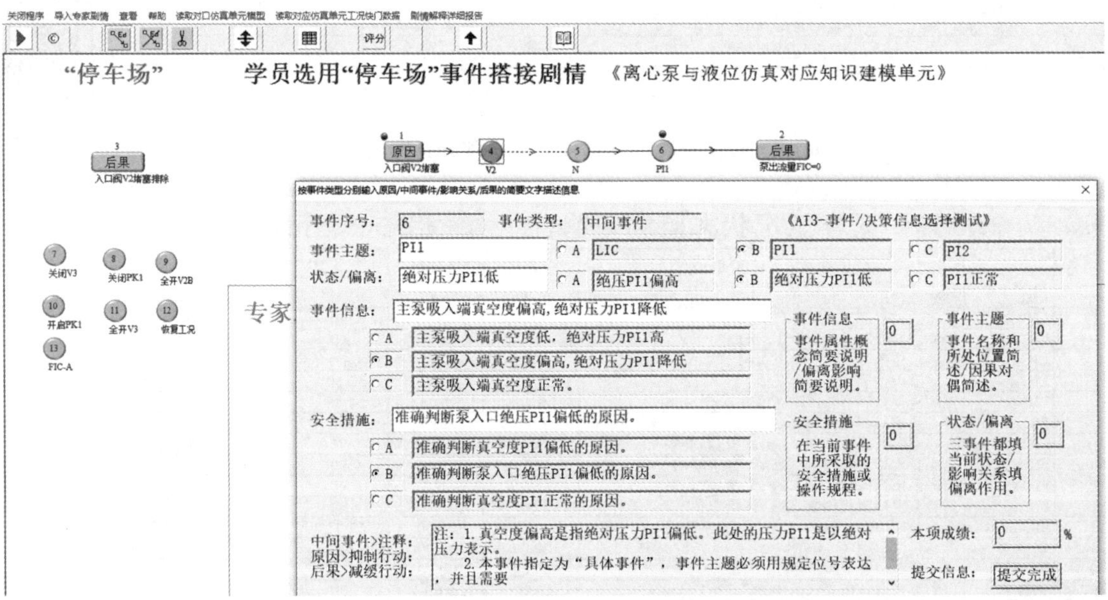

图 6-59　完成所有“概念探针”事件的属性选定测试

彩图

⑦ 导入“专家剧情”实施反思训练。

用鼠标点击菜单栏“导入专家剧情”，则立即启动实施反思训练。此时可以观察到所有学生剧情和专家剧情设定的探针水晶球都变红。在专家剧情的影响关系事件上教师设定了“决策探针”水晶球，见图 6-60。SimAI3 在具有“脚手架”支持的条件下，通过小窗口的分项得分显示，可以探索到正确答案。完成所有探针水晶球的选项，所有水晶球都变成蓝色，即完成练习。此时可以对学生剧情和专家剧情完成一次双向推理，仔细查看推理报告，应特别注意专家剧情中影响关系的属性（蓝色字体）是如何描述的，见图 6-61。准确描述影响关系的属性对初学者来说有难度，SimAI3 通过“脚手架”探索方法使学生获取教师设计的决策认知。

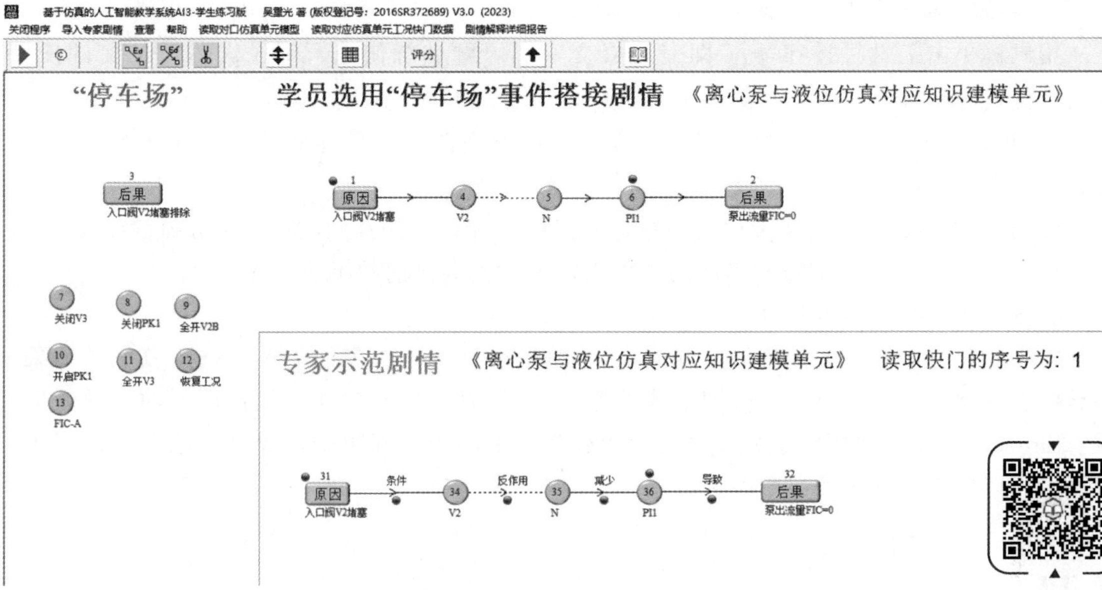

图 6-60　反思阶段“概念探针”和“决策探针”水晶球显示

彩图

依据仿真工况快门数据推理分析报表（离心泵与储罐液位系统）

No: 1

事件位置	状态/偏离	事件信息	安全措施/操作要求	事件链
入口阀V2	入口阀V2堵塞	原因：主泵入口阀门V2堵塞	启用泵入口阀备用阀V2B	原因 1
				1
V2	阀门开度为100%			4
				2
N	电机功率N偏低	主泵电机功率下降至空载状态。	及时查明电机功率偏低原因。	5
				3
PI1	绝对压力PI1低	主泵吸入端真空度低，绝对压力PI1高	准确判断真空度PI1偏低的原因。	6
				4
PK1离心泵下游	泵出流量FIC=0	不利后果：下游无冷却水流量（导致反应失控）	启用备用阀V2B，按规程重新完成主泵开车，	后果 2

事件链总传输乘积＝ –1.0000　　事件链总传输求和＝ 0.00

No: 2

事件位置	状态/偏离	事件信息	安全措施/操作要求	事件链
入口阀V2	入口阀V2堵塞	原因：主泵入口阀门V2堵塞	启用泵入口阀备用阀V2B	原因 31
V2堵塞->V2	条件	V2处于全开时被堵塞	检查V2阀位是否处于开启状态	27
V2	阀门开度为100%	确认V2开状态为V2堵塞提供旁证依据	V2堵塞的快速解决方法是安装备用阀	34
V2影响->N	反作用	V2全开反倒泵电机功率下降到空载状态	泵入口阀V2堵塞，启用备用阀V2B	28
N	电机功率N偏低	主泵电机功率下降至空载状态。	及时查明电机功率偏低原因。	35
功率N->PI1	减少	泵电机N下降导致绝压降低（真空度偏高）	泵吸入端装Y型过滤器，定期冲洗过滤器。	29
PI1	绝对压力PI1低	主泵吸入端真空度偏高,绝对压力PI1降低	准确判断泵入口绝压PI1偏低的原因。	36
PI1->FIC	导致	泵吸入压力下降导致输出流量FIC为零	设置输出流量FIC低低（LL）报警	30
PK1离心泵下游	泵出流量FIC=0	不利后果：下游无冷却水流量（导致反应失控）	启用备用阀V2B，按规程重新完成主泵开车，	后果 32

事件链总传输乘积＝ –1.0000　　事件链总传输求和＝ 0.00

图 6-61　注意专家剧情中影响关系的属性（蓝色字体）是如何描述的

彩图

⑧ 通过“评分”功能，自我检查剧情建模质量。

用鼠标按下工具栏按钮评分，系统立即显示反思前和反思后的建模成绩评定、剧情结构信息与专家剧情的差异，以及“概念探针”、“决策探针”的评分细节，见图 6-47、图 6-50 和图 6-51。可以任意多次返回建模画面（再次用鼠标单击“评分”按钮），重新完成“概念探针”和“决策探针”以及剧情结构修改，直到获得反思后的满分为止。本功能鼓励学生自我修正因果链剧情模型。

⑨ 提交本练习题训练信息，生成训练记录文件。

用鼠标单击工具栏按钮↑，即完成提交本练习题训练信息，生成训练记录文件任务。同时软件会显示成绩清单，见图 6-52。此阶段注意以下规则：

a. 如果没有提交结果，退出程序时会自动保存当前事故排除成绩。文件名对应仿真单元，例如：batsg. dat。

b. 学生主动提交，则生成中文事故排除成绩文件，例如：间歇反应事故排除评分 . dat。

c. 评分查询时必须浏览到当前的文件夹，才能查询当前的事故排除评分。

⑩ SimAI3 的建模功能说明。

本案例是面向初学者的最简单的因果链状模型。SimAI3 有能力构建极为复杂的因果网络状联立或离散模型（例如，多智能体模型），并且以上所有功能，包括评分功能都普适有效。SimAI3 题库按建模复杂程度分类为初级版、中级版和高级版，并且不限七个仿真单元建模，可以针对任何过程系统建模应用。

6. 14
SimAI3-教师版软件使用

软件全名为“基于仿真的人工智能教学系统-SimAI3”。教学系统软件分为两个不同版本，分别是：

① SimAI3-教师版。教师进行“停车场剧情”建模（即为基于问题的学习设计题目）和“专家示范剧情”建模（即该问题的专家解答），并且生成一个教学项目的专用软件平台。不同的教学项目统一保存于“AI3-KB-题库”中。

② SimAI3-学生练习考核版。学生对应教师提供的“AI3-KB-题库”中的组件实现知识建模、验证和评估练习与考核环境。本软件采用“概念探针”、“决策探针”和学生过程知识结构与专家经验相似度检测评估学生的认知能力水平。

两个版本的头画面见图 6-62 和图 6-63。为了使教师设计完出题文件信息后立即在学生版软件中测试，教师版文件夹中设有 SimAI3-学生练习考核版软件。

6. 14. 1 SimAI3-教师版的运行机制

SimAI3 空白的桌面相当于一面“黑板”，可以在上面“书写”“擦除”及反复“修改”任何想表达的内容和过程知识模型信息。进一步，SimAI3 又是一个超级灵活的“人-机界面”，可以完成用户千变万化的各种过程知识模型的设计、推理试验、评估结果等信息的输出显示。

（1）SimAI3 电脑桌面生成的任何信息只是“黑板”上的符号

不执行保存到对应的 7 个仿真单元文件的操作，并且再读入，桌面上所有信息到底属于哪一个仿真单元是无法确定的。必须立即确保存入“AI3 数据库”对应的项目 csa_*i*. dat

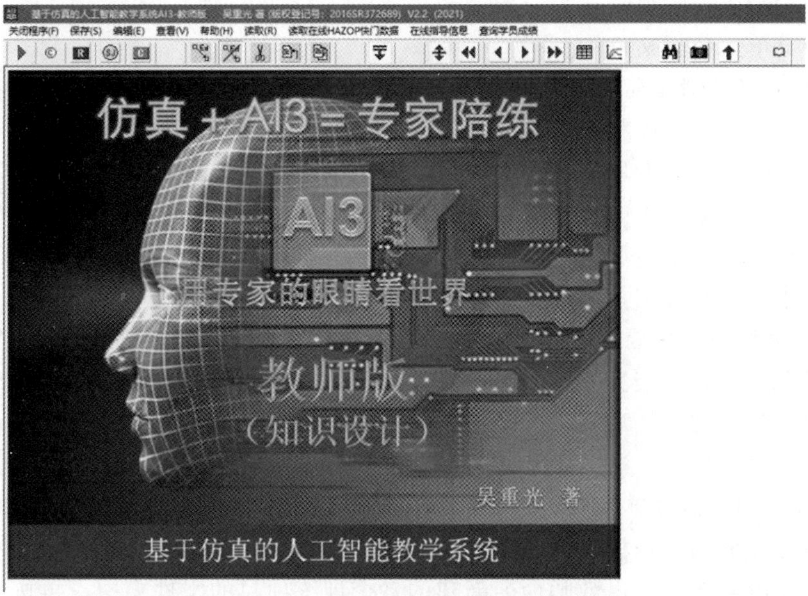

图 6-62　SimAI3-教师版头画面

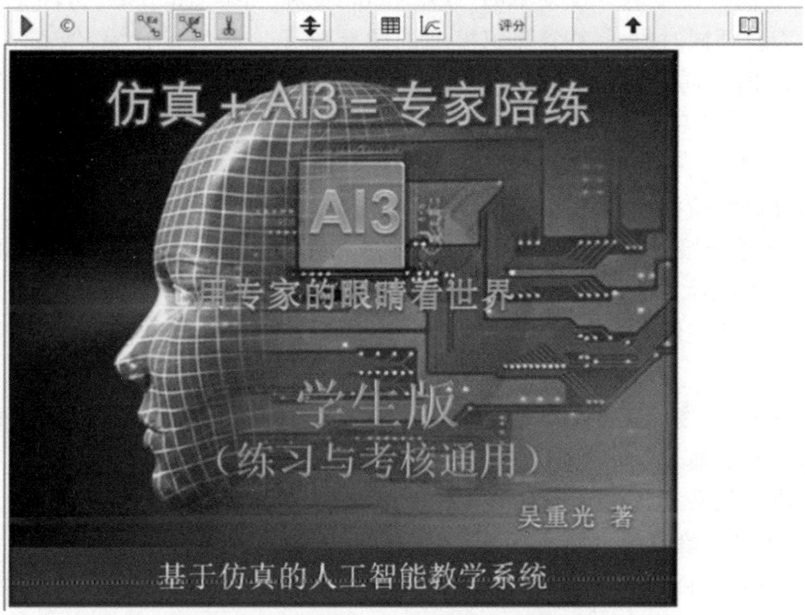

图 6-63　SimAI3-学生练习考核版头画面

（$i=1,2,3,\cdots,7$）的仿真单元数据文件中，否则这些信息就是“黑板”上的一堆符号，一旦退出 SimAI3 就什么也没有了。此外注意 csa_i.dat 数据文件是唯一的，当新的对口模型存入时，旧的模型即被覆盖。因此应当使用工具栏“照相机”按钮，将模型存入“停车场剧情库”或“专家剧情库”中永久保留。

（2）教师设计知识模型的方法

① 每一组完备地提供给学生端的训练或考核出题模型包括“停车场”剧情建模组件以及专家剧情模型两个独立的部分。需要分别设计，并分别首先通过菜单栏“保存模型”的下

拉菜单 1～7 对口仿真单元的选定，自动保存到“AI3 数据库”对应 csa_*i*.dat（$i=1,2,3,\cdots,7$）的仿真单元数据文件中。

② 然后必须将刚刚保存的对应数据文件通过菜单栏“读取模型”下拉菜单读入该对口模型，才能应用工具栏“照相机”按钮，将其保存到自动构建的“停车场”的对应仿真单元的包括以保存时间命名的专用文件夹中，或“专家剧情”对应仿真单元的包括以保存时间命名的专用文件夹中（如果不按要求操作，软件会自动提示）。这两种文件夹没有拷贝入“停车场剧情库”或“专家剧情库”，教师依据需要可以将这两种文件夹名称更改，然后手动转移到两种题库中，日积月累不断丰富题库。

③ 同理完全按照②的要求，即先保存，后读入，才能通过菜单栏“保存模型”下拉菜单中的第 8 或第 9 项，分别独立将“停车场模型”和“专家模型”转存到“CSA8”文件夹中，以便传递到学生端。然后将“CSA8”文件夹全部内容手动或通过网络通信自动复制到学生端“AI3 数据库”中，学生才能启动对口建模训练项目。

④ 预先设计多个仿真单元知识模型或同一仿真单元多个知识模型的方法：先用 SimAI3 软件将一个设计完成的知识模型（也可以来自历史模型库）存入“CSA8”文件夹；然后将“CSA8”文件夹内容转存入由教师命名新建的多个训练项目的文件夹中；再按教师安排的训练项目顺序，一次只使用一个文件夹的内容，并拷入到学生端“AI3 数据库”中即可。

⑤ 菜单栏“保存模型”下拉菜单的“csa_8.dat”和“cas_10.dat”分项不对应 7 个仿真单元，可以作为教师同时设计多个知识模型的中介单元。例如设计完“cas_2.dat 停车场”模型后，将桌面模型同时保存到“csa_8.dat”中，当设计其他模型需要该内容时，先将“csa_8.dat”读入，转存到“cas_2.dat”，再从“cas_2.dat”读入即可复用。

⑥ 对话框中的文字内容可以通过复制粘贴到其他对话框相关编辑框中。

(3) 教师设计剧情模型的注意事项

① 如果是从零开始设计模型，必须在设计完成后将桌面模型保存到对口的仿真单元的数据文件中（具体保存方法详见 AI3 使用说明）。然后必须执行一次读入桌面，该模型才能生效，目的在于自动获取对口仿真单元的标识、快门数据标识和具体事件名称及定义等数据信息。

② 如果是从已有的对口仿真单元数据文件导入到 SimAI3 桌面的模型，则已经保存有对口单元的标识，不必通过保存数据功能确认对口仿真单元标识。但是，只要在“黑板”上对模型进行了修改，就必须执行一次对口文件保存操作，否则该模型就是无效的。

③ 如果是从零开始设计出题模型，设计完后必须首先保存到对口仿真单元文件中，并执行读入一次，然后再向“停车场剧情”或“专家剧情”文件夹保存该历史模型文件。如果首先向“停车场剧情”或“专家剧情”文件夹保存该模型文件必定会出错。

④ 必须先设计“停车场”出题模型（没有链接的各类单纯事件的模型），并保存到对口仿真单元文件，获取对应仿真单元标识使其生效，然后再保存到“停车场”文件中。

⑤ 只有完成“停车场”模型后才能设计“专家剧情”模型并保存。注意：必须先导入已设计好的对口“停车场”模型，然后构建“专家剧情”模型。这样才能确保后期学生应用 SimAI3 练习并进行结构相似度评分时，所有事件的 ID 标识号具有一致性和可比性，否则无法进行剧情结构相似度评分。

⑥ 如果先设计“专家剧情”，则一定要在不改变所有原因事件、中间事件和后果事件的前提下，删除所有影响关系连线后，将其全部转移到桌面“停车场”区域。

6.14.2　SimAI3-教师版工具栏和菜单栏操作

基本操作与 AI3-专业版完全相同。为了使教师能够方便快捷地完成“停车场剧情”建模（即为基于问题的学习设计题目）和“专家示范剧情”建模（即该问题的专家解答），增加了菜单栏和工具栏几项功能。为了实施“概念探针”和“决策探针”模型设计，将对话框的内容和功能进行了扩展。

SimAI3-教师版工具栏和菜单栏操作说明见图 6-64，SimAI3-教师版对话框的扩展见图 6-65。

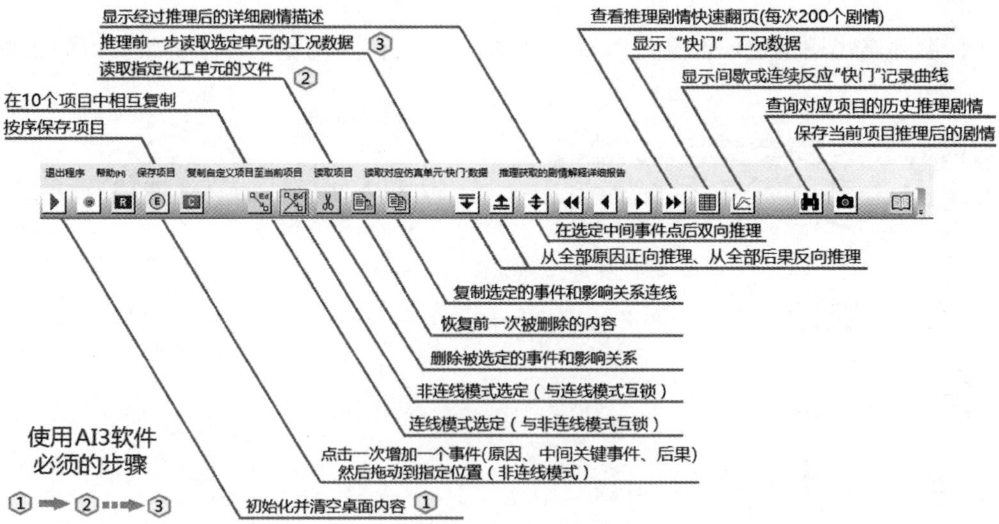

图 6-64　SimAI3-教师版工具栏和菜单栏操作说明

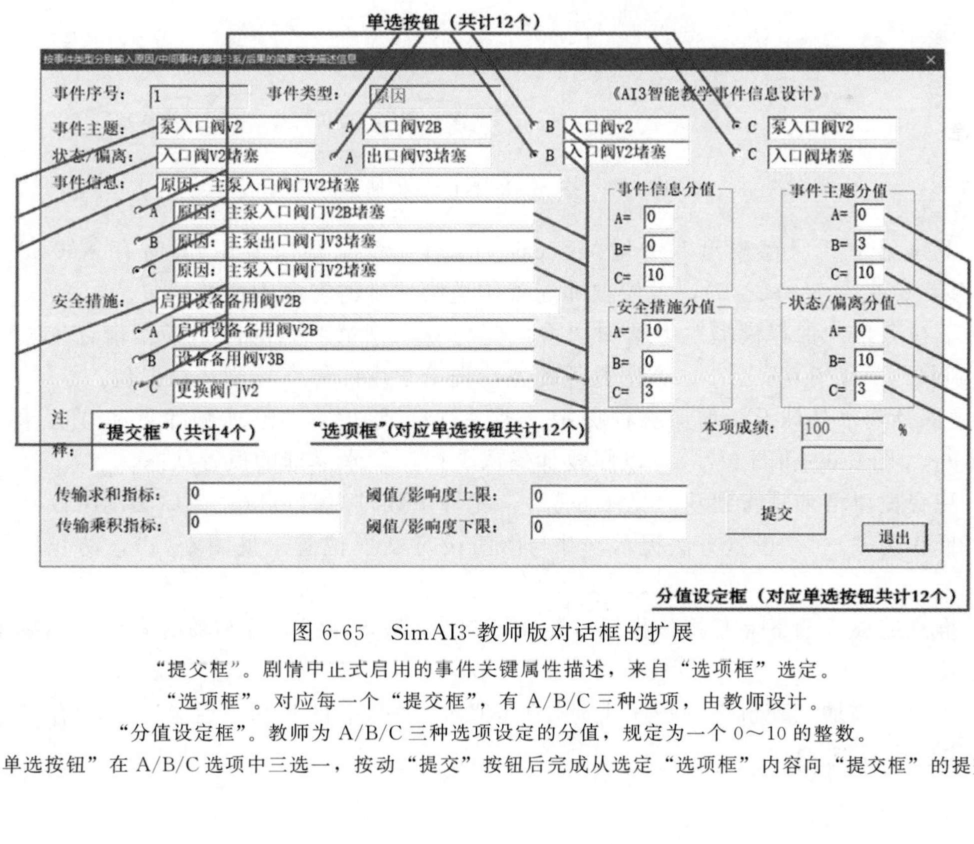

图 6-65　SimAI3-教师版对话框的扩展

“提交框”。剧情中止式启用的事件关键属性描述，来自“选项框”选定。

“选项框”。对应每一个“提交框”，有 A/B/C 三种选项，由教师设计。

“分值设定框”。教师为 A/B/C 三种选项设定的分值，规定为一个 0～10 的整数。

“单选按钮”在 A/B/C 选项中三选一，按动“提交”按钮后完成从选定“选项框”内容向“提交框”的提交对照 AI3-专业版，SimAI3-教师版具体扩展的使用功能说明如下：

① 增加“停车场剧情”和“专家剧情”一键保存功能以及历史剧情全机浏览和一键导入功能（见图 6-66 之 1）。

② 可进行软件标题栏名称和版本号修改（见图 6-66 之 2），以便推广和培训。

③ 显示当前建模桌面对应的仿真单元名称（见图 6-66 之 3），防止学生版软件停车场剧情与专家剧情不对口（匹配），旧版不易分辨。

④ 标明专家示范剧情建模区，以便专家剧情在学生版桌面的正确位置显示（见图 6-66 之 4）。

⑤ 标明停车场剧情建模区（见图 6-66 之 5），以便停车场剧情在学生版桌面的正确位置显示。

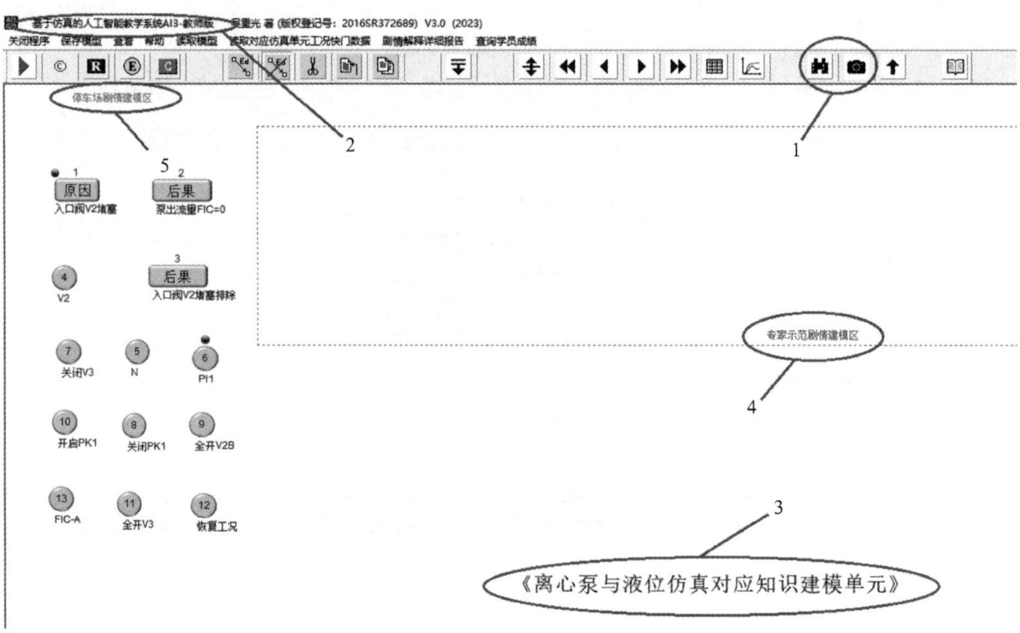

图 6-66　SimAI3-教师版扩展部分

⑥ 下拉菜单“保存模型”中增加“csa_8.dat（专家剧情专用/同时存入 CSA8 文件夹）”项目（见图 6-67 之 6），方便教师配置传送给学生的专家剧情数据包。

⑦ 下拉菜单“保存模型”中增加“将当前与专家剧情对口的停车场剧情存入 CSA8 文件夹”项目（见图 6-67 之 7），方便教师配置传送给学生的停车场剧情数据包。

⑧“探针”水晶球设置增加三种提示，即“红球成功”、“红球删除”和“蓝球测试”。（见图 6-68、图 6-69 和图 6-70），以便教师确认“探针”水晶球的设置状态。

⑨ 注释窗口增加垂直滑块（见图 6-68），注释字数较多时可以在窗口滚动阅读。

⑩ 反作用“－1”设置方法提示，并与阈值设定交换位置（见图 6-71），防止填写内容错位。

⑪ 推理完成后的下一步操作提示（见图 6-72），防止在进入此步骤时容易不明确下一步如何操作。

⑫ 工具栏添加三种事件的顺序改为“原因”、“中间事件”和“后果”（见图 6-72），方便教师的建模习惯。

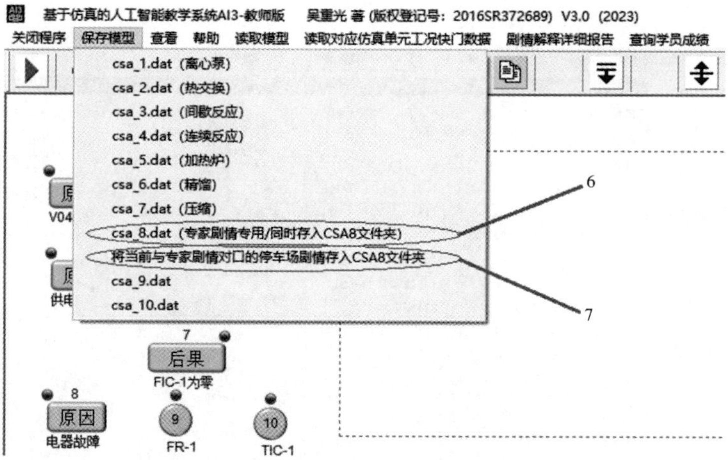

图 6-67　“保存模型”下拉菜单增加两项内容

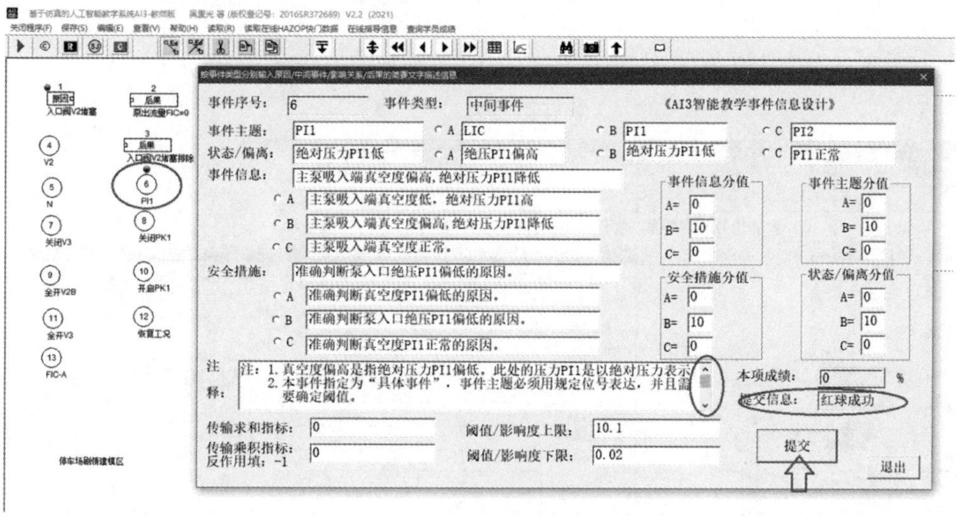

图 6-68　红水晶球设置及注释窗口滑块

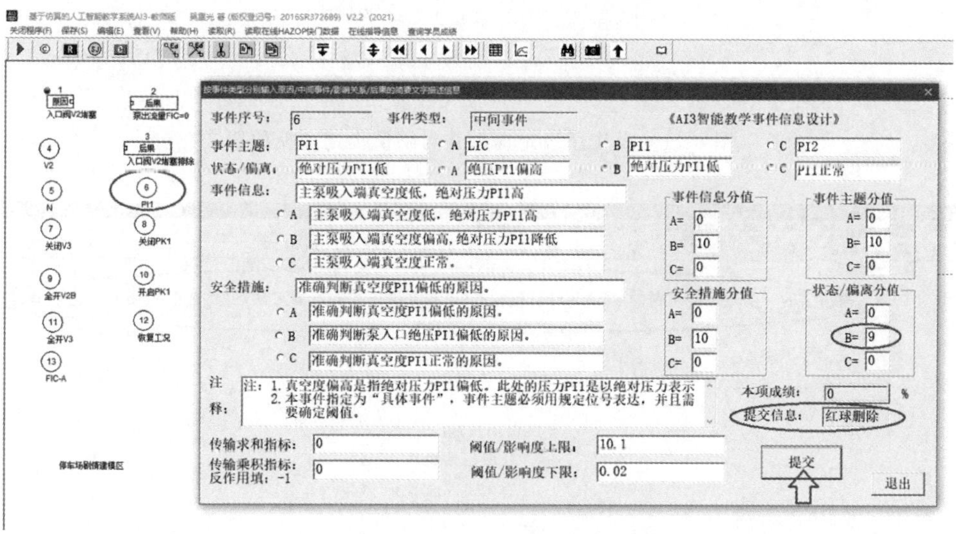

图 6-69　删除红水晶球方法及提示

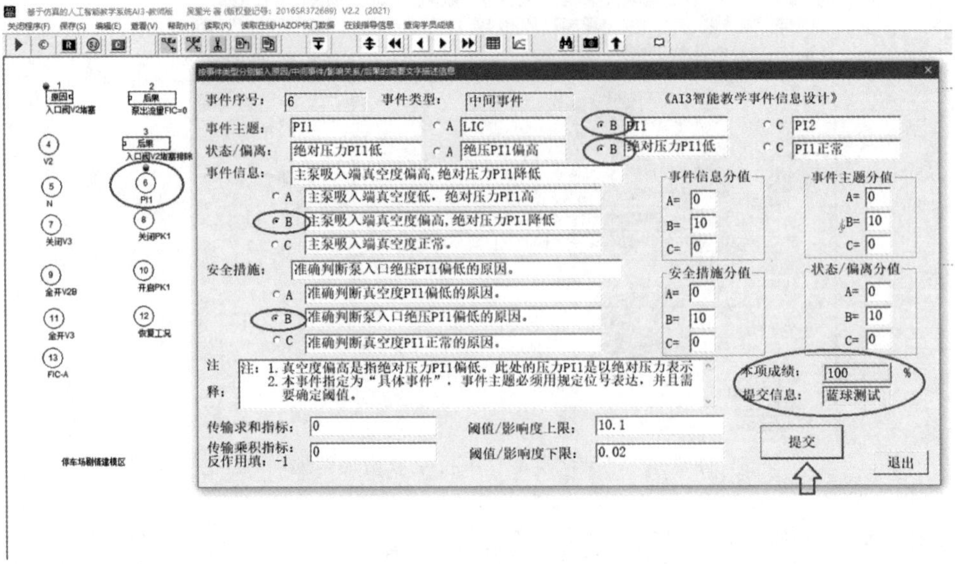

图 6-70　蓝水晶球测试

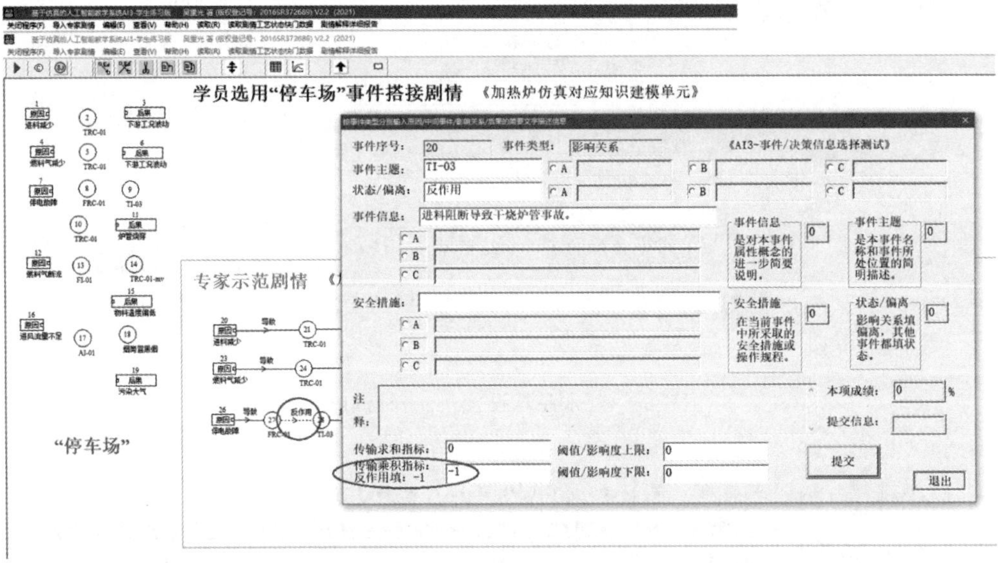

图 6-71　反作用设定提示并与阈值设定交换位置

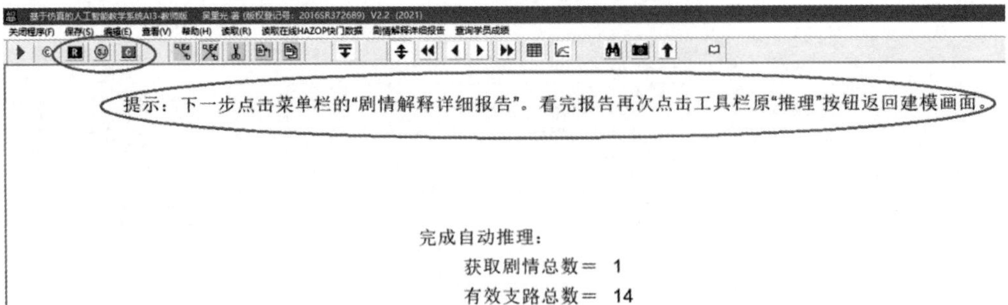

图 6-72　推理后续操作提示及 3 种事件添加顺序改变

⑬ 在推理状态不得使用“照相机”和“望远镜”功能。

6.14.3 “停车场剧情”和“专家剧情”保存

在工具栏新增“照相机”按钮（见图 6-66 之 1），可以随时方便地保存教师设计的“停车场剧情”和“专家剧情”。具体实施方法如下：

如果教师要把当前设计的剧情保存到一个自动新建的文件夹中，只需单击“照相机”按钮一次，桌面上会显示如图 6-73 所示的对话框。对话框中有三个选择按钮：选择“是”则保存停车场剧情，选择“否”则保存专家（示范）剧情，选择“取消”则不保存剧情直接返回。

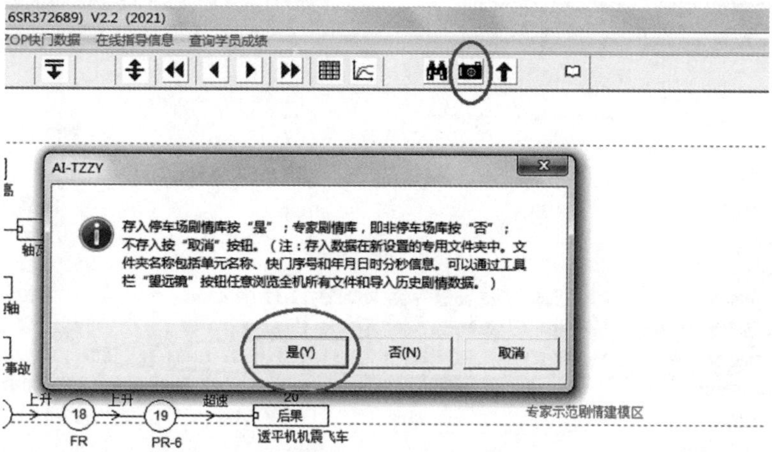

《透平与往复压缩仿真对应知识建模单元》

图 6-73　三种选择按钮对话框

新建的文件夹自动命名为：停车场剧情（或专家剧情）＋对应仿真单元名称＋当前选定的快门序号＋年月日时分秒，当没有设定快门时无序号显示。

当单击“是”按钮后，将再显示对话框提示存入新建停车场剧情文件，如图 6-74 所示。此时无论单击“确定”按钮还是消除对话框，都将执行保存当前剧情到新建停车场剧情文件夹程序。

同理，在图 6-73 对话框中选择“否”，则将显示对话框提示存入新建专家剧情文件，如图 6-75 所示。此时无论单击“确定”按钮还是消除对话框，都将执行保存当前剧情到新建专家剧情文件夹程序。图 6-76 是已存入的停车场剧情文件夹的案例，图 6-77 是已存入的专家剧情文件夹的案例。

教师完成数个剧情案例设计后，可以按需要取舍，也可以自行任意修改文件夹名称，最后可全部拖拉到软件已经预先设定的“停车场剧情库”或“专家剧情库”对应文件夹中集中保存备用。例如，在停车场库文件夹中保存的多个剧情文件夹如图 6-78 所示（专家剧情库内容保存的原理相同）。由于每一个剧情文件夹命名中用时间区分，因此相同的仿真单元可以保存任意多个由教师设计的不同剧情的文件夹。当教师上课时可以采用一键导入历史剧情功能（“望远镜”），在剧情库中给学生选配不同内容的剧情练习，即把相同仿真单元停车场剧情和专家剧情按照教师预先设计的方案现场对口“配餐”，详见后续介绍。

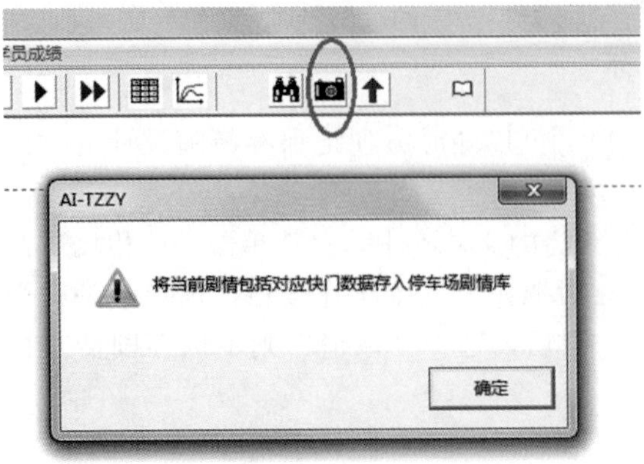

图 6-74　通知存入新的停车场剧情文件夹

图 6-75　通知存入新的专家剧情文件夹

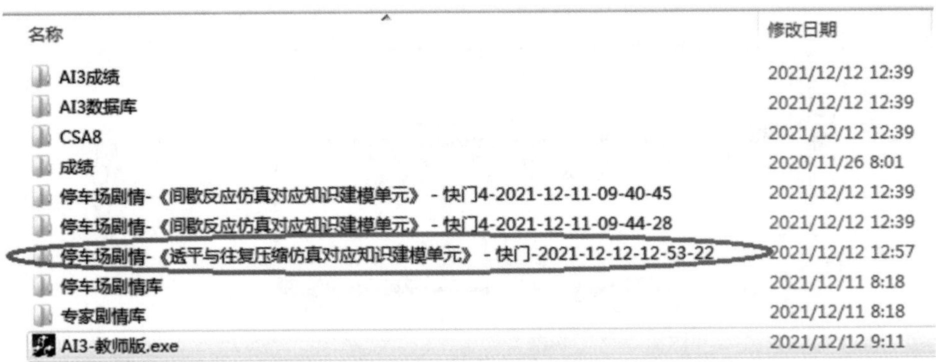

图 6-76　已存入的停车场剧情文件夹案例

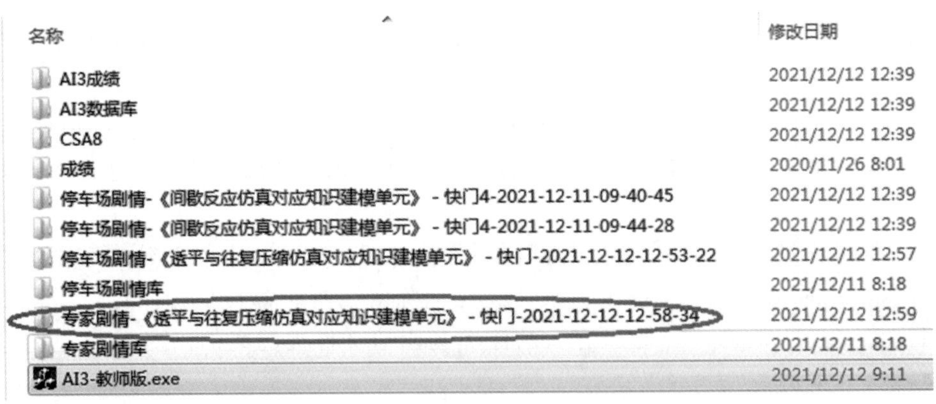

图 6-77　已存入的专家剧情文件夹案例

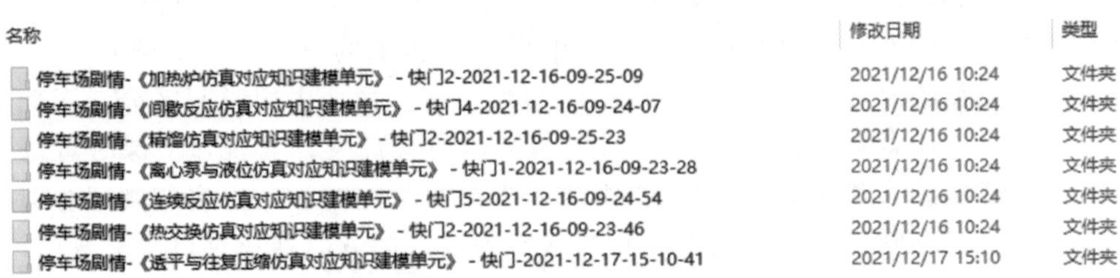

图 6-78　“停车场剧情库”文件夹中保存的剧情文件夹案例

6.14.4　全机浏览历史剧情及导入

无论教师设计的历史停车场剧情和专家剧情存放在同一台计算机的何处，都能通过全机浏览和一键导入功能读出历史剧情文件并放到当前桌面，并且存入“CSA8”文件夹。

单击工具栏“望远镜”按钮，桌面会弹出浏览对话框，见图 6-79。以浏览专家剧情库为例，在对话框中选定一个专家剧情文件夹。例如选定了《透平与往复压缩仿真对应知识建模单元》，注意文件夹名称中标明的是“快门 5”。单击对话框中的“打开”按钮，显示图 6-80 的内容，此时选择“0-导入历史剧情数据”，再次单击“打开”按钮，即完成将历史专家剧情导入桌面的任务。

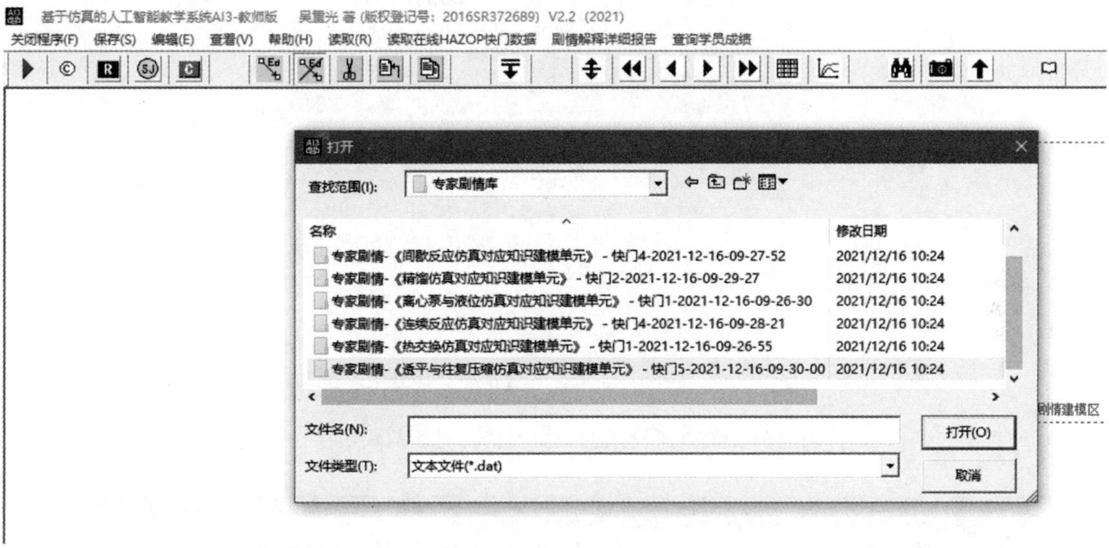

图 6-79　在专家剧情库中选择需要的历史专家剧情

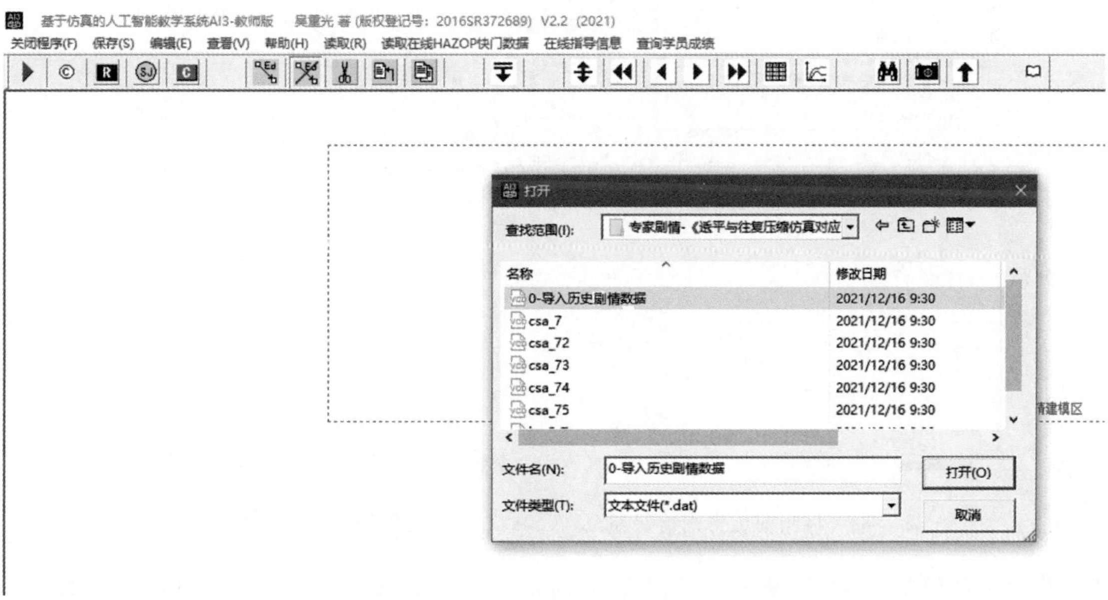

图 6-80　导入数据一键操作

导入专家剧情后可以先检查一下是否为所需要的剧情。打开菜单栏“读取在线 HAZOP 快门数据”，可以看到已经自动检查并标记为“快门 5”，见图 6-81。确认无误后单击菜单栏“保存”下拉菜单中的“csa_7. dat（专家剧情专用/同时存入 CSA8 文件夹）”项目，即完成添加当前专家剧情数据存入“CSA8”文件夹，以备传送给各学生终端“AI3 数据库”，见图 6-82。

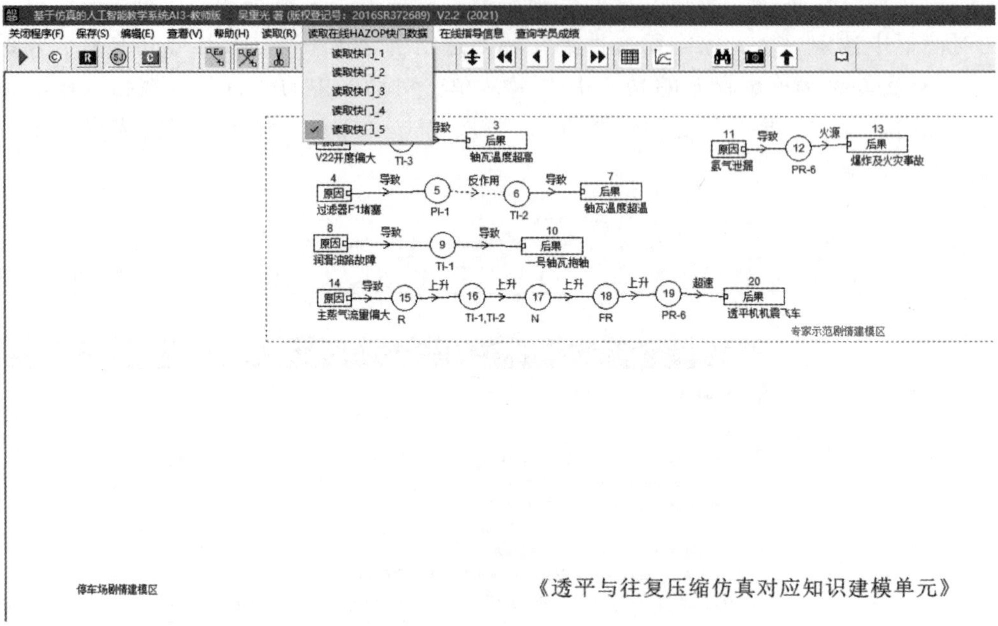

图 6-81 检查所导入的历史剧情及对应的快门序号

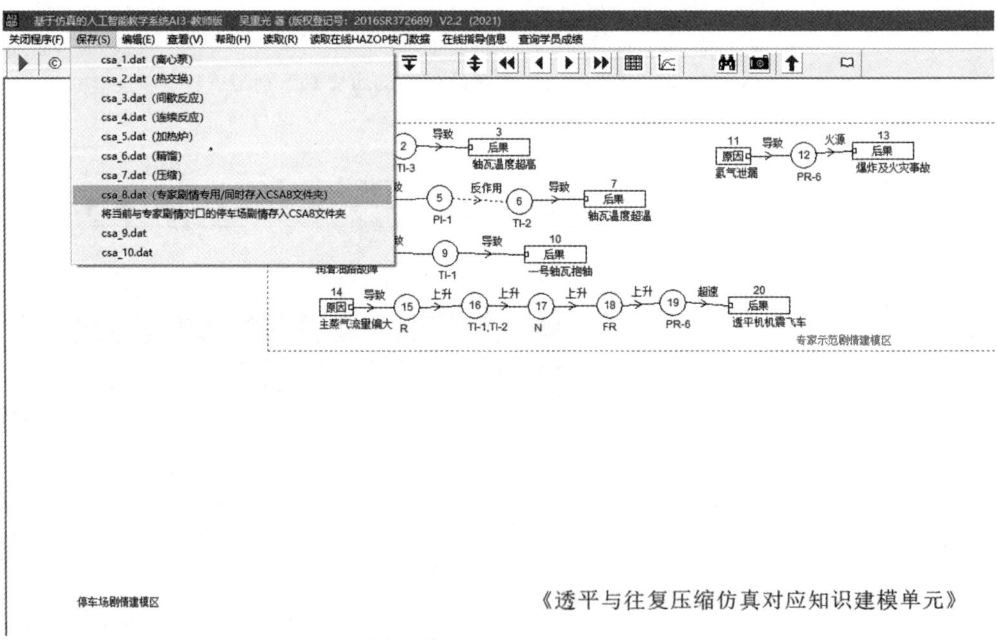

图 6-82 将当前历史剧情保存至“CSA8”文件夹以备传送给学生终端

最后，仿照前面的步骤导入“停车场剧情库”中的对口单元历史剧情，并且存入“CSA8”文件夹。各步骤与导入历史专家剧情相似，所不同的是需要选择注明“停车场剧情”的按钮和文件。此时可以检查一下“CSA8”文件夹中是否存入了所需的文件，见图 6-83，如果还有以前保留的数据，应当删除。确认所有数据正确无误后，此时就可以向各局域网上的学生终端传送“出题”文件。

名称	修改日期	类型	大小
csa_7	2021/12/16 10:46	DAT 文件	138 KB
csa_8	2021/12/16 10:07	DAT 文件	138 KB
csa_72	2021/12/16 10:46	DAT 文件	22 KB
csa_73	2021/12/16 10:46	DAT 文件	8 KB
csa_74	2021/12/16 10:46	DAT 文件	18 KB
csa_75	2021/12/16 10:46	DAT 文件	17 KB
csa_82	2021/12/16 10:07	DAT 文件	24 KB
csa_83	2021/12/16 10:07	DAT 文件	8 KB
csa_84	2021/12/16 10:07	DAT 文件	19 KB
csa_85	2021/12/16 10:07	DAT 文件	17 KB
km5_7	2021/12/16 10:46	DAT 文件	2 KB

图 6-83 文件夹“CSA8”中已存入对口的历史专家剧情和停车场剧情

先导入停车场历史剧情，再导入专家剧情亦可。以上步骤可以简称为教师在计算机室为学生现场“配餐”出题过程。随着长年累月的积累，剧情库中会保留大量的历史剧情供教师选用。

6.14.5 剧情“对口”及其实现

此概念是针对学生版软件而言的。剧情“对口”或称为“匹配”是指在当前桌面上停车场剧情和专家剧情（即：专家示范剧情）必须是同一仿真单元名称，并且两个剧情对应同一个快门数据。剧情对口案例见图 6-84，剧情不对口案例见图 6-85。

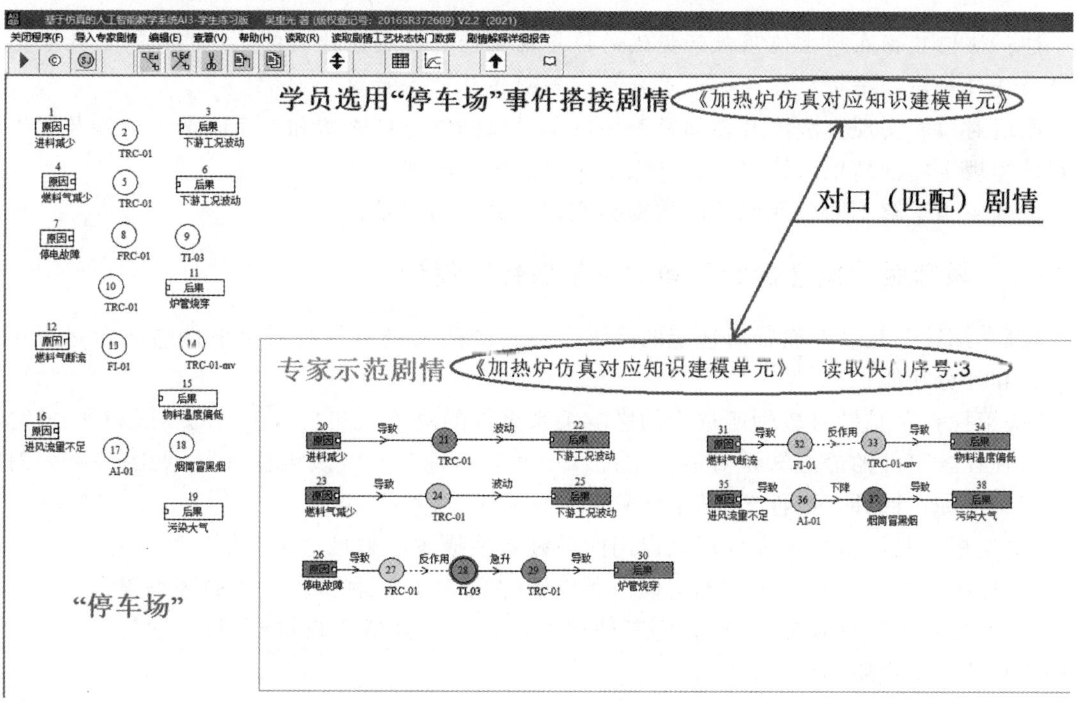

图 6-84 停车场剧情与专家剧情对口案例

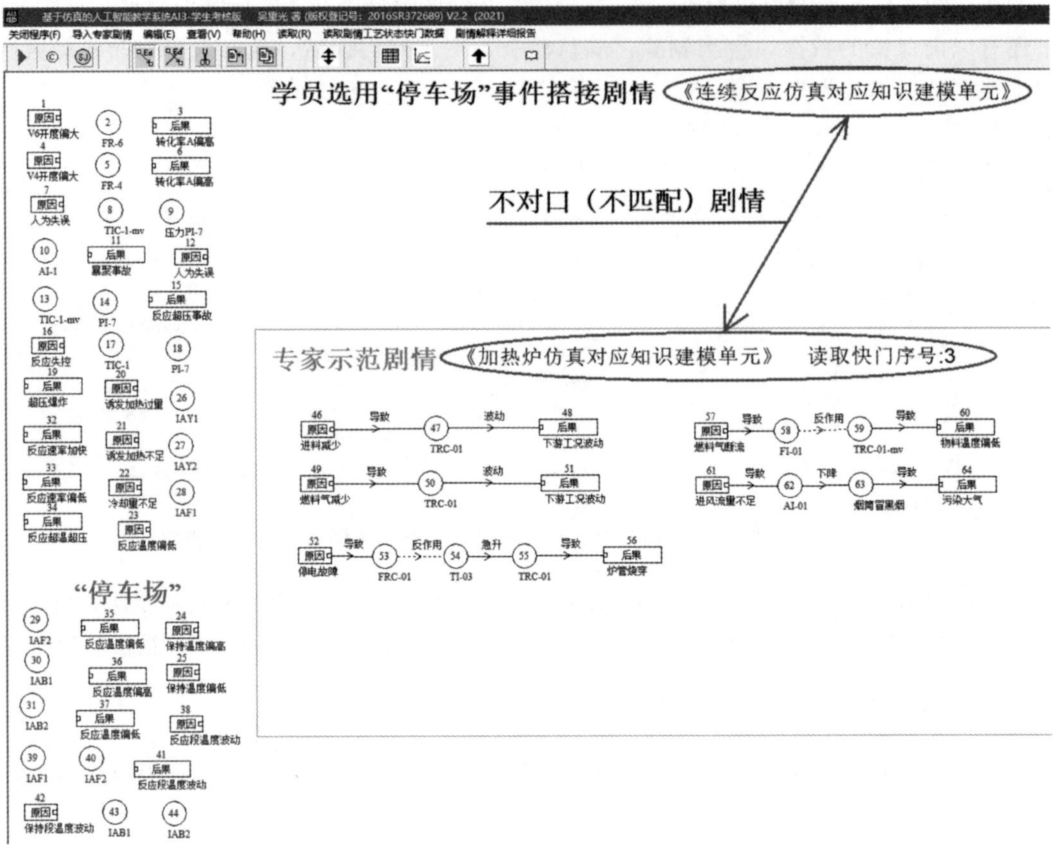

图 6-85　停车场剧情与专家剧情不对口案例

注：快门数据在学生使用教师提供的停车场剧情进行剧情建模时已经指定，因此专家剧情必须是针对同一个快门序号的专家剧情，否则还是“不对口”剧情。

剧情对口的实现方法涉及教师是否提供了对口的停车场剧情和专家剧情，也涉及学生不得在教师规定的剧情单元练习时，导入不对口的单元剧情。

教师应当了解不同单元剧情的数据类型，详见本书附录。

6.14.6　教师版“概念探针”和“决策探针”设计

“概念探针”是针对教师所选定的原因事件、中间关键事件和后果事件的概念是否正确的测试和评分功能。

“决策探针”是针对教师所选定的影响关系事件的决策认知是否正确的测试和评分功能。

教师在各事件的静态知识对话框中设计“概念探针”和“决策探针”，见图 6-65。对话框中定义了如下四种“控件”（学生版只有三种）：

“提交框”是剧情中各事件正式启用的关键属性描述，来自“选项框”的选定；

“选项框”是对应每一个“提交框”所设置的 A/B/C 三种选项，由教师编辑设计；

“分值设定框”是教师为 A/B/C 三种选项设定的评分值（权重），每一项规定为 0～10 的一个整数，学生版不可见；

“单选按钮”在 A/B/C 选项中三选一的选择按钮，全部四组选择都完成后按动“提交”按钮后即完成从选定“选项框”的内容向对应“提交框”的提交。

教师完成“停车场”事件设计或专家示范剧情后，即可在任何事件和剧情影响关系上设置“探针”。完成探针设置后被设置的事件图标上部（影响关系在有向连线下部）自动出现一个红色水晶球，表示设置完成。如果教师不取消探针设置，红色水晶球将始终附着在该事件图标上。探针设置步骤如下。

步骤一： 在工具栏“连线”模式下，用鼠标将光标指向设置探针事件。单击鼠标右键，弹出对话框，如图 6-65 所示。对话框将关键属性“事件主题”、“状态/偏离”、“事件信息”和“安全措施”分为四组，每组知识描述都增加 A/B/C 三种“选项框”，选项框内容由教师编辑设计。使用时采用“单选按钮”控件选择，即只能选定 A/B/C 三个“选项框”中的一个。

步骤二： 四个关键属性所对应的编辑框称为“提交框”。显示原设计的内容描述（如果是新设置事件内容为“空白”），与教师设置探针设计无关。“提交框”后部或下部 A/B/C 单选按钮后面所对应的编辑框称为“选项框”，共计 12 个，都是教师设计的内容，需要教师进行有针对性的编辑。每组选项中有一种是正确的，其他两种是不正确的或不完全准确的自然语言描述。例如在图 6-65 中“事件主题”对应的三种选项：“A”是“入口阀 V2B”显然是错误的（评分值＝0）；“B”是“入口阀 v2”其中 v2 不是仿真定义的位号，有不准确的内容（评分值＝3）；“C”是“泵入口阀 V2”表达正确（评分值＝10）。

教师设计的选项应当有利于学生分辨正确、不正确或含糊的陈述性知识表达。

步骤三： 在对应四组 A/B/C 选项的“分值设定框”中设置分值。完全正确的选项最高分值为 10 分（整数），不正确的为“0”分，部分正确的选项依据权重在 1～9 分（整数）中选择。注意：每个选项必须是 0～10 的整数，并且不得大于 10，大于 10 时会自动提示，见图 6-86，消除提示对话框后返回原编辑框改正，见图 6-87。

SimAI3 自动完成当前事件学生选项完成后的百分制计分。

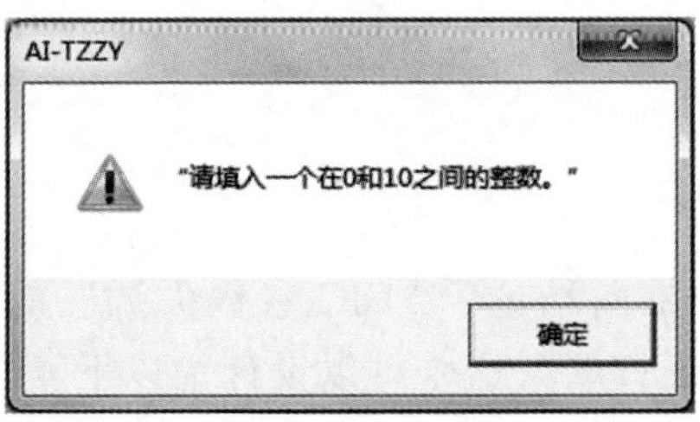

图 6-86　分值大于 10 提示对话框

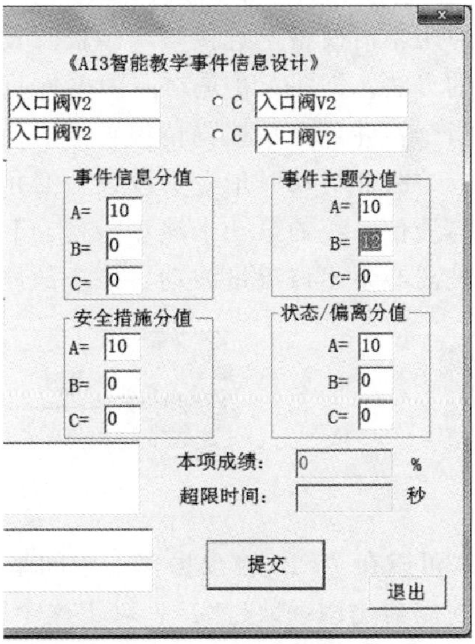

图 6-87　返回分值设定画面

步骤四： 当教师完成所有 12 个选项内容的编辑，不得空项，并且全部按要求设定每组分值之和大于等于 10 后，按动对话框“提交”按钮。当桌面剧情中该设定“探针”事件出现红色水晶球时，表明设计完成。此时教师可以试验选项和评分，分值按百分制在“本项成绩”只读编辑框中显示，注意必须四组都选择，不得有空。并且需要按动“提交”按钮后，评分才能生效。教师试验时水晶球变为蓝色，即表示该事件已完成测试。当提交学生使用时，SimAI3 会自动将蓝色的水晶球全部恢复为红色，教师无须调整。

以上设计如果不满足提交条件，则不会生成红色水晶球。这也是教师取消“探针”的方法。即，将任何一组分值之和设定小于 10 或 12 个“选项框”中任何一个置“空”即可取消“探针”。

6.15 AI3 的三种“行动指令”建模

前文提到，G2 工业 AI 软件平台的最大优势，是真正把安全管理标准的核心内容落实到“最后一公里”，即工厂的实时在线运行过程。G2 采用了多种“行动”来验证故障诊断结论，并且有针对性地给出故障排除的具体“行动指令”，从而有效地实现了人-机互动以及安全管理标准的实时在线落实。

专业版 AI3 也有 G2 的相同功能，只是考虑到 G2 提供的“行动”类型比较多，在应用中容易混淆，AI3 对这些功能进行了归类和简化。即归类为，“验证行动”、故障“抑制行动”和事故“减缓行动”三种行动指令。具体建模方法如下。（注：以下功能在 AI3 中级训练和高级训练版本中引入。）

6.15.1 “验证行动”指令建模

AI3 采用了一种灵活的建模方式。既可以在剧情模型中单独嵌入“验证行动”事件，也可以在通用剧情模型中直接写入验证行动指令，并给出行动指令文本显示。建议采用后一种较简单的方法。即，AI3 是在原因事件直接相邻的中间关键事件对话框中设计和编辑“验证行动”指令，并且显示在剧情报告中。

完成“验证行动”指令的设计，必须结合实际，简要总结出“验证行动”方法。例如，离心泵与液位系统的第 5 个典型故障（F5），是 FIC 控制器参数失调导致控制器输出振荡，直接引发离心泵出口流量波动。该事故剧情在 AI3 中最简单的设计模型如图 6-88 所示。

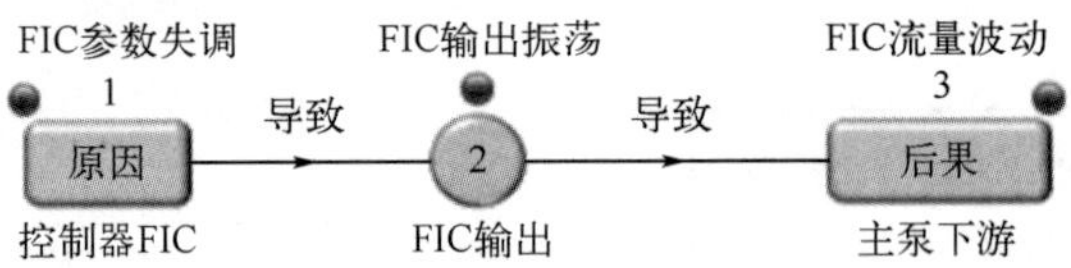

图 6-88　事故 F5 剧情设计

AI3 可以在“FIC 输出振荡”中间事件给出反向推断结论，“FIC 参数失调”的具体原因是“控制器比例系数过大”。对于这个剧情的“验证行动”指令可以设计为以下 4 个步骤：

① 立即将控制器 FIC 切换为手动，输出信号振荡停止；

（验证结论：可能是 FIC 比例系数过大或传感器信号迟后两种原因导致。）

② 验证流量检测信号，没有传递迟后；

（验证结论：排除传感器信号迟后原因。）

③ 将 FIC 控制器比例系数下调，再投自动，振荡消失；

（验证结论：唯一原因是 FIC 比例系数设定过大导致流量振荡。）

④ 确认 FIC 振荡是 FIC 控制器比例系数过大所致。

（最终验证结论。）

以上“验证行动”指令文本在中间事件对话框下部最大的编辑框中写入，见图 6-89。

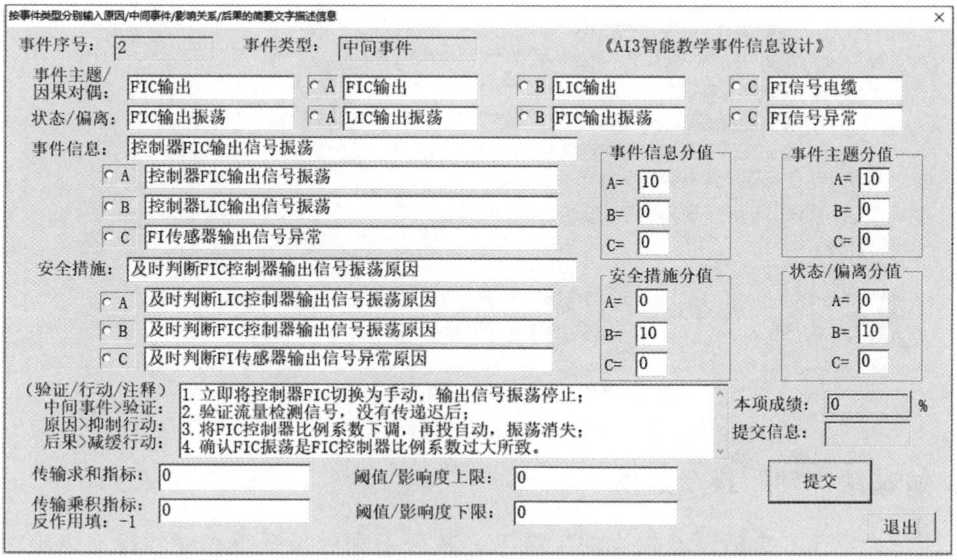

图 6-89　在对话框中写入“验证行动”指令的案例

AI3 在任何一种推理后显示的剧情报告中显示“验证行动”指令，见图 6-90 下部左边的文本。

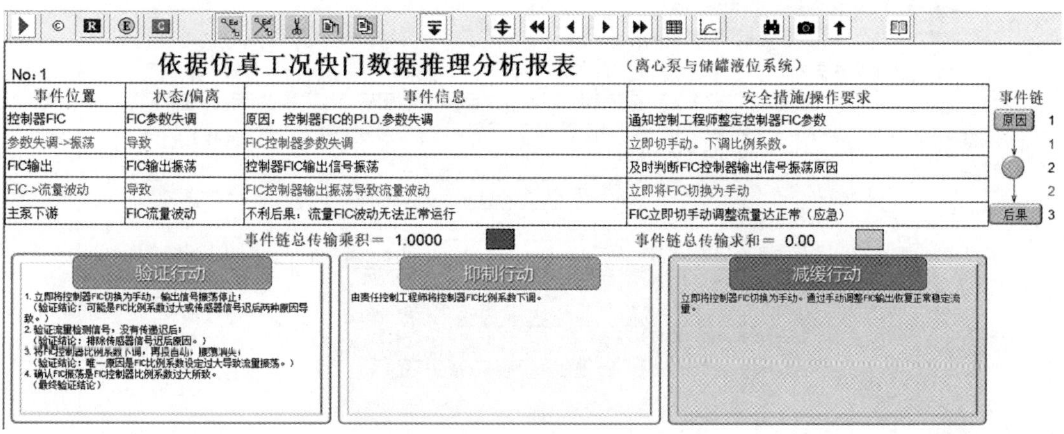

图 6-90　推理后的剧情报告显示三种“行动”指令

6.15.2 “抑制行动”指令建模

“抑制行动”是事故发生前的安全行动（措施），最理想的“抑制行动”是制止一个事故的根原因，令其永远不发生。因此，AI3 将“抑制行动”指令写入“原因”事件对话框下部最大的编辑框中。本案例的“抑制行动”指令应当是“由责任控制工程师将控制器 FIC 比例系数下调。”写入方法见图 6-91，指令显示见图 6-90 下部中间位置。

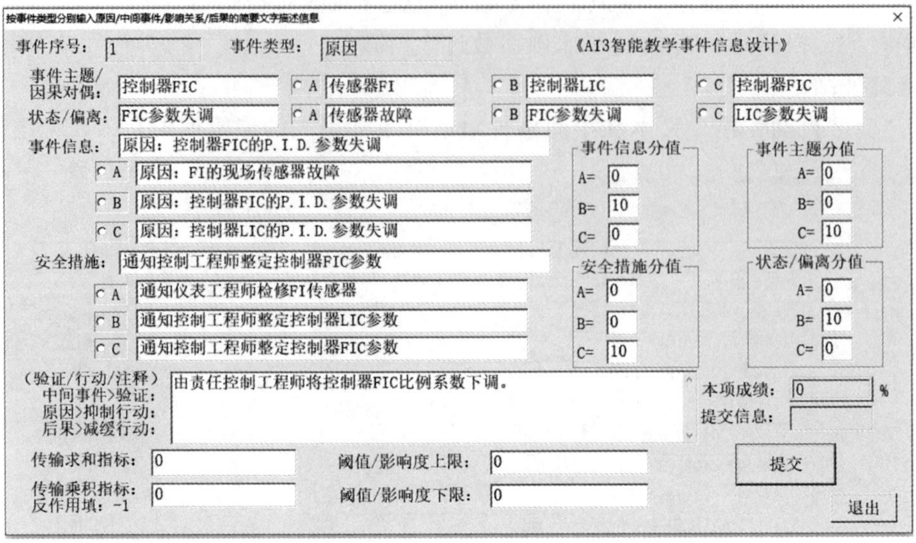

图 6-91 在“原因”事件中写入“抑制行动”指令

6.15.3 “减缓行动”指令建模

“减缓行动”是在事故已经发生的工况下，减缓不利后果严重程度的行动措施。AI3 将“减缓行动”指令设计写入“后果”事件对话框下部最大的编辑框中。本案例的“减缓行动”指令应当是“立即将控制器 FIC 切换为手动。通过手动调整 FIC 输出恢复正常稳定流量。”写入方法见图 6-92，指令显示见图 6-90 下面右边位置。

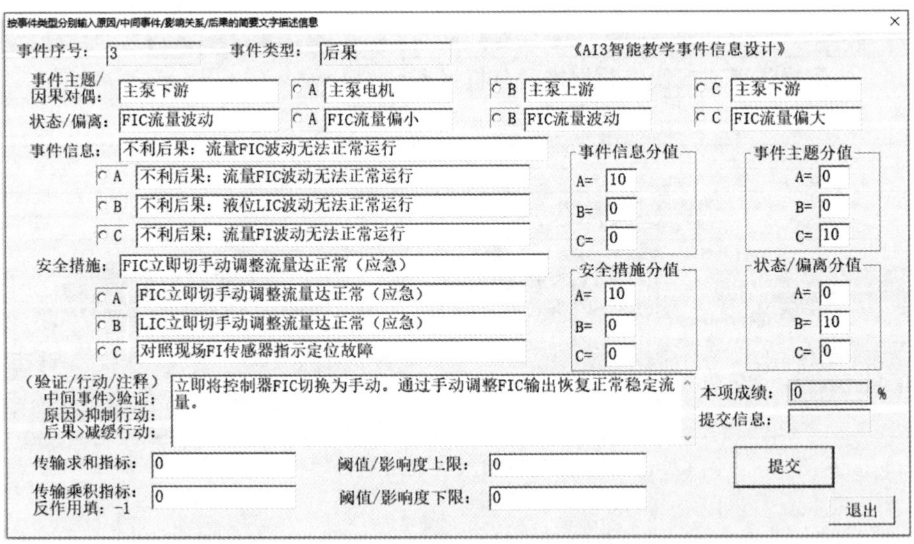

图 6-92 在“后果”事件中写入“减缓行动”指令

参考文献

[1] 吴重光．系统建模与仿真［M］．北京：清华大学出版社，2008.

[2] 吴重光，纳永良．知识图谱建模与智能推理技术［M］．北京：化学工业出版社，2021.

第 7 章

基于仿真的人工智能教学系统

7.1 教育数字化转型刻不容缓

本书前言中已经提到，2022 年全国教育工作会议提出实施教育数字化战略行动，这是一项重要的教育改革举措。2020 年 9 月，联合国教科文组织、国际电信联盟和联合国儿童基金会联合发布了《教育数字化转型：学校联通，学生赋能》。同年，欧盟发布了《数字教育行动计划（2021—2027 年）》。明确了欧盟层面未来需要推进“促进高性能的数字教育生态系统的发展”和“提高数字技能和能力以实现数字化转型”两大战略事项。高等教育数字化不是一般的策略问题，而是影响甚至决定高等教育高质量发展的战略性问题，是实现高等教育学习革命、质量革命和高质量发展的战略选择。

可见，用数字技术推动教育发展，通过智能化教育培养科技人才已成为全球大趋势。在国际人才竞争进入大变局之际，中国教育数字化转型刻不容缓。

教育数字化战略转型与工业 4.0 的 AI 人才需求密切相关，必须解决两个层面上的数字化转型：

其一教学内容：必须转型为工业 4.0 的核心技术。即引入面向工业实际的智能识别、智能分析、智能决策和智能行动（控制）的数字孪生虚拟仿真建模技术，同时也是智能教学的关键技术——学生认知模型跟踪技术。

其二教学方法：必须从死记硬背的应试教育转型为工业 4.0 过程知识的认知能力教育。即必须实现智能教学的转型，必须采用现代认知工具实施基于认知模型跟踪（以学生为中心和以模型为中心的）的“认知学徒”教学，加速初学者的认知能力和更高阶思维能力向专家水平的转型。

目前，以上两个重要层面的数字化转型技术、方法和支撑环境，在国内的高校几乎都是“空白”的。高校的教师虽然学历很高，但现代工程实践能力普遍缺乏。

为了普及工业 4.0 人工智能技术，加快高等院校数字化转型的进程，本书作者及其团队研发成功了基于仿真的人工智能教学系统 SimAI3。该软件系统为教育数字化转型铺平了道路；面向工业 4.0，有效解决了教学内容的数字化转型；是教学方法数字化转型强有力的辅助工具；是教师和学生易学易用的工程仿真实践环境。

7.2 基于仿真的人工智能教学系统

为了简化“基于仿真的人工智能教学系统”全称，作者团队将英文名词仿真（simulation）的前三个字母“sim”与 AI3 联合，命名为 SimAI3。其寓意是，仿真实践和智能思维互动的 STEM 标志性教学环境。

7.2.1 SimAI3 构成

SimAI3 通过“AI3 数据库”集成互联了三个独立运行的软件平台，见图 7-1。通过互联网联通广域的微机群体，可以同时对成千上万学生实现大规模个性化、探究性、创新性“专家陪练”式和基于工程仿真实践的智能教学。

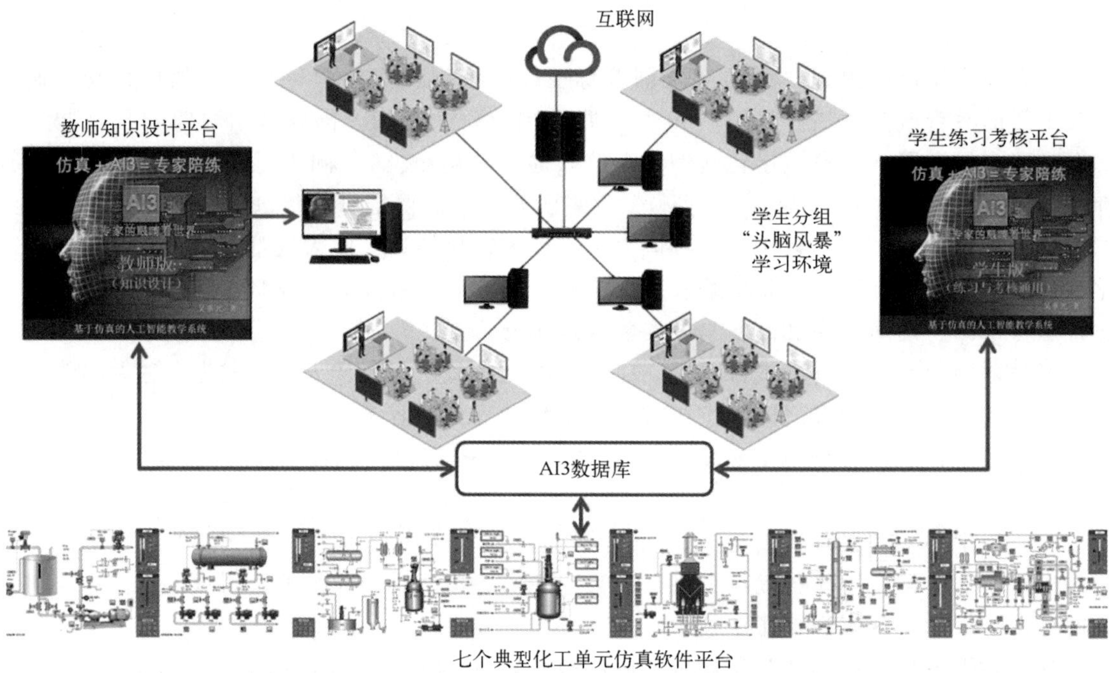

图 7-1　基于仿真的人工智能教学系统 SimAI3 结构示意图

(1) 仿真器软件平台

是通过优选的源自石油化工、炼油和天然气工业实际的七种典型化工单元仿真器软件集。仿真器模型以第一原理建模为主，同时增加了多智能体跟踪及事后评估、在线操作要点提示、安全关注点提示、典型故障排除提示与评价、工况数据记录和即时传送等教学“脚手架”程序，是一种具有智能化“专家陪练”功能的仿真器。

独立运行的七个典型化工过程仿真器如下：离心泵与储罐液位系统（PUMP）、热交换系统（HEAT）、间歇反应系统（BAT）、连续反应系统（JBX）、加热炉系统（FUR）、精馏系统（TDW）、透平与往复压缩系统（WFY）。

（2）教师知识设计软件平台

由 AI3 软件平台扩展构成，是一个独立的、高通用性的、无须编程、图形化、自然语言化、快捷、高效的知识创作型软件平台。教师的知识设计软件平台包括剧情（案例）“停车场”模型出题设计、专家剧情模型设计、自动评分设计等功能。

个性化的学习绩效从“概念探针”“决策探针”到“思维结构”三个知识本体层面，实现了自动化和智能化评估。教师可以依据教学要求创作灵活多变的概念知识和过程知识构成的定性与经验融合的剧情模型，例如 SDG 模型、CDG 模型或 SDG 与 CDG 融合模型等。教师的出题信息文件传送到学生练习与考核软件平台完成智能化教学（训练）。随着应用积累可以达到由简单模型到复杂模型的成千上万以至数以亿计的案例。利用 AI3 混合模型“生成式人工智能”技术，教师知识设计软件平台已经达到每秒自动推理导出大于 1000 万“生成式”剧情案例的超高水平。

（3）学生练习与考核软件平台

由 AI3 软件平台扩展构成，是一个独立的、高通用性的、无须编程的、图形化的、自然语言化的、以选项为主（无须费时费力地书写文字）的、快捷的、高效的、基于剧情的个性化学习（训练）环境。

学生可以在七个仿真器软件和 AI3 学生平台软件间任意切换或同时运行，实现“V”图探究式学习；可以随时获取仿真器“工况快门”数据。学生平台应用智能教学技术完全实现了概念知识和过程知识“认知学徒”的所有关键步骤，即建模、教练、脚手架、阐明、反思和探索等六个渐进的方法，是一种有意义地学习、强化元认知能力和知识应用与高效概念转变的现代教学环境。

三类软件平台的独立性结构使系统的集成灵活多变，可以达到最大化的通用性。即可以推广适用于任何领域、任何课程、任何科学实验、工程技术训练和陆海空多军种军事训练等各种认知技能的学习和训练，是实现智能化教学和教育数字化转型的利器。

7.2.2　SimAI3 软件特点

① SimAI3 依据扩展的石化、炼油和天然气工业生命周期信息国际标准 ISO 15926（也是国家标准），采用图形化和计算机化直观形象、方便快捷地精准描述和表达学员和专家所设计的过程知识模型。严谨科学的剧情模型表达是专家陪练方法实施培训的基础，只有将剧情的表达标准化才能实现专家知识的有效传承、共享、评估、修正和管理。

② SimAI3 将危险与可操作性分析（HAZOP）中的“可操作性分析”方法引入专家陪练方法，采用国际标准 IEC 61882（也是国家标准）的扩展作为“任务与解决方法的知识本体”和推理机制。在预测未来发生的剧情和获取决策信息时，依据因果反事实推理获取剧情自然语言描述的报告。

③ SimAI3 借鉴了美国从小学到中学（K-12）还有大学执行“下一代科学教育标准 8 条科学和工程实践要求”以及“新的数学教育国家标准的 8 条实践要求”的经验，在教学中应用了“搭积木式”构建概念图（概念地图、概念导图、知识地图）的方法，要求由学生自己构建动态剧情图模型。在剧情图形化构建软件平台中 SimAI3 提供“停车场”“焦点事件”“决策点”“专家剧情框架”等“积木模块”。学员以高度参与方式学习，可以有效克服死记硬背的学习模式，可以实现“集体智慧”和“头脑风暴”式有意义的学习。有利于提高学生发现问题、分析问题、预测问题和解决问题的能力，同时也有利于节省教学（培训）时间，

提高教学效率。

④ SimAI3 引入了“反思”前独立思考、分析问题、解决问题阶段，以及“反思”阶段对照专家认知模型修正自己的认知模型阶段。也就是说 SimAI3 自动跟踪记录学生的认知建模过程，全面评估学生的认知能力。通过简单易用的类比推理和结构映射方法实现深度“反思”，能够促进学生的个性化概念模型向专家概念模型转化，是现代“认知学徒”教学方法的智能化深度实现。

⑤ SimAI3 采用了新一代人工智能技术，通过多功能、高速和高效的智能推理引擎自动跟踪、记录、解释和判定学员所设计剧情的疏漏和错误。

⑥ SimAI3 的专家剧情可以通过知识图谱全谱建模方法及推理引擎实现深度学习，可以用来自动生成大规模的剧情题库，并且以直观、形象、快捷和方便的方法提供给学生。

⑦ SimAI3 软件平台为危险事件传播剧情的完备性和隔离特性提供多种诊断、判别和试验手段；例如趋势记录、事件超限变色、阈值选择、一致性判定和多功能推理等，以便学员自我修正不完全和故障隔离特性差的剧情模型。

⑧ SimAI3 采用了“概念探针”、“决策探针”和知识结构相似度评估技术，能够高效训练和自动评估学生的认知能力、决策能力以及过程知识与专家经验的差异，促进了学生的反思和批判性思维能力。

⑨ SimAI3 与仿真培训软件、各类科学实验系统以及各类课程联合（包括实时联网），可以为学生提供广泛和丰富的过程动态剧情（认知跟踪），为仿真、实验及各类课程教学系统深度赋能，实现从训练行为能力提升到认知能力学习和发展的转变。

⑩ SimAI3 通过仿真软件立即采用设计成功的危险事件传播剧情实施反复训练，可以加速提高学员在线识别故障、实时分析故障、科学决策和精准行动的能力和熟练度。

⑪ 正式出版了一系列技术指导书以及视频资料，为企业、高校普及应用 SimAI3 专家陪练与仿真技术提供了教师和学员的培训教材。

7.2.3 基于模型跟踪的概念转变

SimAI3 系统现代教学原理是：借助于人工智能技术，采用知识图谱建模可以把学员内心思维过程的所有细节（学生知识、认知剧情）以图形化和自然语言（无须编程）方便快捷地、如实地表达于电脑桌面上。教师的（集体和“头脑风暴”）专家思维过程的所有细节（专家知识、认知剧情）也都用图形化和自然语言（无须编程）方便快捷地、如实地表达于电脑桌面上。然后，采用计算机自动因果反事实的半定量＋定性＋常识多功能推理获取自然语言描述的学员和专家各自的所有细节解释报告，自动诊断学员设想剧情的合理性，即剧情相容性推理判定。这样学员就可以逐一详细比较自己与专家认知水平的差异。通过反思、“概念探针”、“决策探针”和学生过程知识结构与专家经验相似度自动评估，快速高效地提高学生的认知能力。

欧美教育学专家和心理学专家通过大量的实验研究发现，人类基于经验的在头脑中的“概念模型”和“心理模型”往往是不完备的、容易遗忘的、不系统的、不严谨的、不易口述清楚的，甚至是似是而非的，并且非常难于修改和系统化以便与实践达到高度一致。但是借助于图形化概念模型建模工具，可以将人类特别是专家的隐性概念模型显性化，从而使得通过集体智慧和头脑风暴使内隐的概念模型得到快速进化和完善，并且具有直观形象、系统、完备、严谨、便于理解、便于存储、便于在人与人之间传承的特点。这就是智能化“专家陪练”在教学中特殊功效的原理。

7.2.4　用 AI 学习工业 AI 的“双重”工具软件

应用 SimAI3 的智能教学完全颠覆了传统应试教育的作业练习、“刷题”和考试模式。因为传统的在没有教师一对一深度跟踪辅导下的练习、“刷题”和考试，都是学生原有认知水平的重复，导致学生负担重、学习效率低下，特别是缺乏反思纠错过程。学生在“刷题”过程中只重复了死记硬背的能力，难以训练分析问题、解决问题的能力。

SimAI3 在反思训练前的练习阶段，通过使用知识工程的概念模型（知识图谱全谱模型）跟踪，可以从概念知识、决策知识和过程知识（知识的结构关系）三个层次精准记忆和评估学生的正确和错误“点位”。在反思训练阶段，SimAI3 将通过“类比推理”和“结构映射”等“脚手架”现代教学技术结合智能评估技术的引导，有针对性地全面地纠错辅导，并启发学生的更高阶思维（例如，复杂系统因果反事实推理），大大提高学生的学习效率。应该说 SimAI3 达到了智能教学的高层次目标。

第 1 章强调过，工业 4.0 数字化转型的核心技术是“数字孪生”。SimAI3 就是专业化训练构建数字孪生虚拟仿真模型的人工智能软件平台，是学习工业 AI 技术和知识建模的强有力的工具软件。

近年来，随着工业 AI 技术的发展和应用，将第一原理模型结合领域知识和经验知识构建的丰富的模型称为“混合模型”新一代创新的工艺过程建模。艾斯本技术公司认定这将再次改变化学和碳氢化合物工业的进程。SimAI3 可以构建第一原理模型融合领域知识和经验知识的虚拟仿真模型，与艾斯本混合模型有同等重大意义。

由此可见，SimAI3 是用人工智能技术学习工业 AI 知识建模的“双重”人工智能软件。SimAI3 既是目前所有高校必修的工业 4.0 数字化转型专业技术课程，也是学习本课程不可或缺的理论与实践密切结合的智能教学工具。没有此类认知工具无法实现教育数字化转型。更进一步来说，SimAI3 本身就是经过大规模工业实践考验的高效数字孪生建模、试验、验证和确认工具，能实现教育数字化转型中教学内容的真正转型。

7.2.5　SimAI3 软件的主要应用

SimAI3 软件的应用主要包括：

① 提高学生（包括操作人员）工业装置仿真操作培训绩效。“用专家的眼镜看世界”，提高开车、停车、事故处理、优化运行的准确识别、实时分析、科学决策及精准行动与控制等四种核心能力。

② 实现基于计算机网络平台的远程、教师不在身边的个性化工程多专业的智能“专家陪练”教学。

③ 实现基于剧情案例的科学与工程实验课程的深度个性化“专家陪练”智能教学。

④ 学习基于剧情案例的工业 4.0 数字孪生建模与仿真实践验证。

⑤ 学习基于人工智能的过程工业系统深度安全评价（例如 HAZOP）。

⑥ 学习基于实时在线故障诊断专家系统的融合（或混合）建模技术。

⑦ 遴选多专业的认知能力合格人才。

⑧ 学生（包括操作员）能力，包括行为和认知能力与绩效的评估。

⑨ 过程工厂的操作员、工程师、生产管理人员和技术经理的工业 4.0 安全绩效能力

培训。

⑩ 提高过程工厂的操作员、工程师、生产管理人员和技术经理的工业 4.0 标准化知识表达和工业 4.0 知识管理能力。

7.3 赠送版软件说明

现代教学必须具备实践环节，本书也不例外。为了辅助读者理解全书的内容，本书特意将 SimAI3（普及版）随书赠送给读者，读者可以动手仿真实践，同时进行认知建模训练。

SimAI3 普及版软件连同数据库和技术说明文件在一个文件夹中。如果该文件夹是压缩文件，首先将压缩文件拷贝入电脑桌面，然后在桌面解压，就可以打开文件夹看到所有文件，见图 7-2。

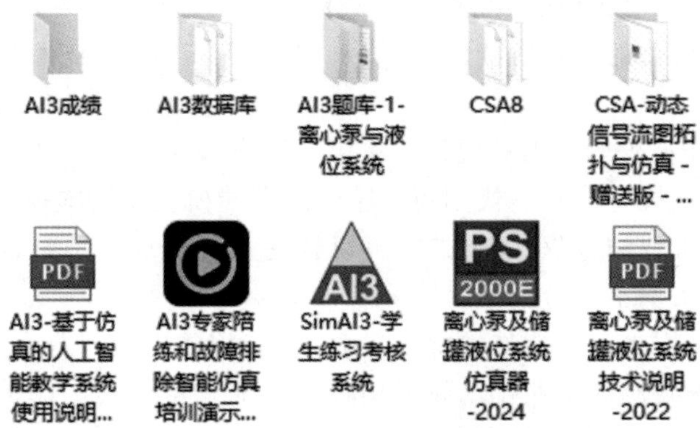

图 7-2 SimAI3 普及版全部文件

AI3-智能仿真教学系统-普及版

文件夹中各文件说明如下：

① 两个独立可执行文件说明。

a. SimAI3-学生练习考核系统 . exe。是独立运行的智能教学的学生练习考核端软件。

b. 离心泵及储罐液位系统仿真器 . exe。是独立运行的 7 个典型化工单元仿真器软件中的一个。

② 两个可执行软件的使用说明。

a. AI3-基于仿真的人工智能教学系统使用说明 . pdf。是学生练习考核软件的详细使用说明。

b. 离心泵及储罐液位系统技术说明 . pdf。是该仿真器的使用说明。

③ 一个视频录像。

AI3 专家陪练和故障排除智能仿真培训演示视频。以离心泵及储罐液位系统为例，帮助初学者学会使用仿真器和学生练习考核软件。

SimAI3 专家陪练和故障排除智能仿真培训演示视频

④ 6 个子文件夹。

a. AI3 数据库子文件夹。是两个可执行软件自身运行所需的所有数据文件、教师设计的“停车场剧情”出题数据文件、教师设计的“专家剧情”文件和从仿真器软件随机记录的过程运行工况“快门”（以照相按下快门来比拟）数据文件等。AI3 数据库沟通了仿真器端和学生练习考核端（“V”图互动）软件的数据联系。请读者不得修改或删除 AI3 数据库中的任何数据文件，否则无法正常运行两个软件。如果不小心改动，可重新解压全部文件替换。

b. AI3 成绩子文件夹。如果学生最终提交练习结果，本文件夹中会留下历史记录。

c. AI3 题库-1-离心泵与液位系统子文件夹。内部是作者设计的 31 道练习题，分别保留在 31 个子子文件夹中。用户任选一道练习题，将该子子文件夹中的所有数据文件拷贝入“AI3 数据库”替换掉原有的练习题数据文件，就可以开始新的练习题练习或考核。

d. CSA8 子文件夹。是一个中介文件夹，网络版软件应用时由教师使用。

e. CSA-动态信号流图拓扑与仿真-赠送版子文件夹。这是一个非常有创意的复杂微分方程图形化信号流图建模软件。建模完成后直接用网络拓扑方法获取多输入多输出通道传递函数，并且通过转换算法导出微分方程组，用数值积分获取阶跃干扰、斜坡干扰和加速度干扰的响应曲线。同一个软件如果用图形化构建复杂代数方程组，则可直接获取方程的解，计算方法基于梅森公式。文件夹中有软件使用说明和 5 个计算案例，只要清空桌面就可以任意构建自己的数学模型。

f. 成绩子文件夹。当用户提交仿真训练结果时，用于保存历史成绩的文件夹。

⑤ 当用户选择“S-2-离心泵-F1-入口阀门堵塞故障-加 V2 事件-B”练习题时，采用超大显示屏（3440×1440 分辨率）同时运行仿真器和 SimAI3-学生练习考核系统，参考如下步骤：

a. 启动“离心泵及储罐液位系统仿真器 . exe”程序。完成开车、停车和第一事故（点击右下方功能选择的“F1”键）排除训练，尽量获得最高评估成绩。

b. 从“AI3 题库-1-离心泵与液位系统”子文件夹的 S-2 子子文件夹复制全部数据，拷贝入“AI3 数据库”中，覆盖掉原来的练习题数据。

c. 启动 SimAI3-学生练习考核系统，从菜单栏选择“读取对口仿真单元模型”，可以看到桌面“停车场”区域是教师为本练习题设计的各种剧情事件。见图 7-3。

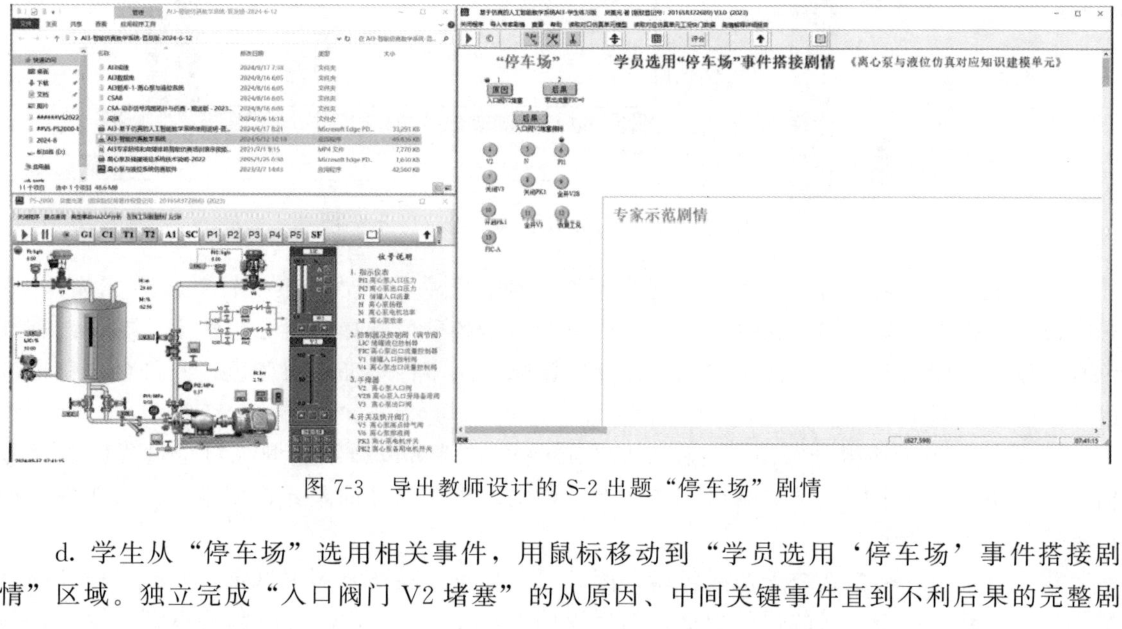

图 7-3　导出教师设计的 S-2 出题“停车场”剧情

d. 学生从“停车场”选用相关事件，用鼠标移动到“学员选用‘停车场’事件搭接剧情”区域。独立完成“入口阀门 V2 堵塞”的从原因、中间关键事件直到不利后果的完整剧情模型设计。同时完成所有教师设定的“概念探针”测试的对话框选项，点开标记有红色水晶球的事件完成所有分项选项并“提交”。见图 7-4，两个设有探针的事件水晶球变蓝。

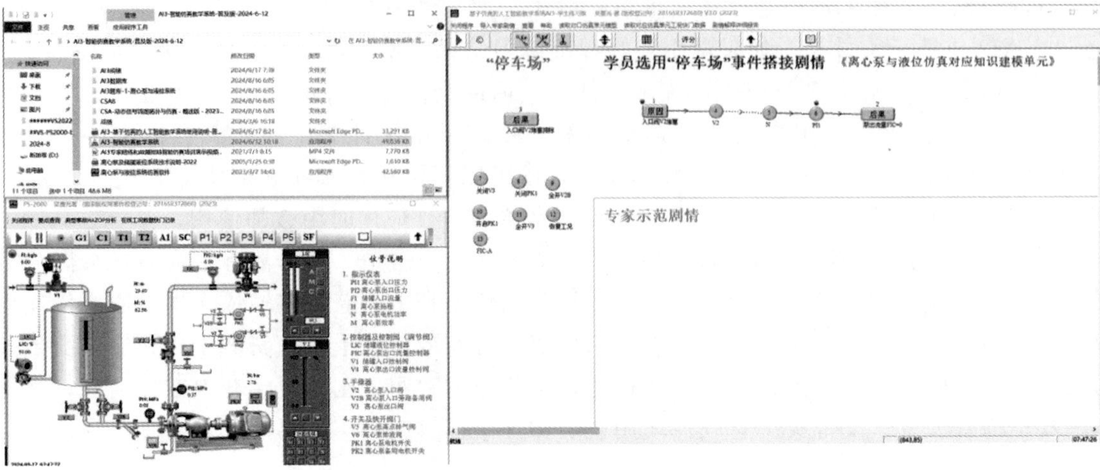

图 7-4　独立完成 S-2 题目的剧情模型设计

e. 从菜单栏导出教师设计的“专家剧情”。点击工具栏“评分”按钮，可以看到反思前的练习获得满分，但是没有进行反思后的训练，因此总得分较低。因为还没有完成反思训练，即使反思前剧情建模全对，也可能没有真正掌握全部知识，见图 7-5。

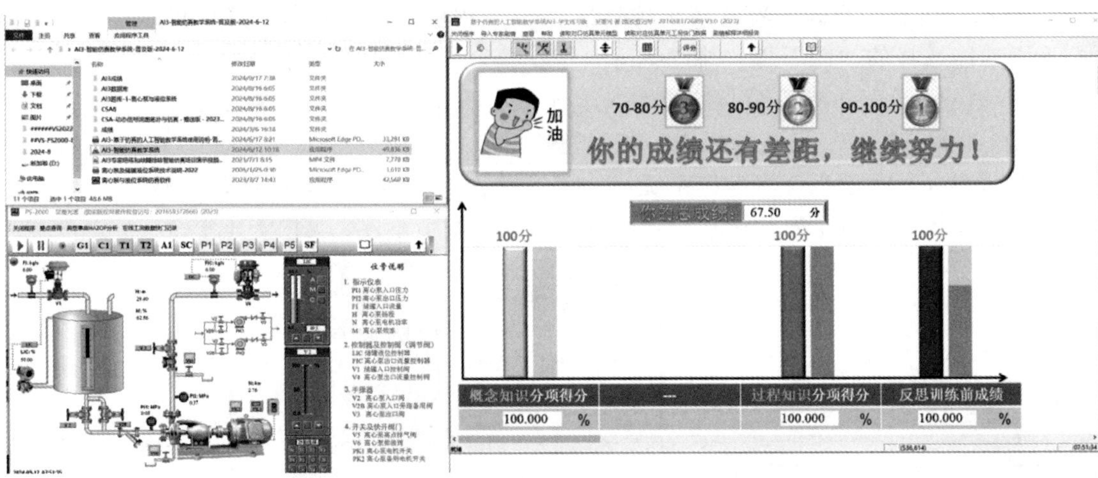

图 7-5　反思前练习完成正确，但总得分较低

f. 完成反思练习所有练习科目。见图 7-6（图中只差一个“决策探针”没有完成），反思阶段教师提供“脚手架”支持。即，对话框会显示各分项选择的得分。学生需要将设有红色水晶球的“概念探针”事件及“决策探针”影响关系事件全部变成蓝色，并且全部获得最高分成绩，见图 7-7。

g. 显示练习最终得分画面，见图 7-8。SimAI3 软件可以详细查询练习全过程跟踪评分信息，以便个性化了解“学员剧情”与“专家剧情”模型设计的差异，相当于再次实现反思训练。

建模过程中，初学者缺乏实践经验，因此可能要反复在仿真器上试错，修改所设计的剧情模型，并获取对应工况的快门数据，然后返回 SimAI3 建模软件修改剧情模型。这一过程

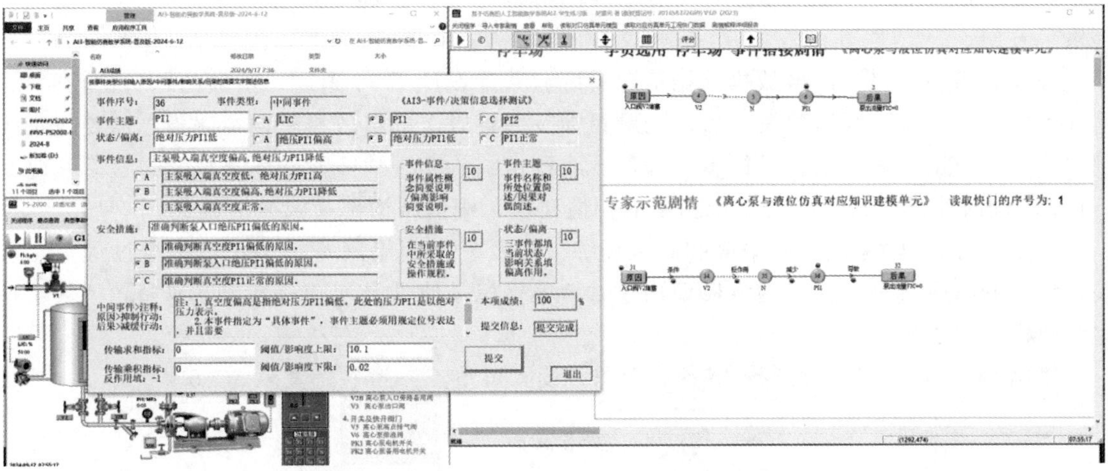

图 7-6　所有“概念探针”和“决策探针”选项测试有“脚手架”支持

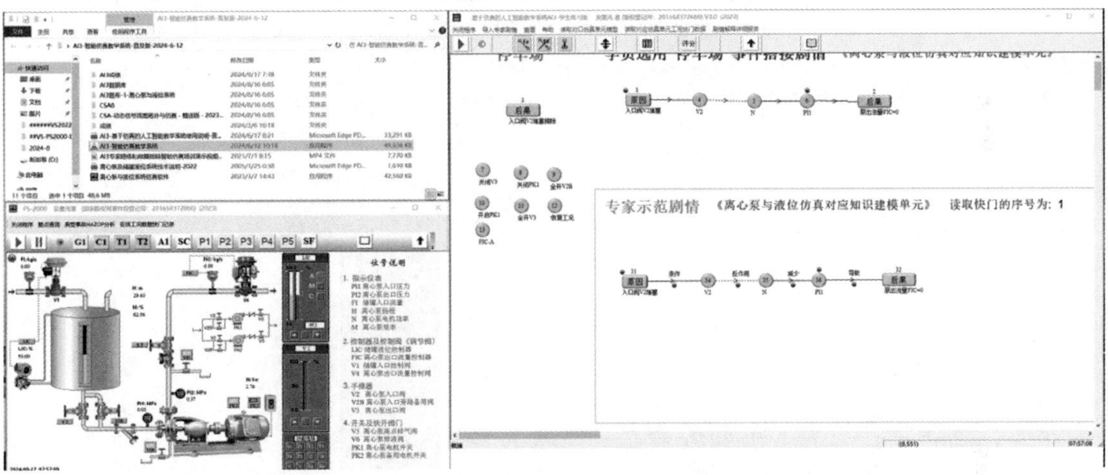

图 7-7　完成所有“概念探针”和“决策探针”事件的选项测试

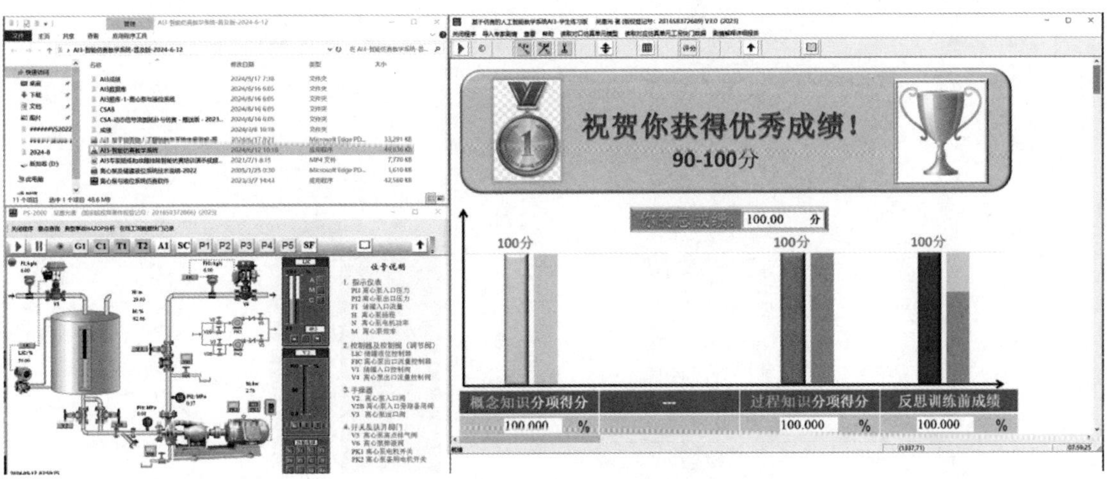

图 7-8　显示练习最终得分画面

就是“V”图探究式学习过程，超大显示屏同时运行仿真器和 SimAI3 软件为“V”图互动提供了方便。

普及版离心泵与液位事故排除剧情建模练习共计设计了 31 道题。前面的题目比较简单，是 5 个单独事故排除剧情建模。后面的题目涉及两种以上的事故排除剧情建模，需要仔细识别“快门”数据，通过调整具体事件阈值，或剧情结构实现故障诊断隔离特性。最后一题是 5 个事故同时建模。这些练习是最基本的剧情建模，剧情结构都是因果链模式。

SimAI3 的进阶建模，即中级和高级训练，涉及复杂因果网络模型，甚至全过程（工业装置级）的高质量复杂因果网络模型构建。培养目标是使学员快速进阶到工业 4.0“数字孪生”建模专家水平。

使用 SimAI3 软件涉及多领域专业知识，读者可重点参考参考文献 [1-5]。

参考文献

[1] 吴重光. 智能型危化品安全与特种作业仿真培训指南 [M]. 北京：化学工业出版社，2020.
[2] 中国化学品安全协会组织. 危险与可操作性分析（HAZOP）应用指南 [M]. 北京：中国石化出版社，2012.
[3] 吴重光，中国化学品安全协会. 危险与可操作性分析（HAZOP）基础及应用 [M]. 北京：中国石化出版社，2012.
[4] 吴重光. 化工仿真实习指南 [M]. 3 版. 北京：化学工业出版社，2012.
[5] 吴重光，纳永良. 知识图谱建模与智能推理技术 [M]. 北京：化学工业出版社，2021.

第 8 章 结语

实现工业、教育和社会数字化转型是一个长期艰巨的颠覆性改革过程。衡量标准是数字孪生智能软件平台是否深入广泛应用并产生实实在在的绩效。在技术层面必须着力解决需要实施数字化转型领域或具体对象确实能够使用的数字化转型软件平台的开发，大规模推广培训和落地应用。在应用层面必须解决“人-机协同”难题。

① 从现状看，既没有行之有效的数字化转型的软件平台，也没有数字化转型教学的核心要素和条件。试图在有限的时间内实现各领域的全面数字化转型，是不切实际的。

② 从作者团队的研发经验看，只要解决了智能教学软件平台这个“拦路虎”，有一台普通电脑就可以实施教育数字化转型实践。何乐而不为?

③ 从更高的目标来看，为了进一步推动我国建模与仿真事业的发展，特此提出如下具体建议。

8.1 知识设计工程师是 SimAI3 推广应用的关键

SimAI3 智能教学系统软件平台是一种无人值守、专家不在身边的远程化、个性化、认知能力仿真实践、用专家眼睛看世界的教学环境。已经解决了推广应用的关键，即已经将需要大量合格教师和长时间工业现场实践的培训方法实现了颠覆性改革。

随着欧美发达国家 ITS 技术的发展和大规模应用，一种新的称为“知识设计工程师”的教师职业应运而生。知识设计工程师就是运用 ITS 创作工具软件设计培训与教学知识模型的专业技术人员。优质的培训与教学知识模型可以在 ITS 学生端软件平台实施高质量个性化、启发式、探究性和智能化教学。因此，ITS 在任何一种课程中能否产生绩效，知识设计工程师的知识建模设计水平起关键作用。

考虑到目前教师普遍存在知识陈旧、实践能力和教学能力不足的问题，ITS 技术很难应用于学校教学的现状。本书给出以下深度推广应用 SimAI3 可行的综合解决方案。

① 只要有 5 名高水平知识设计工程师，即可应对全国级别的一种专业领域的建模教学需求。

SimAI3 具有通用性和普适性，已经可以支持各类专业的学习全过程。也就是说，SimAI3 是一种广泛适用的认知教学软件平台。从此以后，用 SimAI3 实施教学的基础已经归结到不同专业的知识设计任务方面。并且只要完成一种专业的知识设计，SimAI3 就可以自动完成该专业大规模学生的（远程个性化）练习、辅导和测评三重任务。SimAI3 的知识模型创作效率已经大大提高，反转了国际时效比记录，达到了 1∶100 以上级别。如果用本章“8.4.2 基于 SDG 与 CDG 融合模型的深度学习”技术，即一种新的 AI3“生成式人工智能”技术，达到 1：10000 以上时效比轻而易举。已经不需要大量的教师都去完成人工智能建模水平的知识设计任务。

5 人小组可以实现专业优势互补，便于发挥集体智慧，便于在有争议时“投票”决策。知识设计工程师的基本素质要求如下：

a. 至少需要精通本专业的知识；

b. 掌握全面深入的工业实践知识和跨专业知识；

c. 掌握现代混合（融合）建模与仿真技术；

d. 熟悉现代教学理论与教学方法；

e. 具有很强的分析问题与解决问题的能力。

国家可以用较少的投入、人力和物力组建和历练不同专业的 5 人专家建模团队，完成和不断优化改进各专业的知识库设计。

② 开发初级、中级和高级“停车场”题库和对应“专家剧情”库。

a. 初级“专家陪练”。可以实现初学者到专家的演变，即在校生实践认知能力和一线操作工人的专家转型训练。可以解决企业合格的工程师和操作人员的培训，以及今后 AI 人-机协同能力培训，即实现工业 4.0 数字化转型必须首先实现人的数字化转型。

b. 中级“专家陪练”。主要是面向企业事故预案建模和专家陪练高质量教师的培训。

c. 高级“专家陪练”。培养大型复杂工业系统数字化转型知识建模的专业人才。

初级、中级和高级“停车场”题库和对应“专家剧情”库完全可以由国家级知识设计 5 人专家小组完成，并且经大规模教学应用进行检验和发展。

目前，作者团队已经完成化工过程第一版初级 200 个“停车场”题库和对应“专家剧情”库。AI3 已经具备在化工企业、高校多种（跨专业和跨领域）相关专业大规模推广初级智能化“专家陪练”的基础条件。

③ 广泛发动教师的积极性，构建移动互联网共享“停车场”题库和对应“专家剧情”库。

先从移动互联网交流“停车场”题库和对应“专家剧情”库启动本项任务，这是 ITS 软件平台 ASSISTments 生态系统的经验（见本书第 3.6.2 节）。

④ 长期坚持举办互联网知识设计工程师培训。

随着工业 4.0 数字转型与“数字孪生”建模及工业 AI 技术的普及，工业企业将是应用 AI3 的最大群体，知识设计工程师将成为一种热门白领职业，知识建模与仿真技术培训将会产生巨大需求。

⑤ 举办基于仿真的人工智能技术大赛。

首先在已有的大赛中引入过程工业故障排除知识建模，从初级开始不断发展为中级和高级全国工业 AI 大赛。

⑥ 迫切需要教育部和相关领导部门大力支持。

形成国家级重大教学技术项目，以便得到上级机关的认可和支持，最终列入国家级教学标准。形成全国大规模深入普及应用态势。

⑦ 终极目标。

应用 SimAI3 和类似的认知建模与仿真工具为国家培养各领域的具有高水平人工智能数字化转型和数字孪生建模技术的应用人才。

8.2 AI3 的持续改进和升级

目前，作者团队用 VC＋＋研发的 ITS 软件包括：仿真培训软件平台、专业版 AI3 软件平台第三版、实时在线版 AI3＋仿真软件平台和基于仿真的智能教学软件平台 SimAI3 第三版。总规模已经达到数十万条源代码。作者团队试图靠微薄之力，为解决我国技术人员和高等学校师生的数字化转型普及任务，作出一点点贡献。

今后 10 年，随着工业人工智能应用的扩展和大规模普及应用，人们必然会有更进一步的需求。作者团队 AI3 的改进和升级设想如下：

① 将基本事件的静态知识图谱表格化输入，升级为可以按用户的特殊需求组态定制；

② AI3 软件增加自动导航系统，以便用户使用；

③ 推理结果的输出内容也可以按用户的特殊需求组态定制；

④ 推理增加单步步进法，分步向用户展示推理历程和中间结果；

⑤ 推理引擎的功能（推理方法、约束和条件等）可组态定制；

⑥ 增强模型模块（包括任意片段）复制或嵌入功能，可以将影响关系接入模块中任意事件；

⑦ 扩大静态事件的外部互联网信息联通和自动搜索功能；

⑧ 事件与多种网络信息链接，如网页、文本、图形和视频信息等；

⑨ 设置具体事件预组态定义功能，即确定用户对外实时接口的具体事件名称、属性和关系可以定制化组态；

⑩ 对建模垃圾信息的（手动/自动）清除功能；

⑪ 建模规模扩展功能的（采用 64 位 C＋＋语言系统、利用外存能力等）改进；

⑫ 实时 AI3 的使用功能扩展，例如：自动归类 5 种结构（三点、单串、事件树、故障树、领结），自动归类高风险“剧情”，自动统计信息的特征和规律；

⑬ 增加多种半定量、定量计算模块，以及概率、风险、模糊因子、隶属函数等网络和实用计算；

⑭ 自动转化为形式化知识本体，即定性方程组转化为定量方程组；

⑮ 同一事件的多偏离分项推理和剧情显示；

⑯ SimAI3 向通用型和普适型 ITS 平台扩展；

⑰ 增加各种相关事件的知识库，例如：常见原因事件、常见偏离事件、常见中间关键事件、常见后果事件、风险矩阵、常见不同事件的发生概率、常用标准和数据；

⑱ 外存记录所有显式剧情，可以自动转化为一个工程数据集，全显式化剧情模型重新载入平台功能，相当于 HAZOP 的全部结果转化为一个模型文件，以便自动处理推理结果的规律，即大数据＋结构信息的深度学习功能；

⑲ 分级、分块和并行推理（直到特种超高效推理和存储芯片的研制），增加系统高效推理的能力；

⑳ 适当修改为更简单的概念地图的应用，参考美国教学软件 camptool，给出焦点、命题和多种应用讲解和案例，并且逐级进阶到静态＋动态知识图谱；

㉑ 将 AI3 分解成不同功能的系列智能软件平台，应对多领域的多种应用；

㉒ 通过组态方法实现模型动态变化（非固定模式），以适应复杂动态变化过程；

㉓ 增加回路搜索，与控制系统 HAZOP 融合成专用过程＋控制系统 HAZOP 平台；

㉔ 继续编写 AI 理论教材、科普教材、实用知识图谱全谱建模教材、优秀应用案例教材等，以便更多的领域、更多的技术人员结合实际应用 AI 技术；

㉕ 成立第三代人工智能应用的功能支撑平台研究开发院（至少优选 100 人团队）；

㉖ 基于自然语言、语音和动态图像识别与表达的人-机界面；

㉗ 新一代 XAI 的概念和基本知识、应用知识的大规模普及策略与实施方法；

㉘ 在学前、小学、初中、高中、大学、研究生、各级教师中应用可解释的人工智能（XAI）于教育；

㉙ 实现 AI 芯片的 AI3 融合应用技术的突破，不能只限于概率统计计算的 AI，应当向因果逻辑分析推理的 AI 扩展；

㉚ XAI 与工业实践密切结合的软件、科普、著作的大规模涌现；

㉛ 最根本还是加强 XAI 应用科技人才的实践磨炼和培养；

㉜ SDG 与 CDG 融合模型推理结果的显式化转换，即用显式化模型替换隐式网络模型，并直接图形化显示在桌面，以便用经验法对各显式剧情嵌入条件；

㉝ 大力发展建模技巧，特别是模型中概念事件的灵活运用技巧；

㉞ SDG 与 CDG 融合大模型的自动生成；

㉟ SDG 与 CDG 融合大模型的自动维护与自动进化；

㊱ SDG 与 CDG 融合大模型深度学习的研究与工业 4.0 应用；

㊲ 基于移动互联网的 SimAI3。

……

以上任务比较具体且极其繁重。作者深切地期待着国家有关部门的大力支持，期待着更多的新生力量积极参与，期待着 AI3 不断更新换代，期待着 AI3 为我国工业领域和教育领域数字化转型的宏图大业赋能。

8.3 亟须工业 4.0 建模与仿真国家标准

国际标准 ISO 15926 是关于包括石油和天然气生产（设施）的过程工厂集成生命周期数据的信息存储与构造知识库的标准。据了解，为了完成 ISO 15926 国际标准，先后 400 余名多国石油化工领域相关专业专家，已经耗时多年，且该工作今天还在继续。其中基于知识本体的数据模型部分已经全文采标为国家标准 GB/T 18975.2—2008《工业自动化系统与集成流程工厂（包括石油和天然气生产设施）生命周期数据集成　第 2 部分：数据模型》，对应 ISO 15926-2，2008-10-7 发布，2009-4-1 实施。这个国家标准超长，达到了 176 页。据调查，这个标准国内很少有人知道，没有技术培训配合，更谈不上详细了解和实施。这个标准必须靠专业建模软件平台才能实施，除了 AI3 能够适用于 ISO 15926 标准，国内还未见其他类似软件平台。

ISO 15926 标准将过程工厂的生命周期信息以通用化与概念化数据模型表达，它是实施工业信息库和数据仓库共享、传送、交换和自动审查的基础。数据模型的设计采用了与参考数据联合的方式，标准的实例表达了大多数用户常用、过程工厂通用或两者皆有的信息。对一个具体的生命周期活动的支持，是基于使用适当的与数据模型链接的参考数据实现的。ISO 15926 不但规定了数据模型的知识本体，而且提供了模板、对象信息模型（OIM）和参考数据库以便构建具体的过程工厂计算机知识本体模型。数据模型实质上就是一种工业设备设计、实施与管理的生命周期“大模型”。

作者及其团队 2010 年起步，在没有任何国家立项的支持下，独自启动 AI3 数字化转型人工智能软件平台研发。首先注重建模与仿真软件平台的知识表达最好基于国际标准和国家标准，经过广泛检索国家和国际数据标准，选中了 ISO 15926。

经深入研究该标准，发现该标准考虑了设备三维（3D）信息，完全适用于标准化工程设计。该标准在 3D 静态知识本体表达基础上增加了“时间”要素，是提出“生命周期数据集成”的关键。这一扩展使得所建模型可以跟踪设备从制造、采购、安装、维修、更新直到报废的生命周期全过程。可以推论，美国通用电气公司对 120 万台设备产品采用 ISO 15926 建模实现“数字孪生”是完全没有问题的。

但是该标准无法表达过程工业系统运行知识，即无法表达动态知识本体，又称过程知识，或者说，不能表达过程运行的动态“数字孪生”仿真模型。因此必须对 ISO 15926-2 标准实施表达动态知识的扩展。当 2016 年作者及其团队完成 AI3 软件平台第一版后，通过使用 AI3 仿真大量实例验证了所有扩展的准确性和完备性，称其为“大数据＋静态＋动态知识图谱全谱建模”。

作者完成了 AI3 软件平台的搭建之后又有了意外发现。在互联网搜索到波音公司的人工智能专家大卫·R. 斯罗普（David R. Throop），约翰逊航天中心工程局自动化、机器人和仿真司智能系统处专家简·T. 马林（Jane T. Malin）和 NASA 自动化、机器人和仿真部专家兰德·D. 弗莱明（Land D. Fleming）联名于 2005 年所写的论文《因果图的知识表示标准与交换格式》[1]。

论文指出，在许多领域，自动推理工具必须表示关联事件的因果图仿真模型，其中包括故障树分析、概率风险评估、计划、程序、疾病变化的医学推理和功能架构。每个领域对因果关系、事件、行为者和条件的表达都有自己的要求，这些表达包括功能和原因的知识本体、因果依赖、故障和危险的数据字典，以及一些现有工具之间的交换格式。在所有领域中，目前还没有出现普遍接受的交换格式。

他们与每一学科的从业人员进行了讨论，得出了因果现象的描述，这些现象在推理任务中是有用和常见的，但却在表达性上存在困难。他们希望，以多个领域的例子来讨论这些具有表达性困难的问题，将推动出现能够代表最复杂的因果现象并可在非常不同的学科之间共享的交换格式。使用可用于交换、自动生成和具有可理解性的用户需要的标准格式，这样用户就可以单独对系统建模，而不必绑定到单个工具或供应商软件。此外，用户需要标准格式，以便能够从电子来源自动生成输入。因果建模软件工具的标准交换格式将大大减少手工数据输入的辛劳以及由此产生的错误和遗漏。

该论文对建模与仿真提出了良好的计算实践标准，应该对每个事件节点和每个支路进行编码，包括：

① 它的名称；

② 创建和修改日期（使用显式标准的日期格式）；

③ 唯一的识别码ID（在因果模型中是唯一的）；

④ 一个包（以便多个因果模型可以在没有ID冲突的情况下被组合）；

⑤ 一个可选的引用ID（指向信息来源，例如，接线图中的标识符）；

⑥ 注释字段（对于允许什么，字符有明确的标准）；

⑦ 节点表示的条件或变量，具有布尔值、枚举值或带有单位的数值范围；

⑧ 一组标记URL（统一资源定位符，unified resource location）的列表，指向关联的或补充的信息。

因果模型应当以图形方式查看，因果网络的图形表示也应跨软件平台保存。表示信息不需要是节点和支路定义的一部分，但在某种程度上，标准应该与节点和支路相关联。即：

① 大小、形状方向（旋转）；

② 线条和边框厚度、破折号、箭头大小；

③ 颜色、透明度、阴影；

④ 文本字体、字体大小、对齐和调整；

⑤ 超缩、订阅、粗体、斜体；

⑥ X、Y节点的中心位置信息；

⑦ X、Y的锚点（顶点）和边的曲率；

⑧ 背靠背排序（哪些项在“其他项目前面”）；

⑨ 序列排序（时间排序节点在动画视图中的出现）；

⑩ 分组（一组可以选择和移动的项作为一个单元）；

⑪ 图标（例如，用于条件的不同的gif图像）；

⑫ 页面或工作表（指定全局图的某个部分出现在单个视图中）；

⑬ 包围多个节点的框，并强调当因果链跨越系统边界时，它们的定位事件、设备或组织（结构），可以放置在图形中；

⑭ 视图中的自由文本和图形，不与特定节点和支路相关联（例如，图形约定的键），某些因果关系应该有标准的图形表示链接；

⑮ 连接到遥远的节点或其他子图中；

⑯ 抑制，表示“当A为真时，它打破了B到C之间的因果联系”，从逻辑上讲，这可以由非和与逻辑门组成，但更紧凑的图形表示是可取的；

⑰ M^+、M^-和d/dt关系（定性增益变化和微分变化关系）；

⑱ 二元变量或枚举变量，每个变量值都能产生不同的因果路径；

⑲ 高阶逻辑运算符（XOR、NAND、k-of-m、当且仅当或任意真值表）；

⑳ 顶节点和基本事件。

令人吃惊的是，以上期望标准化表达的仿真模型属性项目（作者特意编了序号1～28）在AI3软件平台中几乎都涉及了。但是该论文没有将这些“属性”的关系理清，是混杂在一起罗列的。AI3精准地将这些属性分类详述，并且可以使用在不同事件图元上弹出的对话框中，方便、快捷和准确地用自然语言输入。AI3可以算得上是一种因果图知识表示标准化的优秀范例，其通过大数据+静态+动态知识图谱和图形化软件平台完善地、简明地、方便地、快捷地、形象地解决了以上论文所期待因果模型的标准化表达。

最重要的是，我国工业 AI 领域还在起步阶段，如果在这个时间段解决工业 4.0（因果网络）建模与仿真标准化表达，可以比欧美发达国家少走弯路。因为国内已经有条件深入了解和试验他们走过的路，并且更容易实现创新超越。

从未来的发展预测，建模与仿真国家标准可能要关系到工业 4.0“数字孪生”大模型普及应用的成败。第 8.4 节将讨论这个关键问题。

8.4 “数字孪生-ChatGPT”的发展方向

8.4.1 问题的提出

所谓工业 4.0“数字孪生-ChatGPT”就像 ChatGPT 可以解答用户提问、编写文档或绘画一样，实现数字孪生仿真模型的自动生成、自动维护和自动进化。这确实是人们热切期望的新一代数字孪生建模与仿真技术。

ChatGPT 被媒体宣传得很热，似乎是万能的人工智能技术。那么 ChatGPT 是什么意思？来自互联网比较准确的翻译是：Chat 是谈话、交谈的意思，比如微信聊天、面对面聊天；G 即 generative 的缩写，是生成的意思，可以理解为创造事物和答案；P 即 pre-trained 的缩写，是预先训练的意思；T 即 transformer 的缩写，是转换器的意思。ChatGPT 翻译成汉语的简单理解就是通过聊天获得答案的工具。

作者下载了 OpenAI 研究院 2016～2022 年所有公开的与 ChatGPT 相关的研究报告。进行了泛读和重点选读[2-6]。初步认知了 ChatGPT 方法的核心是语言建模，语言建模通常是基于一组语言例子（$x_1, x_2, \cdots, x_n$）的无监督概率分布估计，每个例子由可变长度的符号序列（$s_1, s_2, \cdots, s_n$）构成。由于语言具有自然的顺序或排序，通常将符号上的联合概率分解为条件概率的乘积[4]，见式（8-1）。这种方法允许从 $p(x)$ 以及 $p(s_{n-k}, \cdots, s_n \mid s_1, \cdots, s_{n-k-1})$ 形式的任何条件中进行易于处理的采样和估计。近年来，可以计算这些条件概率模型的表达能力有了显著改善。

$$p(x)=\prod_{i=1}^{n} p(s_n \mid s_1, \cdots, s_{n-1}) \tag{8-1}$$

当一个大型语言模型在足够大和多样化的数据集上训练时，它能够在许多领域和数据集上表现良好，也就是说 ChatGPT 需要大量的训练。AI 训练需要强大算力支持，根据相关报道，AI 算力需求大约每 6 个月翻一番。ChatGPT 的出现，导致算力需求达到了原来的 10～100 倍。2023 年 1 月，ChatGPT 每日活动人数约为 1300 万，提出的问题约 130 亿字，这些问题产生的算力需要 600 台 DGXA100 服务器。据说仅购置超级计算机硬件和软件系统就要 70 亿美元，并且每天的计算机耗电量惊人。

ChatGPT 除了需要强大的算力和惊人的能耗外，更为主要的缺陷是 ChatGPT 的训练学习需要“足够大和多样化的数据集”才能表现“良好”。具体工业过程的动态运行知识在互联网上几乎没有，更有甚之，工业过程的知识特别是经验知识 80％是隐性知识，也就是没有数据集可以训练。大家可以从 OpenAI 网站直接查到 ChatGPT 的限制，本书引用如下。

ChatGPT 有时会写出听起来似是而非的错误或无意义的答案，解决这个问题很有挑战性，因为：

① 在 RL（强化练习）训练期间，没有真相来源；

② 训练模型变得更加谨慎，导致它拒绝回答能够正确回答的问题；

③ 监督训练会误导模型，因为理想答案取决于模型所知道的，而不是人类演示者所知道的。

a. ChatGPT 对输入措辞的调整或相同的提示很敏感。例如，给定一个问题的一个短语，模型可能不知道答案，但只要稍微改变一下短语，就可以正确回答。

b. 该模型通常过于冗长，并过度使用某些短语。例如重申它是由 OpenAI 训练的语言模型。这些问题来自训练数据的偏差（训练师更喜欢看起来全面的更长的答案）和众所周知的过度优化问题。

c. 理想情况下，当用户提供模棱两可的查询时，模型会提出澄清性的问题，但目前的模型通常猜测用户的意图。

d. 虽然开发者已经努力让模型拒绝不适当的请求，但它有时会对有害的指令做出反应或表现出偏见行为。开发者正在使用审核 API 来警告或阻止某些类型的不安全内容，但预计它目前会有一些假阴性和阳性。因此他们渴望收集用户反馈，用来不断改进这个系统。

除了以上限制外，随着互联网 AI 工具软件的大规模应用，出现了一个新问题，称为“近亲繁殖”。即随着 ChatGPT 工具软件的应用，会有大量的 ChatGPT 信息产物充斥互联网，就是说会产生 ChatGPT 学习 ChatGPT 自身信息产物的现象。这违背了大型语言模型在足够大和多样化的数据集上训练的前提，导致 ChatGPT 搜索结论的可信度进一步退化。

显然将此种“黑箱”概率统计计算 ChatGPT 工具直接用来解决数字孪生仿真模型的自动生成、自动维护和自动进化是不允许的。工业建模与仿真必须给出实时准确的识别、分析、决策和行动预测信息，模棱两可的误导信息不但不能解决问题，可能还会导致灾难性后果。

正因为如此，G2 网站的开发者在《现在的未来：探索 2024 年的顶级科技趋势》一文中谈到他们大量工业建模与故障诊断应用的体会如下：

零信任模型的概念得到了极大的关注，特别是在混合工作环境中。向远程和混合工作设置的转变扩大了企业网络的传统边界，使传统的安全模式变得不那么有效。零信任模型的运作原则是“从不信任，始终验证”，这种方法可确保无论网络访问发生在何处，都能维护安全性，该方法成为现代企业的关键策略。这是结合工业实际的故障诊断原则，在 G2 模型中设置的测试（验证）行动事件。

实现零信任模型需要对现有安全框架进行全面检查，它要求企业核实每一个访问请求，就像它来自一个开放的网络一样，而不管用户的位置或使用的网络。这意味着对访问公司系统和数据的每个请求进行持续验证，这有助于防止未经授权的访问和潜在的违规行为。

到 2024 年，这些模型集成了人工智能和机器学习等先进技术，以更好地检测和响应威胁。许多公司正在使用这些技术来分析模式、检测异常和自动响应安全事件。此外，生物识别技术和其他高级身份验证方法的集成变得越来越普遍，增加了额外的安全层，并确保仅向授权的个人授予访问权限。

2024 年对零信任模型的关注反映了不断变化的网络安全格局。随着企业适应新的工作方式和日益复杂的网络威胁，零信任模型提供了一种更动态、更有效的方法来保护企业数据和系统。

8.4.2　基于 SDG 与 CDG 融合模型的深度学习

作者在近 40 年从事第一原理、定性、经验建模与仿真研发实践中发现，定量动态仿真和定性 SDG 与 CDG 融合仿真具有很强的互补性和协同性。这种互补性和协同性既体现在两种方法的直接辅助作用方面，也体现在两种方法融合后的特殊作用方面。

由于定量动态仿真有无穷组解，在建模和仿真时最困难的问题在于，如何完备地验证无穷组解的正确性。传统的方法是做少量的案例仿真，观察一下仿真结果曲线的趋势是否正确。国内外的研究普遍采用这种方法，但这种方法显然是不严格的方法。如果已知定量模型，用偏导法直接可推导出 SDG 模型，进而嵌入经验 CDG 模型，而 SDG 与 CDG 融合模型一致性推理是揭示结构动态变化规律的有效手段。其解虽然可能数量巨大，但该数量是有界的，不是无穷的。因此，用定性仿真有穷组解验证对应的定量仿真无穷组解和揭示定量仿真模型的规律，是一种可行的方法。

AI3 多功能推理“引擎”在较新型的笔记本电脑上可以获取 6000000～10000000 条/s 高完备性推理危险传播路径“剧情”。只要 AI3 在安全评估、故障诊断和优化控制中大规模应用，就会积累“足够大和多样化的数据集”提供给工业 4.0 数字孪生大模型训练。作者团队通过仿真实验证明这是一条实现工业 4.0“数字孪生-ChatGPT”的可行路线，称其为“基于 SDG 与 CDG 融合模型的深度学习”。用 AI3 第三版 64 位软件平台在笔记本电脑完成的一个简单的试验如下。

图 8-1 是用 AI3 图形化构建的 SDG 与 CDG 融合模型，即因果网络模型。为了试验其生成传播“剧情”模型的效率，特意构建了一个密集矩阵网络模型。注意工业实际模型几乎都

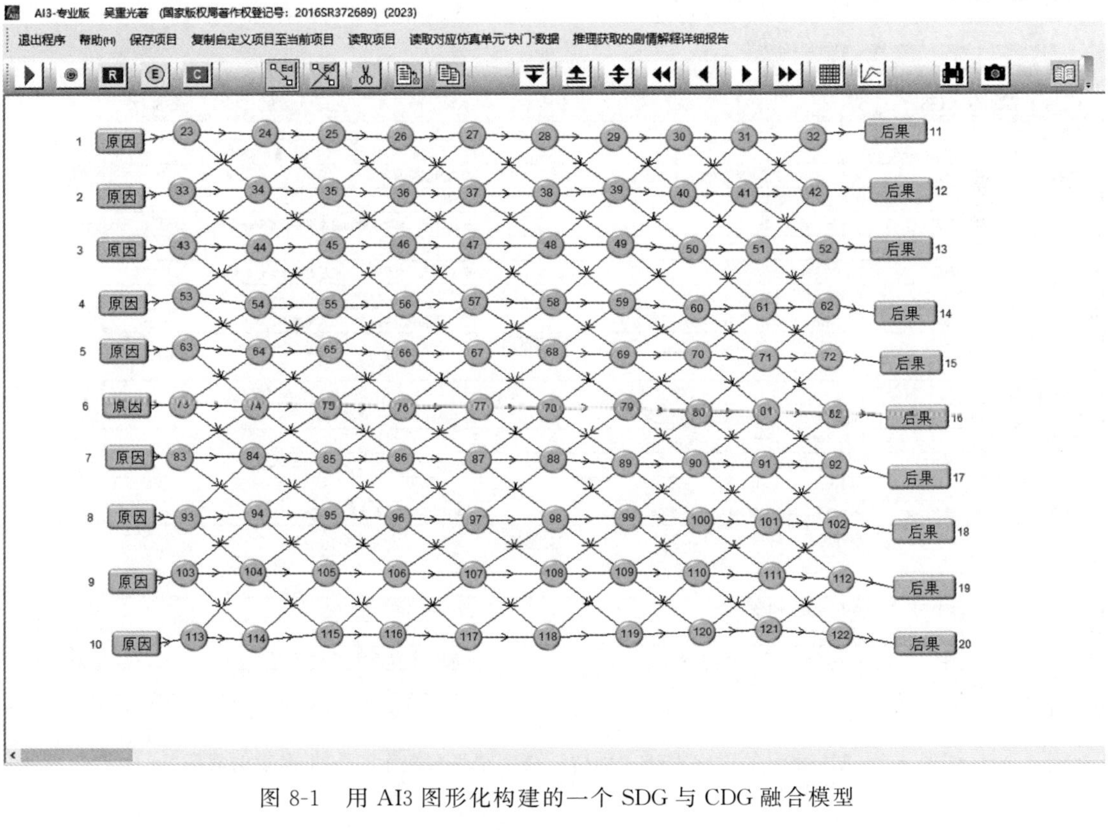

图 8-1　用 AI3 图形化构建的一个 SDG 与 CDG 融合模型

是稀疏矩阵模型，没有案例这么复杂。该案例引入了 10 个原因事件和 10 个后果事件，中间关键事件为 100 个。为了记录剧情模型数据，AI3 的第三版提供了“照相快门”记录数据和历史记录“望远镜”调出数据功能，一次记录/调出 20 万条剧情数据，此功能可以任意记录超大规模的推理数据。

图 8-2 是 AI3 在普通台式电脑实施全模型高速推理的结果统计。4.7s 推理完成，获取 48922996 条无条件约束的全部传播路径剧情模型，即本模型全部定性规律的有穷组解。这种超大数量级的剧情数据非常适合训练“工业 4.0 数字孪生大模型”。

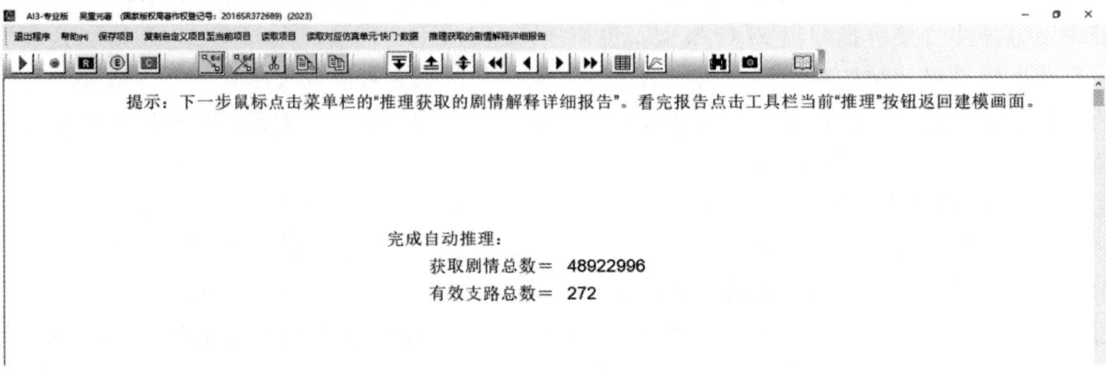

图 8-2 AI3 实施全模型高速推理获取 48922996 条传播路径剧情模型

图 8-3 是 AI3 显示的详细推理“剧情”结果示意（非本案例截图）。报告采用自然语言详细描述各剧情模型的属性和结构信息。

图 8-3 AI3 显示的详细推理“剧情”模型结果报告示意（非本案例截图）

8.4.3 建模与仿真的自动进化

以上试验揭示，将在 AI3 或同类软件平台上构建的任何结合工业实际的深度剧情知识模型，经过 AI3 超高速推理获取的大规模剧情模型数据，收集在一个统一的知识库中，就是“工业 4.0 数字孪生大模型”训练的超级规模（>千亿级）样本。

只要全国 AI3 同类的软件平台都采用所建议的“工业 4.0 建模与仿真知识本体标准”，就可以大大改进“数据标注”“提示词工程”以及费时费力的“无监督学习”。如果在全国工业 AI 教学与训练、企业智能安全评估、企业故障诊断和优化控制中长期大规模应用该标准，就会积累“足够大和多样化的标准化数据源”（>千万亿级）提供给“工业 4.0 数字孪生大模型”训练。

训练后的大模型准确“记忆”了多种实际系统的各种超大规模的剧情，因而有能力辅助工业 AI 专家自动完成模型构建、模型进化和模型优化。当然大模型训练过程需要工业实践能力强的 AI 技术专家实施，需要超级计算机群和超大规模资金投入。

这就是本书预测的一种工业 4.0“数字孪生的-ChatGPT”可行的技术路线。

8.4.4 构建和扩展动态因果网络大模型的方法

(1) 构建动态因果网络大模型的基本原理

从原理上分析，当前 ChatGPT 的大模型属于静态知识模型，还无法用来解决工业 4.0 数字孪生动态因果网络模型所涉及的动态过程知识问题。SDG 与 CDG 融合模型是动态因果网络模型，它具有包含超大规模动态剧情信息（即，过程知识）的能力。该模型通过多功能高效推理机，可以从大规模因果网络模型中任意推理得到包含在模型中期望的和完备的单剧情或网络剧情，推理结果为用户识别问题、分析问题、科学决策和精准行动（控制）提供帮助。

以上因果推理的逆向过程，类似于 ChatGPT 大规模训练过程。就是设法把已知的（经验的、互联网收集的、其他团队开发的，甚至是动态因果网络推理产生的等）单剧情因果链或网络模型“收编”到一个统一的因果网络大模型（或称为知识库）中。这样，在统一的因果网络大模型中必然能够推理得到所有学习（“收编”）过的动态剧情。这个过程与 ChatGPT 的“黑箱”统计训练机制应当完全不一样。ChatGPT 是用大规模数据“训练”通用结构的大模型，AI3 是将初始模型通过“收编”其他模型扩展为大模型。后者似乎更简单，并且非常确切。所学习（直接“收编”）的过程知识必然 100%被动态因果网络大模型学会。

当使用 AI3 大模型解决问题时，G2 给了提示和大量实际应用的经验。即，只要问题提得具体，推理引擎往往只在大模型的很小的相关“区域”内工作，加之 AI3 推理机的超高速推理功能，AI3 可能在一般低性能的电脑上就能实时运行。

在大模型的结构信息存储方面，如果用“基因柱”构建方法，可再次压缩因果网络大规模的结构信息，以便进一步节省存储容量。

(2) 因果网络模型“收编”

“收编”其他动态因果网络模型，以便不断扩大模型所包容的信息。

AI3 的三种推理逆向过程自动实现技术，就是因果网络模型“收编”（深度“训练”）的关键技术。目前可以直接使用和预测的“收编”方法是：

① 因为 AI3 可以构建离散型因果网络模型，并且 AI3 推理引擎适用于离散因果模型，

所以，可以直接利用 AI3 的复制功能“收编”各种其他 SDG 与 CDG 融合因果网络模型进入同一建模域，生成离散型大模型；

② 利用推理机的“逆向”功能，自动将外来的剧情链“收编”入 SDG 与 CDG 融合的动态因果网络大模型；

③ 利用影响方程与事件间定性影响矩阵的一一映射关系，自动重构一体化 SDG 与 CDG 融合的动态因果网络大模型；

④“收编”各种其他 SDG 与 CDG 融合因果网络模型，并且自动重构一体化 SDG 与 CDG 融合的动态因果网络大模型；

⑤ 也可以借用 ChatGPT 大模型训练原理训练动态因果网络大模型；

⑥ 研发将类似的定性和经验模型规整为 SDG 与 CDG 融合的因果网络模型软件平台，以便 AI3“收编”成为动态因果网络大模型；

⑦ 采用超级计算机运行 AI3，扩展存储和运行大模型的能力。

8.4.5 超级人工智能

超级人工智能（ASI，artificial super intelligence）或者称为强人工智能，是一种能够像人类一样应对各种复杂情况的人工智能，具备自我学习和理解复杂理念的能力。然而，弱人工智能，仅仅具备执行预定义的功能。

OpenAI 在 2024 年 9 月 13 日正式发布了新一代大模型 o1。其中的“o”代表“orion”(猎户座)，而“1”则表示这是一个系列的开始，该模型象征着在复杂推理任务上的重大进步，代表了人工智能能力的新水平。据报道，通过模仿人类的思维过程，o1 系列模型在解决复杂问题，尤其是在科学、编码和数学等领域，展现出了超越以往模型的强大能力。OpenAI 声称 o1 系列中的 o1-preview 在物理、化学和生物学具有挑战性的任务上的表现类似于博士生。例如，在国际数学奥林匹克资格考试中，o1 系列最新版本 o1 正式版的准确率高达 83.3%，而 GPT-4o 仅为 13.4%，差距之大令人咋舌。当然，这些问题还是属于只有唯一正确答案的结构良好的问题，不是复杂的工业 4.0 的问题。

一直以来，大型语言模型（LLM）以其惊人的反应速度和信息处理能力著称。然而，这种“快”却也伴随着“不精确”的弊病。现有的 LLM 往往会“产生幻觉”，即给出看似合理但实际错误的答案。

为了突破瓶颈，OpenAI 将目光转向了人类专家的“慢思考”模式。o1 系列模型采用全新的训练方法，不再局限于模仿训练数据中的模式，而是通过强化学习和“思维链”（chain of thought，CoT）技术，引导模型自主解决问题。o1 在尝试解决问题时会通过思考将问题分解，并步步为营，反复思考每个小任务，认识并纠正错误。当一个方法不起作用时，它会尝试另一种方法，从而极大提高模型的推理能力。“思维链”推理十分类似于模型跟踪的 ITS 软件工作机制。

2025 年 1 月 20 日，杭州深度求索人工智能基础技术研究有限公司以梁文锋为首的中国科学家团队开发的 DeepSeek-R1 问世。DeepSeek 采用混合专家模型（MoE）架构与动态参数激活技术，推理时仅调用部分参数（与 AI3 极为相似），显著降低算力消耗。结合自研分布式训练框架，千亿级模型训练时间较行业平均水平缩短 30%。基础训练成本仅为 560 万美元，推理成本为同类模型的 2%，通过模型剪枝、量化及内存优化技术，实现单张 NVIDIA 4090 显卡即可运行大模型。DeepSeek 坚持“开源＋闭源”双轨模式，吸引开发者构建生态。在硬件兼容性方面突破了对高端芯片的依赖，打破“堆算力”的传统 AI 研发路径，以技术创新降低大模型应用成本，被业界视为 OpenAI 等巨头的低成本替代方案。

目前 ChatGPT 的最新版本名称是 GPT-4o。这个版本在 2025 年 3 月 27 日正式上线，版本号为 GPT-4o-03-26。

新一代大模型 GPT-4o 和 DeepSeek-R1 转向了“思维链”推理的方法，已经不是单纯的“黑箱”统计深度学习方法，是 ChatGPT 的人类概念知识处理向过程知识处理的重大进展，该方法使得人工智能的能力大幅度提高。GPT-4o 和 DeepSeek-R1 已经越来越接近人工智能专家系统的结构，即大模型是专家系统的知识库，“思维链”推理是专家系统的推理引擎。AI3 的定量＋定性＋经验混合知识建模及多功能逻辑推理功能，是比 GPT-4o 和 DeepSeek-R1 更加结合工业实际的精准建模与推理方法。AI3 与 GPT-4o 和 DeepSeek-R1 比 ChatGPT 更容易实现优势互补，似乎 AI3 和 GPT-4o 与 DeepSeek-R1 的能力都触及到了超级人工智能的边沿。

本书作者及其团队与腾讯研究院的专家们有同感，GPT-4o 与 DeepSeek-R1 的出现（包括 AI3）或许预示着一个“能力稀疏化”的趋势。未来的人工智能，会从单一的所谓“10 项全能”大模型，逐渐演化为知识、推理、创意、常识、情感等不同能力模块的灵活组合，配合多功能逻辑推理，与人类形成更加紧密和高效的协作。

GPT-4o 和 DeepSeek-R1 只是一个开始，可以预料，新的更高水平的 AI 软件平台将会以更短的迭代周期层出不穷，期待着人工智能百花齐放的未来。

参考文献

[1] Throop D R, Malin J T, Fleming L. Knowledge representation standards and interchange formats for causal graphs [C]. 2005 IEEE Aerospace Conference, IEEE, 2005: 4415-4422.

[2] Kaiser L, Gomez A N, Shazeer N, et al. One model to learn them all [J]. Google Brain, University of Toronto, Google Research, 2017.

[3] Mccann B, Keskar N S, Xiong C, et al. The Natural Language Decathlon: Multitask Learning as Question Answering [J]. 2018.

[4] Radford A, Wu J, Child R, et al. Language models are unsupervised multitask learners [J]. OpenAI blog, 2019, 1 (8): 9.

[5] Stiennon N, Ouyang L, Wu J, et al. Learning to summarize from human feedback [J]. 2020.

[6] Brown T B, Mann B, Ryder N, et al. Language models are few-shot learners [J]. OpenAI blog, 2020.

附录

(1) 建模范围限制

① SimAI3 学生版建模范围：

连线数量：<100；

事件数量：<100；

只能添加中间事件（适度复制原因或后果事件）。

② SimAI3 教师版建模范围：

连线数量：<90；

事件数量：<90；

注： AI3-专业版的事件和连线为 10,000 数量级，每次保存推理结果为 200,000 条剧情。

(2) 各仿真单元知识模型数据类型说明

① 离心泵与液位单元（包括停车场剧情）。

csa_1. dat　知识模型数据；

csa_12. dat　事件信息数据；

csa_13. dat　连线信息数据；

csa_14. dat　事件探针数据；

csa_15. dat　连线探针数据。

② 热交换单元（包括停车场剧情）。

csa_2. dat　知识模型数据；

csa_22. dat　事件信息数据；

csa_23. dat　连线信息数据；

csa_24. dat　事件探针数据；

csa_25. dat　连线探针数据。

③ 间歇反应单元（包括停车场剧情）。

csa_3. dat　知识模型数据；

csa_32. dat　事件信息数据；

csa_33. dat　连线信息数据。

④ 连续反应单元（包括停车场剧情）。

csa_4. dat　知识模型数据；

csa_42. dat　事件信息数据；

csa_43. dat　连线信息数据；

csa_44. dat　事件探针数据；

csa_45. dat　连线探针数据。

⑤ 加热炉单元（包括停车场剧情）。

csa_5. dat　知识模型数据；

csa_52. dat　事件信息数据；

csa_53. dat　连线信息数据；

csa_54. dat　事件探针数据；

csa_55. dat　连线探针数据。

⑥ 精馏单元（包括停车场剧情）。

csa_6. dat　知识模型数据；

csa_62. dat　事件信息数据；

csa_63. dat　连线信息数据；

csa_64. dat　事件探针数据；

csa_65. dat　连线探针数据。

⑦ 透平与往复压缩单元（包括停车场剧情）。

csa_7. dat　知识模型数据；

csa_72. dat　事件信息数据；

csa_73. dat　连线信息数据；

csa_74. dat　事件探针数据；

csa_75. dat　连线探针数据。

⑧ 专家示范剧情。

csa_8. dat　知识模型数据（必须在启动软件前拷入“AI3 数据库”）；

csa_82. dat　事件信息数据；

csa_83. dat　连线信息数据；

csa_84. dat　事件探针数据；

csa_85. dat　连线探针数据。

⑨ 任意剧情。

csa_9. dat，csa-10. dat　任意剧情。

⑩ 学员暂存数据（学生导入专家剧情之前自动暂存本文件）。

xy_1. dat　知识模型数据；

xy_12. dat　事件信息数据；

xy_13. dat　连线信息数据；

xy_14. dat　事件探针数据；

xy_15. dat　连线探针数据。

(3) 各仿真单元对应的“快门”数据

① 离心泵与液位单元（也包括在“CSA8”中的对口剧情数据，仅为其一）。

km1_1. dat　快门 1 数据；

km1_2. dat　快门 2 数据；

km1_3. dat　快门 3 数据；

km1_4. dat　快门 4 数据；

km1_5. dat　快门 5 数据。

② 热交换单元（也包括在“CSA8”中的对口剧情数据，仅为其一）。

km2_1. dat　快门 1 数据；
km2_2. dat　快门 2 数据；
km2_3. dat　快门 3 数据；
km2_4. dat　快门 4 数据；
km2_5. dat　快门 5 数据。
③ 间歇反应单元（也包括在“CSA8”中的对口剧情数据，仅为其一）。
km3_1. dat　快门 1 数据；
km3_2. dat　快门 2 数据；
km3_3. dat　快门 3 数据；
km3_4. dat　快门 4 数据；
km3_5. dat　快门 5 数据。
qskm1_3. dat　趋势曲线快门 1 数据；
qskm2_3. dat　趋势曲线快门 2 数据；
qskm3_3. dat　趋势曲线快门 3 数据；
qskm4_3. dat　趋势曲线快门 4 数据；
qskm5_3. dat　趋势曲线快门 5 数据。
④ 连续反应单元（也包括在“CSA8”中的对口剧情数据，仅为其一）。
km4_1. dat　快门 1 数据；
km4_2. dat　快门 2 数据；
km4_3. dat　快门 3 数据；
km4_4. dat　快门 4 数据；
km4_5. dat　快门 5 数据。
qskm1_4. dat　趋势曲线快门 1 数据；
qskm2_4. dat　趋势曲线快门 2 数据；
qskm3_4. dat　趋势曲线快门 3 数据；
qskm4_4. dat　趋势曲线快门 4 数据；
qskm5_4. dat　趋势曲线快门 5 数据。
⑤ 加热炉单元（也包括在“CSA8”中的对口剧情数据，仅为其一）。
km5_1. dat　快门 1 数据；
km5_2. dat　快门 2 数据；
km5_3. dat　快门 3 数据；
km5_4. dat　快门 4 数据；
km5_5. dat　快门 5 数据。
⑥ 精馏单元（也包括在“CSA8”中的对口剧情数据，仅为其一）。
km6_1. dat　快门 1 数据；
km6_2. dat　快门 2 数据；
km6_3. dat　快门 3 数据；
km6_4. dat　快门 4 数据；
km6_5. dat　快门 5 数据。
⑦ 透平与往复压缩单元（也包括在“CSA8”中的对口剧情数据，仅为其一）。

km7_1. dat　快门 1 数据；

km7_2. dat　快门 2 数据；

km7_3. dat　快门 3 数据；

km7_4. dat　快门 4 数据；

km7_5. dat　快门 5 数据。

注：专家示范剧情对应单元的单一快门数据需要教师拷入“CSA8”文件夹暂存。